Ken Follett

IL TERZO GEMELLO

Traduzione
di Annamaria Raffo

Arnoldo
Mondadori
Editore

Il nostro indirizzo Internet è:
http://www.mondadori.com/libri

ISBN 88-04-43615-8

© 1996 by Ken Follett
Titolo originale dell'opera: *The Third Twin*
© 1996 Arnoldo Mondadori Editore S.p.A., Milano
I edizione Omnibus novembre 1996
I edizione I Miti agosto 1997

Questo volume è stato stampato
presso Arnoldo Mondadori Editore S.p.A.
Stabilimento Nuova Stampa – Cles (TN)
Stampato in Italia – Printed in Italy

Il terzo gemello

*A Jann Turner, Kim Turner
e Adam Broer con affetto*

DOMENICA

L'ondata di caldo avvolgeva Baltimora come un sudario. I sobborghi verdeggianti erano rinfrescati da migliaia di irrigatori, ma gli abitanti più ricchi se ne stavano chiusi in casa con l'aria condizionata al massimo. Sulla North Avenue, prostitute svogliate cercavano l'ombra e sudavano sotto le parrucche, mentre all'angolo della strada i ragazzi vendevano droga che estraevano furtivamente dalle tasche dei calzoncini. Era settembre inoltrato, ma l'autunno sembrava ancora lontano.

Una Datsun bianca arrugginita, il vetro di un faro tenuto insieme con due strisce di nastro isolante, attraversò lenta il quartiere di proletari bianchi a nord del centro. La macchina era priva di aria condizionata e il guidatore aveva abbassato tutti i finestrini. Era un bell'uomo di ventidue anni, indossava jeans tagliati, una T-shirt bianca pulita e un berrettino da baseball rosso con la parola SECURITY scritta a lettere bianche. Il sedile di plastica sotto le sue cosce era tutto bagnato di sudore, ma l'uomo non ci faceva caso. Era di buon umore. La radio era sintonizzata su 92Q, "Venti successi tutti di seguito!". Sul sedile del passeggero c'era un classificatore aperto e di tanto in tanto l'uomo gli lanciava un'occhiata, memorizzando una pagina di termini tecnici per l'esame dell'indomani. Per lui imparare era facile: gli bastavano pochi minuti di studio per assimilare la materia.

A un semaforo, gli si affiancò una donna bionda a bordo di una Porsche decappottabile. Le sorrise e le disse: «Bella macchina!». Lei distolse lo sguardo senza rispondere, ma lui credette di vedere l'ombra di un sorriso all'angolo della bocca.

Nascosta dai grandi occhiali da sole, la donna aveva probabilmente il doppio dei suoi anni, come quasi tutte quelle che guidavano una Porsche. «Facciamo una gara fino al prossimo semaforo» le disse. Lei scoppiò a ridere, una risata musicale e maliziosa, poi ingranò la prima con una mano piccola ed elegante e al verde schizzò via come un razzo.

Lui si strinse nelle spalle. Si stava solo esercitando.

Costeggiò il campus alberato della Jones Falls University, un'università molto più chic di quella che frequentava lui. Mentre passava davanti all'imponente ingresso, un gruppo di una decina di donne in tenuta da jogging gli passò di fianco correndo: calzoncini corti, Nike, T-shirt o canottiere madide di sudore. Era una squadra di hockey su prato che si allenava, pensò, e la ragazza dall'aria più atletica che guidava il gruppo doveva essere il capitano, che stava rimettendo le compagne in forma per la prossima stagione.

Svoltarono all'interno del campus e all'improvviso lui si sentì travolgere da una fantasia così potente ed eccitante che quasi gli impedì di vedere dove stava andando. Se le immaginò nello spogliatoio: quella grassottella che si insaponava sotto la doccia, la rossa che si tamponava i lunghi capelli color rame, la ragazza di colore che si infilava un paio di mutandine bianche di pizzo, mentre la caposquadra se ne andava in giro nuda, esibendo come una lesbica il corpo muscoloso... e poi succedeva qualcosa che le terrorizzava. Improvvisamente venivano colte dal panico, si mettevano a piangere e urlare, in preda all'isteria. Correvano di qua e di là, sbattendo l'una contro l'altra. La ragazza grassa cadeva e restava a terra, a piangere, inerme, mentre le altre la calpestavano senza prestarle attenzione, nel tentativo disperato di nascondersi, o di trovare la porta, di fuggire da ciò che le aveva terrorizzate, qualunque cosa fosse.

Si fermò di fianco al marciapiede e mise la macchina in folle. Respirava affannosamente e aveva i battiti cardiaci accelerati. Questa era la migliore fantasia che avesse mai avuto. Ma le mancava un piccolo particolare. Che cosa aveva spaventato le ragazze? Frugò nella sua fertile immaginazione alla ricerca di una risposta e quando la trovò gli sfuggì un singulto di piacere: un incendio. Il locale era in fiamme e loro erano terrorizzate.

Tossivano, soffocate dal fumo, e continuavano a correre da ogni parte, seminude e in preda al panico. «Mio Dio» sussurrò, guardando fisso davanti a sé e vedendo la scena come fosse un film proiettato all'interno del parabrezza della Datsun.

Dopo un po' si calmò. Lo stimolo era ancora forte, ma la fantasia non bastava più: era come essere arsi dalla sete e pensare a una birra. Sollevò l'orlo della maglietta e si asciugò il sudore dalla fronte. Sapeva che avrebbe dovuto cercare di dimenticare e ripartire, ma quella fantasia era troppo bella. Sarebbe stato estremamente pericoloso – se lo avessero preso c'era da finire in galera per anni – ma il rischio non lo aveva mai distolto dal fare alcunché nella sua vita. Cercò di resistere alla tentazione, ma ci riuscì solo per un secondo. «Devo farlo» mormorò. Girò la macchina e varcò il grande cancello del campus.

Era già stato lì altre volte. L'università si estendeva su una quarantina di ettari di verde, con giardini e boschi. Gli edifici erano in massima parte costruzioni di mattoni rossi, con qualche struttura moderna di vetro e cemento, tutti collegati da un groviglio di strade strette fiancheggiate da parchimetri.

La squadra di hockey era scomparsa, ma lui non ebbe difficoltà a trovare la palestra: era una costruzione bassa vicina a una pista da atletica, con tanto di statua che raffigurava un discobolo. Lasciò la macchina davanti a un parchimetro ma non vi inserì monete: non metteva mai soldi nei parchimetri. La ragazza che capitanava la squadra era ferma sui gradini che portavano alla palestra e parlava con un tizio che indossava una felpa strappata.

Lui corse su per le scale, sorrise nel passare accanto all'atleta, poi entrò nell'edificio.

L'atrio era affollato di giovani uomini e donne in calzoncini da tennis che andavano e venivano, con le racchette in mano e i borsoni a tracolla. Evidentemente la maggior parte delle squadre dell'università si allenava di domenica. In mezzo all'atrio, dietro una scrivania, un agente della vigilanza controllava le tessere degli studenti; ma, proprio in quel momento, un gruppo di podisti passò davanti all'agente, alcuni mostrando la tessera, altri tirando diritti. La guardia scrollò le spalle e continuò a leggere *The Dead Zone*.

L'uomo si fermò a guardare una bacheca in cui erano esposte alcune coppe d'argento, trofei vinti dagli atleti della Jones Falls. Un attimo dopo arrivò una squadra di calcio, dieci uomini e una donna tarchiata in stivali con le borchie, e con una mossa rapida lui si unì a loro. Attraversò l'atrio come se facesse parte del gruppo e li seguì per un'ampia scalinata che portava al seminterrato. Stavano parlando della partita, alcuni ridevano per un gol fortunato, altri si lamentavano per un fallo immeritato, così nessuno si accorse di lui.

L'uomo proseguì con andatura disinvolta, ma continuò a guardarsi intorno. Nel piccolo atrio ai piedi delle scale c'era un distributore di Coca-Cola con accanto un telefono pubblico sotto una cupola antirumore. Lo spogliatoio degli uomini era lì vicino. La donna della squadra di calcio si infilò in un lungo corridoio, presumibilmente diretta allo spogliatoio femminile, che forse era stato aggiunto in un secondo tempo, un ripensamento dell'architetto che non avrebbe mai immaginato potessero esserci tante ragazze alla Jones Falls, ai tempi in cui "classe mista" era ancora un concetto osé.

Lo sconosciuto andò al telefono, sollevò la cornetta e finse di cercare una moneta. Uno dopo l'altro gli uomini entrarono nel loro spogliatoio. Vide la donna aprire una porta e scomparire all'interno. Quello doveva essere lo spogliatoio delle donne. Erano tutte là dentro, pensò eccitato, intente a svestirsi, fare la doccia, asciugarsi. Trovarsi così vicino a loro gli fece venire una vampata di caldo. Si asciugò la fronte con il fondo della maglietta. Per realizzare la sua fantasia non gli restava altro da fare che spaventarle a morte.

Si costrinse a restare calmo. Non poteva rovinare tutto precipitando le cose. Aveva bisogno di qualche minuto di preparazione.

Quando tutti furono entrati, avanzò senza far rumore lungo il corridoio percorso dalla donna.

Su di esso si aprivano tre porte, una su ogni lato e una sulla parete in fondo. La porta sulla destra era quella in cui era entrata la donna. Aprì l'altra in fondo al corridoio e scoprì che dava su un grande ambiente polveroso, pieno di macchinari ingombranti: dovevano essere le caldaie e i filtri della piscina. Entrò e si chiuse la porta alle spalle. Si sentiva un ronzio elettrico, basso e regolare. Immaginò una ragazza fuori di sé dalla paura, con indosso solo la biancheria – mutandine e reggiseno con un disegno a fiorellini – che giaceva a terra e lo guardava con occhi terrorizzati mentre lui si slacciava la cintura. Assaporò l'immagine per un momento, sorridendo tra sé. Lei si trovava a pochi metri da lui. Sicuramente pensava alla serata che l'aspettava: forse aveva un ragazzo e aveva deciso di lasciarlo andare fino in fondo, quella sera, o forse era una matricola, sola e un po' timida, che non aveva nient'altro da fare se non guardare *Colombo*; o magari doveva consegnare una relazione il giorno dopo e aveva in programma di restare alzata tutta la notte per finirla. *E invece no, bambina. È l'ora della paura.*

Aveva già fatto altre volte quel genere di cose, ma mai così in grande. Dacché si ricordava, gli era sempre piaciuto spaventare le ragazze. Al liceo non c'era nulla che gli piacesse di più che restare solo con una ragazza, in qualche angolo isolato, e minacciarla fino a che lei non si metteva a piangere implorando pietà. Era questo il motivo per cui aveva continuato a cambiare scuola. Ogni tanto usciva con le ragazze, così, per essere uguale agli altri, e avere qualcuno con cui entrare in un bar. Quando capiva che se lo aspettavano, lui se le portava a letto, ma gli sembrava sempre una cosa senza significato.

Tutti avevano le loro piccole manie: ad alcuni piaceva vestirsi da donna, altri si facevano calpestare da ragazze con i tacchi a spillo completamente vestite di pelle. Conosceva un tizio per il quale la parte più sexy di una donna erano i piedi: si eccitava nel reparto calzature dei grandi magazzini guardando le donne che si provavano le scarpe.

Il suo punto debole era la paura. L'unica cosa che lo eccitasse era vedere una donna tremare di paura. Senza la paura, niente eccitazione.

Si guardò intorno attentamente e individuò una scala a pioli fissata alla parete, che portava a una botola di ferro bloccata dall'interno. Salì velocemente la scala, fece scorrere il chiavistello e sollevò la botola. Si trovò davanti i pneumatici di una Chrysler New Yorker ferma nel parcheggio. Cercò di orientarsi e capì che si trovava sul retro dell'edificio. Richiuse la botola e scese.

Uscì dal locale caldaie. Nel corridoio, una donna che veniva

13

verso di lui lo guardò con espressione ostile. Provò un attimo di paura: avrebbe potuto chiedergli che cosa diavolo ci facesse davanti allo spogliatoio delle donne. Un alterco del genere non rientrava nel suo piano. A questo punto avrebbe rovinato tutto. Ma gli occhi di lei si posarono sul suo berretto e videro la parola SECURITY. La donna distolse lo sguardo ed entrò nello spogliatoio.

Lui sorrise compiaciuto. Aveva comperato il berrettino in un negozio di souvenir per otto dollari e novantanove. Ma la gente era abituata a vedere guardie in jeans ai concerti rock, investigatori che sembravano criminali fino a che non tiravano fuori il distintivo, agenti degli aeroporti in maglione: nessuno si dava la pena di chiedere le credenziali a tutti gli stronzi che si definivano agenti di vigilanza.

Provò ad aprire la porta di fronte allo spogliatoio delle donne e si ritrovò in un piccolo magazzino: accese la luce e si chiuse la porta alle spalle. Gli scaffali erano pieni di vecchi attrezzi da ginnastica: grossi palloni neri da allenamento, materassi di gomma sfondati, mazze, guantoni da boxe ammuffiti e sedie pieghevoli di legno a pezzi. C'era un cavallo con l'imbottitura sfasciata e una gamba rotta. La stanza puzzava di chiuso. Immaginò che il grosso tubo argentato che correva lungo il soffitto fosse il condotto di ventilazione dello spogliatoio, sull'altro lato del corridoio.

Allungò una mano e provò ad allentare i bulloni che fissavano la tubazione a quella che sembrava una ventola. Non riuscì a svitarli con le dita, ma sapeva di avere una chiave inglese nel baule della Datsun. Se fosse riuscito a staccare il condotto, la ventola avrebbe convogliato aria dal magazzino invece che dall'esterno dell'edificio.

Avrebbe acceso il fuoco proprio sotto la ventola. Si sarebbe procurato una tanica di benzina, ne avrebbe versato un po' in una bottiglia vuota di Perrier e l'avrebbe portata là insieme ai fiammiferi e a un giornale per accendere il fuoco.

Le fiamme si sarebbero sviluppate in fretta e avrebbero prodotto enormi volute di fumo. Proteggendosi il naso e la bocca con una pezza bagnata lui avrebbe atteso finché il deposito non fosse stato saturo. Poi avrebbe staccato il tubo della ventilazione. Il fumo sarebbe stato aspirato nel condotto e pompato nello spogliatoio femminile. All'inizio non se ne sarebbe accorto nessuno. Poi una o due avrebbero annusàto l'aria dicendo: "Ehi, c'è qualcuno che fuma?". Lui avrebbe aperto la porta del deposito, lasciando che il corridoio si riempisse di fumo. Quando le ragazze si fossero rese conto che c'era qualcosa che non andava, avrebbero aperto la porta dello spogliatoio e avrebbero creduto che l'intero edificio fosse in fiamme. E si sarebbero fatte prendere dal panico.

Allora lui sarebbe entrato nello spogliatoio. Sarebbe stata una distesa di collant e reggiseni, seni e sederi nudi e peli pubici. Alcune sarebbero scappate di corsa dalla doccia, nude e bagnate, cercando a tentoni un asciugamano, altre avrebbero tentato di mettersi qualcosa addosso, ma molte di loro sarebbero corse di qua e di là cercando la porta, accecate dal fumo, fra strilli, singhiozzi e urla di paura. Continuando a fingersi un vigilante lui avrebbe urlato: "Non perdete tempo a vestirvi! È un'emergenza! Fuori! Tutto l'edificio è in fiamme! Scappate, scappate!". Avrebbe dato pacche sulle natiche nude, le avrebbe spintonate, avrebbe strappato loro di mano i vestiti, le avrebbe palpate. Si sarebbero rese conto che c'era qualcosa che non andava, ma la maggior parte di loro sarebbe stata troppo impaurita per capire di cosa si trattasse. Se la muscolosa caposquadra fosse stata ancora là, avrebbe potuto avere la presenza di spirito di opporglisi, ma lui l'avrebbe stesa con un pugno.

Avrebbe fatto un giro e avrebbe scelto la sua vittima. Doveva essere una ragazza carina, dall'aspetto vulnerabile. Lui l'avrebbe presa per un braccio dicendo: "Da questa parte, per favore. Sono della vigilanza". L'avrebbe accompagnata nel corridoio, ma nella direzione sbagliata, fino al locale caldaie. Là, proprio quando lei avrebbe creduto di essere in salvo, l'avrebbe schiaffeggiata, presa a pugni nello stomaco e gettata a terra, sul pavimento di cemento sporco. L'avrebbe guardata rotolarsi e girarsi e poi tirarsi su a sedere, ansimante e piangente, gli occhi colmi di terrore.

Allora lui avrebbe sorriso e si sarebbe slacciato la cintura.

«Voglio andare a càsa» disse la signora Ferrami.

«Non ti preoccupare, mamma, ti porteremo via di qui prima di quanto pensi» disse sua figlia Jeannie.

La sorella minore di Jeannie, Patty, le lanciò un'occhiata che diceva: "E come diavolo pensi di riuscirci?".

La casa di riposo Bella Vista Sunset Home era il massimo che si potessero permettere, data l'assicurazione stipulata dalla madre, ed era uno squallore.

La stanza conteneva due alti letti da ospedale, due armadietti, un divano e un televisore. Le pareti erano dipinte di marrone e il pavimento era di linoleum beige chiaro striato di arancione. La finestra aveva le sbarre, ma niente tende, e dava su una stazione di servizio. In un angolo c'era un lavandino, ma il gabinetto era in fondo al corridoio.

«Voglio andare a casa» ripeté la madre.

«Ma, mamma, continui a dimenticare le cose» disse Patty; «non sei più in grado di badare a te stessa.»

«Certo che lo sono! E non ti permettere più di parlarmi in questo modo.»

Jeannie si morse il labbro. Guardando il relitto che un tempo era stata sua madre, le veniva voglia di piangere. La donna aveva lineamenti marcati: sopracciglia nere, occhi scuri, naso diritto, bocca larga e mento volitivo. Gli stessi tratti ricorrevano sia in Jeannie che in Patty, anche se la mamma era piccola di statura, mentre loro due erano alte, come il padre. Tutt'e tre erano determinate, esattamente come il loro aspetto suggeriva. "Formidabili" era il termine di solito usato per descrivere le Ferrami, madre e figlie. Ma la mamma non sarebbe mai più stata formidabile. Aveva il morbo di Alzheimer.

Non aveva neanche sessant'anni. Jeannie, che ne aveva ventinove, e Patty, di ventisei, avevano sperato che potesse restare autosufficiente ancora per qualche anno, ma la speranza era stata infranta quella mattina alle cinque, quando un poliziotto di Washington aveva chiamato dicendo di aver trovato la loro madre che camminava lungo la Diciottesima Strada con indosso una camicia da notte tutta sporca, in lacrime, incapace perfino di ricordare dove viveva.

Quella stessa mattina, di una tranquilla domenica, Jeannie era salita in macchina ed era arrivata fino a Washington, a un'ora di strada da Baltimora. Aveva prelevato la madre dalla stazione di polizia, l'aveva accompagnata a casa, l'aveva lavata e vestita, e poi aveva chiamato Patty. Insieme, le due sorelle si erano accordate perché la madre entrasse al Bella Vista, nella cittadina di Columbia, tra Washington e Baltimora. Zia Rosa aveva passato là gli anni del declino. Zia Rosa aveva la stessa polizza assicurativa della mamma.

«Questo posto non mi piace» disse la madre.

«Neanche a noi» replicò Jeannie «ma al momento è tutto quello che possiamo permetterci.» Voleva sembrare pratica e ragionevole, ma le sue parole suonarono aspre.

Patty le lanciò un'occhiata di rimprovero e disse: «Su, mamma, abbiamo vissuto in posti ben peggiori».

Era vero. Dopo che il padre era finito in galera per la seconda volta, le due ragazze e la madre avevano vissuto in una stanza con un fornelletto elettrico sul cassettone e il lavandino in corridoio. Erano gli anni in cui l'assistenza sociale funzionava ancora. Ma la mamma aveva affrontato le avversità come una leonessa. Non appena Jeannie e Patty avevano cominciato ad andare a scuola, aveva trovato una donna anziana di fiducia che badasse alle bambine quando queste tornavano a casa, si era cercata un lavoro – in precedenza aveva fatto la parrucchiera, ed era ancora brava, anche se non molto al passo con i tempi – e le aveva portate a vivere in un appartamentino di due stanze e cucina ad Adams-Morgan, che allora era un quartiere rispettabile, anche se operaio.

Preparava *french toast* per colazione e mandava Jeannie e

Patty a scuola, sempre in ordine, poi si pettinava e si truccava – per lavorare in un salone di bellezza bisognava essere perennemente graziose – e lasciava una cucina immacolata con un piatto di biscotti sul tavolo per quando le bambine sarebbero tornate a casa. La domenica tutt'e tre assieme pulivano l'appartamento e facevano il bucato. La mamma era sempre stata così capace, così affidabile e instancabile, che spezzava il cuore vederla giacere su un letto con la mente annebbiata e lamentosa.

Aggrottò la fronte, come perplessa, e chiese: «Jeannie, perché hai un anello nel naso?».

Jeannie sfiorò la sottile fascia d'argento e fece un sorriso triste. «Mamma, mi sono fatta bucare la narice quando ero una ragazzina. Non ricordi quanto ti sei arrabbiata? Pensavo mi avresti cacciata di casa.»

«Mi dimentico tutto» disse la mamma.

«Io me lo ricordo benissimo» intervenne Patty. «Secondo me era una cosa fantastica. Ma avevo undici anni e tu quattordici, e tutto quello che facevi mi sembrava audace e intelligente.»

«Forse lo era» disse Jeannie con finta vanità.

Patty fece una risatina. «La giacca arancione no di certo.»

«Oh, Dio, quella giacca! La mamma finì col bruciarla, dopo che avevo dormito in un edificio abbandonato e si era riempita di pulci.»

«Questo me lo ricordo» intervenne la madre all'improvviso. «Le pulci! Mia figlia!» Era ancora indignata, quindici anni dopo.

All'improvviso l'atmosfera era diventata più allegra. Riparlare dei tempi passati le aveva fatte sentire vicine. Era il momento buono per andarsene. «Sarà meglio che vada» disse Jeannie, alzandosi.

«Anch'io» aggiunse Patty. «Devo ancora preparare la cena.» Ma nessuna delle due si avviò verso la porta. Jeannie aveva la sensazione di abbandonare la madre, di tradirla nel momento del bisogno. Lì non aveva nessuno che le volesse bene. Sarebbe dovuto toccare alle figlie il compito di badare a lei. Jeannie e Patty avrebbero dovuto starle vicine, cucinare, stirarle le camicie e sintonizzarle la televisione sul programma preferito.

«Quando vi vedrò?» chiese la madre.

Jeannie esitò. Avrebbe voluto rispondere: "Domani. Ti porterò la colazione e resterò a farti compagnia tutto il giorno". Ma era impossibile: aveva una settimana di lavoro molto piena. Si sentì invadere dal senso di colpa. Come poteva essere così crudele?

Patty le venne in aiuto dicendo: «Verrò a trovarti domani, e porterò anche i ragazzi. Vedrai che sarai contenta».

Ma la mamma non intendeva rendere le cose facili a Jeannie. «Verrai anche tu, Jeannie?»

Jeannie non riusciva quasi a parlare. «Appena potrò» rispose, con la voce strozzata dal dolore. Si chinò sul letto e diede un bacio alla madre, «Ti voglio bene, mamma. Cerca di ricordartelo.»

Non appena uscirono dalla stanza, Patty scoppiò in lacrime.

Anche Jeannie aveva voglia di piangere, ma era la sorella maggiore, e da molto tempo ormai aveva imparato a controllare le proprie emozioni quando si trovava con Patty. Le mise un braccio intorno alle spalle e insieme si avviarono lungo il corridoio asettico. Patty non era debole, ma era più malleabile di Jeannie, che invece era combattiva e ostinata. La mamma rimproverava sempre Jeannie per questo e diceva che avrebbe dovuto imparare a essere come sua sorella.

«Vorrei tanto tenerla a casa con me, ma non posso» disse Patty con aria afflitta.

Jeannie la capiva. Patty era sposata con un carpentiere di nome Zip. Vivevano in una casetta a schiera con due sole camere da letto. In quella più piccola dormivano i loro tre figli. Davey aveva sei anni, Mel quattro e Tom due. Non c'era posto per la nonna.

Jeannie viveva sola. Come assistente alla Jones Falls University, guadagnava trentamila dollari all'anno – molto meno del marito di Patty, pensava – e aveva appena acceso il primo mutuo della sua vita per acquistare un appartamento di due stanze, che aveva arredato a credito. Una stanza fungeva da soggiorno, con un angolo cottura; l'altra era la camera da letto con una cabina armadio e un minuscolo bagno. Se avesse dato il proprio letto alla madre, sarebbe stata costretta a dormire sul divano. Inoltre, durante il giorno non c'era nessuno a casa

19

che potesse badare a una donna nelle sue condizioni. «Neanch'io posso prenderla con me» disse.

Pur continuando a piangere, Patty reagì con rabbia. «E allora perché le hai detto che l'avremmo portata via di qui? Non possiamo!»

Uscirono nel caldo torrido. «Domani andrò in banca e chiederò un prestito. La metteremo in un posto migliore e pagherò io la differenza che l'assicurazione non copre.»

«Ma come farai a restituire il denaro?» chiese Patty.

«Verrò promossa professore associato, poi titolare di cattedra, mi proporranno di scrivere un libro di testo e verrò assunta come consulente da tre multinazionali.»

Patty sorrise tra le lacrime. «Io ti credo, ma la banca?»

Patty aveva sempre creduto in Jeannie, mentre, per quanto la riguardava, non era mai stata ambiziosa. A scuola aveva sempre ottenuto risultati al di sotto della media, si era sposata a diciannove anni, aveva messo su casa e partorito tre bambini senza alcun apparente rimpianto. Jeannie era l'opposto. Sempre la prima della classe e capitano di tutte le squadre, era stata campionessa di tennis e si era mantenuta all'università grazie a una borsa di studio. Qualsiasi cosa decidesse di fare, Patty non dubitava mai di lei.

Ma Patty aveva ragione, la banca non le avrebbe concesso un altro prestito, subito dopo quel mutuo per l'acquisto dell'appartamento. E poi lei era diventata assistente da poco: sarebbero dovuti passare almeno tre anni prima che venisse presa in esame una sua promozione. Mentre arrivavano al parcheggio, Jeannie annunciò con tono disperato: «E va bene, venderò la macchina»

Adorava la sua macchina. Era una Mercedes 230C di vent'anni, una berlina rossa a due porte con sedili di pelle nera. L'aveva acquistata otto anni prima con il premio in denaro vinto al torneo Mayfair Lites College Tennis Challenge, cinquemila dollari. Era prima che diventasse di moda possedere una Mercedes vecchia. «Probabilmente oggi varrà il doppio di quanto l'ho pagata.»

«Ma poi saresti costretta a comperare un'altra auto» le fece notare Patty, spietatamente realistica.

«Hai ragione» ribatté Jeannie con un sospiro. «Be', posso

sempre dare qualche lezione privata. È contro le regole della jfu, ma probabilmente potrei guadagnare quaranta dollari l'ora dando ripetizioni di statistica agli studenti ricchi che hanno fatto fiasco in altre università. Potrei anche mettere insieme trecento dollari alla settimana, esentasse, se non li dichiaro.» Guardò la sorella diritto negli occhi e le chiese: «Tu puoi metterci qualcosa?».

Patty distolse lo sguardo. «Non saprei.»

«Zip guadagna più di me.»

«Mi ucciderà perché te l'ho detto, ma forse potremmo contribuire con settantacinque, ottanta dollari alla settimana» disse Patty, alla fine. «Lo convincerò a chiedere un aumento. È un po' timido in queste cose, ma io so che se lo merita, e il suo capo lo vede di buon occhio.»

Jeannie cominciò a sentirsi un po' più sollevata, anche se la prospettiva di passare nuovamente le domeniche a insegnare a universitari ottusi era orribile. «Con quattrocento dollari in più alla settimana potremmo prenderle una stanza singola col bagno in camera.»

«In questo modo potrebbe tenere con sé le sue cose, qualche soprammobile e, chissà, magari anche qualche mobile.»

«Chiediamo un po' in giro e vediamo se qualcuno ci sa indicare un posto carino.»

«D'accordo.» Patty era pensierosa. «La malattia della mamma è ereditaria, vero? Mi pare di aver visto qualcosa in televisione.»

Jeannie annuì. «C'è un gene alterato, l'AD3, che è collegato al precoce manifestarsi della malattia.» Jeannie sapeva che era situato nel cromosoma 14q24.3, ma questo a Patty non avrebbe detto niente.

«Significa che tu e io finiremo come la mamma?»

«Significa che ci sono buone probabilità.»

Rimasero entrambe in silenzio per un attimo. Il pensiero di perdere la ragione era quasi troppo sinistro per parlarne.

«Sono contenta di aver avuto presto i bambini» disse Patty. «Quando succederà a me saranno abbastanza grandi da badare a se stessi.»

Jeannie colse la leggera sfumatura di riprovazione. Come la mamma, Patty pensava che ci fosse qualcosa di sbagliato nell'avere ventinove anni ed essere senza figli. «Ma il fatto che abbiano scoperto il gene fa sperare bene» disse Jeannie. «Significa che quando avremo l'età della mamma, potrebbero anche essere in grado di iniettarci una versione modificata del nostro stesso Dna privo di quel gene fatale.»

«Hanno parlato di questo in televisione. Si chiama "tecnica del Dna ricombinante", giusto?»

Jeannie sorrise. «Giusto.»

«Vedi che non sono poi così tonta?»

«Non ho mai pensato che tu lo fossi.»

«Ma se è il Dna a renderci come siamo» proseguì Patty pensierosa «se tu mi cambi il Dna, questo mi fa diventare una persona diversa?»

«Non è solo il Dna che ti fa essere come sei. È anche il modo in cui sei stata allevata. Le mie ricerche vertono proprio su questo.»

«A proposito, come va il lavoro nuovo?»

«È molto interessante. È la mia grande occasione. Un sacco di persone hanno letto l'articolo che ho scritto sul rapporto tra criminalità e corredo genetico.» L'articolo, pubblicato l'anno precedente, quando lavorava ancora alla University of Minnesota, portava per primo il nome del suo professore e poi, sotto, il suo, ma era stata lei a fare tutto il lavoro.

«Non sono riuscita a capire se intendi sostenere che la criminalità è ereditaria o meno.»

«Ho identificato quattro tratti della personalità che "portano" al comportamento criminale: l'impulsività, la mancanza di paura, l'aggressività e l'iperattività. Ma il punto centrale della mia teoria è che alcuni metodi educativi riescono a contrastare queste tendenze e trasformano potenziali criminali in onesti cittadini.»

«Come puoi dimostrare una cosa del genere?»

«Studiando gemelli identici allevati separatamente. I gemelli omozigoti hanno lo stesso Dna. Se vengono adottati alla nascita, o comunque divisi per qualche altro motivo, crescono diversamente. E così io cerco coppie di gemelli in cui uno è un criminale e l'altro è un normale cittadino. E poi studio come sono stati educati e che cosa hanno fatto di diverso i loro genitori.»

«Il tuo lavoro è davvero importante» disse Patty.

«Io credo di sì.»

«Dobbiamo assolutamente scoprire perché tanti americani, al giorno d'oggi, finiscono sulla cattiva strada.»

Jeannie annuì. Era tutto lì, in poche parole.

Patty si avviò verso la sua macchina, una grossa Ford station-wagon, con il bagagliaio pieno di oggetti infantili dai colori vivaci: un triciclo, un passeggino pieghevole, un assortimento di palle e racchette e un gigantesco camion giocattolo con una ruota rotta.

«Da' un bacio ai bambini da parte mia» disse Jeannie.

«Grazie. Ti chiamo domani, dopo essere stata dalla mamma.»

Jeannie tirò fuori le chiavi, poi esitò un attimo, quindi si avvicinò a Patty e l'abbracciò. «Ti voglio bene, sorellina» le disse.

«Anch'io ti voglio bene.»

Jeannie salì in macchina e si allontanò.

Si sentiva irrequieta e fuori fase, in preda a sentimenti confusi riguardo a Patty, alla mamma e a quel padre che non c'era. Si immise sulla I-70 e guidò troppo veloce, zigzagando nel traffico. Si chiese che cosa fare del resto della giornata, ma poi le venne in mente che alle sei doveva giocare a tennis e andare quindi a mangiare una pizza e bere una birra con un gruppo di specializzandi e di giovani insegnanti dell'istituto di psicologia della Jones Falls. Il suo primo pensiero fu di annullare tutti gli impegni per la serata. Ma non aveva voglia di restare sola a casa a rimuginare. Avrebbe giocato a tennis, decise. Lo sforzo fisico l'avrebbe fatta sentire meglio. E dopo sarebbe andata all'Andy's Bar per un'oretta o giù di lì, e infine a letto.

Ma le cose non filarono come previsto.

Il suo avversario, Jack Budgen, bibliotecario capo dell'università, un tempo aveva calpestato l'erba di Wimbledon e, benché calvo e cinquantenne, era ancora in forma e conservava tutte le malizie del vecchio giocatore. Jeannie non era mai stata a Wimbledon. Il punto culminante della sua carriera tennistica era stato un posto nella squadra olimpica, quando era ancora una studentessa. Però era più forte e più veloce di Jack.

Giocavano su uno dei campi in terra battuta dell'università. Erano due avversari di pari bravura e la loro partita aveva attirato una piccola folla di spettatori. Sui campi dell'università non si era obbligati a vestirsi in modo particolare, ma per abitudine Jeannie indossava sempre una polo e calzoncini di tela bianchi. Aveva lunghi capelli scuri, non setosi e lisci come quelli di Patty, bensì ricci e ribelli, che nascondeva sotto un cappellino.

Il servizio di Jeannie era dinamite pura e il suo smash incrociato di rovescio non lasciava speranza. Jack non poteva fare molto per neutralizzare il suo servizio, ma dopo i primi game ce la mise tutta per toglierle ogni occasione di servirsi del suo poderoso smash. La tattica di Jack era scaltra, giocava conservando le energie e lasciando che fosse Jeannie a sbagliare. Lei tirava in modo troppo aggressivo, incorreva spesso in doppi falli di battuta e scendeva a rete troppo presto. Jeannie sapeva che in condizioni normali lo avrebbe battuto, ma quel giorno non era in grado di concentrarsi sul gioco, né di anticipare la sua tattica. Avevano vinto un set a testa, e nel terzo erano 5 a 4 in favore di Jack, con Jeannie al servizio, col rischio di perdere il match.

Arrivarono ai vantaggi, quindi Jack fece un punto e si portò in testa. Il servizio di Jeannie finì in rete, e dalla piccola folla che seguiva l'incontro si levò un'esclamazione. Invece di ripiegare sul solito secondo servizio più prudente, lei gettò al vento ogni cautela e sparò un altro servizio fulminante. Jack riuscì per miracolo a prendere la palla, ributtandogliela sul rovescio. Lei schiacciò e scese a rete. Ma Jack non era così fuori tempo come sembrava e rispose con un perfetto pallonetto che scavalcò Jeannie e andò a cadere proprio sulla linea di fondocampo, dandogli la vittoria.

Jeannie rimase immobile a guardare la palla, con le mani sui fianchi, furiosa con se stessa. Sebbene non giocasse da anni a livello agonistico, conservava quello spirito di ostinata competizione che rendeva difficile accettare una sconfitta. Ma dopo un attimo riacquistò la calma e si costrinse a sorridere. Si voltò. «Bel colpo!» esclamò, poi andò verso rete per stringere la mano a Jack, accompagnata dall'applauso di quanti avevano assistito all'incontro.

«Ehi, questa sì che è stata una bella partita!» le disse un giovanotto tutto sorridente.

A Jeannie bastò uno sguardo per capire il tipo. Era proprio un fusto: alto, corporatura atletica, capelli castani ricci e tagliati corti, begli occhi azzurri, e le stava andando incontro mettendocela tutta per farsi notare.

Lei non era nello spirito adatto e lo liquidò con un secco "grazie".

Lui le sorrise nuovamente, un sorriso rilassato e sicuro di sé che faceva chiaramente capire come la maggior parte delle ragazze fosse sempre felice delle sue attenzioni, qualunque stupidaggine dicesse. «Sa, anch'io gioco un pochino a tennis, e pensavo...»

«Se lei gioca a tennis solo un pochino, allora probabilmente non è al mio livello» rispose Jeannie, passando oltre.

«Suppongo che una cenetta romantica seguita da una notte di passione sia da escludere, vero?» lo sentì dire con un tono divertito.

Jeannie non poté fare a meno di sorridere, non fosse altro per la sua perseveranza, e poi era stata più sgarbata del necessario. «Proprio così» disse, voltandosi appena mentre continuava per la sua strada, «ma grazie comunque per l'invito.»

Si allontanò dal campo e si diresse verso gli spogliatoi. Si chiese che cosa stesse facendo sua madre in quel momento. A quell'ora doveva aver già cenato: erano le sette e mezzo e nelle case di riposo davano sempre da mangiare presto agli ospiti. Probabilmente ora stava guardando la televisione nel salone. Forse si sarebbe trovata un'amica, una signora della sua età, capace di sopportare la sua scarsa memoria e dimostrarsi interessata alle fotografie dei nipotini. Un tempo la mamma aveva un sacco di amiche – le colleghe del salone di bellezza, qualche cliente, alcune vicine, persone che conosceva da venticinque anni – ma era difficile per loro rimanere amiche di una donna che continuava a dimenticarsi chi diavolo fossero.

Mentre passava davanti al campo da hockey, Jeannie si imbatté in Lisa Hoxton. Lisa era la prima vera amica che avesse avuto da quando era arrivata alla Jones Falls, un mese prima. Lavorava come tecnico nel laboratorio di psicologia; benché fosse laureata, non voleva diventare una docente. Come Jeannie, proveniva da una famiglia umile ed era un tantino intimidita dalla spocchia da "Ivy League" della Jones Falls. Si erano trovate simpatiche fin dal primo momento.

«Un ragazzo ha appena cercato di abbordarmi» disse Jeannie sorridendo.

«E com'era?»

«Somigliava molto a Brad Pitt, ma era più alto.»

«Gli hai detto che hai un'amica più adatta per la sua età?» le chiese Lisa, che aveva ventiquattro anni.

«No.» Jeannie si voltò indietro a guardare, ma l'uomo era scomparso. «Continua a camminare, magari mi sta ancora seguendo.»

«Che male ci sarebbe?»

«Dai!»

«Jeannie, sono i brutti quelli che devi evitare.»

«Smettila!»

«Avresti almeno potuto dargli il mio numero di telefono.»

«Avrei dovuto passargli un foglietto con su scritta la tua taglia di reggiseno, quello sì sarebbe servito.» Lisa era molto prosperosa.

Lisa si fermò di colpo. Per un attimo Jeannie temette di aver esagerato e di averla offesa. Cominciò a pensare a come scusarsi. Poi, improvvisamente, l'altra disse: «Che idea fantastica! "Sono una 36D, se vuoi maggiori informazioni chiama questo numero." Così allusivo, poi!».

«È tutta invidia, mi sarebbe piaciuto avere un bel paio di tette» disse Jeannie, ed entrambe scoppiarono a ridere. «Però è vero, da bambina pregavo perché mi crescessero. Sono stata praticamente l'ultima della mia classe ad avere le mestruazioni. Era così imbarazzante!»

«Ma dicevi davvero: "Gesù, ti prego, fammi crescere le tette", inginocchiata di fianco al letto?»

«Per la precisione mi rivolgevo alla Vergine Maria: pensavo fosse più una cosa da donne. E ovviamente non le chiamavo tette.»

«Come le chiamavi, seni?»

«No, pensavo che non si potesse dire seni alla Madonna.»

«E come le chiamavi, allora?»

«Davanzale.»

Lisa scoppiò a ridere.

«Non so proprio dove avessi scovato quel termine, forse l'avevo sentito dire da qualcuno. Mi sembrava un eufemismo abbastanza educato. Non l'ho mai raccontato a nessuno prima d'ora.»

Lisa si voltò a guardare indietro. «Be', non vedo nessun fusto che ci segue. Ci siamo liberate di Brad Pitt.»

«Meglio così. È proprio il mio tipo: bello, sexy, sicuro di sé e totalmente inaffidabile.»

«Come fai a dire che è inaffidabile? Gli hai parlato per pochi secondi.»

«Tutti gli uomini sono inaffidabili.»

«Probabilmente hai ragione. Vieni da Andy's stasera?»

«Sì, ma solo per un'oretta. E prima devo farmi una doccia.» Aveva la maglietta zuppa di sudore.

«Anch'io.» Lisa era in pantaloncini e scarpe da jogging. «Mi sono allenata con la squadra di hockey. Perché solo per un'oretta?»

«È stata una giornata pesante.» La partita l'aveva distratta, ma ora sentiva tornarle addosso tutto il dolore per quanto era successo. «Ho dovuto mettere mia madre in un ricovero.»

«Oh, Jeannie, mi dispiace!»

Jeannie la mise al corrente della situazione mentre entravano nell'edificio della palestra e scendevano le scale che portavano al seminterrato. Nello spogliatoio, Jeannie vide la loro immagine riflessa nello specchio. Erano così diverse da sembrare quasi le protagoniste di uno sketch comico. Lisa era poco più bassa della media, mentre Jeannie toccava il metro e ottantacinque. Lisa era bionda e tutta curve, Jeannie bruna e muscolosa. Lisa aveva un viso grazioso, con una manciata di lentiggini sparpagliate sul naso piccolo e insolente, e le labbra incurvate all'insù. Di Jeannie quasi tutti dicevano che faceva colpo, e talvolta gli uomini le rivolgevano complimenti per la sua bellezza, ma mai nessuno le aveva detto che era graziosa.

«Che cosa ne è di tuo padre?» le chiese Lisa mentre si liberavano degli indumenti madidi di sudore. «Non mi hai mai parlato di lui.»

Jeannie sospirò. Quella era la domanda che aveva imparato a temere, fin da piccola; ma prima o poi arrivava, immancabilmente. Per molti anni aveva mentito, raccontando che il padre era morto, oppure scomparso, o si era risposato e trasferito per lavoro in Arabia Saudita. Ultimamente, però, aveva cominciato a dire la verità. «Mio padre è in prigione» rispose.

«Oddio, Jeannie, non avrei dovuto chiedertelo.»

«Non c'è problema. Da quando sono nata, lui ha passato la maggior parte del tempo in prigione. È un ladro. Questa è la sua terza condanna.»

«Quanto deve stare dentro?»

«Non ricordo, ma non ha importanza. Anche se uscisse, non servirebbe a niente. Non si è mai preso cura di noi, e non comincerà certo adesso.»

«Non ha mai avuto un lavoro?»

«Solo quando voleva fare un sopralluogo prima di un colpo. Faceva il custode, il portiere o il sorvegliante in un posto per una settimana o due, e poi lo svaligiava.»

Lisa le lanciò un'occhiata indagatrice. «È per questo che sei così interessata ai rapporti fra genetica e comportamenti criminali?»

«Forse sì.»

«O forse no.» Lisa fece un gesto noncurante. «E comunque io non sopporto la psicanalisi selvaggia.»

Entrarono nelle docce. Jeannie ci mise un po' di più, perché si lavò anche i capelli. Era grata a Lisa per la sua amicizia. Lisa era alla Jones Falls da poco più di un anno e, quando lei era arrivata là all'inizio del semestre, le aveva fatto da guida. A Jeannie piaceva starle accanto in laboratorio perché era totalmente affidabile; e le piaceva anche passare in sua compagnia il tempo libero perché era sicura di poter dire qualunque cosa le venisse in mente senza timore di scandalizzarla.

Jeannie si stava frizionando i capelli col balsamo quando udì strani rumori. Si fermò e rimase in ascolto. Sembravano urla di paura. Provò un senso di gelo che la fece rabbrividire. All'improvviso si sentì estremamente vulnerabile: nuda, bagnata, chiusa in un sotterraneo. Esitò un attimo, poi si sciacquò velocemente i capelli e uscì dalla doccia per vedere che cosa stesse succedendo.

Non appena uscì da sotto il getto dell'acqua sentì odore di bruciato. Non vedeva le fiamme, ma dense nuvole di fumo nero nascondevano già il soffitto. Il fumo sembrava provenire dall'impianto di ventilazione. C'era un incendio.

Aveva paura. Non si era mai trovata coinvolta in un incendio.

Le ragazze più calme stavano raccogliendo le sacche e si dirigevano verso la porta. Altre si lasciavano prendere dall'isteria, gridando spaventate e correndo inutilmente su e giù per lo spogliatoio. Uno stupido vigilante, con un fazzoletto a pallini che gli copriva il naso e la bocca, le spaventava ancora di più distribuendo spintoni e urlando ordini.

Jeannie sapeva che non avrebbe dovuto perdere tempo a vestirsi, ma non voleva rassegnarsi a uscire nuda dall'edificio. La paura le scorreva nelle vene come acqua ghiacciata, ma si impose di restare calma. Trovò il suo armadietto. Non riusciva a vedere Lisa da nessuna parte. Afferrò i vestiti e si infilò i jeans e una maglietta.

Le ci vollero solo pochi secondi, ma in quel breve lasso di tempo la stanza si svuotò di gente e si riempì di fumo. Non riusciva più a vedere la porta e cominciò a tossire. Il pensiero di non riuscire a respirare la spaventò a morte. So dov'è la porta, continuava a ripetersi, e devo solo restare calma. Le chiavi e i soldi erano nelle tasche dei jeans. Raccolse la racchetta da tennis e, trattenendo il fiato, si diresse velocemente verso l'uscita.

Il corridoio era pieno di fumo, e gli occhi presero a lacrimarle così forte che a un certo punto non vide più nulla. Ora avrebbe voluto essersi precipitata nuda fuori dello spogliatoio, pur di guadagnare quei pochi preziosi secondi. I jeans non l'aiutavano a respirare né a vedere in mezzo al fumo. E non aveva importanza essere nudi, se si era morti.

Sempre trattenendo il fiato si precipitò lungo il corridoio, tastando la parete con la mano tremante, per non perdere l'orientamento. Pensava di imbattersi nelle altre che erano nello spogliatoio, ma sembrava che tutte ce l'avessero fatta a uscire prima di lei. Quando la parete finì, si rese conto di essere arrivata nel piccolo atrio, anche se intorno a sé non riusciva a vedere altro che fumo. Le scale dovevano essere proprio lì davanti. Attraversò la stanza e andò a sbattere contro il distributore automatico di bibite. E ora dov'erano le scale? A sinistra o a destra? A sinistra, pensò. Andò da quella parte, ma si ritrovò contro la porta dello spogliatoio degli uomini e capì di avere sbagliato.

Non poteva trattenere il fiato più a lungo. Inspirò con un rantolo. Era tutto fumo e cominciò a tossire convulsamente. Indietreggiò incespicando seguendo il muro, squassata dalla tosse; il bruciore alle narici era intollerabile, gli occhi le lacrimavano e riusciva a malapena a vedere le proprie mani protese in avanti. Non desiderava altro che una boccata di quell'aria che aveva sempre dato per scontata per tutti i ventinove anni della sua vita. Seguì il muro fino al distributore automatico e lo superò. Quando inciampò sul primo gradino capì di aver raggiunto la scala. Lasciò cadere la racchetta che subito scomparve nel fumo. Era una racchetta speciale – con quella aveva vinto il Mayfair Lites Challenge – ma la lasciò lì e si lanciò su per le scale a quattro zampe.

Quando raggiunse il grande atrio al pianterreno, improvvisamente il fumo si diradò. Vide le porte dell'edificio, tutte aperte. Un sorvegliante era fermo subito fuori dell'atrio, le faceva dei cenni e le urlava «Fuori!». Tossendo e rantolando Jeannie si avviò a passi malfermi attraverso l'atrio e uscì nell'aria fresca e pulita.

Restò lì sui gradini per un paio di minuti buoni, piegata in due, prendendo avide boccate d'aria e liberando i polmoni dal fumo. Stava appena ricominciando a respirare normalmente quando udì in lontananza la sirena di un veicolo di soccorso. Si guardò intorno alla ricerca di Lisa, ma non la vide.

Non poteva essere rimasta là dentro. Ancora scossa, Jeannie cominciò a muoversi tra la folla, scrutando i volti. Ora che il pericolo era passato, le battute e le risate nervose si sprecavano. La maggior parte degli studenti erano praticamente nudi, e si era venuta a creare una strana atmosfera di intimità. Quelli che erano riusciti a salvare le proprie sacche distribuivano capi di abbigliamento ai meno fortunati e si vedevano studentesse nude ben felici di indossare le magliette sporche e fradice di sudore dei loro amici. Molti giravano drappeggiati nei soli asciugamani.

Lisa non era tra la folla. Con ansia crescente, Jeannie tornò dal sorvegliante che stava davanti all'edificio. «Ho paura che la mia amica sia ancora dentro» gli disse con voce tremante per la paura.

«Di sicuro io non vado a cercarla» le rispose lui pronto.

«Uomo coraggioso» replicò secca Jeannie. Non sapeva esattamente che cosa avrebbe voluto da lui, ma non si aspettava che fosse così totalmente inetto.

Sul volto dell'uomo si dipinse un'espressione offesa. «È compito loro» disse, indicando l'automezzo dei pompieri che stava arrivando.

Jeannie cominciava a temere per la vita di Lisa, ma non sapeva che cosa fare. Rimase a guardare, impaziente e confusa, i pompieri che saltavano giù dal veicolo e indossavano l'autorespiratore. Sembravano muoversi con tanta lentezza che le venne voglia di andare a scrollarli e urlare "Sbrigatevi!". Dopo un altro veicolo di soccorso, arrivò anche una volante con le strisce blu e argento del dipartimento di polizia di Baltimora.

Mentre i pompieri trascinavano la manica di un idrante all'interno dell'edificio, un ufficiale si rivolse al sorvegliante. «Dove pensa che sia iniziato?» gli chiese.

«Nello spogliatoio delle donne» gli rispose il sorvegliante.

«E dove si trova, con precisione?»

«Nel seminterrato, sul retro.»

«Quante uscite ci sono dal seminterrato?»

«Solo una, la scala che conduce nell'atrio principale, proprio qui.»

Ma un addetto alla manutenzione, fermo lì vicino, lo contraddisse. «C'è una scala a pioli nel locale caldaie che porta a una botola sul retro dell'edificio.»

Jeannie attirò l'attenzione dell'ufficiale e gli disse: «Ho paura che una mia amica sia ancora dentro».

«Com'è?»

«Ventiquattro anni, bionda, non molto alta.»

«Se è dentro la troveremo.»

Per un attimo Jeannie si sentì rassicurata, ma poi si rese conto che l'uomo non le aveva promesso di trovarla viva.

In giro non c'era neppure l'agente della vigilanza che aveva visto nello spogliatoio. «C'era un altro sorvegliante giù di sotto. Non lo vedo da nessuna parte. Un tizio alto» disse Jeannie all'ufficiale.

«Non c'è nessun altro della vigilanza a parte me, in questo edificio» ribatté l'agente di guardia all'atrio.

«Be', aveva un berretto con su scritto SECURITY e diceva a tutti di uscire dall'edificio.»

«Non mi interessa cosa aveva sul berretto...»

«Oh, insomma, la smetta!» esplose Jeannie. «Magari me lo sono sognato, ma se non è così potrebbe essere in pericolo anche lui!»

Vicino a loro c'era una ragazza con un paio di pantaloni da uomo color kaki arrotolati in fondo, che ascoltava. «L'ho visto anch'io quel tipo, un essere davvero spregevole» disse. «Mi ha palpato.»

«State calme, troveremo tutti» replicò l'ufficiale. «Grazie per l'aiuto.» E si allontanò.

Jeannie lanciò uno sguardo furibondo all'indirizzo del sorvegliante. Era convinta che l'ufficiale dei pompieri l'avesse presa per un'isterica perché si era messa a urlare contro il vigilante. Si allontanò disgustata. Che cosa doveva fare? I pompieri si stavano precipitando all'interno dell'edificio con elmetti e stivaloni. Lei era a piedi nudi e indossava una maglietta. Se avesse tentato di entrare, l'avrebbero cacciata fuori. Strinse i pugni, disperata. "Rifletti! Rifletti!" Dove poteva essere finita Lisa?

La palestra si trovava a fianco dell'edificio che ospitava l'Istituto di psicologia, intitolato a Ruth W. Acorn, moglie di un benefattore, più conosciuto come "il Pandemonio". Era possibile che Lisa si fosse rifugiata lì? Di domenica le porte erano chiuse, ma probabilmente lei aveva una chiave. Poteva essere corsa lì dentro per cercare un camice da laboratorio con cui coprirsi, o anche solo per sedersi nel suo ufficio e ritrovare la calma. Jeannie decise di andare a controllare. Qualsiasi cosa, pur di non restare con le mani in mano.

Attraversò di corsa il prato fino all'entrata principale del Pandemonio e guardò attraverso le porte di cristallo. L'atrio era deserto. Prese dalla tasca il tesserino magnetico che serviva da chiave e lo passò nel lettore. La porta si aprì. Corse su per le scale chiamando: «Lisa! Sei qui?». Il laboratorio era vuoto. La sedia di Lisa era infilata sotto la scrivania e il video del computer era spento. Jeannie provò a cercarla nei bagni delle donne in fondo al corridoio. Niente. «Maledizione!» esclamò, sempre più agitata. «Dove diavolo ti sei cacciata?»

Corse fuori, ansimando per la fatica. Decise di fare un giro intorno all'edificio che ospitava la palestra, nel caso Lisa si fosse seduta da qualche parte sul prato a riprendere fiato. Superò di corsa il fianco dello stabile, attraversando un cortile pieno di giganteschi cassonetti per i rifiuti. Sul retro c'era una piccola area di parcheggio. Vide qualcuno che si allontanava di corsa lungo il vialetto. Era troppo alto per essere Lisa, e Jeannie era quasi sicura che si trattasse di un uomo. Pensò che potesse essere il sorvegliante che mancava all'appello, ma prima che potesse sincerarsene la figura scomparve dietro l'angolo della Casa dello studente.

Proseguì intorno all'edificio. Lungo il lato più lontano correva la pista di atletica, ora deserta; alla fine si ritrovò davanti alla palestra.

La folla si era fatta più numerosa ed erano arrivate altre autopompe e macchine della polizia, ma di Lisa nessuna traccia. Ormai Jeannie era quasi sicura che si trovasse ancora nell'edificio in fiamme. Si sentì assalire da un cupo presentimento, ma cercò di scacciarlo. "Non puoi lasciare che questo accada" pensò.

Scorse l'ufficiale dei pompieri con cui aveva parlato in precedenza. Lo afferrò per un braccio. «Sono quasi certa che Lisa Hoxton si trovi ancora lì dentro» insistette. «L'ho cercata dappertutto.»

L'uomo la osservò con durezza e parve decidere che poteva fidarsi di quanto diceva. Senza risponderle, si avvicinò alle labbra una ricetrasmittente. «Cercate una giovane donna di razza bianca. Crediamo si trovi ancora nell'edificio. Si chiama Lisa, ripeto, Lisa.»

«Grazie» disse Jeannie.

Lui fece un brusco cenno col capo e si allontanò. Jeannie era felice che l'uomo le avesse dato retta, ma non riusciva comunque a darsi pace. Lisa poteva essere intrappolata là dentro, chiusa in un bagno o bloccata dalle fiamme, senza che nessuno potesse udire le sue invocazioni di aiuto; poteva essere caduta, aver battuto la testa ed essere rimasta priva di sensi, oppure essere svenuta per il fumo, con il fuoco che avanzava inesorabilmente.

D'un tratto Jeannie si ricordò che l'addetto alla manutenzione aveva parlato di un'altra via di ingresso al seminterrato. Quando aveva fatto il giro intorno alla palestra non l'aveva vista. Decise di dare un'occhiata e tornò sul retro dell'edificio.

Vide immediatamente la botola che si apriva nel terreno vicino all'edificio, parzialmente nascosta da una Chrysler New Yorker di colore grigio. Il portellone di acciaio era aperto, appoggiato contro il muro dell'edificio. Jeannie si inginocchiò vicino al buco aperto e si chinò a guardare dentro.

Una scala a pioli scendeva fino a una stanza sudicia, illuminata da tubi al neon. Si vedevano macchinari ingombranti e tanti tubi. Nell'aria c'era qualche traccia di fumo, ma non la spessa nube che gravava altrove: la stanza doveva essere isolata dal resto del seminterrato. Ciononostante, l'odore del fumo le ricordò che aveva rischiato di soffocare mentre alla cieca tentava di raggiungere le scale, e il cuore si mise a batterle più forte.

«C'è qualcuno?» gridò.

Le parve di udire un rumore, ma non ne era certa. Urlò più forte. «C'è qualcuno?» Nessuna risposta.

Esitò. La cosa più ragionevole da fare sarebbe stata tornare sul davanti dell'edificio e trascinare lì un pompiere, ma ci sarebbe voluto troppo tempo, specialmente se il vigile del fuoco avesse deciso di farle qualche domanda. L'alternativa era scendere quella scala e andare a dare un'occhiata.

L'idea di tornare dentro l'edificio le faceva tremare le gambe. Il petto le doleva ancora per i violenti colpi di tosse provocati dal fumo. Ma Lisa avrebbe potuto trovarsi là sotto, ferita e incapace di muoversi, intrappolata sotto una trave caduta, o anche semplicemente svenuta. Doveva andare a vedere.

Si fece forza e posò un piede sulla scala. Le tremavano le ginocchia e fu sul punto di cadere. Esitò. Dopo un attimo si sentì più sicura e scese il primo gradino. Alla prima boccata di fumo ricominciò a tossire e fu costretta a risalire all'esterno.

Quando ebbe smesso di tossire fece un altro tentativo.

Scese il primo piolo, poi un altro. "Se il fumo mi fa tossire" si ripeteva "non faccio altro che tornare fuori." Il terzo passo fu più facile, e dopo quello cominciò a scendere velocemente, saltando direttamente dal penultimo piolo al pavimento.

Si ritrovò in uno stanzone pieno di pompe e filtri, probabilmente per la piscina. C'era un forte odore di fumo, ma si riusciva a respirare discretamente.

Di colpo scorse Lisa, e a quella vista si sentì mancare.

Era sdraiata su un fianco, raggomitolata in posizione fetale, nuda. Sulla coscia aveva una macchia di qualcosa che sembrava sangue e non si muoveva.

Per un attimo Jeannie rimase impietrita dalla paura.

Poi cercò di farsi forza. «Lisa!» urlò. Avvertì il tono stridulo dell'isteria nella propria voce e inspirò profondamente per mantenersi calma. "Ti prego, Dio, fa' che stia bene!" Avanzò nello stanzone, attraverso il groviglio di tubazioni, e si inginocchiò vicino all'amica. «Lisa?»

Lisa aprì gli occhi.

«Oh, Dio ti ringrazio!» esclamò Jeannie. «Ho creduto che fossi morta.»

Lentamente Lisa si tirò su a sedere. Non riusciva a guardare Jeannie negli occhi. Aveva le labbra peste e gonfie.

«Mi ha... mi ha violentata» disse.

Il sollievo che Jeannie aveva provato nel trovarla viva si tramutò in una nauseante sensazione di orrore che le strinse il cuore. «Mio Dio! Qui?»

Lisa annuì. «Mi aveva detto che di qui si usciva.»

Jeannie chiuse gli occhi. Avvertiva su di sé il dolore e l'umiliazione di Lisa, la sensazione di essere stata presa, stuprata e insudiciata. Gli occhi le si riempirono di lacrime, ma lei le ricacciò indietro con forza. Per un attimo si sentì troppo debole e schifata per dire qualcosa.

Poi cercò di farsi coraggio. «Chi era?»

«Uno della vigilanza.»

«Con un fazzoletto a pallini sul viso?»

«Se l'è tolto.» Lisa distolse lo sguardo. «Continuava a sorridere.»

Tutto quadrava. La ragazza coi pantaloni color kaki aveva detto di essere stata palpata da un vigilante. L'agente di guardia all'atrio era sicuro che non ci fossero colleghi nell'edificio. «Non era un agente della vigilanza» disse Jeannie. Lo aveva visto allontanarsi di corsa solo pochi minuti prima. Un'ondata di rabbia si impadronì di lei al pensiero che qualcuno avesse fatto una cosa del genere proprio lì, all'interno del campus, nell'edificio della palestra, dove tutte loro si sentivano al sicuro a spogliarsi e fare la doccia. Le tremavano le mani e provò l'impulso di corrergli dietro per strangolarlo.

Udì dei forti rumori, uomini che urlavano, passi pesanti e il frangersi dei getti d'acqua. I pompieri avevano azionato gli idranti. «Lisa, qui siamo in pericolo» disse, con tono concitato. «Dobbiamo uscire da questo edificio.»

«Non ho vestiti» rispose Lisa con voce piatta e monotona.

"Potremmo anche morirci, qui dentro" pensò Jeannie. «Non preoccuparti dei vestiti, là fuori sono tutti mezzo nudi.» Si guardò febbrilmente in giro e vide il reggiseno e le mutandine di pizzo rosso di Lisa buttati fra la polvere sotto un serbatoio. Li raccolse. «Mettiteli. Sono sporchi, ma è sempre meglio di niente.»

Lisa rimase seduta sul pavimento a fissare il vuoto.

Jeannie cercò di ricacciare indietro il panico che sentiva crescere dentro di sé. Che cosa avrebbe potuto fare se Lisa si fosse rifiutata di muoversi? Probabilmente sarebbe riuscita a sollevarla di peso, ma ce l'avrebbe fatta a portarla su per la scala? «Su, alzati!» le disse, con voce quasi imperiosa. Poi la prese per le mani e la costrinse a tirarsi in piedi.

Finalmente Lisa la guardò negli occhi. «Jeannie, è stato orribile.»

Jeannie l'abbracciò e la strinse forte. «Mi dispiace, Lisa, mi dispiace tanto» le disse.

Il fumo stava cominciando a diventare più denso, nonostante la pesante porta. La paura ebbe il sopravvento sulla compassione.

«Dobbiamo assolutamente uscire di qui... l'edificio sta bruciando. Per amor del cielo, mettiti questa roba addosso!»

Finalmente Lisa cominciò a muoversi. Indossò le mutandine e si allacciò il reggiseno. Jeannie la prese per mano e la condusse fino alla scala, poi la spinse su per i gradini, davanti a sé. Mentre salivano, la porta si spalancò con un gran fracasso e un pompiere entrò nel locale in una nuvola di fumo. L'acqua gli correva vorticosamente attorno agli stivali. Nel vederle trasalì. «Stiamo bene, usciamo da questa parte» gli urlò Jeannie. Poi continuò a salire dietro a Lisa.

Un attimo dopo erano all'aperto.

Jeannie si sentì venir meno per lo scampato pericolo: aveva salvato Lisa dalle fiamme, ma ora la sua amica aveva bisogno di aiuto. Jeannie le passò un braccio intorno alle spalle e l'accompagnò verso l'entrata dell'edificio. Ovunque sulla strada c'erano autopompe e macchine della polizia parcheggiate a casaccio. Quasi tutte le ragazze avevano ormai recuperato qualcosa con cui coprirsi, e Lisa, con la sua biancheria rossa, non passava inosservata. «Qualcuno ha un paio di pantaloni in più, o qualsiasi altra cosa?» continuava a chiedere Jeannie, mentre fendevano la calca. Tutti avevano già dato via quello che avevano. Jeannie avrebbe imprestato a Lisa la sua maglietta, ma sotto non indossava il reggiseno.

Finalmente un ragazzo di colore si tolse la camicia e la porse a Lisa. «Però la rivoglio indietro, è di Ralph Lauren» disse. «Mitchell Waterfield, istituto di matematica.»

«Me lo ricorderò» disse Jeannie, grata.

Lisa indossò la camicia: bassa com'era, le arrivava alle ginocchia.

Jeannie capì che stava cominciando ad avere la meglio su quell'incubo. Accompagnò Lisa verso i veicoli di soccorso. C'erano tre poliziotti che se ne stavano appoggiati a una volante, senza fare nulla. Jeannie si rivolse al più anziano dei tre, un uomo grasso con i baffi grigi. «Questa donna si chiama Lisa Hoxton. È stata violentata.»

Pensava che la notizia di un crimine tanto grave li avrebbe fatti scattare, e invece la loro reazione fu sorprendentemente distaccata. Passarono alcuni secondi prima che assimilassero l'informazione, e Jeannie era già pronta a balzare loro addosso, quando quello con i baffi si staccò dal cofano della vettura e disse: «Dove è accaduto?».

«Nel seminterrato dell'edificio che sta bruciando, nel locale caldaie sul retro.»

«Sergente, i pompieri cancelleranno le prove con quegli idranti» disse uno degli altri poliziotti, un giovane di colore.

«Hai ragione» rispose quello più anziano. «Lenny, sarà meglio che tu scenda laggiù a isolare la zona.» Lenny si allontanò di corsa. Quindi il sergente si rivolse a Lisa. «Conosce l'uomo che l'ha assalita, signorina Hoxton?»

Lisa scosse la testa.

«È un bianco, alto di statura, e porta un berretto da baseball rosso con su scritto SECURITY» intervenne Jeannie. «Era nello spogliatoio delle donne subito dopo che è scoppiato l'incendio e un attimo prima di trovare Lisa mi pare di averlo visto allontanarsi di corsa.»

Il poliziotto si chinò dentro l'auto e prese il microfono della radio. Parlò per un po', poi riagganciò. «Se è così stupido da tenersi quel berretto in testa, potremmo anche prenderlo» disse. Poi si rivolse al terzo poliziotto. «McHenty, tu accompagna la vittima all'ospedale.»

McHenty era un giovane bianco con gli occhiali. «Preferisce sedersi davanti o dietro?» chiese a Lisa.

Lisa non rispose, ma sembrava nervosa.

Jeannie cercò di aiutarla. «Siediti davanti, non vorrai mica sembrare una criminale?»

Sul volto di Lisa comparve un'espressione terrorizzata e finalmente la ragazza parlò. «Non vieni con me?»

«Se vuoi, vengo» disse Jeannie per rassicurarla. «Altrimenti potrei passare da casa a prendere qualcosa da metterti addosso e poi raggiungerti all'ospedale.»

Lisa guardò McHenty con aria preoccupata.

«Andrà tutto bene, Lisa, vedrai» disse Jeannie.

McHenty aprì la portiera e Lisa salì.

«Quale ospedale?» gli chiese Jeannie.

«Il Santa Teresa» rispose l'agente montando in auto.

«Sarò lì tra poco» urlò Jeannie attraverso il finestrino mentre la macchina si allontanava a tutta velocità.

Andò di corsa verso il parcheggio dell'istituto, già pentita di non essere andata con Lisa. Mentre si allontanava sull'auto della polizia, aveva scorto sul suo volto un'espressione spaventata e atterrita. Certo, aveva bisogno di vestiti puliti, ma in quel momento forse aveva ancora più bisogno di un'altra donna che stesse con lei, che le tenesse la mano e le facesse coraggio. Probabilmente l'ultima cosa che desiderava era restare da sola con un poliziotto armato di pistola e con l'aria da macho. Salendo in macchina, Jeannie capì di aver fatto la cosa sbagliata. «Gesù, che giornata!» disse tra sé, uscendo a tutta velocità dal parcheggio.

Jeannie viveva non lontano dal campus. Il suo appartamento si trovava al piano superiore di una piccola villetta a schiera. Parcheggiò l'auto in seconda fila e corse in casa.

Si lavò in fretta il viso e le mani, poi indossò dei vestiti puliti. Pensò per un attimo a quali dei suoi indumenti si sarebbero adattati meglio alla figura bassa e prosperosa di Lisa. Scelse una polo molto grande e i pantaloni di una tuta con l'elastico in vita. Per la biancheria il discorso era più complicato. Trovò un paio di vecchi boxer da uomo che potevano anche servire, ma nessuno dei suoi reggiseni sarebbe andato bene all'amica. Lisa avrebbe dovuto farne a meno. Prese anche un paio di scarpe da vela, cacciò il tutto in una sacca e corse fuori.

Durante il tragitto verso l'ospedale, il suo umore cambiò. Dal momento in cui era scoppiato l'incendio si era concentrata su quello che doveva fare: ora cominciava a sentirsi furiosa. Lisa era una ragazza allegra, piena di gioia di vivere, ma lo shock e il terrore per quanto era accaduto l'avevano trasformata in uno zombie che aveva paura persino di salire da sola su un'auto della polizia.

Mentre percorreva una strada piena di negozi, Jeannie si scoprì a cercare con gli occhi l'uomo col berretto rosso: se lo avesse visto, sarebbe salita con l'auto sul marciapiede e lo avrebbe investito. Ma in realtà non avrebbe saputo riconoscerlo. Ormai si era certamente tolto il fazzoletto, e probabilmente anche il berretto. Che cos'altro indossava? Con sua grande sorpresa si rese conto che non riusciva a ricordare. Una maglietta, forse, con un paio di jeans, o erano calzoncini? E comunque poteva anche essersi cambiato, come aveva fatto lei.

Sarebbe potuto essere uno qualunque degli uomini alti, di razza bianca, che camminavano per la strada: il ragazzo con la casacca rossa che consegnava le pizze, il tizio calvo che si stava avviando con la moglie verso la chiesa tenendo il libretto dei salmi sotto braccio, quel bell'uomo con la barba che portava una custodia per chitarra, persino il poliziotto che parlava con un ubriacone davanti al negozio di alcolici. Per sfogare la propria rabbia Jeannie non poté fare altro che stringere forte le mani sul volante fino a che le nocche non le diventarono bianche.

Il Santa Teresa era un grande ospedale di periferia, vicino ai confini settentrionali della città. Jeannie lasciò la macchina nel parcheggio e si diresse verso il pronto soccorso. Lisa era già a letto; indossava una camicia da ospedale e fissava il vuoto. Una televisione con l'audio abbassato stava trasmettendo la cerimonia della consegna degli Emmy Awards: centinaia di celebrità del mondo di Hollywood tutti in abito da sera che bevevano champagne e si congratulavano uno con l'altro. McHenty era seduto vicino al letto con il taccuino posato sulle ginocchia.

Jeannie posò la sacca. «Ecco i vestiti. Che cosa succede?»

Lisa rimase impassibile e in silenzio. Era ancora sotto shock, pensò Jeannie. Stava soffocando i propri sentimenti, lottava per mantenere il controllo, ma prima o poi avrebbe dovuto sfogare la sua rabbia. Presto o tardi sarebbe esplosa.

«Devo raccogliere i dati principali del caso, signorina» disse McHenty. «Vorrebbe lasciarci soli ancora per qualche minuto?»

«Oh, certo» ribatté Jeannie, con tono di scusa. Ma poi incontrò lo sguardo di Lisa ed esitò. Pochi minuti prima si era rimproverata per averla lasciata sola con l'uomo. Ora stava per farlo di nuovo. «D'altro canto» aggiunse «forse Lisa preferirebbe che restassi.» La sua intuizione venne confermata da un impercettibile cenno di assenso da parte della ragazza.

McHenty parve seccato, ma non fece obiezioni. «Stavo chiedendo alla signorina Hoxton in che modo ha tentato di resistere all'aggressione» disse. «Hai urlato, Lisa?»

«Una volta, quando mi ha buttato a terra» rispose lei a voce bassa. «Poi ha tirato fuori il coltello.»

La voce di McHenty aveva un tono asettico, professionale, e mentre parlava non distoglieva lo sguardo dal taccuino. «Hai provato a respingerlo?»

Lisa scosse la testa. «Avevo paura che mi facesse del male.»

«Quindi, a parte il primo urlo, non hai opposto alcuna resistenza?»

Lisa scosse la testa e cominciò a piangere. Jeannie le strinse la mano. "Cosa diavolo doveva fare?" avrebbe voluto dire a McHenty, ma restò zitta. Quel giorno era già stata scortese con un

40

ragazzo che assomigliava a Brad Pitt, aveva fatto un commento antipatico sulle tette di Lisa e risposto male al sorvegliante nella palestra. Sapeva che i rapporti con l'autorità non erano il suo forte ed era fermamente decisa a non inimicarsi quel poliziotto che stava solo cercando di fare il proprio lavoro.

«Subito prima di penetrarti, ti ha allargato le gambe con la forza?» proseguì McHenty.

Jeannie trasalì. Perché non utilizzavano donne poliziotto per quel genere di interrogatorio?

«Mi ha sfiorato la coscia con la punta del coltello» rispose Lisa.

«Ti ha ferita?»

«No.»

«Quindi hai allargato le gambe volontariamente.»

«Se un sospetto punta un'arma contro un poliziotto, voi di solito gli sparate, giusto?» chiese Jeannie. «E come lo definite questo, un atto volontario?»

McHenty le lanciò un'occhiata piena di rabbia. «Per favore, signorina, mi lasci fare.» Quindi si rivolse nuovamente a Lisa. «Hai riportato qualche ferita?»

«Sì, sto ancora sanguinando.»

«È una conseguenza del rapporto sessuale cui l'uomo ti ha costretta con la forza?»

«Sì.»

«E dove sei stata ferita, esattamente?»

Jeannie non poteva sopportare oltre. «Perché non lascia che sia il medico a stabilirlo?»

Il poliziotto la guardò come se fosse una stupida. «Io devo redigere un rapporto preliminare.»

«E allora scriva che presenta lesioni interne come conseguenza della violenza subita.»

«Sono io che conduco l'interrogatorio.»

«E io le sto dicendo di fare marcia indietro» sbottò Jeannie, soffocando l'impulso di alzare la voce. «La mia amica è sotto shock e non credo sia necessario che le descriva le sue lesioni interne, visto che da un momento all'altro verrà visitata da un medico.»

McHenty sembrava furioso, ma proseguì. «Ho notato che

indossi indumenti intimi di pizzo rosso. Credi che questo possa aver avuto una qualche influenza su quanto è accaduto?»

Lisa distolse lo sguardo, con gli occhi pieni di lacrime.

«Se venissi a denunciare il furto della mia Mercedes rossa» intervenne Jeannie «mi considerereste responsabile di aver provocato il ladro, guidando una macchina così bella?»

McHenty la ignorò. «Lisa, pensi di aver incontrato in precedenza il tuo assalitore?»

«No.»

«Ma il fumo doveva renderti difficile vedere con chiarezza. Inoltre lui aveva il viso coperto da una specie di sciarpa.»

«Inizialmente ero praticamente accecata. Ma non c'era tanto fumo nella stanza dove... dove l'ha fatto.» Lisa annuì con convinzione. «L'ho visto.»

«Dunque lo sapresti riconoscere se lo vedessi di nuovo.»

Lisa rabbrividì. «Oh, sì.»

«Ma non lo avevi mai visto prima, ad esempio in un bar, o in un qualche locale?»

«No.»

«Tu frequenti i bar, Lisa?»

«Certo.»

«Bar per *single*, voglio dire, locali di quel genere?»

Jeannie esplose. «Ma che razza di domanda è questa?»

«Il tipo di domanda che fanno gli avvocati della difesa» rispose McHenty.

«Lisa non è sotto processo... lei è la vittima, non l'aggressore!»

«Eri vergine, Lisa?»

Jeannie scattò in piedi. «Ora basta! Io non credo che si debba procedere in questo modo. Lei non dovrebbe fare domande così personali.»

McHenty alzò la voce. «Sto cercando di stabilire la sua credibilità.»

«Un'ora dopo che è stata violentata? Se lo scordi!»

«Sto solo facendo il mio lavoro...»

«Non credo che lei sappia fare il suo lavoro. Non credo che lei sappia fare un accidente, McHenty.»

Prima che l'uomo potesse rispondere, un medico entrò nella stanza senza bussare. Era giovane e aveva l'aria seccata e stanca.

«È questo lo stupro?» chiese.

«Questa è la signorina Lisa Hoxton» disse Jeannie con un tono glaciale. «Sì, è stata violentata.»

«Devo fare un prelievo vaginale.»

Non aveva il minimo tatto, ma se non altro forniva una buona scusa per liberarsi di McHenty. Jeannie guardò il poliziotto. Se ne stava lì, immobile, come se pensasse di dover soprintendere all'esame. «Prima che lei proceda, dottore» disse Jeannie «immagino che l'agente McHenty vorrà lasciarci soli.»

Il dottore si fermò e guardò il poliziotto. McHenty si strinse nelle spalle e uscì.

Il dottore scoprì Lisa con un gesto brusco, dicendole: «Si tiri su la camicia e allarghi le gambe».

Lisa cominciò a piangere.

Jeannie non riusciva a crederci. Che cosa passava per la testa di quegli uomini? «Mi scusi, dottore» disse.

Lui la guardò con impazienza. «C'è qualche problema?»

«Potrebbe per favore cercare di essere un po' più educato?»

Il medico arrossì violentemente. «Questo ospedale è pieno di traumatizzati e persone affette da malattie gravissime» disse, «In questo preciso momento al pronto soccorso ci sono tre bambini che sono rimasti coinvolti in un incidente stradale, e per tutti e tre non c'è speranza. E lei si lamenta perché io non sono educato con una ragazza che è finita a letto con l'uomo sbagliato?»

Jeannie era sbalordita. «Finita a letto con l'uomo sbagliato?» ripeté.

Lisa si tirò su a sedere. «Voglio andare a casa» disse.

«Mi sembra un'ottima idea» convenne Jeannie. Aprì la sacca e cominciò a mettere i vestiti sul letto.

Per un attimo il medico restò senza parole, poi sibilò stizzito: «Fate come volete» e uscì dalla stanza.

Jeannie e Lisa si guardarono allibite. «Non riesco a credere che sia accaduta una cosa simile!» esclamò Jeannie.

«Grazie a Dio se ne sono andati» disse Lisa, scendendo dal letto.

Jeannie l'aiutò a togliersi la camicia dell'ospedale. Lisa indosso velocemente i vestiti puliti e si infilò le scarpe. «Ti accompagno a casa» le disse Jeannie.

«Potresti dormire da me?» le chiese Lisa. «Stanotte non me la sento di restare sola.»

«Certo. Volentieri.»

McHenty stava aspettando fuori della stanza. Sembrava meno sicuro di sé. Forse si era reso conto di aver condotto molto male l'interrogatorio. «Ho ancora qualche domanda» disse.

Jeannie gli rispose calma e controllata. «Noi ce ne andiamo. La mia amica è troppo sconvolta per rispondere alle sue domande.»

Il poliziotto sembrava quasi spaventato. «Ma deve farlo: ha sporto denuncia.»

«Non sono stata violentata» replicò Lisa. «È stato tutto un errore. Ora voglio solo andare a casa.»

«Si rende conto che è un reato sporgere una falsa denuncia?»

«Questa donna non è una criminale» disse Jeannie furiosa, «è la vittima di un crimine. Se il suo capo le chiede perché ha ritirato la denuncia, gli riferisca che è perché è stata brutalmente molestata dall'agente McHenty del dipartimento di polizia di Baltimora. Ora l'accompagno a casa. Con permesso.»

Mise un braccio intorno alle spalle di Lisa e si avviò con lei verso l'uscita.

Mentre passavano davanti al poliziotto, lo sentì borbottare: «Ma che cosa ho fatto di male?».

3

Berrington Jones guardò i suoi due più vecchi amici. «Non riesco a credere a questo nostro atteggiamento» disse. «Siamo tutti vicini ai sessanta. Nessuno di noi ha mai guadagnato più di duecentomila dollari l'anno e, ora che ci offrono sessanta milioni di dollari a testa... ce ne stiamo qui seduti a discutere se rifiutare l'offerta!»

«Non l'abbiamo mai fatto per i soldi» disse Preston Barck.

«Ancora non mi capacito» intervenne il senatore Jim Proust. «Se possiedo un terzo di una società che vale centottanta milioni di dollari, come mai me ne vado in giro guidando una Crown Victoria vecchia di tre anni?»

I tre uomini erano proprietari di una piccola società privata di biotecnologie, la Genetico Inc., della cui gestione si occupava Preston perché Jim era in politica e Berrington era docente universitario. Ma era stato quest'ultimo a combinare l'affare. A bordo di un aereo diretto a San Francisco, Berrington aveva conosciuto il presidente della Landsmann, importante gruppo farmaceutico tedesco, ed era riuscito a interessarlo al punto da indurlo a fare un'offerta. Ora doveva convincere i soci ad accettarla. E la cosa si stava rivelando più difficile del previsto.

Si trovavano nello studiolo di una casa in Roland Park, opulento quartiere di Baltimora. La casa era di proprietà della Jones Falls University e veniva data in uso ai *visiting professors*.

Berrington, che aveva una cattedra a Berkeley, in California, oltre che a Harvard e alla Jones Falls, utilizzava la casa solo per le sei settimane all'anno in cui insegnava a Baltimora. C'era poco di suo nella stanza: un computer portatile, una fotografia della sua ex moglie e del figlio, una pila di copie fresche di stampa del suo ultimo libro, *Ereditare il futuro: come l'ingegneria genetica trasformerà l'America*. Un televisore con il volume al minimo stava trasmettendo la cerimonia degli Emmy.

Preston era un uomo magro, dall'aria seria. Pur essendo uno degli scienziati più famosi della sua generazione, aveva l'aspetto di un contabile. «Le cliniche hanno sempre reso bene» osservò. La Genetico possedeva tre "Cliniche della fertilità", istituti specializzati nel concepimento in vitro (i cosiddetti bambini in provetta), procedimento reso possibile dalle ricerche pionieristiche avviate da Preston negli anni Settanta. «La cura della sterilità è il settore in maggior crescita nella medicina americana. La Genetico sarà il biglietto d'ingresso della Landsmann in questo nuovo grande mercato. Vogliono che apriamo cinque nuove cliniche all'anno per i prossimi dieci anni.»

Jim Proust era calvo e abbronzato, con un grosso naso e occhiali dalle lenti spesse. Il suo volto, brutto e dai lineamenti forti, era una vera manna per i caricaturisti politici. Lui e Berrington erano amici e colleghi da venticinque anni. «E com'è che non abbiamo mai visto un soldo?» chiese.

«Abbiamo sempre investito nella ricerca.» La Genetico aveva laboratori propri, ma per certe ricerche si affidava anche alle facoltà di psicologia e biologia di alcune università. Era Berrington a gestire i rapporti fra la società e il mondo accademico.

«Non capisco perché voi due non riusciate a rendervi conto che questa è la nostra grande occasione» disse Berrington in tono esasperato.

Jim indicò il televisore. «Alza il volume, Berry... sei in onda.»

La Notte degli Oscar aveva lasciato il posto al *Larry King Live*, e Berrington era l'ospite della serata. Benché odiasse Larry King (secondo lui era uno sporco progressista), il talk-show era un'occasione unica per parlare a milioni di americani.

Osservò la propria immagine e quello che vide gli piacque. Nella realtà era basso, ma la televisione faceva sembrare tutti alti. Il vestito blu scuro gli stava bene, la camicia azzurro cielo era dello stesso colore dei suoi occhi e la cravatta era di un rosso cupo che non sparava sullo schermo. Volendo essere critici a tutti i costi, forse i capelli grigio argento erano un po' troppo pettinati, quasi gonfi: correva il rischio di assomigliare a un predicatore televisivo.

King, che indossava le proverbiali bretelle, era di umore aggressivo e la sua voce ruvida aveva un tono di sfida. «Professore, con il suo ultimo libro lei ha nuovamente scatenato un'ondata di polemiche e alcuni pensano che non si tratti più di scienza, ma di politica. Che cosa ha da dire in proposito?»

Berrington fu contento di sentire che la sua voce risultava calda e ragionevole. «Sa, Larry, secondo me le decisioni politiche dovrebbero essere fondate su una solida base scientifica. La natura, se lasciata a se stessa, aiuta i geni buoni e si libera di quelli cattivi. La nostra politica assistenziale va contro la selezione naturale. E in questo modo noi stiamo allevando una generazione di americani di seconda scelta.»

Jim sorseggiò il suo whisky e osservò: «Bella frase... una generazione di americani di seconda scelta. Da usare». Sullo schermo, Larry King disse: «Se dovesse fare a modo suo, che ne sarebbe dei figli dei poveri? Morirebbero di fame, giusto?».

Sullo schermo, il volto di Berrington assunse un'espressione solenne. «Mio padre morì nel 1942, quando la portaerei *Wasp* venne affondata da un sottomarino giapponese a Guadalcanal. Io avevo cinque anni. Mia madre ha lottato per allevarmi e mandarmi a scuola. Larry, *io sono* un figlio dei poveri.»

C'era qualcosa di vero. Suo padre, brillante ingegnere, aveva lasciato a sua madre una piccola rendita, sufficiente a consentirle di non lavorare o doversi risposare. Lei aveva mandato Berrington in scuole private costose e poi a Harvard, ma effettivamente aveva dovuto lottare per riuscirci.

«Fai una bella figura, Berry... a parte forse la pettinatura country» disse Preston. Barck, il più giovane dei tre con i suoi cinquantacinque anni, aveva i capelli neri tagliati corti che gli stavano piatti sulla testa come un berretto.

Berrington emise un grugnito. Aveva pensato la stessa cosa, ma gli seccava sentirselo dire da qualcun altro. Si versò ancora un po' di whisky. Bevevano Springbank, un single malt.

Sullo schermo, Larry King chiese: «Da un punto di vista filosofico, in che cosa le sue idee si differenziano da quelle, che so, dei nazisti?».

Berrington schiacciò un pulsante del telecomando e spense il televisore. «Sono dieci anni che ripeto sempre le stesse cose» disse. «Dopo tre libri e centinaia di merdosi talk-show, che cosa è cambiato? Niente.»

«Qualcosa è cambiato» osservò Preston. «Grazie a te la genetica e la razza sono diventate argomento di discussione. Ma tu sei impaziente.»

«Impaziente?» ripeté Berrington irritato. «Naturale che sono impaziente! Tra due settimane compio sessant'anni. Stiamo diventando vecchi. Non abbiamo più molto tempo!»

Jim intervenne: «Lui ha ragione, Preston. Non ricordi come stavano le cose quando eravamo giovani? Ci guardavamo attorno e vedevamo l'America andare in rovina: diritti civili per i negri, ondate di messicani che entravano nel paese, le migliori scuole affollate dai figli degli ebrei comunisti, i nostri ragazzi che fumavano droga e si sottraevano al servizio di leva. E non eravamo forse nel giusto? Guarda che cosa è successo da allora! Neppure nei nostri incubi peggiori avevamo immaginato che la droga sarebbe diventata una delle maggiori industrie americane e che un terzo di tutti i bambini sarebbe nato da madri iscritte alle liste dell'assistenza pubblica. E noi siamo gli unici che hanno avuto il coraggio di affrontare il problema... noi e pochi altri che la pensano come noi. Il resto chiude gli occhi e spera per il meglio.»

Non cambiavano mai, pensò Berrington. Preston era sempre cauto e timoroso, Jim enfatico e sicuro di sé. Li conosceva da così tanto tempo che guardava ai loro difetti con tenerezza, il più delle volte, per lo meno. Era abituato ad assumere il ruolo del moderatore che li guidava sempre verso posizioni intermedie.

«A che punto siamo con i tedeschi, Preston? Aggiornaci sugli sviluppi» disse.

«Siamo molto vicini a concludere» rispose l'amico. «Tra otto giorni vogliono annunciare l'acquisizione con una conferenza stampa.»

«Otto giorni?» esclamò Berrington con voce eccitata. «Ma è magnifico!»

Preston scosse la testa. «A voler essere sinceri, io ho ancora qualche dubbio.»

Berrington espresse con un gemito la propria esasperazione.

Preston proseguì. «Dovremo sottostare a un'accurata verifica della società. Dovremo aprire i nostri libri contabili ai revisori della Landsmann e informarli su tutto quanto possa influenzare l'andamento futuro dei profitti, tipo debitori che stanno per fallire o cause in corso.»

«Di quelle non ne abbiamo, non è così?» disse Jim.

Preston gli lanciò un'occhiata sinistra. «Tutti noi sappiamo che questa società ha il suo scheletro nell'armadio.»

Nella stanza ci fu un momento di silenzio. Poi Jim disse: «Diamine, è stato tanto tempo fa».

«E con questo? La prova di ciò che abbiamo fatto è in giro da qualche parte, là fuori.»

«Ma non è possibile che la Landsmann lo venga a scoprire... certo non in otto giorni.»

Preston si strinse nelle spalle come a dire "E chi lo sa?".

«Dobbiamo correre questo rischio» esclamò Berrington con fermezza. «L'iniezione di capitale che otterremo dalla Landsmann ci permetterà di accelerare il nostro programma di ricerca. In un paio di anni saremo in grado di fornire ai ricchi americani bianchi che verranno nelle nostre cliniche il figlio perfetto, frutto dell'ingegneria genetica.»

«Ma che differenza farà?» obiettò Preston. «I poveri continueranno a riprodursi più velocemente dei ricchi.»

«Dimentichi il programma politico di Jim» disse Berrington.

«Un'aliquota fissa del dieci per cento sui redditi e iniezioni contraccettive obbligatorie per le donne che usufruiscono dell'assistenza pubblica» ricordò Jim.

«Pensaci, Preston» disse Berrington. «Bambini perfetti per le classi medio-alte e sterilizzazione per i poveri. Potremmo iniziare a riportare in equilibrio il bilancio razziale dell'America. È ciò per cui abbiamo sempre lavorato, sin dai primi giorni.»

«Allora eravamo degli idealisti» osservò Preston.

«Eravamo nel giusto!» ribatté Berrington.

«Sì, eravamo nel giusto. Ma, più divento vecchio, più penso

che il mondo riuscirà in qualche modo a tirare avanti anche se a me non sarà possibile realizzare tutto quello che avevo in programma a venticinque anni.»

Un'impostazione di questo tipo minacciava di vanificare ogni sforzo. «Ma noi possiamo realizzare quello che avevamo immaginato» disse Berrington. «Tutto quello per cui abbiamo lavorato negli ultimi trent'anni è ora a portata di mano. I rischi che abbiamo corso nei primi tempi, tutti quegli anni di ricerche, i soldi che abbiamo speso... finalmente tutto sta per dare un risultato. Non farti prendere da un attacco di nervi proprio adesso, Preston!»

«I miei nervi sono perfettamente a posto. Io vi sto ponendo problemi pratici, reali» si difese Preston, stizzito. «Jim può anche proporre il suo programma politico, ma questo non significa che verrà realizzato.»

«Ed è qui che entra in gioco la Landsmann» disse Jim. «I soldi che riceveremo per la nostre azioni ci permetteranno di mirare al più importante degli obiettivi.»

«Di che cosa stai parlando?» Preston era perplesso, ma Berrington, che già sapeva, sorrise.

«Della Casa Bianca» rispose Jim. «Intendo candidarmi alla presidenza degli Stati Uniti.»

4

Qualche minuto prima di mezzanotte, Steve Logan parcheggiò la vecchia Datsun sulla Lexington, nel quartiere di Hollins Market, nella parte occidentale di Baltimora. Avrebbe passato la notte da suo cugino, Ricky Menzies, che studiava medicina alla University of Maryland a Baltimora. Ricky aveva una stanza in affitto in un palazzo abitato in gran parte da studenti.

Era il più grosso casinista che Steve conoscesse. Gli piaceva bere, ballare e fare baldoria, e i suoi amici erano tutti come lui. Steve aveva accettato con entusiasmo la proposta di passare la serata con Ricky, ma purtroppo i casinisti come lui erano per definizione inaffidabili. All'ultimo minuto aveva preso un appuntamento con una ragazza, annullando quello con Steve, che così aveva trascorso la serata da solo.

Aveva con sé una piccola sacca sportiva con un cambio di abiti puliti per l'indomani. Era una serata calda. Chiuse a chiave la macchina e si avviò verso l'angolo della strada. Un gruppo di adolescenti, quattro o cinque ragazzi e una ragazza, tutti di colore, erano fermi davanti a un negozio di videocassette a fumare. Anche se era bianco, Steve non si sentiva nervoso: non era fuori posto in quel quartiere, con la sua macchina vecchia e i jeans scoloriti, e comunque era almeno cinque centimetri più alto del più grosso di loro. Mentre passava accanto ai ragazzi, uno disse a voce bassa ma chiara: «Vuoi comperare un po' di neve, un po' di crack?». Steve scosse la testa senza rallentare il passo.

Una nera molto alta veniva verso di lui, vestita in un modo da togliere il fiato: minigonna, tacchi alti, capelli raccolti sulla testa, rossetto rosso fuoco e ombretto azzurro. Non poté fare a

meno di guardarla. Quando furono vicini, la donna disse
«Ciao, bello» con una profonda voce mascolina, e Steve si rese
conto che si trattava di un uomo. Sorrise e proseguì.

Sentì i ragazzi all'angolo salutare il travestito con sfacciata
confidenza. «Ciao, Dorothy!»

«Salve, ragazzi!»

Un attimo dopo udì uno stridio di pneumatici e si lanciò
un'occhiata alle spalle. Una macchina bianca della polizia con
righe argento e blu si era fermata all'angolo. Alcuni dei ragazzi si dileguarono nelle stradine buie, altri rimasero. Dall'auto
scesero senza fretta due agenti di colore. Steve si voltò a guardare. Vedendo l'uomo che si faceva chiamare Dorothy, uno
dei due agenti lanciò uno sputo che colpì la punta della scarpa
rossa.

Steve ne rimase scioccato. Il gesto era del tutto gratuito e
inutile. Dorothy però non aveva neppure rallentato il passo.
«'fanculo, stronzo» borbottò.

La frase era appena percepibile, ma l'agente aveva l'udito
buono. Afferrò Dorothy per un braccio e lo sbatté contro la ve-
trina del negozio. Il travestito barcollò sui tacchi. «Non osare
mai più parlarmi in questo modo, pezzo di merda» disse il poliziotto.

Steve era indignato. Perdio, che cosa si aspettava quel tizio
se andava in giro a sputare alla gente?

Un campanello d'allarme cominciò a suonare nella sua
mente. "Non farti coinvolgere in una rissa, Steve."

L'altro poliziotto se ne stava appoggiato alla macchina e osservava la scena con espressione neutra.

«Cosa c'è, fratello?» chiese Dorothy con voce seducente. «Ti
turbo?»

L'agente gli sferrò un pugno nello stomaco. Era un tizio
grande e grosso e il pugno risultò potente. Dorothy si piegò in
due.

Al diavolo, pensò Steve e si diresse verso l'angolo.

"Che accidenti stai facendo, Steve?"

Dorothy era ancora piegato in due e boccheggiava. «Buona
sera, agente» disse Steve.

Il poliziotto lo guardò. «Sparisci, figlio di puttana» gli rin-
ghiò.

«No» ribatté Steve.

«Cos'hai detto?»

«Ho detto no, agente. Lasci stare quest'uomo.»

"Vattene, Steve. Vattene, stupido."

La sua aria di sfida rese arditi anche i ragazzi. «Sì, proprio così» disse un ragazzino alto e magro con la testa rasata. «Non c'è motivo che ve la prendete con Dorothy. Lui non ha fatto niente.»

Il poliziotto puntò un dito contro il ragazzo con espressione aggressiva. «Se vuoi che ti perquisisca, continua pure a parlare così.»

Il ragazzo abbassò lo sguardo.

«Però ha ragione» intervenne Steve. «Dorothy non ha infranto alcuna legge.»

Il poliziotto si avvicinò a Steve. "Non colpirlo. Qualsiasi cosa tu faccia, non toccarlo. Ricordati di Tip Fredricks." «Sei cic co?» chiese il poliziotto.

«Che cosa intende dire?»

«Su, Lenny, chi cazzo se ne frega! Dai, andiamocene» disse l'altro agente. Sembrava a disagio.

Lenny ignorò le sue parole e continuò a parlare con Steve. «Non lo vedi? Sei l'unica faccia bianca qui in giro. Questo non è posto per te.»

«Ma ho appena assistito a un crimine.»

Il poliziotto si avvicinò a Steve, così vicino da fargli paura. «Vuoi fare un giretto alla centrale?» gli chiese. «Oppure vuoi portare il culo via di qui, subito?»

Steve non voleva finire alla centrale. Sarebbe stato facilissimo per loro infilargli un po' di droga in tasca, oppure pestarlo per bene e dire che aveva opposto resistenza all'arresto. Steve studiava legge: se fosse stato dichiarato colpevole di un crimine non avrebbe più potuto esercitare. Desiderò di non essersi immischiato. Non valeva la pena gettar via la carriera solo perché un poliziotto faceva il prepotente con un travestito.

Ma non era giusto. Lui e Dorothy stavano subendo una prepotenza. Era il poliziotto che stava infrangendo la legge. Steve non riusciva a costringersi ad andarsene.

Cercò tuttavia di assumere un tono di voce conciliante.

«Non voglio piantare grane, Lenny» disse. «Tu lasci andare Dorothy e io dimentico di aver assistito all'aggressione.»

«Mi stai minacciando, testa di cazzo?»

Un pugno nello stomaco e un altro alla testa. Il poliziotto sarebbe crollato come un cavallo azzoppato.

«Stavo solo dando un suggerimento amichevole.» Questo poliziotto sembrava proprio in cerca di guai. Steve non riusciva a immaginare come la lite potesse essere disinnescata. Desiderava tanto che Dorothy si allontanasse tranquilla, mentre Lenny si girava dall'altra parte; invece il travestito se ne restava lì a guardare, massaggiandosi piano lo stomaco e godendosi l'ira del poliziotto.

Poi la sorte volle dargli una mano. La radio della volante si mise a trasmettere e subito gli agenti si bloccarono, restando in ascolto. Steve non riuscì a capire il miscuglio di parole e codici, ma il compagno di Lenny disse: «C'è un agente nei guai. Dobbiamo andare».

Lenny esitò, continuando a fissare Steve con aria minacciosa, eppure a Steve parve di scorgere un guizzo di sollievo negli occhi del poliziotto. Forse anche lui sentiva di aver schivato una situazione pericolosa. Ma quando parlò, nella sua voce c'era solo rancore. «Ricordati di me» disse a Steve «perché io mi ricorderò di te.» Quindi saltò a bordo e chiuse con forza la portiera, e la macchina schizzò via.

I ragazzi si misero ad applaudire e a schernire i poliziotti.

«Accidenti!» fece Steve con sollievo. «Me la sono vista brutta.»

"Sei stato uno stupido. Sai come poteva andare a finire. Sai come sei fatto."

In quel momento arrivò suo cugino Ricky. «Cosa è successo?» chiese, guardando la volante che si allontanava.

Dorothy venne verso di loro e posò le mani sulle spalle di Steve. «Il mio eroe» disse in tono civettuolo. «Il mio John Wayne.»

Steve era in imbarazzo. «Ehi, smettila.»

«Quando vorrai fare un giretto sull'altra sponda, vieni da me, John Wayne. Per te è gratis.»

«Grazie lo stesso.»

«Ti darei un bacio, ma vedo che sei timido, e così ti dico arrivederci.» Lo salutò agitando le dita con le unghie laccate di rosso e si allontanò.

«Ciao, Dorothy.»

Ricky e Steve si allontanarono nella direzione opposta. «Vedo che hai già fatto amicizie nel quartiere» disse Ricky.

Steve scoppiò a ridere, più che altro per il sollievo. «C'è mancato poco che mi mettessi nei guai» disse. «Uno stupido di poliziotto si è messo a pestare quel tizio vestito da donna e io sono stato così scemo da dirgli di smetterla.»

Ricky era allibito. «Sei fortunato a essere ancora qui.»

«Lo so.»

Arrivarono alla casa di Ricky ed entrarono. L'edificio puzzava di formaggio, o forse era latte andato a male. Le pareti dipinte di verde erano coperte da graffiti. Nel corridoio aggirarono una selva di biciclette legate con catene e salirono le scale.

«Mi rende furioso» disse Steve. «Non è giusto che Dorothy venga preso a pugni solo perché gli piace mettersi le minigonne e truccarsi.»

«Hai ragione.»

«E perché Lenny dovrebbe passarla liscia? Solo perché indossa un'uniforme della polizia? I poliziotti dovrebbero avere standard di comportamento più alti, proprio per la loro posizione privilegiata.»

«Improbabile.»

«Ecco perché voglio diventare avvocato. Per impedire che questo genere di cose continui ad accadere. Tu hai un eroe, una persona cui vorresti somigliare?»

«Casanova, forse.»

«Io Ralph Nader, l'avvocato. È il mio idolo. Ha sfidato le più potenti società americane e ha vinto.»

Ricky scoppiò a ridere e mise un braccio intorno alle spalle di Steve mentre entravano nella stanza. «Mio cugino l'idealista.»

«Ah, smettila.»

«Vuoi un po' di caffè?»

«Certo.»

La stanza di Ricky era piccola e arredata con mobili di scarto. Aveva un letto a una piazza, una scrivania a pezzi, un divano sfondato e un grosso televisore. Sulla parete c'era il poster di una donna nuda sulla quale erano stati riportati tutti i nomi delle ossa dello scheletro, dall'osso parietale alle ultime falangi dei piedi. C'era un condizionatore, ma sembrava che non funzionasse.

Steve sedette sul divano. «Com'era la ragazza?»

«Non così calda come mi avevano detto.» Ricky mise dell'acqua nel bollitore. «Melissa è simpatica, certo, ma non sarei a casa così presto se fosse stata pazza di me come mi avevano fatto credere. E tu?»

«Ho fatto un giro al campus della Jones Falls. Gran bel posto. Ho anche conosciuto una ragazza.» Al ricordo si illuminò in volto. «L'ho vista giocare a tennis. Era bravissima... alta, muscolosa, in forma perfetta. Un servizio che sembrava sparato con un bazooka, ti assicuro.»

«Non ho mai sentito di nessuno che si sia preso una cotta per una ragazza solo per come gioca a tennis» disse Ricky ridendo. «Almeno è bella?»

«Ha un viso dai lineamenti molto forti.» A Steve sembrava di vederlo. «Occhi marrone scuro, sopracciglia nere, una massa di capelli scuri... e un anellino d'argento alla narice sinistra.»

«Davvero? Piuttosto insolito, eh?»

«Puoi ben dirlo.»

«Come si chiama?»

«Non lo so» rispose Steve con un sorriso mesto. «Mi ha scaricato senza battere ciglio. Probabilmente non la vedrò mai più.»

Ricky versò il caffè. «Forse è meglio così... tu hai una ragazza fissa, vero?»

«Più o meno.» Steve si era sentito un po' in colpa nel provare tanta attrazione per la tennista. «Si chiama Celine» disse. «Studiamo insieme.» Steve era iscritto a legge a Washington.

«Ci vai a letto?»

«No.»

«Perché no?»

«Non sento quel livello di impegno.»

Ricky parve sorpreso. «Questo è un tipo di linguaggio che

io non conosco. Devi sentirti impegnato con una ragazza prima di scopartela?»

Steve era imbarazzato. «Io la penso così.»

«L'hai sempre pensata in questo modo?»

«No. Quando ero al liceo facevo tutto quello che le ragazze mi lasciavano fare, era come una specie di gara, mi portavo a letto ogni ragazza carina disposta a sfilarsi le mutandine... ma allora era allora e adesso è adesso, e non sono più un bambino. Almeno, credo.»

«Quanti anni hai, ventidue?»

«Esatto.»

«Io ne ho venticinque, ma immagino di non essere adulto quanto te.»

Steve colse una nota di risentimento. «Ehi, non era una critica, okay?»

«Okay.» Ricky non sembrava essersi seriamente offeso. «E allora cosa hai fatto, dopo che ti ha scaricato?»

«Sono andato in un bar a Charles Village, ho bevuto un paio di birre e ho mangiato un hamburger.»

«Questo mi fa venire in mente che avevo fame. Vuoi qualcosa da mangiare?»

«Cos'hai?»

Ricky aprì un armadietto. «Boo Berry, Rice Krispies o Count Chocula.»

«Hmm, Count Chocula va benissimo.» Ricky posò sul tavolo ciotole e latte e si misero a mangiare con avidità.

Quando ebbero finito, sciacquarono le ciotole dei cereali e si prepararono per andare a letto. Steve si sdraiò sul divano in mutande: faceva troppo caldo per usare le coperte. Ricky s'infilò nel letto. Prima di addormentarsi disse: «Cosa devi fare alla Jones Falls?».

«Mi hanno chiesto di partecipare a un programma di studio. Mi faranno test psicologici e altre cose.»

«Perché proprio tu?»

«Non lo so. Hanno detto che ero un caso speciale, e che mi spiegheranno tutto quando andrò là.»

«Che cosa ti ha spinto ad accettare? A me sembra solo una perdita di tempo.»

Steve aveva le sue buone ragioni, ma non le avrebbe certo

esposte a Ricky. La sua risposta fu sincera solo in parte. «La curiosità, immagino. Tu non ti poni mai domande su te stesso? Su che tipo di persona sei realmente, o su cosa vuoi fare nella vita?»

«Io voglio diventare un chirurgo famoso e guadagnare milioni di dollari all'anno con gli interventi plastici al seno. Sono uno spirito semplice, io.»

«E non ti chiedi qual è lo scopo di tutto questo?»

Ricky scoppiò a ridere. «No, Steve, non me lo chiedo. Ma tu sì. Tu sei sempre stato più riflessivo. Anche quando eravamo piccoli, tu ti ponevi sempre domande su Dio e cose simili.»

Era vero. All'età di tredici anni Steve aveva avuto una crisi mistica. Aveva visitato parecchie chiese, una sinagoga e una moschea, facendo domande a tutta una serie di stupefatti sacerdoti a proposito delle loro credenze religiose. Questo aveva lasciato molto perplessi i suoi genitori, che erano entrambi degli agnostici convinti.

«Tu sei sempre stato un po' diverso» proseguì Ricky. «Non ho mai conosciuto nessuno che prendesse voti così alti nei compiti in classe senza dover sgobbare.»

Anche questo era vero; Steve era sempre stato uno che imparava alla svelta, arrivando a essere il primo della classe senza alcuno sforzo; a volte però, quando gli altri bambini lo prendevano in giro, lui sbagliava deliberatamente per non sembrare troppo diverso da loro.

Ma c'era un'altra ragione che lo spingeva a indagare sulla propria personalità. Ricky non ne sapeva nulla, e anche alla facoltà di legge tutti ne erano all'oscuro. Solo i suoi genitori ne erano al corrente.

Steve aveva quasi ucciso una persona.

All'epoca aveva quindici anni. Era già molto alto, pur essendo piuttosto magro, e aveva il ruolo di capitano della squadra di basket. Quell'anno il liceo di Hillsfield era arrivato in semifinale nel campionato cittadino. Giocavano contro una squadra di teppisti scatenati di una scuola dei quartieri più degradati di Washington. Uno degli avversari in particolare, un ragazzo di nome Tip Fredricks, aveva continuato per tutta la partita a commettere falli ai danni di Steve. Tip era un ottimo giocatore ma usava la propria abilità per imbrogliare. E tutte le volte che ci riusciva sorrideva, come per dire: "Ti ho fregato un'altra volta, stronzo!". Steve diventava matto, ma doveva tenersi dentro la propria rabbia. In ogni caso giocò male; la squadra perse la partita e con essa anche la possibilità di conquistare il trofeo.

Come se non bastasse, Steve si imbatté in Tip nel parcheggio, dove gli autobus aspettavano per riportarli ai loro istituti. La sorte volle che uno degli autisti stesse cambiando una gomma e la cassetta degli attrezzi fosse là aperta per terra.

Benché Steve lo avesse deliberatamente ignorato, Tip lanciò verso di lui un mozzicone di sigaretta che lo colpì sulla giacca.

Quella giacca significava molto per Steve. Aveva messo da parte tutti i soldi guadagnati lavorando di sabato al McDonald's e l'aveva comperata proprio il giorno prima. Era un magnifico giubbotto di pelle color panna, e ora aveva una bruciatura di sigaretta proprio sul davanti, in piena vista. Era rovinata. E così Steve lo colpì.

Tip si difese con forza, a suon di calci e testate, ma Steve era ottenebrato dalla collera e non sentiva i colpi. Già con il volto coperto di sangue, Tip vide la cassetta dei ferri aperta e afferrò un cric. Per due volte colpì in piena faccia Steve che, reso ancora più furioso dal dolore, provò una cieca rabbia. Strappò l'arma di mano a Tip... e i suoi ricordi finirono lì. Sapeva solo che si era ritrovato in piedi sopra il corpo di Tip, il cric insanguinato stretto tra le mani, mentre qualcuno diceva: «Cristo santo, credo che sia morto!».

Tip non era morto. Sarebbe deceduto due anni dopo, ammazzato da un importatore di marijuana giamaicano al quale doveva ottantacinque dollari. Ma Steve aveva avuto l'intenzione di ucciderlo, aveva cercato di farlo fuori. Non aveva nessuna scusante: era stato lui a vibrare il colpo e, anche se era stato Tip a prendere per primo in mano il cric, Steve l'aveva usato con ferocia.

Era stato condannato a sei mesi di prigione, ma la pena era stata sospesa. Dopo il processo si era iscritto a un'altra scuola e aveva passato gli esami brillantemente come al solito. Poiché ai tempi della rissa era minorenne e nessuno aveva il diritto di andare a controllare la sua fedina penale, aveva potuto iscriversi alla facoltà di legge. I suoi genitori consideravano quella storia un incubo ormai finito. Ma Steve aveva dei dubbi. Sapeva che erano stati solo un colpo di fortuna e l'elasticità del corpo umano a salvarlo da un processo per omicidio. Tip Fredricks era un essere umano, e Steve lo aveva quasi ucciso per una *giacca*. Ascoltando il respiro regolare di Ricky, Steve rimase sveglio sul divano a domandarsi chi fosse veramente.

LUNEDÌ

5

«Hai mai incontrato un uomo che avresti voluto sposare?» chiese Lisa.

Stavano bevendo caffè solubile sedute al tavolo nell'appartamento di Lisa. In quella stanza tutto era grazioso, come la stessa padrona di casa: tessuti a fiori, soprammobili di porcellana e un orsacchiotto con un farfallino a pois.

Lisa si era presa un giorno di ferie, mentre Jeannie era pronta per andare a lavorare. Indossava un tailleur blu scuro con una camicetta bianca. Era una giornata importante, e lei era molto nervosa. Il primo dei suoi soggetti di studio si sarebbe presentato in laboratorio per una serie di test. Avrebbe confermato la sua teoria o l'avrebbe smentita? Alla fine della giornata le poteva capitare di sentirsi nel giusto, oppure di essere dolorosamente costretta a rivedere le proprie teorie.

Ma Lisa era ancora molto sconvolta e Jeannie voleva restare a farle compagnia fino all'ultimo. Immaginava che la cosa migliore che potesse fare era quella di starsene lì seduta a chiacchierare con lei di uomini e di sesso, come facevano sempre, per aiutarla a riprendere la via della normalità. Le sarebbe piaciuto restare lì tutta la mattina, ma non era possibile. Le rincresceva che Lisa non sarebbe stata in laboratorio ad aiutarla, ma la cosa era fuori discussione.

«Sì, uno» rispose. «Ce n'è stato uno che avrei voluto sposare. Si chiamava Will Temple. Era un antropologo. Anzi, lo è ancora.» In quel momento le parve di vederlo: alto, con la barba chiara, in jeans e maglione da pescatore mentre attraversava i corridoi dell'università con la bicicletta da corsa in spalla.

«Me ne hai già parlato altre volte» disse Lisa. «Com'era?»

«Fantastico» rispose Jeannie con un sospiro. «Mi faceva ridere, si prendeva cura di me quando stavo male, si stirava le camicie da solo ed era superdotato.»

Lisa non sorrise. «Che cosa non ha funzionato?»

Jeannie ne parlava con disinvoltura, ma il ricordo la faceva ancora soffrire. «Mi ha lasciata per Georgina Tinkerton Ross.» E poi, come per spiegare meglio, aggiunse: «Dei Tinkerton Ross di Pittsburgh».

«E lei com'era?»

L'ultima cosa di cui Jeannie aveva voglia era parlare di Georgina. Ma, visto che serviva a distogliere la mente di Lisa dalla violenza subita, si costrinse a ricordare. «Era perfetta» disse, pentendosi per il tono sarcastico che aveva colto nella propria voce. «Bionda, tutta curve, un gusto impeccabile in fatto di golf di cashmere e mocassini di coccodrillo. Cervello zero, ma in compenso aveva una grossa rendita.»

«Quando è successo?»

«Will e io abbiamo vissuto insieme per un anno quando facevo il dottorato.» Era stato il periodo più felice della sua vita. «Lui se n'è andato proprio mentre lavoravo al mio articolo sul legame tra genetica e criminalità.» "Un tempismo perfetto, Will" pensò, "vorrei solo riuscire a odiarti di più." «Poi Berrington mi ha offerto un lavoro alla Jones Falls e io l'ho preso al volo.»

«Gli uomini sono tutti stronzi.»

«Will non è uno stronzo. È un'ottima persona. Si è solo innamorato di un'altra, tutto lì. Sono convinta che non abbia scelto bene, comunque non è che fossimo sposati. Lui non ha rotto alcuna promessa. Non mi è neppure stato infedele, a parte una o due volte, prima di lasciarmi.» Jeannie si rese conto che stava ripetendo le parole che Will aveva usato allora per giustificarsi. «Non lo so, tutto sommato forse è stato uno stronzo.»

«Dovremmo tornare ai tempi della regina Vittoria, quando se un uomo baciava una donna si riteneva fidanzato. Se non altro le ragazze sapevano come regolarsi.»

In quel momento la prospettiva di Lisa sui rapporti tra i due sessi era un po' sballata, ma Jeannie non glielo fece notare. «E tu? Hai mai trovato uno che ti sarebbe piaciuto sposare?» le chiese invece.

«Mai. Neppure uno.»

«È perché tu e io abbiamo gusti difficili. Non ti preoccupare, quando arriverà quello giusto sarà meraviglioso.»

Il citofono si mise a suonare, facendole trasalire. Lisa balzò in piedi e urtò il tavolo. Il vasetto di porcellana che vi era posato sopra cadde a terra e si ruppe andando in mille pezzi. «Maledizione!»

Era ancora molto nervosa. «Pulisco io» le disse Jeannie cercando di calmarla. «Tu va' a vedere chi è alla porta.»

Lisa sollevò il ricevitore. Osservò l'immagine sul monitor con espressione perplessa. «E va bene, salga» disse in tono dubbioso, e premette il pulsante apriporta.

«Chi è?» chiese Jeannie.

«Un detective della Sezione reati sessuali.»

Jeannie temeva che avrebbero mandato qualcuno per cercare di costringere Lisa a collaborare con gli inquirenti. Era decisa a non permetterglielo. L'ultima cosa di cui Lisa aveva bisogno in quel momento erano altre domande indiscrete. «Perché non gli hai detto di andare a farsi fottere?»

«Forse perché è nera» rispose Lisa.

«Stai scherzando?»

Lisa scosse la testa.

Erano stati molto furbi, pensò Jeannie, raccogliendo frammenti di porcellana. La polizia sapeva che lei e Lisa erano ostili. Se avessero mandato un uomo non l'avrebbero neppure fatto entrare. E così avevano mandato una donna – nera – ben sapendo che due ragazze bianche della classe media si sarebbero fatte in quattro per essere educate con lei. "Be', se cerca di fare la furba con Lisa, caccio fuori pure lei" pensò Jeannie.

"Lei" si rivelò essere una donna massiccia sui quarant'anni, vestita elegantemente, con una camicetta color crema e un foulard coloratissimo e una valigetta in mano. «Sono il sergente Michelle Delaware» disse. «Tutti mi chiamano Mish.»

Jeannie si chiese che cosa ci fosse nella valigetta. I detective di solito andavano in giro con le pistole, non con le scartoffie. «Sono la dottoressa Jean Ferrami» replicò. Usava sempre il

proprio titolo quando pensava che ci sarebbe stato da litigare.
«Questa è Lisa Hoxton.»

«Signorina Hoxton, desidero dirle quanto sono spiacente per ciò che le è accaduto ieri» disse la donna. «La mia sezione si occupa di una violenza sessuale al giorno, in media, e ognuna di esse è una terribile tragedia e un trauma per la vittima. So che lei è profondamente ferita, e la capisco.»

"Accidenti" pensò Jeannie, "questa è proprio diversa da quello di ieri."

«Sto cercando di lasciarmelo alle spalle» disse Lisa con aria di sfida, ma le si riempirono gli occhi di lacrime.

«Posso sedermi?»

«Certo.»

La donna si sedette al tavolo.

Jeannie la osservò con diffidenza. «Lei sembra avere un atteggiamento diverso da quello dell'agente di ieri» le disse.

Mish annuì. «Sono molto dispiaciuta per il modo in cui McHenty vi ha trattato. Come tutti gli agenti di pattuglia è stato addestrato a occuparsi delle vittime di violenze sessuali, ma sembra aver dimenticato tutto quello che aveva appreso. È stato un episodio imbarazzante per tutto il dipartimento di polizia.»

«È stato come essere violentata un'altra volta» disse Lisa tra le lacrime.

«Non succederà più.» La voce di Mish assunse un tono sdegnato. «Questo è il motivo per cui molti casi di stupro finiscono in un cassetto perché considerati privi di fondamento. Non è perché le donne mentono. È perché il sistema giudiziario le tratta in modo tanto brutale da indurle a ritirare la denuncia.»

«Non faccio fatica a crederci» commentò Jeannie. Ma poi ricordò a se stessa che doveva stare attenta: Mish poteva anche parlare come una sorella, ma era pur sempre un poliziotto.

Mish tirò fuori dalla borsa un biglietto da visita. «Questo è il numero di un centro di assistenza alle vittime di stupro gestito da volontari. Prima o poi, ogni donna violentata ha bisogno dell'aiuto di personale esperto.»

Lisa lo prese, ma disse: «Al momento quello che voglio è dimenticare».

Mish annuì. «Segua il mio consiglio, metta il bigliettino in un cassetto. Le sue reazioni attraverseranno fasi diverse e probabilmente verrà il momento in cui lei sentirà il bisogno di aiuto.»

«D'accordo.»

Jeannie decise che Mish meritava un minimo di gentilezza. «Gradirebbe un po' di caffè?» le chiese.

«Molto volentieri.»

«Lo faccio subito.» Jeannie si alzò e preparò la caffettiera.

«Voi due lavorate insieme?» chiese Mish.

«Sì» rispose Jeannie. «Studiamo i gemelli.»

«I gemelli?»

«Ne analizziamo somiglianze e differenze e cerchiamo di capire quanto del loro comportamento sia ereditario e quanto dipenda dal modo in cui sono stati allevati.»

«Qual è il suo lavoro, Lisa?»

«Mi occupo della ricerca dei gemelli che gli scienziati poi studieranno.»

«Come fa?»

«Parto dai registri delle nascite, che nella maggior parte degli Stati sono a disposizione del pubblico. I gemelli rappresentano circa l'uno per cento dei nati, e quindi si trova un parto gemellare più o meno ogni cento certificati. Il certificato ci dà la data e il luogo di nascita. Noi ne facciamo una copia e poi rintracciamo i gemelli.»

«Come?»

«Abbiamo tutti gli elenchi telefonici d'America su CD-rom. Possiamo usare anche i registri della motorizzazione e delle agenzie che forniscono informazioni commerciali.»

«E riuscite sempre a ritrovarli?»

«Oh, no! Il nostro fattore di successo dipende dalla loro età. Riusciamo a rintracciare circa il novanta per cento di quelli che hanno dieci anni, ma solo il cinquanta per cento degli ottantenni. Più le persone sono anziane, più è probabile che si siano trasferite, abbiano cambiato nome o siano morte.»

«E a quel punto lei li studia» domandò Mish, rivolgendosi a Jeannie.

«Io sono specializzata in gemelli monovulari cresciuti separati. Sono molto più difficili da trovare» disse Jeannie. Posò il bricco di caffè sul tavolo e ne versò una tazza per Mish. Se quella donna aveva intenzione di esercitare pressioni su Lisa, se la stava prendendo molto comoda.

Mish sorseggiò il caffè e poi disse, rivolta a Lisa: «All'ospedale ha preso qualche medicina?».

«No, non ci sono rimasta molto.»

«Avrebbero dovuto suggerirle la pillola del giorno dopo. Non vorrà rischiare di restare incinta?»

Lisa rabbrividì. «Certo che no. Mi sono chiesta più volte che cosa dovevo fare.»

«Vada dal suo medico. Lui dovrebbe prescrivergliela, a meno che non abbia qualche obiezione di carattere religioso... so che alcuni medici cattolici hanno problemi di questo genere. In tal caso, il centro di cui le ho parlato saprà indicarle un altro medico.»

«Fa piacere parlare con qualcuno che sa tutte queste cose» disse Lisa.

«L'incendio non è stato accidentale» proseguì Mish. «Ho parlato col capo dei pompieri. Qualcuno lo ha appiccato in un deposito del seminterrato, poi ha staccato i condotti della ventilazione per essere sicuro che il fumo venisse convogliato nello spogliatoio. Ora, gli stupratori non sono interessati solo al sesso: a eccitarli è la paura che prova la vittima. Per questo io sono convinta che l'incendio facesse parte del piano del maniaco.»

Jeannie non aveva tenuto conto di quella possibilità. «Credevo fosse solo uno che aveva approfittato dell'incendio.»

Mish scosse la testa. «Alcuni stupri sono dettati dall'opportunità, quando l'uomo si rende conto che la ragazza con cui è uscito è troppo drogata o ubriaca per respingerlo. Ma quelli che violentano delle sconosciute appartengono a un'altra categoria. Sono dei registi. Immaginano un evento e poi trovano il modo di farlo accadere. Sanno essere molto scaltri. E questo li rende ancora più pericolosi.»

Jeannie sentì crescere la propria rabbia. «A momenti ci lasciavo la pelle in quel maledetto incendio» disse.

«Ho ragione di pensare che lei non avesse mai visto prima quell'uomo? Che fosse uno sconosciuto?» chiese Mish a Lisa.

«Giurerei di averlo visto circa un'ora prima dell'incendio» rispose Lisa. «Mentre mi stavo allenando con la squadra di hockey, un'auto che passava ha rallentato e il tizio alla guida ci ha fissate a lungo. Ho la sensazione che fosse lui.»

«Che tipo di macchina era?»

«Era un'auto vecchia, di questo sono sicura. Bianca e piena di ruggine. Forse una Datsun.»

Jeannie si aspettava che Mish prendesse nota, invece continuò a parlare. «L'idea che mi sono fatta è che si tratti di un pervertito molto intelligente e molto crudele, disposto a fare qualunque cosa pur di soddisfare il proprio piacere.»

«Dovrebbe essere sbattuto in galera per il resto della sua vita» disse Jeannie con amarezza.

Mish giocò il suo asso nella manica. «Ma non sarà così. È libero. E lo farà ancora.»

Jeannie era scettica. «Come può esserne sicura?»

«In genere gli stupratori commettono questo tipo di reato più volte di fila, in serie. L'unica eccezione è lo stupratore occasionale di cui parlavo prima. Quello può colpire anche una volta sola. Ma gli uomini che violentano le sconosciute non si fermano... finché non vengono presi.» Mish guardò Lisa con intenzione. «Nel giro di una decina di giorni, l'uomo che l'ha violentata sottoporrà alla stessa tortura un'altra donna... a meno che noi non lo catturiamo prima.»

«Oh, Dio!» esclamò Lisa.

Jeannie capiva dove Mish volesse arrivare. Come aveva previsto, il detective cercava di convincere Lisa a collaborare alle indagini. Jeannie era sempre decisa a non permettere che Mish la intimorisse o le facesse pressioni. Ma era difficile obiettare a ciò che stava dicendo.

«Abbiamo bisogno di un campione del suo Dna» disse Mish.

Lisa fece un'espressione disgustata. «Vuole dire del suo sperma?»

«Sì.»

Lisa scosse la testa. «Ho fatto la doccia, poi un bagno e una lavanda vaginale. Spero tanto che dentro di me non sia rimasto niente di quell'uomo.»

Mish insistette con garbo. «Nel corpo rimangono tracce per un periodo di tempo che va dalle quarantotto alle settantadue ore. Abbiamo bisogno di fare un tampone vaginale, un esame del pube e un prelievo di sangue.»

«Il medico con cui abbiamo parlato ieri al Santa Teresa ieri era un vero idiota.»

Mish annuì. «I medici non amano occuparsi delle vittime di violenze sessuali. Se devono deporre in tribunale, perdono tempo e denaro. Ma non avrebbero dovuto portarla al Santa Teresa. È stato uno dei tanti errori di McHenty. In città ci sono tre ospedali specializzati per le vittime di abusi sessuali, e il Santa Teresa non è tra questi.»

«Dove vuole che vada?» chiese Lisa.

«Presso il Mercy Hospital è operante un centro di medicina legale per le vittime di abusi sessuali.»

Jeannie annuì. Il Mercy era il grande ospedale del centro.

«Verrà visitata da un'infermiera specializzata nell'individuare le prove. Il medico di ieri non aveva alcuna esperienza in materia... probabilmente avrebbe fatto qualche pasticcio.»

Chiaramente Mish non aveva molto rispetto per i medici.

Mish aprì la valigetta. Jeannie si sporse in avanti, curiosa. All'interno c'era un computer portatile. La donna lo aprì e lo accese. «Abbiamo un programma che si chiama IFC, che sta per Identificazione Facciale Computerizzata. A noi gli acronimi piacciono molto» disse con un sorriso ironico. «In realtà questo programma è stato ideato da un detective di Scotland Yard. Ci consente di mettere insieme l'identikit dell'uomo che l'ha violentata senza l'aiuto di un disegnatore» aggiunse, guardando speranzosa verso Lisa.

«Tu cosa ne pensi?» chiese Lisa a Jeannie.

«Non sentirti obbligata» rispose Jeannie. «Pensa a te stessa. Ne hai tutti i diritti. Fa' quello che ti sembra più giusto.»

Mish le lanciò un'occhiata ostile, e poi disse, rivolta a Lisa: «Io non sto esercitando alcuna pressione. Se lei vuole che io me ne vada, non deve fare altro che dirmelo. Io sto solo chiedendo. Voglio catturare questo stupratore e ho bisogno del suo aiuto. Senza di lei, non ho alcuna speranza».

Jeannie era profondamente ammirata. Quella donna aveva gestito e dominato la conversazione dal momento in cui era entrata nella stanza, senza mai intimorire Lisa. Sapeva bene quello che diceva e quello che voleva.

«Non so...» disse Lisa.

«Perché non dà un'occhiata a questo programma?» propose

Mish. «Se si sente a disagio, smettiamo subito. In caso contrario, avrò almeno un ritratto dell'uomo che sto cercando. Poi, quando avremo finito, deciderà se andare al Mercy o no.»

Lisa esitò per un attimo e poi disse: «Va bene».

«Ricordati che puoi fermarti in qualsiasi momento» le rammentò Jeannie.

Lisa annuì.

«Tanto per cominciare cercheremo di stabilire le principali fattezze del viso» disse Mish. «Non gli somiglierà, ma servirà da punto di partenza. Poi perfezioneremo i particolari. Ho bisogno che lei si concentri sul volto dell'assalitore e me ne dia una descrizione a grandi linee. Si prenda il tempo che vuole.»

Lisa chiuse gli occhi. «È un bianco, più o meno della mia età. Capelli corti, ma non saprei di che colore. Occhi chiari, direi azzurri. Naso diritto...»

Mish usava un mouse. Jeannie si alzò e andò a mettersi alle spalle della donna per poter vedere lo schermo. Era un programma che lavorava in ambiente Windows. Nell'angolo in alto a destra c'era un volto diviso in otto sezioni. Man mano che Lisa diceva qualcosa, Mish cliccava su una sezione del viso, facendo uscire un menu, dal quale sceglieva gli elementi in base alla descrizione di Lisa: capelli corti, occhi chiari, naso diritto.

Lisa proseguiva. «Mento piuttosto quadrato, niente barba né baffi... come sto andando?»

Mish cliccò di nuovo e sullo schermo apparve un volto intero. Era quello di un uomo sulla trentina dai lineamenti regolari: sarebbe potuto essere chiunque. Mish girò il computer in modo che Lisa potesse vedere lo schermo. «Ora cambieremo il volto pezzo per pezzo. Per prima cosa le mostrerò la faccia con tutta una serie di fronti e attaccature dei capelli diverse. Lei deve solo dirmi sì, no, o forse. Pronta?»

«Certo.»

Mish cliccò sul mouse. Il volto sullo schermo cambiò e la fronte divenne improvvisamente stempiata.

«No» disse Lisa.

La donna cliccò di nuovo. Questa volta il viso presentava una frangetta diritta come quelle che si usavano ai tempi dei Beatles.

«No.»

Il taglio di capelli seguente era ondulato e Lisa disse: «Questo gli assomiglia un po' di più. Ma mi sembra che avesse la riga da una parte.»

Quello seguente era proprio riccio. «Meglio» fece Lisa. «Questo è meglio dell'ultimo. Ma i capelli sono troppo scuri.»

«Quando li avremo visti tutti, torneremo su quelli che lei ha scelto e prenderemo quelli più somiglianti. Una volta che avremo costruito tutta la faccia, potremo migliorarla facendo dei ritocchi rendendo i capelli più scuri o più chiari, spostando la riga, invecchiando o ringiovanendo il viso.»

Jeannie guardava affascinata. Ma ci sarebbe voluta un'ora se non di più, e lei doveva andare al lavoro. «Devo proprio andare» disse. «Tutto bene, Lisa?»

«Tutto bene» fu la risposta, e Jeannie capì che era la verità. Forse sarebbe stato meglio per Lisa sentirsi coinvolta nella caccia a quell'uomo. Incrociò lo sguardo di Mish e vi colse un lampo di trionfo. Jeannie si chiese se avesse avuto torto a provare ostilità nei suoi confronti. Di sicuro si era dimostrata comprensiva, aveva usato le parole giuste. Tuttavia, la sua priorità non era quella di aiutare Lisa, ma di catturare lo stupratore. Lisa aveva bisogno di una persona amica, di qualcuno che si preoccupasse innanzitutto di lei.

«Ti telefono» le disse.

Lisa l'abbracciò. «Non potrò mai ringraziarti abbastanza per essere rimasta qui con me.»

Mish le porse la mano. «Mi ha fatto piacere conoscerla.»

Jeannie gliela strinse. «Buona fortuna. Spero tanto che lo prendiate.»

«Lo spero anch'io» rispose Mish.

6

Steve lasciò la macchina nell'ampio parcheggio riservato agli studenti della Jones Falls. Mancavano pochi minuti alle dieci e il campus era affollato di studenti in abiti estivi diretti alla prima lezione della giornata. Steve si guardò intorno nella speranza di scorgere la tennista. Sapeva che le probabilità di incontrarla erano minime, ma non poteva fare a meno di osservare ogni donna alta con i capelli scuri per vedere se portava un anellino al naso.

L'Istituto di psicologia era una struttura moderna di quattro piani in mattoni rossi, come i più vecchi edifici del college. Steve comunicò il proprio nome all'ingresso e gli fu detto di presentarsi in laboratorio.

Nelle tre ore che seguirono venne sottoposto a più test di quanti avesse mai ritenuto possibili. Venne pesato e misurato. Gli vennero prese le impronte digitali. Scienziati, tecnici e studenti gli fotografarono le orecchie, misurarono la forza della sua presa e valutarono le sue reazioni emotive mostrandogli fotografie di corpi carbonizzati e mutilati. Rispose a domande sui suoi hobby, sulle sue convinzioni religiose, sulle ragazze che aveva avuto e sulle sue aspirazioni lavorative. Gli fu chiesto se era in grado di riparare un campanello della porta, se si considerava ben vestito, se avrebbe potuto sculacciare i propri figli e se una determinata musica lo faceva pensare a certe immagini o a colori in movimento. Ma nessuno gli disse perché fosse stato scelto per quello studio.

Non era solo. In giro per il laboratorio c'erano anche due bambine e un uomo di mezza età vestito con jeans, camicia a quadri e stivali da cowboy. A mezzogiorno si ritrovarono tutti in una saletta arredata con alcuni divani e un televisore, dove consumarono il pranzo a base di pizza e Coca-Cola. Solo allora Steve si rese conto che in realtà gli uomini di mezza età in stivali da cowboy erano due: due gemelli vestiti allo stesso modo.

Si presentò e apprese che i cowboy si chiamavano Benny e Arnold, mentre le bambine erano Sue ed Elizabeth. «Voi due vi vestite sempre uguali?» chiese ai gemelli mentre mangiavano.

I due si scambiarono un'occhiata, poi Benny rispose: «Non lo so. Ci siamo appena conosciuti».

«Siete gemelli e vi siete appena conosciuti?»

«Da piccoli siamo stati dati in adozione... a due famiglie diverse.»

«Ed è per puro caso che vi siete vestiti allo stesso modo?»

«Pare proprio di sì.»

«E tutti e due facciamo il carpentiere, fumiamo Camel Lights e abbiamo due figli, un maschio e una femmina» aggiunse Arnold.

«Entrambe le bambine si chiamano Caroline, ma il mio ragazzo si chiama John, mentre il suo si chiama Richard.»

«Io volevo chiamarlo John» disse Arnold «ma mia moglie ha tanto insistito per Richard.»

«Accidenti!» esclamò Steve. «Ma non potete aver ereditato la stessa preferenza per le Camel Lights.»

«E chi lo sa?»

«Dov'è il tuo gemello?» chiese Elizabeth, una delle bambine, a Steve.

«Io non ho un gemello» rispose Steve. «È questo che studiano, qui? I gemelli?»

«Sì» rispose Elizabeth e poi aggiunse, orgogliosa: «Sue e io siamo eterozigote».

Steve inarcò le sopracciglia. La bambina non doveva avere più di undici anni. «Non credo di conoscere quella parola» disse con aria solenne. «Che cosa vuol dire?»

«Che non siamo identiche. Siamo gemelle biovulari. È per questo che non ci assomigliamo.» Poi indicò Benny e Arnold.

«Loro, invece, sono omozigoti. Hanno lo stesso Dna. È per questo che sono uguali.»

«Sembra proprio che tu sappia un sacco di cose sull'argomento» le disse Steve. «Sono stupito.»

«Non è la prima volta che veniamo qui.»

La porta si aprì alle spalle di Steve. Elizabeth alzò lo sguardo e disse: «Buongiorno, dottoressa Ferrami».

Steve si voltò e si trovò davanti la ragazza del tennis.

Il corpo muscoloso era nascosto da un camice bianco lungo fino al ginocchio, ma entrò nella stanza con la falcata dell'atleta. Aveva la stessa espressione concentrata che tanto aveva colpito Steve sul campo da tennis. Rimase a fissarla, incredulo di aver avuto tanta fortuna.

La dottoressa salutò le bambine e si presentò agli altri. Stringendo la mano a Steve lo guardò sorpresa. «Dunque lei è Steve Logan!» esclamò.

«Lei gioca a tennis veramente bene» disse lui.

«Però ho perso» ribatté e si sedette. I capelli folti e scuri le ondeggiavano liberi intorno alle spalle e, alla luce impietosa del laboratorio, Steve notò uno o due fili bianchi. Invece dell'anellino d'argento, quel giorno portava una semplice pallina d'oro alla narice. Era anche truccata, e il mascara rendeva il suo sguardo ancora più ipnotico.

Li ringraziò tutti per aver sacrificato un po' del proprio tempo in favore della ricerca scientifica e chiese se le pizze erano buone. Dopo altri convenevoli, congedò le bambine e i cowboy che dovevano iniziare i test del pomeriggio.

Si sedette vicino a Steve e, per qualche motivo, lui ebbe la sensazione che fosse imbarazzata. Pensò quasi che stesse per comunicargli delle brutte notizie. «A questo punto, lei si starà chiedendo il motivo per cui è stato convocato.»

«Presumo di essere stato scelto perché sono sempre stato bravo a scuola.»

«No» disse Jeannie. «Certo, lei ha ottenuto un punteggio molto alto in tutti i test intellettivi. A dire il vero i suoi risultati scolastici non rendono giustizia alle sue capacità. Il suo QI è davvero molto alto. Probabilmente lei è sempre stato il primo della classe senza dover studiare molto, ho ragione?»

«Sì. Ma immagino che non sia questo il motivo per cui sono qui.»

«No. Il nostro programma ha lo scopo di determinare quanta parte del carattere delle persone è predeterminata dalla loro eredità genetica.» L'imbarazzo svanì e lei si infervorò nelle spiegazioni. «È il Dna che decide se saremo intelligenti, aggressivi, romantici, atletici? Oppure è l'educazione? E, se entrambi hanno un ruolo, come interagiscono?»

«È una vecchia controversia» disse Steve. Al college aveva seguito un corso di filosofia ed era rimasto affascinato dall'argomento. «Io sono come sono perché sono nato così? Oppure sono il prodotto dell'educazione impartitami e dell'ambiente in cui sono cresciuto?» Gli tornò in mente la frase che riassumeva la disputa: «Natura o educazione?».

Lei annuì e i lunghi capelli ondeggiarono come l'oceano. Steve si chiese come fossero al tatto. «Ma noi cerchiamo di risolvere la questione in maniera rigorosamente scientifica» disse Jeannie. «Vede, i gemelli che si assomigliano come due gocce d'acqua hanno gli stessi geni, esattamente gli stessi. I gemelli eterozigoti no, ma normalmente vengono allevati nello stesso identico ambiente. Noi studiamo entrambi i tipi, li confrontiamo con gemelli che sono cresciuti separatamente e valutiamo le somiglianze.»

Steve si stava chiedendo che cosa c'entrasse lui in tutto ciò. Si stava chiedendo anche quanti anni avesse Jeannie. Quando l'aveva vista il giorno prima, sul campo da tennis, con i capelli raccolti sotto il berretto, aveva pensato che avesse più o meno la sua età, ma ora capiva che doveva essere più vicina alla trentina. Questo non cambiava ciò che provava per lei, tuttavia prima di allora non si era mai sentito attratto da una ragazza così adulta.

«Se l'ambiente fosse determinante, i gemelli allevati insieme sarebbero molto simili, mentre quelli cresciuti separatamente dovrebbero essere molto diversi, sia nel caso degli eterozigoti che degli omozigoti. Invece, i gemelli omozigoti cresciuti separatamente sono più simili dei gemelli eterozigoti cresciuti insieme.»

«Come Benny e Arnold?»

«Esattamente. Ha visto quanto sono uguali, benché allevati

in case diverse. È tipico. Questo istituto ha studiato più di un centinaio di coppie di gemelli omozigoti allevati separatamente. Di queste duecento persone, due erano poeti famosi. Altri due avevano intrapreso un lavoro che aveva a che fare con gli animali – uno era un istruttore di cani, l'altro un allevatore – ed erano omozigoti. Abbiamo avuto anche due musicisti, sempre omozigoti, un insegnante di piano e un chitarrista. Ma questi sono solo gli esempi più eclatanti. Come ha visto, noi facciamo una valutazione scientifica della personalità, del QI e di varie caratteristiche fisiche, e tutti questi elementi spesso riconducono allo stesso schema: i gemelli omozigoti sono estremamente simili, a prescindere dalla loro educazione.»

«Mentre Sue e Elizabeth sembrano piuttosto diverse.»

«Esatto. Eppure hanno gli stessi genitori, la stessa casa, frequentano la stessa scuola, hanno mangiato le stesse cose fin dalla nascita, e così via. Immagino che Sue sia stata molto silenziosa durante il pranzo, mentre Elizabeth le avrà di certo raccontato la storia della sua vita.»

«A dire il vero mi ha spiegato che cosa significa la parola "omozigote".»

La dottoressa Ferrami scoppiò a ridere, mettendo in mostra denti bianchissimi e una lingua rosea. Steve si sentì esageratamente compiaciuto di aver detto qualcosa di divertente.

«Ma lei non mi ha ancora spiegato il perché del mio coinvolgimento» disse Steve.

Lei parve nuovamente in imbarazzo. «È un po' difficile» disse. «Non è mai successo prima d'ora.»

Improvvisamente capì. Era così ovvio! Come aveva fatto a non capirlo prima? «Lei ritiene che io abbia un gemello di cui non so nulla?» chiese, incredulo.

«Non riesco a trovare un modo meno diretto per dirglielo» rispose lei evidentemente mortificata. «Ma è così.»

«Accidenti!» Steve si sentiva stordito. Era una notizia difficile da mandare giù.

«Sono davvero spiacente.»

«Non credo ci sia niente di cui scusarsi.»

«Invece sì. Di solito prima di venire da noi le persone sanno di avere un gemello. Ma io ho creato un nuovo modo per reclutare i soggetti di questo studio, e lei è il primo. In realtà, il fatto che lei non sappia di avere un gemello è una conferma della mia teoria. Ma non avevo considerato a fondo la difficoltà di comunicare alle persone notizie così scioccanti.»

«Ho sempre desiderato un fratello» disse Steve. Era figlio unico, ed era nato quando i suoi genitori erano entrambi vicini ai quaranta. «È un maschio?»

«Sì. Siete identici.»

«Un fratello gemello identico» mormorò Steve. «Ma come è potuto accadere senza che io lo sapessi?»

Jeannie aveva l'aria mortificata.

«Un momento! Ho capito» disse Steve. «Potrei essere stato adottato.»

Lei annuì.

«Oppure potrebbe essere stato adottato il mio gemello.»

«Sì.»

«Oppure potremmo essere stati adottati entrambi, come Benny e Arnold.»

«Già» disse lei con aria solenne. Lo guardava assorta con quei suoi occhi scuri. Nonostante il tumulto della sua mente, Steve non poté fare a meno di pensare che era bella. Avrebbe voluto che continuasse a guardarlo così per sempre.

«Nella mia esperienza» disse Jeannie «anche se un soggetto non sa di avere un gemello, normalmente sa di essere stato adottato. Ma avrei dovuto immaginare che nel suo caso la situazione fosse diversa.»

«Non riesco a credere che mamma e papà mi abbiano tenuto nascosta l'adozione» disse Steve con aria afflitta. «Non è da loro.»

«Mi racconti dei suoi genitori.»

Steve sapeva che lo stava facendo parlare per aiutarlo a superare lo shock, ma andava bene lo stesso. Riordinò le proprie idee.

«La mamma è eccezionale. Sono sicuro che ha sentito parlare di lei. È Lorraine Logan.»

«Quella della rubrica dei cuori solitari?!»

«Proprio così. Collabora a quattrocento giornali ed è autrice di sei bestseller sulla salute delle donne. Ricca e famosa, e se lo merita.»

«Perché dice così?»

«Perché lei si preoccupa davvero delle persone che le scrivono. Risponde a migliaia di lettere. Sa, fondamentalmente la gente da lei vuole solo miracoli, come far sparire gravidanze indesiderate, liberare figli dalla droga, trasformare uomini violenti in mariti dolci e comprensivi. Lei dà sempre ottimi consigli, dice che la decisione spetta a loro, invita a fidarsi dei propri sentimenti e a non lasciarsi intimorire da nessuno. È una buona filosofia.»

«E suo padre?»

«Papà è una persona piuttosto normale, direi. È colonnello nell'esercito. Lavora al Pentagono. Si occupa delle relazioni pubbliche, scrive i discorsi per i generali, quel genere di cose.»

«È severo?»

Steve sorrise. «Ha un altissimo senso del dovere. Ma non è affatto un uomo violento e autoritario. Ha partecipato a qualche azione in Asia, prima che io nascessi, ma questo non ha lasciato strascichi.»

«Ha dovuto essere molto severo con lei?»

Steve scoppiò a ridere. «Ero il ragazzo più pestifero della classe, sempre, tutti gli anni. Mi cacciavo costantemente nei guai.»

«Perché?»

«Perché infrangevo le regole. Correvo nei corridoi. Indossavo calzini rossi. Masticavo la gomma in classe. Ho baciato Wendy Prasker dietro lo scaffale in biblioteca quando avevo tredici anni.»

«Perché?»

«Perché era troppo carina.»

Lei rise di nuovo. «Volevo dire, perché infrangeva tutte le regole?»

Steve scosse la testa. «Non riuscivo a essere obbediente. Facevo solo quello che mi andava di fare. Le regole mi sembravano stupide e mi annoiavo. Mi avrebbero cacciato fuori della scuola, ma avevo sempre ottimi voti ed ero sempre capitano di questa o quella squadra: football, pallacanestro, baseball, atletica. Io non mi capisco. Sono strambo?»

«In un modo o nell'altro siamo tutti un po' strambi.»

«Probabilmente sì. Perché porta l'anellino al naso?»

Jeannie inarcò le sopracciglia come per dire: "Sono io che faccio le domande qui", ma rispose comunque. «Ho passato un periodo punk quando avevo circa quattordici anni, con tanto di capelli verdi e calzamaglie strappate. Il foro nella narice faceva parte del look.»

«Se non lo usasse si richiuderebbe.»

«Lo so. Probabilmente lo tengo così perché penso che una rispettabilità assoluta sia terribilmente noiosa.»

Steve sorrise. "Mio Dio, quanto mi piace questa donna", pensò, "anche se è troppo vecchia per me." Poi la sua mente tornò a ciò che lei gli aveva detto. «Che cosa la rende così sicura che io abbia un gemello?»

«Ho creato un programma su computer che individua i gemelli attraverso l'esame delle cartelle mediche e di altre banche dati. I gemelli omozigoti hanno onde cerebrali, elettrocardiogrammi, struttura dentale e impronte digitali simili. Ho esaminato una vasta banca dati di radiografie del cavo orale fornite dalle compagnie di assicurazione e ho trovato una persona che ha misure dentali e forma dell'arcata identiche alle sue.»

«Non mi sembra un elemento chiave.»

«Forse no. Anche se ha persino le carie negli stessi punti in cui le ha lei.»

«Chi è?»

«Si chiama Dennis Pinker.»

«Dove si trova?»

«A Richmond, in Virginia.»

«Lo ha già incontrato?»

«Vado a Richmond domani per conoscerlo. Gli farò molti dei test che ho fatto a lei, e gli prenderò dei campioni di sangue per poter confrontare i vostri Dna. Allora lo sapremo di sicuro.»

Steve aggrottò la fronte. «C'è un campo della genetica a cui è particolarmente interessata?»

«Sì. Mi occupo delle tendenze criminali e della loro ereditarietà.»

Steve annuì. «Ho capito. Che cosa ha fatto?»

«Prego?»

«Che cosa ha fatto Dennis Pinker?»

«Non capisco.»

«Lei andrà a fargli visita, invece di chiedergli di venire qui, perciò evidentemente si trova in carcere.»

Jeannie arrossì lievemente, come se fosse stata scoperta a barare. Con le guance rosse era ancora più sexy. «Sì, ha ragione.»

«Per che cosa è finito in galera?»

Lei esitò un attimo. «Omicidio.»

«Gesù!» Steve distolse lo sguardo, cercando di assorbire il colpo. «Non solo ho un fratello gemello, ma è pure un assassino! Oh, Cristo!»

«Mi dispiace» disse lei. «Ho gestito male questo incontro. Lei è il primo soggetto di questo tipo che studio.»

«Ragazzi! Sono venuto qui sperando di scoprire qualcosa su di me, ma ho scoperto molto più di quanto intendessi appurare.» Jeannie non sapeva, e non avrebbe mai saputo, che Steve aveva quasi ucciso un ragazzo di nome Tip Fredricks.

«Steve, lei è molto importante per me.»

«Per quale motivo?»

«La questione è se il comportamento criminale sia ereditario. Ho pubblicato un articolo in cui affermavo che è ereditario un certo tipo di personalità – una combinazione di impulsività, coraggio, aggressività e iperattività – ma che le probabilità che gli individui che la posseggono diventino o meno dei criminali dipendono da come i loro genitori li educano. Per dimostrare la mia teoria devo trovare coppie di gemelli identici, di cui uno è un criminale e l'altro un cittadino modello. Lei e Dennis siete la mia prima coppia, e siete perfetti: lui è in galera e lei, mi perdoni, è l'immagine del ragazzo americano ideale. A dirla tutta, sono così eccitata che quasi non riesco a dominarmi.»

L'idea di quella donna troppo eccitata per dominarsi rese irrequieto anche Steve. Distolse lo sguardo, temendo che il proprio volto potesse tradire il desiderio che provava per lei. Ma era anche profondamente turbato da ciò che aveva appreso. Aveva lo stesso Dna di un assassino. E questo cosa faceva di lui?

La porta si aprì alle spalle di Steve e Jeannie si alzò. «Salve,

Berry» disse. «Steve, le presento il professore Berrington Jones, responsabile dello studio sui gemelli qui alla JFU.»

Il professore era un bell'uomo: non molto alto, vicino alla sessantina, capelli grigio argento e lisci. Indossava un costoso completo di tweed grigio e un farfallino rosso a pois bianchi ed era incredibilmente in ordine e azzimato. Steve lo aveva visto qualche volta in televisione. Sosteneva che l'America stava andando a rotoli. A Steve le sue idee non piacevano, ma i suoi genitori gli avevano insegnato a essere educato, così si alzò e gli porse la mano.

Berrington Jones spalancò gli occhi come se avesse visto un fantasma. «Oh buon Dio!» esclamò, impallidendo.

«Berry! Cosa c'è?» chiese la dottoressa Ferrami.

«Ho fatto qualcosa che non va?» disse Steve.

Per qualche attimo il professore rimase in silenzio. Poi parve riprendersi. «Mi dispiace, non è niente» disse, ma sembrava profondamente scosso. «È solo che mi è appena venuta in mente una cosa... una cosa che ho dimenticato. Un errore imperdonabile. Vi prego di scusarmi.» Si avviò verso la porta continuando a borbottare: «Scusate, scusate». E uscì.

Steve guardò la dottoressa Ferrami.

Lei si strinse nelle spalle e allargò le mani in un gesto perplesso. «Proprio non capisco.»

7

Berrington era seduto alla scrivania e respirava a fatica.

Aveva un ufficio molto spazioso, ma a parte questo la stanza era monastica: pavimento di linoleum, pareti bianche, schedari semplici e funzionali, una libreria da pochi soldi. Il salvaschermo del suo computer mostrava una catena di Dna che ruotava lentamente attorcigliata su se stessa nella famosa configurazione a doppia elica. Sulla scrivania c'erano alcune fotografie che ritraevano Jones con Geraldo Riviera, Newt Gingrich e Rush Limbaugh. La finestra guardava sull'edificio della palestra, ora chiuso per via dell'incendio del giorno precedente. Sull'altro lato della strada, due ragazzi giocavano a tennis nonostante il caldo.

Berrington si soffregò gli occhi. «Maledizione, maledizione, maledizione!» esclamò.

Era stato lui a persuadere Jeannie Ferrami a trasferirsi lì: il suo articolo sulla criminalità aveva aperto nuovi orizzonti individuando singoli elementi della personalità criminale. Voleva che lei continuasse a lavorare sotto la sua ala protettrice. Aveva convinto la Jones Falls a darle un lavoro e aveva fatto in modo che la sua ricerca venisse finanziata da una borsa di studio della Genetico.

Con il suo aiuto lei avrebbe potuto ottenere risultati importanti, e il fatto che provenisse da un ambiente modesto rendeva i suoi successi ancora più significativi. Le sue prime quattro settimane alla Jones Falls avevano confermato l'impressione iniziale di Berrington. Appena arrivata era partita in quarta col programma. Jeannie piaceva a tutti, anche se sapeva essere molto caustica: già al suo secondo giorno di laboratorio aveva dato una bella lavata di capo a un tecnico che credeva di potersela cavare lavorando in modo approssimativo.

Berrington ne era totalmente affascinato. Jeannie era eccezionale, sia dal punto di vista fisico che da quello intellettuale e lui si sentiva lacerato fra il bisogno paterno di guidarla e il desiderio fortissimo di sedurla.

E ora questo!

Quando finalmente riuscì a riprendere fiato, sollevò il telefono e chiamò Preston Barck. Preston era il suo più vecchio amico: si erano conosciuti al MIT negli anni Sessanta, quando Berrington faceva il dottorato in psicologia e Preston era un giovane e promettente embriologo. Entrambi erano considerati un po' strani per i loro capelli corti e gli abiti di tweed, in un'epoca in cui lo stile di vita era molto fantasioso. Avevano ben presto scoperto di avere le stesse opinioni su una grande varietà di argomenti: il jazz moderno era un imbroglio, la marijuana era il primo passo sulla strada dell'eroina, l'unico politico onesto d'America era Barry Goldwater. La loro amicizia si era dimostrata più solida dei loro matrimoni. Berrington non si chiedeva più che cosa provasse nei confronti di Preston: Preston era un punto fermo, come il Canada.

A quell'ora doveva essere alla sede della Genetico, un gruppo di edifici bassi ed eleganti affacciati su un campo da golf a nord di Baltimora. La segretaria di Preston gli disse che era in riunione e Berrington le ordinò di passarglielo immediatamente.

«Buongiorno, Berry... che cosa c'è?»

«Sei solo o c'è qualcuno lì con te?»

«Sono con Lee Ho, uno dei capi contabili della Landsmann. Stiamo ricontrollando la situazione finanziaria della Genetico.»

«Toglitelo immediatamente dai piedi.»

La voce di Preston si fece meno chiara mentre allontanava la cornetta dal viso. «Mi dispiace, Lee, ma ho una telefonata piuttosto lunga. Riprendiamo più tardi, va bene?» Ci fu una pausa, poi Preston riprese a parlare. Ora la sua voce era stizzita. «Quello che ho appena cacciato fuori è il braccio destro di Michael Madigan. Madigan è il presidente della Landsmann, caso mai te lo fossi dimenticato. Se non hai cambiato idea da ieri sera, sarà meglio che la prossima...»

Berrington perse la pazienza e lo interruppe. «Steve Logan è qui.»

Seguì un momento di attonito silenzio. «Alla Jones Falls?»

«Qui, all'Istituto di psicologia.»

Preston si dimenticò immediatamente di Lee Ho. «Oh, Cristo! Come è successo?»

«È un soggetto di studio. Gli stanno facendo dei test qui in laboratorio.»

La voce di Preston salì di un'ottava. «Come diavolo è potuto accadere?»

«Non lo so. L'ho incontrato per caso cinque minuti fa. Ti puoi immaginare la mia sorpresa.»

«E l'hai riconosciuto, al volo?»

«Ovvio che l'ho riconosciuto!»

«Perché gli fanno dei est?»

«Partecipa al nostro programma di studio sui gemelli.»

«Gemelli?» urlò Preston. «*Gemelli*? E chi sarebbe l'altro maledetto gemello?»

«Non lo so ancora. Senti, prima o poi una cosa del genere doveva succedere.»

«Ma proprio ora! Dovremo rimandare l'accordo con la Landsmann.»

«Eh no! Non ti permetterò, Preston, di attaccarti a questo per cambiare idea sulla cessione.» Ora Berrington era pentito di aver fatto quella telefonata. Ma doveva parlarne con qualcuno. E in caso di necessità Preston sapeva essere molto lucido e scaltro. «Dobbiamo solo trovare un modo per tenere sotto controllo la situazione.»

«Chi ha invitato Steve Logan a presentarsi in istituto?»

«Il nuovo professore associato che abbiamo appena assunto, Ferrami.»

«Quel tale che ha scritto quello straordinario articolo sulla criminalità?»

«Sì, solo che è una donna. E anche molto affascinante, a dire il vero...»

«Non mi interessa, fosse anche la fottutissima Sharon Stone...»

«Credo sia stata lei a reclutare Steven per il programma. Era presente quando l'ho incontrato. Controllerò.»

«Questo è il punto chiave, Berry.» Preston si stava calmando ed era già alla ricerca di una soluzione, accantonando per il momento il problema. «Scopri su quali basi è stato scelto. Solo allora potremo cominciare a valutare il pericolo che corriamo.»

«La faccio venire subito nel mio ufficio.»

«Richiamami al più presto, okay?»

«D'accordo.» Berrington riattaccò.

Ma non chiamò Jeannie immediatamente. Rimase lì seduto, cercando di mettere ordine nei propri pensieri.

Sulla sua scrivania c'era una vecchia foto in bianco e nero di suo padre, splendente nella candida uniforme di sottotenente di marina. Berrington aveva cinque anni quando la *Wasp* era stata affondata. Come ogni bambino americano, aveva odiato i giapponesi e la sua fantasia preferita era stata quella di ammazzarne a decine, mentre suo padre era diventato nella sua immaginazione l'eroe invincibile, alto, bello, coraggioso e forte. Ricordava ancora la sconvolgente rabbia che si era impadronita di lui quando aveva scoperto che i gialli glielo avevano ucciso. Aveva pregato Dio che facesse durare la guerra abbastanza a lungo perché lui potesse crescere, arruolarsi in marina e vendicarsi uccidendo un milione di giapponesi.

Invece non aveva mai ucciso nessuno. Però non aveva mai assunto un giapponese, né ammesso uno studente giapponese, né offerto un posto a uno psicologo giapponese.

Molti uomini, quando si trovano in difficoltà, si chiedono come si sarebbe comportato il proprio padre in quelle circostanze. Glielo avevano spiegato alcuni amici, ma era un privilegio che lui non avrebbe mai avuto. Non aveva fatto in tempo a conoscere suo padre e non aveva idea di che cosa avrebbe fatto il tenente Jones in un momento di crisi. Non aveva mai avuto un padre, solo un eroe.

Avrebbe chiesto spiegazioni a Jeannie Ferrami sui suoi metodi di selezione dei gemelli. Poi, decise, le avrebbe chiesto di cenare con lui.

Compose l'interno di Jeannie. Lei rispose immediatamente.

Berrington abbassò la voce e le parlò con un tono che Vivvie, la sua ex moglie, definiva "felino". «Jeannie, sono Berry.»

Come al solito lei andò subito al sodo. «Cosa diavolo sta succedendo?» gli chiese.

«Posso parlarle un attimo, per favore?»

«Certo.»

«Le dispiacerebbe venire nel mio ufficio?»

«Vengo subito» rispose Jeannie e riattaccò.

Mentre l'aspettava, si chiese quante donne si fosse portato a letto. Ci sarebbe voluto troppo tempo per ricordarle a una a una, ma forse poteva fare una stima statistica sia pur approssimativa. Più di dieci di sicuro. Più di cento? Avrebbe fatto una media di due virgola cinque all'anno dall'età di diciannove anni. Di sicuro erano di più. Mille? Venticinque all'anno, una donna nuova ogni due settimane per quarant'anni? No, non era arrivato a tanto. Nei dieci anni in cui era stato sposato con Vivvie Ellington non aveva avuto più di quindici o venti relazioni extraconiugali in tutto. Ma in seguito si era rifatto. Dunque, una cifra tra cento e mille. Ma Jeannie non se la sarebbe portata a letto. Avrebbe solo cercato di scoprire come diavolo aveva fatto a mettersi in contatto con Steve Logan.

Jeannie bussò alla porta ed entrò. Indossava un camice bianco da laboratorio sopra la camicia e la gonna. A Berrington piaceva quando le ragazze portavano solo il camice, con niente sotto a parte la biancheria. Lo trovava molto sexy.

«È stata molto gentile a venire» le disse. La fece accomodare su una sedia e poi spostò la propria da dietro la scrivania, perché non ci fossero barriere tra loro.

La prima cosa da fare era dare a Jeannie una spiegazione plausibile per il suo comportamento di poco prima. Non sarebbe stato facile ingannarla. Desiderò averci pensato un po' meglio, invece di stare lì a fare il computo delle sue conquiste.

Si sedette e le rivolse il più disarmante dei sorrisi. «Desidero scusarmi per il mio comportamento bizzarro di poco fa» le disse. «Avevo appena caricato alcuni file dall'università di Sidney, in Australia.» Fece un gesto con la mano in direzione del computer. «E, proprio mentre lei mi stava presentando quel giovane, mi sono reso conto di aver lasciato il computer acceso e di non aver riattaccato il telefono. Mi sono sentito uno stupido, ma più che altro mi sono comportato da maleducato.»

La spiegazione era fiacca, ma lei parve accettarla. «Mi sento sollevata» replicò candidamente «Temevo di aver fatto qual cosa che l'avesse offesa.»

Fino a quel momento stava andando tutto bene.

«Ero venuto a parlarle del suo lavoro» proseguì lui, come se niente fosse. «È proprio partita in quarta. È qui solo da quattro settimane e il suo progetto è già più che avviato. Congratulazioni.»

Jeannie annuì. «Ho parlato a lungo con Herb e Frank durante l'estate, prima di partire ufficialmente» disse. Herb Dickson era il capo dell'istituto e Frank Demidenko uno dei professori ordinari. «Abbiamo risolto tutti i dettagli tecnici in anticipo.»

«Mi racconti qualcosa di più. È sorto qualche problema? C'è qualcosa in cui posso esserle utile?»

«Il problema più grosso è quello del reclutamento» rispose lei. «Essendo volontari, la maggior parte dei nostri soggetti sono persone come Steve Logan, rispettabili americani della classe media convinti che un buon cittadino abbia il dovere di aiutare la ricerca scientifica. Non si sono fatti avanti molti magnaccia o spacciatori.»

«È un aspetto che i nostri detrattori progressisti non si sono lasciati sfuggire.»

«D'altra parte, non è possibile studiare l'aggressività e il comportamento criminale esaminando soltanto famiglie della classe media. Quindi era assolutamente fondamentale per il mio progetto risolvere il problema del reclutamento.»

«E ci è riuscita?»

«Credo di sì. Mi è venuto in mente che nelle enormi banche dati delle compagnie di assicurazione e delle agenzie governative sono contenute informazioni di carattere medico su milioni di persone, compresi i dati che noi usiamo di solito per determinare se due gemelli sono omozigoti o eterozigoti: onde cerebrali, elettrocardiogrammi e via dicendo. Se, per esempio, ci mettessimo a ricercare coppie di elettrocardiogrammi simili, avremmo trovato un modo per identificare due gemelli. Se poi le banche dati fossero abbastanza estese, ci potrebbe anche capitare di trovare i dati di gemelli allevati separatamente. Ma quí viene il brutto: alcuni di loro potrebbero non sapere di avere un gemello.»

«È straordinario» disse Berrington. «Semplice, ma allo stesso tempo originale e ingegnoso.» Era sincero. I gemelli monovulari allevati separatamente erano molto importanti per la ricerca genetica e gli scienziati facevano di tutto per trovarli. Fino a quel momento il veicolo più usato era stato quello pubblicitario: dopo aver letto qualche articolo su studi simili, un certo numero di gemelli si offriva volontariamente di partecipare. Ma, come aveva osservato Jeannie, con questo procedimento si otteneva un campione composto principalmente di rispettabili cittadini della classe media, il che era uno svantaggio in generale e un grosso limite in uno studio centrato sulla criminalità.

Ma, per quanto lo riguardava, quella era una catastrofe. Guardò Jeannie negli occhi cercando di nascondere il proprio sgomento. Era molto peggio di quanto avesse temuto. Solo la sera prima Preston Barck aveva detto: "Tutti noi sappiamo che questa società ha il suo scheletro nell'armadio" e Jim Proust aveva risposto che nessuno avrebbe potuto venirlo a sapere. Non aveva fatto i conti con Jeannie Ferrami.

Berrington si aggrappò a un fuscello. «Trovare queste voci in una banca dati non deve essere facile.»

«Vero. Le immagini grafiche occupano molti megabyte di memoria. Cercare in questi archivi è enormemente più difficile che controllare la tesi di laurea con il correttore ortografico.»

«Immagino che abbia dovuto affrontare un bel problema di software. Come ha fatto?»

«Ho creato un programma ad hoc.»

Berrington era sorpreso. «Davvero?»

«Certo. Ho fatto un master in informatica a Princeton. Mentre ero alla University of Minnesota ho lavorato con il mio professore a un programma per riconoscere i modelli, un software che simula le reti neurali.»

Quella donna era davvero intelligente. «E come funziona?»

«Si avvale di una logica esperta per sveltire il processo di confronto. Le coppie che cerchiamo sono simili, non assolutamente identiche. Per esempio, radiografie di uno stesso dente, fatte da tecnici diversi e con macchinari diversi, non risultano esattamente uguali, ma l'occhio umano riesce a coglierne i punti in comune. Allo stesso modo un computer dotato di logica esperta riesce a individuare coppie di radiografie simili una volta che queste siano state esaminate, digitalizzate e archiviate elettronicamente.»

«Immagino che ci vorrà un computer grande quanto l'Empire State Building.»

«Ho trovato un modo per abbreviare notevolmente il processo di confronto esaminando solo una piccola parte dell'immagine digitalizzata. Ci rifletta: per riconoscere un amico non abbiamo bisogno di guardare tutto il suo corpo, ci basta il viso. Ai patiti di automobili basta la foto di un faro per identificare i modelli più comuni. Mia sorella riesce a riconoscere qualsiasi canzone di Madonna dopo averne ascoltato dieci secondi.»

«Ma questo lascia spazio all'errore.»

Jeannie si strinse nelle spalle. «Esaminando solo una parte dell'immagine si rischia di perdere qualche coppia. Ho calcolato che si può ridurre drasticamente il processo di ricerca con un minimo margine di errore. È una questione di statistica e di probabilità.»

Tutti gli psicologi studiavano statistica. «Ma come può lo stesso programma esaminare radiografie, elettrocardiogrammi e impronte digitali?»

«Il programma riconosce le sequenze di informazioni elementari. Non gli interessa che cosa rappresentino.»

«E funziona?»

«Pare proprio di sì. Ho avuto il permesso di provarlo sulla banca dati di cartelle odontoiatriche di una grossa compagnia di assicurazione e ho scovato parecchie coppie di gemelli. Ovviamente, ho selezionato solo quelli cresciuti in ambienti diversi.»

«Come ha fatto?»

«Ho eliminato tutte le coppie che avevano lo stesso cognome e tutte le donne sposate, poiché queste in genere assumono il cognome del marito. I restanti sono gemelli che non hanno altro motivo per avere cognomi diversi.»

Molto ingegnoso, pensò Berrington. Era diviso tra l'ammirazione per Jeannie e la paura di ciò che avrebbe potuto scoprire. «Quanti ne sono rimasti?»

«Tre coppie. In realtà sono un po' delusa... speravo di trovarne di più. Per quanto riguarda la prima coppia, uno dei gemelli aveva cambiato cognome per motivi religiosi: era diventato musulmano e aveva assunto un nome arabo. Quanto alla seconda, risulta scomparsa senza lasciare traccia. Fortunatamente, la terza coppia è proprio quello che stavo cercando: Steve Logan è un cittadino rispettabile e Dennis Pinker un assassino.»

Berrington lo sapeva. Una sera Dennis Pinker aveva tagliato i fili del circuito elettrico di un cinema nel bel mezzo della proiezione di un film dell'orrore. Nel panico che era seguito, aveva molestato parecchie donne. Una ragazza aveva cercato di resistergli e lui l'aveva uccisa.

E ora Jeannie l'aveva trovato. Cristo, pensò, questa donna è pericolosa. Avrebbe potuto rovinare tutto: la vendita della società, la carriera politica di Jim, la Genetico, persino la reputazione accademica di Berrington. Una simile prospettiva lo fece tremare di rabbia: com'era possibile che ciò a cui aveva lavorato per tutta la vita fosse minacciato dalla sua stessa protetta? D'altro canto, la piega presa dagli eventi era imprevedibile.

Il fatto che Jeannie lavorasse lì alla Jones Falls era un vantaggio, perché gli avrebbe permesso di sapere in tempo gli sviluppi della situazione. Anche così, però, non riusciva a vedere una via d'uscita. Se i suoi archivi fossero stati distrutti da un incendio, o se lei fosse rimasta uccisa in un incidente stradale... ma queste erano solo fantasie.

Forse era possibile instillare nella sua mente dei dubbi sulla validità del programma. «Steve Logan sapeva di essere stato adottato?» le chiese con apparente innocenza.

«No» rispose Jeannie in tono preoccupato. «Sappiamo che spesso le famiglie mentono a proposito dell'adozione, ma lui è convinto che sua madre glielo avrebbe detto. Tuttavia potrebbe esserci un'altra spiegazione. Se i suoi genitori non fossero stati in grado di adottare un bambino attraverso i normali canali e lo avessero "comperato", sarebbe un buon motivo per tenerglielo nascosto.»

«Oppure il suo sistema potrebbe avere qualche difetto» suggerì Berrington. «Il fatto che due ragazzi abbiano denti uguali non garantisce che siano gemelli.»

«Non credo che il mio sistema abbia qualche difetto» rispose Jeannie con convinzione. «Ma mi preoccupa dover rivelare a decine di persone che sono state adottate. Non sono neppure sicura di avere il diritto di intromettermi nella loro vita in questo modo. Solo ora mi rendo conto dell'enormità del problema.»

Berrington guardò l'orologio. «Ora ho poco tempo, ma mi piacerebbe discuterne ancora. È libera per cena?»

«Stasera?»

«Sì.»

Vide che Jeannie esitava. Avevano già cenato insieme una volta, in occasione dell'International Congress of Twin Studies, dove si erano conosciuti. Da quando lei lavorava alla JFU avevano bevuto qualcosa assieme una volta, nel bar del Faculty Club, all'interno del campus. Un sabato si erano incontrati per caso in un centro commerciale a Charles Village e Berrington le aveva fatto visitare il Baltimore Museum of Art. Sapeva che Jeannie non era innamorata di lui, ma anche che in quelle tre uniche occasioni lei aveva apprezzato la sua compagnia. Inoltre, lui era il suo mentore. Non avrebbe potuto rifiutare.

«Certo» disse lei alla fine.

«Cosa ne dice di andare a Hamptons, all'Harbor Court Hotel? Credo sia il miglior ristorante di Baltimora.» Di sicuro era il più alla moda.

«Bene» replicò lei, alzandosi.

«La passo a prendere alle otto?»

«D'accordo.»

Mentre Jeannie si voltava per uscire, Berrington ebbe un'improvvisa visione della sua schiena nuda, liscia e tonica, il sedere sodo e le gambe lunghe, interminabili: per un attimo si sentì la gola arida per la bramosia. Poi lei chiuse la porta.

Berrington scosse la testa per allontanare quella fantasia lasciva, quindi richiamò Preston. «È peggio di quanto pensassimo» disse, senza alcun preambolo. «Ha creato un programma per computer che legge le banche dati sanitarie e seleziona le coppie di gemelli. La prima volta che l'ha messo in azione ha scoperto Steven e Dennis.»

«Oh, merda!»

«Dobbiamo dirlo a Jim.»

«Dobbiamo vederci e decidere cosa diavolo fare. Che ne dici di stasera?»

«Porto Jeannie a cena.»

«E pensi che questo risolva il nostro problema?»

«Male non fa.»

«Io rimango dell'idea che alla fine saremo costretti a rinunciare all'offerta della Landsmann.»

«Non sono d'accordo» ribatté Berrington. «Per quanto sia intelligente, una ragazza non può scoprire tutta la storia in una settimana.»

Però, dopo aver riattaccato, si accorse di non esserne così sicuro.

Gli studenti del corso di Biologia umana erano irrequieti. Erano agitati, non riuscivano a concentrarsi. Jeannie sapeva perché. Anche lei si sentiva inquieta, per via dell'incendio e dello stupro. Il loro microcosmo accademico era stato destabilizzato. La mente di ognuno continuava a vagare e a tornare sempre su quanto era accaduto.

«Le variazioni osservate nell'intelligenza degli esseri umani possono essere spiegate mediante tre fattori» asserì. «Uno: geni diversi. Due: diverso ambiente. Tre: errore sperimentale.» Fece una pausa e tutti presero nota.

Si era resa conto che, ogni volta che presentava un elenco preceduto da numeri, gli studenti prendevano appunti. Se avesse detto semplicemente "Geni diversi, diverso ambiente ed errore sperimentale", la maggior parte di loro non avrebbe scritto nulla. Da quando se n'era accorta, aveva incluso quante più liste numerate possibili nelle sue spiegazioni.

Era una buona insegnante, e la cosa in un certo senso la sorprendeva. In linea di massima le sembrava che gli studenti fossero poco preparati, il che la rendeva impaziente, e talvolta caustica, come quella mattina con il sergente Delaware. Ma era una buona comunicatrice, chiara e precisa, e le piaceva spiegare le cose. Non c'era niente che le desse maggiore soddisfazione del vedere il volto di uno studente illuminarsi di comprensione.

«Possiamo esprimere questo concetto con un'equazione»

proseguì mentre si voltava a scrivere sulla lavagna con un gessetto:

$$Vt = Vg + Va + Ve$$

«Vt sta per variazione totale, Vg per variazione genetica, Va per variazione ambientale e Ve per errore sperimentale.» Tutti presero nota dell'equazione. «Lo stesso vale per qualsiasi differenza misurabile tra gli esseri umani, dall'altezza al peso alla propensione a credere in Dio. Qualcuno di voi vede difetti in questa equazione?» Nessuno parlò e lei offrì un suggerimento. «Il totale può essere maggiore della somma degli addendi. Perché?»

Fu una delle ragazze a parlare. Di solito erano i maschi a farsi avanti: le donne erano insopportabilmente timide. «Perché i geni e l'ambiente nell'interagire tra di loro moltiplicano gli effetti?»

«Esatto. I vostri geni vi spingono verso determinate esperienze ambientali e vi allontanano da altre. Comportamenti diversi nei bambini producono trattamenti diversi da parte dei genitori. I bambini più vivaci hanno esperienze diverse da quelle dei più tranquilli, anche all'interno della stessa famiglia. Gli adolescenti più scatenati assumono droghe in maggior misura rispetto ai ragazzi che cantano nel coro della parrocchia, anche se vivono tutti nella stessa città. Quindi dobbiamo aggiungere alla parte destra dell'equazione il termine Cga, che significa co-variazione gene-ambiente.» Jeannie lo scrisse sulla lavagna e guardò l'orologio della Swiss Army che portava al polso. Erano le quattro meno cinque. «Qualche domanda?»

Ancora una volta fu una donna a intervenire. Era Donna-Marie Dickson, un'infermiera sulla trentina che aveva ripreso a studiare, una creatura intelligente ma timida. «E gli Osmond?»

Tutta la classe scoppiò a ridere e l'infermiera arrossì violentemente. «Spiega che cosa intendi dire, Donna-Marie. Alcuni dei tuoi compagni forse sono troppo giovani per ricordarsi degli Osmond.»

«Erano un gruppo pop degli anni Settanta, tutti fratelli e sorelle. Nella famiglia Osmond sono tutti musicisti. Ma non hanno gli stessi geni, non sono gemelli. Pare che sia stato l'influsso dell'ambiente familiare a farli diventare musicisti. Lo stesso vale per i Jackson Five.» Gli altri, che erano tutti più giovani di lei, scoppiarono nuovamente a ridere e la donna aggiunse, con un sorriso timido: «E con questo ho svelato la mia età».

«La signorina Dickson ha colto un punto molto importante e mi stupisce che nessun altro ci abbia pensato» commentò Jeannie. In realtà non era affatto sorpresa, ma Donna-Marie aveva bisogno di un'iniezione di fiducia. «Genitori carismatici e molto motivati possono fare sì che tutti i loro figli si conformino a un certo ideale, a prescindere dai loro geni, proprio come genitori violenti possono creare un'intera famiglia di schizofrenici. Ma questi sono casi limite. Un bambino malnutrito sarà piccolo di statura, anche se i genitori e i nonni sono tutti alti. Un bambino ipernutrito sarà grasso anche se nella sua famiglia sono tutti magri. Tuttavia ogni nuovo studio tende a dimostrare, con sicurezza sempre crescente, che è prevalentemente l'eredità genetica, piuttosto che l'ambiente o l'educazione, a determinare la natura del bambino.» Fece una pausa. «Se non ci sono altre domande, vi prego di leggere per lunedì prossimo l'articolo di Bouchard, su *Science* del 12 ottobre 1990.» Jeannie radunò i propri appunti.

Gli studenti cominciarono a raccogliere i libri. Jeannie indugiò ancora qualche minuto per dare l'opportunità a quelli troppo timidi per fare domande durante la lezione di parlarle in privato. Gli introversi spesso diventavano grandi scienziati.

Donna-Marie si avvicinò alla cattedra. Aveva un viso rotondo e capelli chiari e ricci. Jeannie era convinta che dovesse essere una buona infermiera, calma ed efficiente. «Mi dispiace tanto per la povera Lisa» disse Donna-Marie. «Che cosa terribile.»

«E la polizia l'ha resa ancora più terribile» aggiunse Jeannie. «Il poliziotto che l'ha accompagnata all'ospedale era un vero idiota.»

«Peccato. Ma forse lo prenderanno, il colpevole. Stanno distribuendo volantini con il suo identikit per tutto il campus.»

«Bene!» L'identikit di cui parlava Donna-Marie doveva essere quello ottenuto col programma computerizzato di Mish

Delaware. «Quando l'ho lasciata questa mattina ci stava lavorando con un detective.»

«Come sta?»

«È ancora intontita... ma anche nervosa.»

Donna-Marie annuì. «Attraversano varie fasi. Io l'ho già visto altre volte. La prima fase è quella della negazione. "Voglio lasciarmi questa cosa alle spalle e continuare con la mia vita" dicono tutte, ma non è mai facile.»

«Dovrebbe parlare con te. Sapere che cosa l'aspetta potrebbe esserle d'aiuto.»

«Quando vuole» disse Donna-Marie.

Jeannie attraversò il campus, diretta verso il Pandemonio. Faceva ancora caldo. Si scoprì a guardarsi attorno con circospezione, come un cow-boy nervoso in un film western, quasi si aspettasse di veder uscire qualcuno da dietro l'angolo della residenza delle matricole per aggredirla. Fino a quel momento il campus della Jones Falls le era parso un'oasi di antiquata tranquillità nel deserto di una moderna città americana. In effetti, la JFU era come una cittadina a sé, con i suoi negozi, le banche, i campi sportivi, i parcheggi, i bar e i ristoranti, gli uffici e gli alloggi. Aveva una popolazione di cinquemila persone, metà delle quali viveva all'interno del campus. Ma improvvisamente si era trasformata in un posto pericoloso. "Quell'uomo non ha alcun diritto di fare questo" pensò Jeannie con amarezza. "Non ha diritto di farmi sentire minacciata nel posto dove lavoro." Poi rifletté che forse il crimine aveva sempre l'effetto di farti mancare il terreno sotto i piedi.

Appena entrata in ufficio cominciò a pensare a Berrington Jones. Era un uomo galante e molto attraente. In sua compagnia si era sempre divertita, inoltre gli doveva molto: era stato lui a offrirle quel posto.

D'altro canto, era vagamente untuoso. Jeannie sospettava che dietro la sua cortesia nei confronti delle donne ci fosse in realtà il desiderio di impressionarle. Ogni volta che pensava a lui le veniva in mente la barzelletta su quel tizio che dice a una donna: "Voglio sapere tutto di lei. Per esempio, che cosa pensa di me?".

Sotto molti aspetti non aveva l'aria dell'accademico, ma Jeannie aveva imparato che coloro che contavano davvero nel mondo universitario non avevano quasi mai l'aspetto disarmante e stereotipato del professore svampito. Berrington appariva e si comportava come un uomo potente. Erano anni che non produceva un lavoro scientifico veramente importante, ma questo era normale: scoperte brillanti e originali – come la doppia elica, per esempio – di solito erano opera di persone al di sotto dei trentacinque anni. Man mano che invecchiavano, gli scienziati sfruttavano la propria esperienza e il proprio istinto per aiutare e indirizzare le menti più giovani e più fresche. Berrington questo lo faceva bene, con le sue tre cattedre e il suo ruolo di collettore di fondi per la ricerca della Genetico. Ciononostante non era rispettato come sarebbe stato giusto, poiché gli altri scienziati non gradivano il suo coinvolgimento nella politica. La stessa Jeannie, che pur ne apprezzava l'operato scientifico, considerava le sue idee politiche come disdicevoli trovate.

Sulle prime aveva creduto alla spiegazione di Berrington a proposito dei file dall'Australia, ma ripensandoci le venne qualche dubbio. Quando Berry aveva rivolto lo sguardo su Steven Logan aveva visto un fantasma, non una bolletta del telefono.

Molte famiglie avevano dei segreti. Una donna sposata poteva concepire un figlio con un amante e solo lei sapere chi fosse il vero padre del suo bambino. Una ragazza giovane poteva avere un figlio e passarlo alla madre, fingendo di esserne la sorella con la complicità di tutta la famiglia. C'erano bambini segretamente adottati da vicini di casa, parenti o amici. Lorraine Logan poteva anche non essere il tipo da tenere segreta un'adozione regolare, ma avrebbe potuto avere una decina di buone ragioni per mentire a Steven a proposito delle sue origini. Restava da spiegare in che modo fosse coinvolto Berrington. Che fosse il padre naturale di Steven? Il pensiero la fece sorridere. Berry era un bell'uomo, ma era più basso di Steven di almeno quindici centimetri. Tutto era possibile, ma quella spiegazione sembrava davvero improbabile.

Quel mistero la metteva a disagio. Sotto ogni altro aspetto, Steven Logan rappresentava un trionfo per lei. Era un bravo cittadino, rispettoso della legge, con un criminale violento per gemello. Steve dava ragione al suo programma di ricerca computerizzata e confermava la sua teoria sulla criminalità. Ovviamente, avrebbe avuto bisogno di almeno cento coppie di gemelli come Steven e Dennis prima di poter parlare di prove. Ma, in ogni caso, il suo programma di ricerca non avrebbe potuto avere un inizio migliore.

L'indomani avrebbe visto Dennis. Se avesse scoperto che era un nanerottolo con i capelli neri, avrebbe capito che c'era qualcosa di sostanziale che non andava. Ma, se aveva visto giusto, si sarebbe trovata di fronte la copia di Steven Logan.

Era rimasta scossa nell'apprendere che Steve ignorava di essere stato adottato. Avrebbe dovuto mettere a punto una procedura per affrontare tale eventualità. In futuro, prima di contattare i gemelli, avrebbe parlato con i genitori e si sarebbe accertata di quanto avevano raccontato ai figli. Ciò avrebbe rallentato il suo lavoro, ma era doveroso: non poteva essere lei a rivelare i segreti di famiglia.

Dunque il problema poteva essere risolto; tuttavia non riusciva a liberarsi dalla sensazione di ansia suscitata in lei dalle domande scettiche di Berrington e dall'incredulità di Steven Logan. Cominciò a pensare con qualche preoccupazione alla fase seguente del progetto: usare il suo programma per passare al setaccio l'archivio delle impronte digitali dell'Fbi.

Sarebbe stata la fonte perfetta. Molti dei ventidue milioni di individui schedati erano stati sospettati o condannati per reati vari. Se il suo programma funzionava, avrebbe dovuto evidenziare centinaia di gemelli, parecchi dei quali cresciuti separati. Questo poteva significare un enorme passo avanti nella sua ricerca, ma prima doveva ottenere il permesso dell'Fbi.

A scuola, la sua migliore amica era stata Ghita Sumra, genio della matematica di origine indiana, che ora aveva un posto di altissimo livello come responsabile del settore tecnologie informatiche all'Fbi. Lavorava a Washington, ma viveva a Baltimora. Ghita aveva già accettato di chiedere ai suoi superiori il permesso di collaborare con Jeannie e le aveva promesso una risposta per la fine della settimana. Ora Jeannie voleva accelerare i tempi. Compose il numero dell'amica.

Pur essendo nata a Washington, Ghita aveva l'accento morbido, dalle vocali allungate, del subcontinente indiano. «Ciao, Jeannie, com'è andato il fine settimana?» le chiese.

«Malissimo» rispose Jeannie. «La mamma è completamente in stato confusionale e ho dovuto metterla in una casa di riposo.»

«Oh, mi dispiace. Che cosa ha fatto?»

«Ha dimenticato che era notte fonda, si è alzata e, senza vestirsi, è uscita a comperare un cartone di latte. Poi si è dimenticata dove abitava.»

«E allora?»

«L'ha trovata la polizia. Fortunatamente aveva nella borsa un mio assegno e sono riusciti a rintracciarmi.»

«Come ti senti?»

Era una domanda tipicamente femminile. Gli uomini con cui si era confidata – Jack Budgen e Berrington Jones – le avevano chiesto che cosa intendesse fare. Solo una donna poteva chiederle come si sentiva. «Male» rispose. «Se devo prendermi cura di mia madre, chi si prenderà cura di me? Capisci che cosa intendo dire?»

«Com'è il posto?»

«Squallido. Ma è tutto quello che l'assicurazione riesce a coprire. Appena avrò trovato il denaro per pagarle qualcosa di meglio, la tirerò fuori di lì.» Dal silenzio denso di significato che seguì all'altro capo del filo capì che Ghita pensava che stesse per chiederle un prestito. «Darò qualche lezione privata durante i fine settimana» si affrettò ad aggiungere. «Hai già parlato col tuo capo della mia proposta?»

«Sì.»

Jeannie trattenne il respiro.

«Qui sono tutti molto interessati al tuo programma» aggiunse Ghita.

Non era né un sì né un no. «Non avete già un software di ricerca?»

«Sì, ma il tuo è molto più veloce di quello che hanno qui. Stanno parlando di certificarlo per te.»

«Fantastico! Forse, dopotutto, non sarò costretta a dare lezioni private nei fine settimana.»

Ghita scoppiò a ridere. «Prima di stappare lo champagne, accertiamoci che il programma funzioni.»

«Quando possiamo farlo?»

«Lo faremo girare di notte, perché interferisca il meno possibile con l'uso normale della banca dati. Dovrò aspettare una serata tranquilla. Potrebbe essere possibile farlo entro una settimana, al massimo due.»

«Non prima?»

«Hai fretta?»

Jeannie ce l'aveva, eccome, ma era restia a rivelare a Ghita le sue preoccupazioni. «Sono solo impaziente» disse.

«Non ti preoccupare, lo farò il più presto possibile. Puoi scaricarmi il programma via modem?»

«Certo. Ma non credi che dovrei esserci anch'io quando lo farai girare?»

«No, Jeannie, non lo credo» rispose Ghita con voce divertita. «Certo, tu di queste cose ne sai molto più di me.»

«Ecco dove devi mandarlo.» Ghita le diede un indirizzo di E-mail e Jeannie prese nota. «Ti manderò i risultati nello stesso modo.»

«Grazie. Ehi, Ghita?»

«Dimmi.»

«Avrò bisogno di inventarmi qualcosa per ridurre l'imponibile?»

«Ma fammi il piacere!» esclamò Ghita ridendo e riattaccò.

Jeannie cliccò col mouse su America OnLine ed entrò in Internet. Mentre il suo programma di ricerca veniva trasmesso all'Fbi, sentì bussare alla porta ed entrò Steven Logan.

Lei l'osservò. Ciò che aveva saputo lo aveva turbato e glielo si leggeva in viso. Ma era giovane e forte e lo shock non lo aveva buttato del tutto a terra. Era psicologicamente molto stabile. Se fosse stato un tipo criminale – come presumibilmente era suo fratello Dennis – a questo punto avrebbe già attaccato lite con qualcuno. «Come va?» chiese Jeannie.

Lui chiuse la porta col tacco della scarpa. «Finito» rispose. «Ho fatto tutti i test, completato tutti gli esami e riempito tutti i questionari che la mente umana è in grado di inventare.»

«Allora è libero di tornare a casa.»

«Pensavo di fermarmi a Baltimora questa sera. Anzi, a dire il vero, mi chiedevo se le farebbe piacere cenare con me.»

Jeannie fu presa in contropiede. «Perché?» chiese, in tono brusco.

La domanda lo lasciò perplesso. «Bé'... tanto per comincia-re, vorrei saperne di più sulla sua ricerca.»

«Ah. Purtroppo, però, ho già un impegno per stasera.»

Lui parve molto deluso. «Ritiene che io sia troppo giova-ne?»

«Per che cosa?»

«Per chiederle di uscire.»

Solo allora si rese conto. «Non avevo capito che lei mi stesse chiedendo di uscire» disse.

Steve era in imbarazzo. «È un po' lenta in certe cose.»

«Mi scusi.» Era davvero lenta. Lui l'aveva avvicinata il gior-no prima, sul campo da tennis. Poi era diventato semplice-mente uno dei soggetti della sua ricerca. In ogni caso era dav-vero troppo giovane per chiederle di uscire. Aveva ventidue anni, era uno studente. Lei aveva sette anni più di lui: una dif-ferenza d'età enorme.

«Quanti anni ha la persona con cui deve andare a cena?»

«Cinquantanove o sessanta. Non so di preciso.»

«Accidenti, le piacciono vecchi, eh?»

Jeannie si sentì in colpa per averlo respinto. Gli doveva qualcosa, pensò, dopo tutto quello che gli aveva fatto passare. Il computer emise una specie di scampanellio per avvertirla che il programma era stato scaricato. «Per oggi ho finito» dis-se. «Le andrebbe di bere qualcosa al Faculty Club?»

Lui ritrovò immediatamente il buon umore. «Certo. Mi fa-rebbe molto piacere. Vado bene vestito così?»

Indossava un paio di pantaloni color kaki e una camicia di lino azzurro. «È più elegante della maggior parte dei profes-sori che frequentano quel locale» replicò con un sorriso. Uscì dal programma e spense il computer.

«Ho chiamato mia madre» disse Steven. «Le ho accennato alla sua teoria.»

«Si è molto arrabbiata?»

«Si è messa a ridere. Ha detto che io non sono stato adottato e che non ho un fratello gemello che è stato dato in adozione.»

«Strano.» Era un sollievo per Jeannie vedere che la famiglia Logan prendeva la cosa con tanta filosofia. D'altro canto quell'atteggiamento scettico e rilassato le fece sorgere il dub-bio che Steven e Dennis potessero davvero non essere gemelli.

«Sa...» disse, poi esitò. Gli aveva già dato abbastanza notizie scioccanti per quel giorno. Infine decise di proseguire. «C'è un'altra possibile spiegazione.»

«So a che cosa sta pensando» la interruppe. «Neonati scambiati all'ospedale.»

Era molto sveglio. Quella mattina Jeannie aveva notato più volte che capiva le cose al volo. «Esattamente» disse. «La madre numero 1 ha una coppia di gemelli identici, le madri numero 2 e 3 hanno un bambino ognuna. I gemelli vengono dati alle madri numero 2 e 3 mentre i loro bambini vengono consegnati alla madre numero 1. Quando crescono, la madre numero 1 deduce di aver avuto gemelli eterozigoti che si somigliano pochissimo.»

«E se la madre numero 2 e numero 3 non si conoscono, nessuno ha modo di notare l'incredibile somiglianza dei bimbi numero 2 e 3.»

«È il vecchio colpo di scena dei romanzi d'appendice» ammise lei, «ma non è impossibile.»

«Esiste un libro che parla dei gemelli?» chiese lui. «Mi piacerebbe saperne di più.»

«Sì, dovrei averne uno...» Guardò su uno scaffale. «No, ce l'ho a casa.»

«Dove abita?»

«Qui vicino.»

«Potrebbe offrirmelo a casa sua, quel drink.»

Jeannie esitò. "Questo è il gemello normale" si disse, "non lo psicopatico."

Steve insistette: «Lei ha scoperto un sacco di cose sul mio conto, oggi. E io sono curioso di sapere qualcosa di lei. Mi piacerebbe vedere dove vive».

Erano quasi le cinque quando lasciarono il Pandemonio e l'aria si stava rinfrescando. Vedendo la Mercedes rossa Steve lanciò un fischio. «Che bella macchina!»

«Ce l'ho da otto anni» replicò Jeannie. «L'adoro.»

«La mia è nel parcheggio. Le verrò dietro e le farò un segnale coi lampeggianti» disse Steve avviandosi.

Jeannie salì in macchina e mise in moto. Qualche minuto dopo vide un paio di fari nello specchietto retrovisore. Uscì dal parcheggio e si diresse verso casa.

Mentre uscìvano dal campus scorse un'auto della polizia dietro la macchina di Steve. Controllò il tachimetro e rallentò fino a trovarsi sui cinquanta all'ora.

Steven Logan sembrava cotto di lei. Anche se non provava gli stessi sentimenti, la cosa non le dispiaceva affatto. Si sentiva lusingata per aver conquistato il cuore di un ragazzo così giovane e bello.

Jeannie si fermò davanti alla propria abitazione e lui parcheggiò proprio dietro di lei.

Come in molte strade di Baltimora, c'era un portico comune che correva lungo tutta la lunghezza della casa, dove ci si sedeva a prendere il fresco prima che inventassero l'aria condizionata. Jeannie attraversò il porticato e si fermò davanti alla porta per tirar fuori le chiavi.

Due poliziotti balzarono di colpo dalla loro auto, pistola alla mano. Si misero in posizione di tiro, braccia tese in avanti, puntando le armi contro Jeannie e Steve.

Il cuore di Jeannie smise di battere.

«Che cazzo...» esclamò Steve.

«Fermi! Polizia!» urlò uno dei due uomini.

Jeannie e Steve alzarono le mani.

Ma i poliziotti non si rilassarono: «A terra, figlio di puttana!» ordinò uno. «Faccia a terra e mani dietro la schiena!»

Jeannie e Steve si stesero a terra.

I poliziotti si avvicinarono a loro con cautela come se fossero due bombe sul punto di esplodere. «Non credete che fareste meglio a dirci che cosa sta succedendo?» chiese Jeannie.

«Lei può alzarsi, signora» disse uno degli agenti.

«Grazie!» esclamò e si rimise in piedi. Le batteva forte il cuore, ma era evidente che i due agenti avevano preso un abbaglio. «Ora che mi avete spaventato a morte, potete dirmi cosa diavolo sta succedendo?»

I due non risposero. Continuano a tenere le pistole puntate contro Steve. Uno andò a inginocchiarsi di fianco a lui e lo ammanettò con gesti rapidi e precisi. «Sei in arresto, bastardo» disse.

«Io sono una donna di larghe vedute, ma questi insulti sono davvero necessari?» chiese Jeannie. Nessuno le badò. Ci provò di nuovo. «Di quale reato lo accusate?»

Una Dodge Colt azzurra si fermò dietro l'auto della polizia facendo stridere le gomme e ne scesero due persone. Una era Mish Delaware, il detective della Sezione reati sessuali. Indossava la stessa gonna e la stessa camicia della mattina, ma in più aveva una giacca di lino che nascondeva solo in parte la pistola che teneva allacciata alla cintura.

«Siete arrivati in fretta» disse uno dei due agenti.

«Ero nel quartiere» rispose lei. Guardò Steve, steso per terra. «Tiratelo su.»

L'agente afferrò Steve per il braccio e lo aiutò ad alzarsi.

«Sì, è proprio lui» disse Mish. «È l'uomo che ha violentato Lisa Hoxton.»

«Steven?!» esclamò Jeannie, incredula. "E io stavo per portarmelo a casa" pensò.

«Violentato?» ripeté Steven.

«L'agente di pattuglia ha visto la sua auto che usciva dal campus» disse Mish.

Per la prima volta Jeannie osservò la macchina di Steve. Era una Datsun beige, di almeno quindici anni. Lisa aveva detto che forse lo stupratore guidava una vecchia Datsun bianca.

La sorpresa e lo spavento iniziali lasciarono il posto al ragionamento. La polizia sospettava di lui, ma questo non lo rendeva automaticamente colpevole. Quali prove avevano? «Se arrestate tutti gli uomini che trovate al volante di una Datsun arrugginita...» disse.

Mish le porse un foglio. Era il volantino con l'immagine in bianco e nero di un uomo elaborata dal computer. Jeannie la guardò con attenzione. In effetti assomigliava vagamente a Steven. «Potrebbe essere lui, oppure no» osservò.

«Che cosa ci fa lei in compagnia di quell'uomo?»

«È un nostro soggetto di studio, si è sottoposto a una serie di test in laboratorio. Non riesco a credere che sia lui.» I risultati dei test dimostravano che Steven aveva ereditato la personalità di un potenziale criminale, ma indicavano anche che non l'aveva sviluppata.

«Può dirci dove si trovava ieri tra le sette e le otto di sera?» chiese Mish a Steven.

«Ero alla Jones Falls» rispose lui.

«Che cosa ci faceva?»

«Niente. Dovevo incontrarmi con mio cugino Ricky, ma poi lui ha annullato l'appuntamento. Allora sono andato a vedere il posto in cui avrei dovuto recarmi questa mattina. Non avevo nient'altro da fare.»

La risposta parve poco convincente persino a Jeannie. Forse era proprio lui lo stupratore, nel qual caso tutta la sua teoria era sballata.

«Che cosa ha fatto?» chiese Mish.

«Per un po' sono stato a guardare una partita di tennis. Poi sono andato in un bar di Charles Village e ci sono rimasto un paio d'ore. Mi sono perso l'incendio.»

«Qualcuno può confermare quanto ha detto?»

«Be', ho parlato con la dottoressa Ferrami, anche se allora non sapevo chi fosse.»

Mish si voltò verso di lei. Jeannie colse l'ostilità nel suo sguardo e ricordò lo scontro che avevano avuto quella mattina, quando Mish tentava di convincere Lisa a collaborare.

«È successo dopo la partita a tennis, pochi minuti prima che scoppiasse l'incendio» disse Jeannie.

«Quindi non sa dirci dove si trovasse quest'uomo quando è avvenuto lo stupro?»

«No, però posso dirle un'altra cosa. Ho passato tutta la giornata a sottoporlo a test psicologici, e non presenta affatto il profilo psicologico di uno stupratore.»

Mish assunse un'espressione sprezzante. «Questa non è una prova.»

Jeannie aveva ancora in mano il volantino. «Neppure questa, immagino.» Lo appallottolò e lo lasciò cadere a terra sul marciapiede.

«Andiamo» ordinò Mish, facendo un cenno con la testa agli agenti.

«Aspettate un momento» disse Steven con voce chiara e calma.

Si fermarono.

«Jeannie, a me non interessa che cosa pensa questa gente, ma voglio dirle che non sono stato io, e che non farei mai una cosa del genere.»

Gli credeva. Si chiese perché. Aveva bisogno che fosse innocente per confermare la propria teoria? No. I risultati dei test dimostravano già che lui non aveva nessuna delle caratteristiche associabili ai criminali. Era qualcos'altro: il suo intuito. Con lui si sentiva al sicuro. Non mandava segnali sbagliati. L'ascoltava quando parlava, non faceva il prepotente, non la toccava in maniera inappropriata, non mostrava rabbia né ostilità. Steve apprezzava le donne e le rispettava. No, non era uno stupratore.

«Vuole che chiami qualcuno?» gli chiese. «I suoi genitori?»

«No» rispose lui con decisione. «Si preoccuperebbero. Nel giro di poche ore sarà tutto finito. Allora li avvertirò io.»

«Non l'aspettano a casa, stasera?»

«Ho detto loro che forse mi fermavo ancora da Ricky.»

«Bene, se è sicuro...» disse lei, dubbiosa.

«Sono sicuro.»

«Su, andiamo» li interruppe Mish, impaziente.

«Cos'è tutta questa fretta?» sbottò Jeannie. «Avete qualche altro innocente da arrestare?»

Mish la fulminò con lo sguardo. «Ha qualcos'altro da dirmi?»

«Adesso che cosa succede?»

«Ci sarà un confronto. Lasceremo che sia Lisa Hoxton a decidere se è questo l'uomo che l'ha violentata.» Poi aggiunse, con finta deferenza: «Per lei va bene, dottoressa Ferrami?».

«Benissimo.»

9

Lo portarono alla centrale a bordo della Dodge Colt azzurra. La donna guidava, mentre l'altro detective, un uomo corpulento con i baffi, era seduto al suo fianco e pareva quasi incastrato nella piccola vettura. Nessuno disse una parola.

Steve, silenzioso, ribolliva di rabbia. Perché diavolo doveva trovarsi ammanettato su quel macinino, quando avrebbe dovuto stare nell'appartamento di Jeannie Ferrami con una bibita fredda tra le mani? Avrebbero fatto meglio a chiudere la faccenda alla svelta.

La centrale di polizia era un edificio di granito rosa situato nel bel mezzo del quartiere a luci rosse di Baltimora, tra locali di spogliarello e pornoshop. Salirono una rampa e parcheggiarono in un garage interno pieno di volanti e utilitarie simili alla Colt.

Lo fecero salire su un ascensore e lo misero in una stanza con le pareti dipinte di giallo e senza finestre. Gli tolsero le manette e lo lasciarono solo. Immaginò che avessero chiuso la porta a chiave, ma non si prese la briga di controllare.

Nella stanza c'era un tavolo con due sedie di plastica rigida, e sul tavolo un posacenere con due mozziconi di sigaretta, entrambi col filtro, uno dei quali sporco di rossetto. Nella porta era inserito un pannello di vetro opaco: Steve non poteva vedere dall'altra parte, ma era convinto che loro vedessero lui.

Guardando il posacenere pensò che, se fosse stato un fumatore, se non altro avrebbe avuto qualcosa da fare, chiuso in quella cella gialla. In mancanza di meglio, si mise a camminare su e giù.

Continuava a ripetersi che non poteva davvero trovarsi nei guai. Era riuscito a dare un'occhiata al volantino: quel volto assomigliava al suo, ma *non era* il suo. Certo, una somiglianza con lo stupratore c'era, ma, quando lo avessero messo in fila per il confronto con altri uomini giovani e alti come lui, la vittima non avrebbe certo indicato lui. In fondo, quella povera donna doveva averlo guardato bene e a lungo, il bastardo che l'aveva violentata: il suo volto doveva esserle rimasto impresso a fuoco nella mente. Non avrebbe potuto sbagliare.

Comunque la polizia non aveva il diritto di farlo aspettare così a lungo. D'accordo, dovevano chiarire la sua estraneità, ma non potevano metterci tutta la notte. Lui era un cittadino rispettoso delle leggi.

Cercò di vedere il lato positivo della situazione: aveva l'opportunità di osservare da vicino il funzionamento del sistema giudiziario americano. Sarebbe stato l'avvocato di se stesso, una buona esperienza. Quando, in futuro, avesse rappresentato un cliente accusato di un crimine, avrebbe saputo a che cosa andava incontro una persona in stato di fermo.

Aveva già avuto occasione di visitare una stazione di polizia, ma quella volta era stato molto diverso. Aveva solo sedici anni e vi era stato accompagnato da uno dei suoi insegnanti. Aveva ammesso immediatamente il proprio crimine e raccontato onestamente tutto quello che era successo. Avevano visto le sue ferite: era evidente che l'aggressione non era stata unilaterale. Poi erano arrivati i suoi genitori e l'avevano portato a casa.

In vita sua non aveva mai provato tanta vergogna come in quel momento. Quando papà e mamma erano entrati in quella stanza, Steve aveva desiderato di essere morto. Papà aveva un'aria mortificata, come se avesse subito una grande umiliazione; la mamma, invece, era addolorata. Entrambi sembravano sconcertati e feriti. In quel momento aveva faticato molto per non scoppiare a piangere e, ogni volta che ci ripensava, gli tornava il magone.

Questa volta era diverso. Questa volta era innocente.

La detective entrò nella stanza con un fascicolo. Si era tolta la giacca, ma aveva ancora la pistola alla cintura. Era una donna sui quarant'anni, bella anche se forse un po' sovrappeso, e aveva un atteggiamento autoritario,

«Grazie al cielo» disse Steve, sollevato.

«Per cosa?»

«Finalmente si muove qualcuno. Non voglio passare tutta la notte qua dentro.»

«Le dispiacerebbe sedersi, per favore?»

Steve obbedì.

«Sono il sergente Michelle Delaware» esordì la donna. Prese un foglio dal fascicolo e lo mise sul tavolo. «Nome completo e indirizzo?»

Steve rispose e lei riportò i dati sul modulo. «Età?»

«Ventidue.»

«Titolo di studio?»

«Diploma di laurea.»

La donna finì di compilare il modulo e lo spinse verso di lui. Portava l'intestazione:

DIPARTIMENTO DI POLIZIA
BALTIMORA, MARYLAND

DIRITTI DELL'INDIZIATO
modulo 69

«La prego di leggere le cinque frasi scritte su questo modulo e di siglare con le sue iniziali gli appositi spazi sotto ognuna di esse.» Gli porse una penna.

Steve lesse il modulo e fece per scrivere.

«Deve leggerle a voce alta» gli ordinò il sergente.

Lui ci pensò su un attimo. «È per essere sicuri che so leggere?»

«No. Così in seguito non potrà fingere di non saper leggere o affermare di non essere stato informato dei suoi diritti.»

Queste erano le cose che non ti insegnavano alla facoltà di legge.

Steve lesse a voce alta: «Con il presente documento lei viene informato che: Uno. Ha il diritto di rimanere in silenzio». Scrisse SL nello spazio alla fine della riga e poi proseguì, siglando ogni frase. «Due. Qualsiasi cosa dica o scriva potrà essere usata contro di lei in tribunale. Tre. Ha il diritto di conferire con un avvocato in qualsiasi momento, prima di ogni interrogatorio, prima di rispondere a qualsiasi domanda, o nel corso di qualsiasi interrogatorio. Quattro. Se vuole un avvocato e non può permettersi di assumerne uno, non le verrà fatta alcuna domanda e sarà il tribunale ad assegnargliene uno. Cinque, se accetta di rispondere alle domande, potrà interrompersi in qualsiasi momento e chiedere che l'interrogatorio prosegua alla presenza di un avvocato.»

«Ora per favore firmi per esteso. Qui e qui» disse la donna, indicando due punti sul modulo. Il primo spazio per la firma era sotto la frase:

HO LETTO L'ENUNCIAZIONE DEI DIRITTI DELL'INDIZIATO E NE HO PIENAMENTE COMPRESO IL SIGNIFICATO.

FIRMA

Steve firmò.
«Anche sotto.»

SONO DISPOSTO A RISPONDERE ALLE DOMANDE E NON CHIEDO PER IL MOMENTO LA PRESENZA DI UN AVVOCATO. LA DECISIONE DI RISPONDERE ALLE DOMANDE SENZA LA PRESENZA DI UN AVVOCATO È STATA DA ME PRESA VOLONTARIAMENTE E IN PIENA LIBERTÀ.

FIRMA

Steve firmò e le chiese: «Come diavolo fate a convincere i veri colpevoli a firmare questa roba?».

Lei non rispose. Scrisse il proprio nome in stampatello sul modulo, poi vi appose la firma.

Rimise il modulo nel fascicolo e lo guardò. «Lei è nei guai, Steve» gli disse «ma mi sembra un tipo a posto. Perché non mi racconta quello che è successo?»

«E come faccio?» rispose lui. «Non c'ero. Evidentemente assomiglio allo schifoso che l'ha violentata.»

La donna si appoggiò allo schienale della sedia, accavallò le gambe e gli rivolse un sorriso amichevole. «Io li conosco gli

111

uomini» disse, con un tono intimo. «Hanno particolari pulsioni.»

"Se non sapessi che è impossibile" pensò Steve "dai segnali che mi manda direi che mi sta facendo delle avances."

«Lasci che le dica l'idea che mi sono fatta» proseguì lei. «Lei è un bel ragazzo e quella donna si è invaghita di lei.»

«Io quella donna non l'ho mai vista, sergente.»

Lei lo ignorò. Si sporse in avanti sul tavolo e posò una mano sulla sua. «Io credo che quella donna l'abbia provocata.»

Steve abbassò lo sguardo sulla mano. Aveva belle unghie, curate, non troppo lunghe e dipinte con lo smalto trasparente. Ma la pelle aveva qualche ruga: la donna doveva avere più di quarant'anni, forse quarantacinque.

Lei proseguì con un tono complice, come a dire "che resti tra noi due". «Quella donna se l'è cercata e lei le ha dato quello che voleva, giusto?»

«Come può pensare una cosa simile?» chiese Steve irritato.

«So come sono le ragazze. Quella l'ha provocata e poi, all'ultimo minuto, ha cambiato idea. Ma era troppo tardi. Un uomo, un vero uomo, non può fermarsi.»

«Ah, ora ho capito!» fece Steve. «Il sospettato le dà ragione, pensando di farci bella figura, ma in realtà ammette che il rapporto c'è stato e così voi siete già a metà dell'opera.»

Il sergente Delaware si appoggiò nuovamente allo schienale, con aria seccata, e Steve capì di aver indovinato.

«Okay, furbetto, vieni con me.»

«Dove andiamo?»

«In cella.»

«Un momento! Quando farete il confronto?»

«Quando riusciremo a rintracciare la vittima.»

«Non potete trattenermi a tempo indeterminato senza un provvedimento del tribunale.»

«Possiamo trattenerti per ventiquattr'ore senza alcun provvedimento, quindi chiudi la bocca e andiamo.»

Lo portò giù con l'ascensore. Oltrepassarono una porta e imboccarono un corridoio dipinto di arancione scuro. Un cartello sul muro rammentava agli agenti di tenere i sospetti ammanettati durante la perquisizione. Il secondino, un nero sui cinquant'anni, era dietro un alto bancone. «Salve, Spike» disse il sergente Delaware. «Ti ho portato un universitario che crede di essere molto furbo.»

«Se è così furbo, com'è che si trova qua?» chiese il secondino con un ghigno.

I due scoppiarono a ridere. Steve si ripromise, per il futuro, di non dire mai ai poliziotti che aveva capito il loro gioco. Era un suo difetto: a scuola si era inimicato gli insegnanti allo stesso modo. Quelli che facevano troppo i furbi non erano simpatici a nessuno.

Il poliziotto di nome Spike era tarchiato ma robusto, con i capelli grigi e un paio di baffetti. Aveva un modo di fare allegro, ma il suo sguardo era freddo. Aprì una porta di metallo. «Vieni dentro anche tu, Mish?» chiese. «Se sì, devo chiederti di lasciarmi la pistola.»

«No, per il momento ho finito con lui. Più tardi faremo un confronto.» Si voltò e se ne andò.

«Da questa parte, ragazzo» disse il secondino.

Steve entrò.

Si trovava nella zona delle celle. Le pareti e il pavimento erano dipinti dello stesso color fango. Steve aveva avuto l'impressione che l'ascensore si fosse fermato al primo piano, ma lì non c'erano finestre: sembrava di trovarsi in una caverna sotterranea, e che ci sarebbe voluto molto tempo per tornare in superficie.

In una piccola anticamera c'erano una scrivania e una macchina fotografica montata su un cavalletto. Spike prese un modulo da un casellario. Steve lo lesse a rovescio e vide che diceva:

DIPARTIMENTO DI POLIZIA
BALTIMORA, MARYLAND

RAPPORTO ATTIVITÀ PRIGIONIERI
modulo 92/12

L'uomo tolse il cappuccio a una penna a sfera e cominciò a riempire il modulo.

Quando ebbe finito indicò a Steve un punto sul pavimento e gli disse: «Va' a metterti là».

Steve si portò davanti alla macchina fotografica. Spike premette un pulsante e ci fu un lampo.

«Voltati di profilo.»

Un altro lampo.

Poi Spike prese un cartoncino quadrato stampato in inchiostro rosa che diceva:

FEDERAL BUREAU OF INVESTIGATION
DIPARTIMENTO DI GIUSTIZIA DEGLI STATI UNITI
WASHINGTON, D.C, 20537

Spike inchiostrò le dita di Steve appoggiandole su un tampone e poi le premette a una a una sugli appositi spazi del cartoncino contrassegnati 1. POLLICE DX, 2. INDICE DX, e così via. Steve notò che Spike, benché fosse piccolo di statura, aveva mani grandi con le vene molto evidenti. Mentre procedeva con l'operazione, Spike gli disse: «Giù al carcere di Greenmont Avenue abbiamo un computer che prende le impronte senza usare l'inchiostro. È come una macchina fotocopiatrice: basta posare la mano sul vetro. Ma qui usiamo ancora il vecchio sistema».

Steve si rese conto che stava cominciando a provare vergogna pur non avendo commesso alcun crimine. Era in parte colpa dell'ambiente tetro, ma soprattutto della sensazione di impotenza. Da quando quei poliziotti si erano precipitati fuori dell'auto davanti alla casa di Jeannie, lui era stato sbattuto di qua e di là come un burattino, senza la minima possibilità di reagire. Erano tutte cose che facevano crollare rapidamente l'autostima di una persona.

Quando ebbero finito con le impronte digitali, gli fu permesso di lavarsi le mani.

«Lascia che ti mostri i tuoi alloggi» disse Spike tutto allegro.

Condusse Steve giù per un corridoio fiancheggiato da celle su entrambi i lati. Erano cubicoli più o meno quadrati: la parete che dava sul corridoio era costituita soltanto da sbarre, in modo che ogni angolo del locale fosse chiaramente visibile dall'esterno. Attraverso le sbarre Steve vide che ogni unità aveva una cuccetta di metallo fissata al muro, un gabinetto e un lavandino di acciaio. Le pareti e le cuccette erano dipinte

114

di arancione scuro e coperte di graffiti. I gabinetti non aveva-no coperchio. In tre o quattro celle vide una persona distesa sulla cuccetta, ma la maggior parte era vuota. «Il lunedì è una giornata tranquilla qui all'Holiday Inn di Lafayette Street» disse Spike facendo lo spiritoso.

Steve non sarebbe stato in grado di ridere neppure se da questo fosse dipesa la sua vita.

Spike si fermò davanti a una cella vuota. Mentre il poliziot-to faceva scattare la serratura, Steve guardò dentro. Non c'era la minima privacy. Si rese conto che, se avesse avuto bisogno di usare il gabinetto, avrebbe dovuto farlo davanti a chiunque – uomo o donna – si fosse trovato a passare per il corridoio. Trovò che quella era la cosa più umiliante.

Spike aprì un cancello inserito nella parete di sbarre e fece entrare Steve, poi lo richiuse con uno schianto e girò la chiave.

Steve si mise a sedere sulla cuccetta. «Cristo santo, che po-sto!»

«Ti ci abituerai» rispose Spike in tono allegro e si allontanò.

Un attimo dopo tornò con un contenitore di polistirolo. «È avanzata una cena» disse. «Pollo fritto. Lo vuoi?»

Steve guardò il contenitore, poi il gabinetto senza coper-chio. Scosse la testa.

«Non credo di avere fame» rispose, «ma grazie lo stesso.»

10

Berrington ordinò champagne.

Dopo la giornata che aveva avuto, Jeannie avrebbe preferito una bella vodka ghiacciata, ma bere superalcolici non era certo il modo migliore per fare buona impressione su un datore di lavoro, e così decise di tenersi la voglia.

Lo champagne significava seduzione. Tutte le volte che si erano incontrati fuori dell'ambiente di lavoro, lui era stato più affascinante che seducente. Che ora avesse intenzione di farle delle avances? L'idea la metteva a disagio. Non aveva mai conosciuto un uomo che accettasse di buon grado di essere respinto. E Berrington era il suo capo.

Non gli disse di Steve. Durante la cena si trovò più di una volta sul punto di parlargliene, ma qualcosa la trattenne. Se, contro ogni sua previsione, Steve si fosse effettivamente rivelato un criminale, la sua teoria avrebbe cominciato a vacillare. Non le piaceva dare le cattive notizie in anticipo: non voleva alimentare dubbi prima che il fatto fosse provato. Ed era sicura che tutto si sarebbe rivelato un colossale abbaglio.

Ne aveva parlato con Lisa. «Hanno arrestato Brad Pitt!» le aveva detto al telefono. Lisa era inorridita all'idea che l'uomo avesse passato l'intera giornata al Pandemonio, nel posto dove lei lavorava, e che Jeannie fosse stata sul punto di farlo entrare in casa sua. Jeannie le aveva spiegato che era sicura che Steve non fosse l'autore dello stupro. In seguito si pentì di aver fatto quella telefonata: avrebbe potuto essere interpretata come un tentativo di influenzare un teste. Non che ciò potesse cambiare la situazione. Lisa avrebbe guardato una fila di uomini e avrebbe riconosciuto quello che l'aveva violentata, oppure no. Non era il genere di cose su cui ci si poteva sbagliare.

Jeannie aveva parlato anche con sua madre. Quel giorno Patty era andata a trovarla, accompagnata dai suoi tre figli, e la mamma le aveva raccontato tutta eccitata che i ragazzi non avevano fatto altro che correre su e giù per i corridoi della casa di riposo. Grazie al cielo, sembrava aver già dimenticato di essersi trasferita al Bella Vista solo il giorno prima. Ne parlava come se ci vivesse da anni e rimproverò Jeannie perché non andava a trovarla più spesso. Dopo aver parlato con lei, Jeannie si sentì un po' più sollevata.

«Com'era il branzino?» chiese Berrington, interrompendo le sue elucubrazioni.

«Delizioso. Molto delicato.»

Lui si lisciò le sopracciglia con la punta dell'indice destro. Per qualche motivo Jeannie avvertì nel gesto una sorta di autocompiacimento. «Ora le farò una domanda, e lei deve rispondermi con la massima sincerità» disse Berrington sorridendo, in modo che lei non lo prendesse troppo sul serio.

«D'accordo.»

«Le piace il dolce?»

«Mi ha preso per il tipo di donna che mentirebbe su una cosa simile?»

Lui scosse la testa. «Non credo siano molte le cose sulle quali mentirebbe.»

«Probabilmente troppo poche. Mi hanno detto spesso che sono priva di tatto.»

«È il suo peggior difetto?»

«Potrei essere migliore se ci facessi più attenzione. E qual è il suo peggior difetto?»

«Mi innamoro» rispose Berrington senza la minima esitazione.

«E lo considera un difetto?»

«Lo diventa se succede troppo spesso.»

«O, immagino, con più di una persona alla volta.»

«Forse dovrei scrivere a Lorraine Logan e chiederle consiglio.»

Jeannie rise, ma non voleva che la conversazione cadesse su Steven. «Qual è il suo pittore preferito?» gli chiese.

«Vediamo se indovina.»

Berrington era un fanatico nazionalista, quindi doveva essere una preferenza dettata dall'amor patrio, pensò Jeannie. «Norman Rockwell?»

«Neanche per sogno!» Sembrava sinceramente inorridito. «Un volgare illustratore! No. Se potessi permettermi di collezionare dipinti, acquisterei opere degli impressionisti americani. I paesaggi invernali di John Henry Twachtman, ad esempio. Mi piacerebbe tanto possedere *The White Bridge*. E lei?»

«Ora tocca a lei indovinare.»

Lui rifletté un attimo. «Joan Miro.»

«Perché?»

«Ho idea che le piacciano le macchie di colore audaci.»

«Molto perspicace, ma non del tutto esatto. Miro è troppo disordinato. Preferisco Mondrian.»

«Ah, certo. Le linee diritte.»

«Esattamente. È molto bravo, lei.»

Berrington si strinse nelle spalle e Jeannie si rese conto che quello era un giochetto che faceva spesso con le donne.

Prese una cucchiaiata di sorbetto al mango. Decisamente non si trattava di una cena di lavoro. Presto sarebbe stata costretta a prendere una decisione su quale piega dare al suo rapporto con Berrington.

Non baciava un uomo da un anno e mezzo. Da quando Will Temple l'aveva lasciata, non era neppure più uscita con un uomo, fino a quella sera. Non è che fosse ancora innamorata di lui, no, non lo amava più. Ma era rimasta scottata.

D'altra parte, quella vita monastica la stava facendo impazzire. Le mancava la presenza di un uomo nel letto, le mancavano gli odori maschili – il grasso di bicicletta, le maglie da football sudate e il whisky – ma più di ogni altra cosa le mancava il sesso. Quando le femministe radicali affermavano che il vero nemico era il pene, Jeannie avrebbe voluto rispondere: "Parla per te, sorella".

Alzò lo sguardo verso Berrington che con molta delicatezza stava mangiando mele caramellate. Le piaceva, nonostante le sue odiose idee politiche. Era in gamba – i suoi uomini dovevano essere innanzitutto intelligenti – e aveva modi affascinanti. Lo rispettava per il suo lavoro scientifico. Era magro e in buona forma fisica, probabilmente era un amante abile e pieno di esperienza, e aveva magnifici occhi azzurri.

Ma era troppo vecchio. A lei piacevano gli uomini maturi, ma non *così* maturi.

Come avrebbe potuto respingerlo senza rovinarsi la carriera? La tattica migliore era quella di fingere di interpretare le sue attenzioni come gentili e paterne. In quel modo avrebbe potuto evitare di respingerlo direttamente.

Bevve un sorso di champagne. Il cameriere continuava a riempirle il bicchiere e lei non sapeva esattamente quanto avesse già bevuto, ma era contenta di non dover guidare.

Ordinarono il caffè. Jeannie chiese un doppio espresso per schiarirsi la testa. Dopo che Berrington ebbe pagato il conto, scesero con l'ascensore al parcheggio e salirono sulla sua Lincoln color argento.

Berrington costeggiò il porto e poi imboccò la Jones Falls Expressway. «Quello è il carcere cittadino» disse, indicando un edificio simile a una fortezza che occupava un intero isolato. «Là dentro c'è la feccia dell'umanità.»

E forse anche Steve, pensò Jeannie.

Come poteva aver anche solo preso in considerazione l'idea di andare a letto con quell'uomo? Non provava il minimo affetto per lui. Si vergognò persino di averlo pensato. Quando lui si fermò di fronte a casa sua, lei disse con decisione: «Berry, grazie per la magnifica serata». Le avrebbe stretto la mano, si chiese Jeannie, oppure avrebbe tentato di baciarla? Se l'avesse fatto, lei gli avrebbe porto la guancia.

Ma lui non fece né l'una né l'altra cosa. «Il telefono a casa mia è guasto e devo fare una telefonata prima di andare a letto» replicò. «Potrei usare il suo?»

Non poteva certo dirgli: "No, fermati a un telefono pubblico". Sembrava proprio che lui avesse programmato tutto. «Certo» rispose, soffocando un sospiro. «Venga.» Si chiese se avrebbe potuto evitare di offrirgli un caffè.

Scese dalla macchina e fece strada lungo il porticato. Il portone d'ingresso dava su un piccolo atrio sul quale si aprivano altre due porte. Una era quella dell'appartamento a piano terra, occupato dal signor Oliver, uno stivatore in pensione; l'altra, quella di Jeannie, si apriva su una scala che portava all'appartamento al primo piano.

Jeannie si bloccò, perplessa. La sua porta era aperta.

Entrò e salì le scale. C'era una luce accesa. Strano, era uscita che era ancora chiaro.

La scala portava direttamente nel soggiorno. Jeannie fece un passo e lanciò un urlo.

Lui era in piedi davanti al frigorifero, con una bottiglia di vodka in mano. Era sporco e con la barba lunga, e forse anche un po' ubriaco.

«Che cosa succede?» disse Berrington, alle sue spalle.

«Devi curare di più la sicurezza di questa casa, Jeannie» disse l'intruso. «Ci ho messo meno di dieci secondi a forzare la serratura.»

«Chi diavolo è costui?» chiese Berrington.

«Quando sei uscito di prigione, papà?» disse Jeannie con voce scossa.

11

Il locale per il confronto si trovava sullo stesso piano delle celle.

Nell'anticamera c'erano altri sei uomini più o meno della sua stessa età e corporatura. Steve immaginò che fossero tutti poliziotti. Nessuno gli rivolse la parola, nessuno incrociò il suo sguardo. Lo trattavano come un criminale. Steve avrebbe voluto dire: "Ehi, ragazzi, io sono dalla vostra parte. Non sono uno stupratore, io sono innocente".

Tutti dovettero togliersi orologi, anelli e catenine e indossare tute bianche di carta sopra gli abiti. Si stavano preparando quando entrò un giovane in giacca e cravatta. «Per favore, chi di voi è il sospettato?» chiese.

«Sono io» rispose Steve.

«Sono Lew Tanner, il difensore d'ufficio» disse il giovane. «Sono qui per accertarmi che il confronto venga fatto correttamente. Ha qualche domanda?»

«Quanto tempo ci vorrà perché io possa uscire di quí, dopo?» chiese Steve.

«Ammesso che lei non venga riconosciuto durante il confronto, un paio d'ore.»

«Due ore!» esclamò Steve, indignato. «E dovrò tornare in quella maledetta cella?»

«Temo di sì.»

«Oh, Cristo!»

«Chiederò che le pratiche per il rilascio vengano espletate il più in fretta possibile» promise Lew. «Qualcos'altro?»

«No, grazie.»

«Okay» disse, e uscì dalla stanza.

Un secondino aprì una porta e fece salire i sette uomini su una specie di palcoscenico. C'era un fondale sul quale erano segnate posizioni numerate da uno a dieci e una scala graduata che indicava l'altezza. Un potente riflettore era puntato contro di esso e uno schermo divideva il palcoscenico dal resto della stanza. Non potevano vedere dall'altra parte, ma sentivano tutto ciò che vi accadeva.

Per un po' si udirono solo uno scalpiccio e un confuso borbottare di voci maschili, e poi l'inconfondibile rumore dei passi di una donna. Dopo un attimo si sentì la voce di un uomo che sembrava leggere o ripetere qualcosa a memoria.

«Davanti a lei ci sono sette persone. Le saranno indicate solo con un numero. Se qualcuno di questi individui ha fatto qualcosa a lei, o in sua presenza, voglio che dica il numero, soltanto il numero. Se lei vuole che qualcuno dei presunti indiziati parli o pronunci qualche parola in particolare, chiederemo loro di farlo. Se lei vuole che qualcuno si giri di schiena o di profilo, lo faranno tutti e sette. Riconosce qualcuno tra loro che abbia fatto qualcosa a lei o comunque in sua presenza?»

Ci fu un attimo di silenzio. I nervi di Steve erano tesi come corde di violino, anche se era sicuro che la donna non avrebbe indicato lui.

«Aveva un cappello» disse piano una voce di donna.

A Steve parve una donna istruita della classe media, più o meno della sua stessa età.

«Abbiamo dei cappelli. Vuole che li indossino?» chiese la voce maschile.

«Era più un berretto... un berretto da baseball.»

Steve colse una nota di ansia nella voce della donna, ma anche di determinazione. Non c'era la minima traccia di falsità. Dava l'idea di una persona che avrebbe comunque detto la verità, anche se sotto pressione. Si sentì un pochino meglio.

«Dave, guarda se ci sono sette berretti da baseball in quell'armadio.»

Seguì una pausa di parecchi minuti. Steve strinse i denti, impaziente. «Gesù, non sapevo che avessimo tutta questa roba... occhiali, baffi finti...» mormorò una voce.

«Per favore, Dave, niente chiacchiere» ordinò la prima voce. «Questa è una procedura ufficiale.»

Alla fine un detective salì sul palcoscenico e porse un berretto da baseball a ognuno. Tutti lo indossarono e l'uomo si allontanò.

Dall'altra parte dello schermo giunse il pianto della donna.

La voce maschile ripeté la formula pronunciata in precedenza. «Riconosce qualcuno tra loro che abbia fatto qualcosa a lei o comunque in sua presenza? Se sì, dica il numero e solo il numero.»

«Il numero quattro» disse lei con voce incrinata da un singhiozzo.

Steve si voltò a guardare il fondale. Il numero quattro era lui.

«No!» urlò. «Non può essere! Non sono stato io!»

«Numero quattro, ha sentito?» chiese la voce maschile.

«Certo che ho sentito, ma non sono stato io!»

Gli altri uomini stavano già lasciando il palcoscenico.

«Per amor del cielo!» Steve fissò lo schermo opaco, le braccia spalancate in un gesto implorante. «Come ha potuto indicare me? Io non so neppure che faccia abbia, lei!»

«Non dica niente, signora, la prego» disse la voce maschile dall'altra parte. «Grazie per la collaborazione. Da questa parte, prego.»

«Ma c'è un errore, non lo capite?» urlò Steve.

Arrivò Spike. «È finita, figliolo. Andiamo.»

Steve lo guardò fisso. Per un attimo fu tentato di fargli ingoiare tutti i denti con un pugno.

Spike lo capì dal suo sguardo e assunse un'espressione dura. «Non cercare guai, adesso. Tanto non puoi scappare da nessuna parte» gli disse, afferrandogli il braccio con una stretta che sembrava d'acciaio. Era inutile protestare.

Steve si sentiva come se gli avessero dato un colpo in testa. Cedette allo scoramento e allo stesso tempo venne colto da una furia disperata. «Come è potuto accadere?» mormorò. «Come è potuto accadere?»

12

«Papà?» esclamò Berrington.

Jeannie si sarebbe morsa la lingua. *Quando sei uscito di prigione, papà?* Era la cosa più stupida che potesse dire. Solo qualche minuto prima Berrington aveva definito le persone rinchiuse nel carcere cittadino la feccia dell'umanità.

Si sentì mortificata. Il suo capo aveva scoperto che suo padre era un ladro professionista e per di più l'aveva anche incontrato. Papà aveva un livido sul volto, frutto di una caduta, e la barba di parecchi giorni; gli abiti erano sudici e dal suo corpo emanava un odore indistinto ma disgustoso. Jeannie provava una tale vergogna da non riuscire a guardare Berrington in faccia.

Molti anni prima c'era stato un tempo in cui non si vergognava affatto del padre, anzi, al suo confronto quelli delle altre ragazze apparivano noiosi. Papà era bello e allegro: spesso arrivava a casa con un abito nuovo e le tasche piene di soldi. E allora erano cinema, vestiti nuovi, gelati; la mamma comperava una camicia da notte nuova e si metteva a dieta. Ma poi lui spariva di nuovo. All'età di nove anni Jeannie aveva scoperto il perché: era stata Tammy Fontaine a dirglielo. Jeannie non avrebbe mai dimenticato quella conversazione.

«La tua maglia è orribile» aveva detto Tammy.

«E tu hai un naso orribile» aveva risposto Jeannie pungente, mentre le altre ragazze si allontanavano.

«Tua madre ti compra dei vestiti orripilanti.»

«La tua è grassa.»

«Tuo padre è in galera.»

«Non è vero.»

«E invece sì.»

«Invece *no!*»

«Ho sentito papà che lo diceva alla mamma. Stava leggendo il giornale e ha detto: "A quanto pare, il vecchio Pete Ferrami è tornato di nuovo in galera."»

«Bugiarda, bugiarda, faccia di mostarda!» aveva cantilenato Jeannie, ma in cuor suo sapeva che Tammy aveva detto la verità. Questo spiegava tutto: le improvvise ricchezze, le sparizioni altrettanto improvvise, e le lunghe assenze.

Jeannie non aveva mai più potuto ribattere alle provocazioni delle compagne. Chiunque era in grado di tapparle la bocca menzionando suo padre. A nove anni era come restare paralizzati per tutta la vita. Ogni volta che a scuola spariva qualcosa, le pareva che tutti sospettassero di lei. Non era mai riuscita a liberarsi dal senso di colpa. Se un'altra donna guardava nella borsetta e diceva: "Accidenti! Mi pareva di avere un biglietto da dieci dollari", Jeannie diventava viola. Era ossessionata dall'onestà: era capace di fare un chilometro a piedi per restituire una penna biro da quattro soldi nel timore che, se l'avesse tenuta, il proprietario potesse accusarla di essere una ladra, come suo padre.

E ora eccolo lì, davanti al suo principale, sporco e con la barba lunga, e probabilmente al verde. «Questo è il professor Berrington Jones» sospirò. «Berry, le presento mio padre, Pete Ferrami.»

Berrington si comportò in modo molto civile. Strinse la mano al padre di Jeannie e disse: «Piacere di conoscerla, signor Ferrami. Sua figlia è una donna molto speciale».

«Già, proprio così» replicò il padre con un sorriso soddisfatto.

«Dunque, Berry, ora conosce il segreto della nostra famiglia» disse lei, con rassegnazione. «Papà è finito in carcere, per la terza volta, esattamente il giorno in cui io mi sono laureata *summa cum laude* a Princeton. Ha passato in galera gli ultimi otto anni.»

«E sarebbero potuti essere quindici» disse il padre. «Eravamo pure armati.»

«Grazie per avercelo ricordato, papà. Sono sicura che il mio principale sarà rimasto molto colpito.»

L'uomo sembrò ferito e sconcertato e Jeannie, nonostante il risentimento, provò una fitta di compassione. La sua debolezza aveva penalizzato tanto lui quanto la sua famiglia. Era uno dei fallimenti della natura. Il fantastico sistema di riproduzione del genere umano – il meccanismo profondamente complesso del Dna che Jeannie studiava – era programmato per rendere ogni individuo leggermente diverso, come una fotocopiatrice tarata per produrre lievi alterazioni. A volte il risultato era buono: un Einstein, un Louis Armstrong, un Andrew Carnegie. A volte era un Pete Ferrami.

Jeannie doveva assolutamente sbarazzarsi di Berrington. «Se deve fare quella telefonata, Berry, può usare il telefono in camera da letto.»

«Be'... può aspettare» replicò il professore.

"Grazie al cielo" pensò Jeannie. «Bene. Allora grazie per la serata veramente speciale.» Gli porse la mano.

«È stato un piacere. Buona notte» rispose Berry.

Le strinse la mano imbarazzato e se ne andò.

Jeannie si rivolse al padre. «Che cosa è successo?»

«Ho avuto una riduzione di pena per buona condotta. Sono libero. E, naturalmente, la prima cosa che ho voluto fare è stato vedere la mia bambina.»

«Ma solo dopo tre giorni di sbronza.» La cosa era così evidente da risultare offensiva. Jeannie sentì crescere dentro di sé la familiare sensazione di rabbia. Perché non poteva avere un padre come tutti gli altri?

«Su, sii gentile» supplicò lui.

La rabbia si trasformò in tristezza. Non aveva mai avuto un vero padre e non l'avrebbe mai avuto. «Dammi quella bottiglia» gli disse. «Ti farò un caffè.»

Riluttante, lui le porse la vodka e Jeannie la rimise nel freezer, poi versò l'acqua nella caffettiera e la accese.

«Sembri più vecchia» osservò il padre. «Hai qualche capello bianco.»

«Ti ringrazio davvero.» Tirò fuori le tazze, il latte e lo zucchero.

«Tua madre è diventata grigia presto.»

«Ho sempre pensato che fosse merito tuo.»

«Sono andato a casa sua» disse lui, con un tono leggermente indignato. «Non vive più là.»

«Ora vive al Bella Vista.»

«È quello che mi ha detto la vicina, la signora Mendoza. È stata lei a darmi il tuo indirizzo. Non mi piace l'idea che tua madre viva in un posto simile.»

«E allora tirala fuori!» rispose Jeannie indignata. «È pur sempre tua moglie. Trovati un lavoro, un appartamento decente e comincia a prenderti cura di lei.»

«Sai bene che non ci riesco. Non ci sono mai riuscito.»

«Allora non criticare me.»

Lui assunse un tono carezzevole. «Ma io non lo dicevo per te, tesoro. Ho solo detto che non mi piace che tua madre stia in un ricovero, tutto lì.»

«Neanche a me piace, e neppure a Patty. Stiamo cercando di mettere insieme i soldi per tirarla fuori di lì.» All'improvviso Jeannie si sentì travolgere dall'emozione e dovette sforzarsi per ricacciare indietro le lacrime. «Accidenti, papà, è già abbastanza dura senza te seduto lì a lamentarti.»

«Okay, okay.»

Jeannie deglutì cercando di scacciare il magone. "Non dovrei lasciarmi coinvolgere in questo modo" pensò, e cercò di cambiare argomento. «Che cosa farai adesso? Hai qualche progetto?»

«Mi guarderò intorno per un po'.»

In altre parole significava che avrebbe cercato un posto da svaligiare. Jeannie non disse nulla. Era un ladro e lei non poteva cambiarlo.

Lui tossicchiò. «Magari potresti darmi qualche dollaro, tanto per iniziare qualcosa.»

Questo la fece nuovamente infuriare. «Adesso ti dico che cosa farò» gli rispose con voce dura. «Ti permetterò di fare una doccia e di rasarti mentre io metterò i tuoi vestiti in lavatrice. Se terrai le mani lontane da quella bottiglia di vodka, ti preparerò delle uova con il pane tostato. Puoi usare un mio pigiama e dormire sul divano. Ma non ti darò soldi. Sto cercando disperatamente di mettere insieme una certa somma per trovare un posto dove la mamma venga trattata come un essere umano e non posso buttar via neppure un dollaro.»

«D'accordo, tesoro» rispose lui con un'aria da martire. «Capisco.»

Lei lo guardò. Alla fine, quando il tumulto di vergogna, rabbia e pietà si placava, restava solo il rimpianto. Desiderava con tutto il cuore che lui imparasse a prendersi cura di sé, sistemandosi da qualche parte e trovando un lavoro normale, che diventasse affettuoso, affidabile, protettivo. Desiderava tanto un padre che facesse il padre. E sapeva che il suo desiderio non sarebbe mai stato esaudito. Nel suo cuore c'era un posto per quel padre, un posto che sarebbe rimasto vuoto per sempre.

Il telefono squillò.

Jeannie andò a rispondere. «Pronto.»

Era Lisa. Sembrava sconvolta. «Jeannie, era lui!»

«Chi?»

«Il tizio che hanno arrestato oggi con te. L'ho riconosciuto durante il confronto. È lui quello che mi ha violentata. Steven Logan.»

«Ne sei sicura?» chiese Jeannie incredula.

«Non c'è alcun dubbio, Jeannie» rispose Lisa. «Oh, mio Dio! È stato orribile rivedere la sua faccia. All'inizio non ho detto niente perché a testa nuda sembrava diverso. Poi il detective ha fatto indossare a tutti un berretto e allora non ho più avuto dubbi.»

«Lisa, non può essere lui.»

«Che cosa intendi dire?»

«I risultati dei test smentiscono questa ipotesi. E io ho passato quasi tutta la giornata con lui. Sono intimamente convinta della sua innocenza.»

«Ma io l'ho riconosciuto!» Lisa sembrava seccata.

«Questo mi lascia attonita. Proprio non capisco.»

«Scombina la tua teoria, vero? Volevi che un gemello fosse buono e l'altro cattivo.»

«Sì, certo. Comunque un'eccezione non basta a smentire una teoria.»

«Mi dispiace che tu consideri la cosa come una minaccia per il tuo progetto.»

«Non è questo il motivo per cui sostengo che non è stato lui» ribatté Jeannie con un sospiro. «Diamine, magari lo è. Non so più che cosa pensare. Dove sei ora?»

«A casa.»

«Ti senti bene?»

«Sì, ora che è rinchiuso in galera, sto bene.»

«Eppure sembra un tipo così affidabile.»

«Mish mi ha detto che sono i peggiori. Quelli che in apparenza sembrano perfettamente normali sono i più furbi e i più spietati, e godono a far soffrire le donne.»

«Mio Dio.»

«Io me ne vado a letto, sono esausta. Ma prima volevo dirtelo. Com'è andata la serata?»

«Così così. Domani ti racconto.»

«Voglio venire a Richmond con te.»

Jeannie aveva programmato di portare Lisa con sé, perché l'aiutasse nel colloquio con Dennis Pinker. «Ma te la senti?»

«Sì. Voglio riprendere la mia vita normale. Non sono malata. Non ho bisogno di una convalescenza.»

«Molto probabilmente Dennis Pinker sarà la copia esatta di Steve Logan.»

«Lo so. Ma posso farcela.»

«Se ne sei sicura...»

«Ti chiamerò prima.»

«D'accordo. Buona notte.»

Jeannie si lasciò cadere su una sedia. Era possibile che l'aspetto affascinante di Steven non fosse altro che una maschera? "Se è così" pensò, "vuol dire che non sono assolutamente in grado di giudicare le persone, e sono anche una pessima scienziata." Magari tutti i gemelli monovulari sarebbero risultati tutti criminali. Sospirò.

Il suo progenitore criminale, seduto di fianco a lei, disse: «Quel professore mi sembra un tipo a posto, ma deve essere ancora più vecchio di me. Hai una storia con lui?».

Jeannie arricciò il naso. «Il bagno è da quella parte, papà» rispose.

13

Steve si trovava nuovamente nel locale degli interrogatori con le pareti gialle. Nel posacenere c'erano gli stessi due mozziconi di sigaretta. La stanza non era cambiata, lui sì. Tre ore prima era un cittadino rispettoso della legge, estraneo a qualsiasi reato che non fosse fare i novantacinque chilometri all'ora in una zona con il limite di novanta. Ora era uno stupratore, arrestato e identificato dalla vittima. Si trovava sul nastro trasportatore della macchina della giustizia. Era un criminale, Per quanto continuasse a ripetere a se stesso che non aveva fatto niente di male, non riusciva a scuotersi di dosso un senso di indegnità e infamia.

Prima aveva parlato con la donna, il sergente Delaware. Questa volta entrò l'altro, l'uomo con i capelli grigi tagliati corti e i baffetti ispidi, anche lui con in mano un fascicolo blu. Era alto come Steve, ma molto più grosso e massiccio. Dopo essersi seduto, tirò fuori un pacchetto di sigarette. Senza parlare ne fece uscire una, l'accese e lasciò cadere il fiammifero nel posacenere. Poi aprì il fascicolo. Dentro c'era un altro modulo. Questo aveva una intestazione diversa:

TRIBUNALE CIRCOSCRIZIONALE DEL MARYLAND
DELLA CITTÀ/CONTEA DI ....

La metà superiore era divisa in due colonne intitolate PARTE CIVILE e INDIZIATO. Un po' più sotto c'era scritto:

FORMULAZIONE DELLE ACCUSE

Il detective cominciò a compilare il modulo, sempre senza parlare. Dopo aver scritto qualche parola, sollevò il primo foglio per controllare le quattro copie autoricalcanti verde, gialla, rosa e beige.

Leggendo a rovescio Steve vide che il nome della vittima era Lisa Margaret Hoxton. «Che tipo è?» chiese.

Il detective lo guardò. «Chiudi quella fottuta bocca» disse. Fece un tiro di sigaretta e continuò a scrivere.

Steve si sentì umiliato. Quell'uomo lo stava maltrattando e lui non poteva farci niente. Stavano cercando di mortificarlo per farlo sentire insignificante e impotente. "Brutto bastardo" pensò. "Vorrei tanto incontrarti fuori di qui, senza la tua stramaledetta pistola."

Il detective cominciò a compilare la parte relativa alle accuse. Nella casella numero 1 scrisse la data di domenica, e poi "Palestra della Jones Falls University, Baltimora, MD", Sotto scrisse: "Violenza carnale di primo grado". Nella casella seguente riportò nuovamente il posto e la data e quindi "Aggressione a scopo di violenza carnale".

Poi prese un altro foglio e aggiunse due nuove accuse: "Lesioni personali" e "Sodomia",

«Sodomia?» esclamò Steve sorpreso,

«Chiudi quella fottuta bocca.»

Steve era pronto a saltargli addosso. Lo fa apposta, si disse. Questo tizio vuole provocarmi. Se gli do un pugno, avrà la scusa per chiamare altri tre che mi tengano fermo in modo che lui possa riempirmi di botte. "Non lo fare, non lo fare."

Quando ebbe finito di scrivere, il detective girò i due moduli e li spinse verso di lui. «Sei nei casini, Steve, Hai picchiato e violentato una ragazza, l'hai sodomizzata...»

«No, non sono stato io.»

«Chiudi quella fottuta bocca.»

Steve si morse le labbra e rimase in silenzio,

«Sei uno schifoso, un essere spregevole. Le persone per bene non vogliono neppure stare nella stessa stanza insieme a te. Hai picchiato, violentato e sodomizzato una ragazza. So che non è la prima volta. È già un po' che lo fai. Ma sei furbo, pianifichi sempre ogni cosa. Finora ti è sempre andata bene. Ma questa volta ti abbiamo beccato. La tua vittima ti ha identificato. Altri testimoni ti hanno visto nei pressi della scena del delitto. Entro un'ora, non appena il sergente Delaware avrà ottenuto un mandato d'arresto dal magistrato di turno, ti porteremo al Mercy Hospital, dove ti faranno un esame del sangue, ti passeranno un pettine tra i peli pubici e dimostreranno che il tuo Dna corrisponde a quello che abbiamo trovato nella vagina della vittima.»

«Quanto tempo ci vuole... per questo test del Dna?»

«Sta' zitto. Ti abbiamo inchiodato, Steve. Lo sai che cosa ti succederà?»

Steve non rispose.

«La pena per la violenza carnale di primo grado è l'ergastolo. Finirai in galera, e lo sai lì che cosa ti aspetta? Ti beccherai un ass ggio di quello che sinora hai distribuito. Con un bel ragazzo come te, vedrai che festa. Verrai picchiato, violentato e sodomizzato. E scoprirai quello che ha provato Lisa. Solo che nel tuo caso andrà avanti per anni e anni.»

Fece una pausa, prese il pacchetto di sigarette e gliene offrì una.

Sorpreso, Steve scosse la testa.

«A proposito, io sono il detective Brian Allaston.» Si accese una sigaretta. «Non so proprio perché ti sto dicendo questo, ma c'è un modo con cui puoi renderti le cose più facili.»

Steve aggrottò la fronte, incuriosito. Che cosa stava per dirgli?

Il detective Allaston si alzò, girò intorno al tavolo e andò a sedersi sul bordo, un piede posato sul pavimento, molto vicino a Steve. Si sporse in avanti e gli disse a voce bassa: «Lascia che ti spieghi. Per violenza carnale si intende un rapporto sessuale con l'uso della forza, o della minaccia della forza, contro la volontà o comunque senza il consenso della donna. Perché sia violenza carnale di primo grado, ci devono essere delle aggravanti quali il rapimento, lo sfregio, oppure il concorso di due o più persone. La pena per la violenza carnale di secondo grado è minore. Ora, se tu riesci a convincermi che quello che hai compiuto era una violenza di secondo grado, potresti fare un grosso favore a te stesso».

Steve non disse nulla.

«Vuoi raccontarmi com'è successo?»

Finalmente Steve rispose. «Chiudi quella fottuta bocca.»

Allaston si mosse in fretta. Scese dal tavolo, afferrò Steve per il davanti della camicia, lo sollevò dalla sedia e lo sbatté contro la parete. La testa di Steve sobbalzò all'indietro e colpì il muro con una botta secca.

Steve si irrigidì, stringendo i pugni lungo i fianchi. "Non farlo", disse a se stesso, "non reagire." Ma era dura. Il detective Allaston era sovrappeso e fuori forma: Steve sapeva che avrebbe potuto stenderlo in un attimo. Ma doveva controllarsi. Doveva restare attaccato alla propria innocenza. Se avesse colpito un poliziotto – anche se provocato – avrebbe commesso un crimine. E allora sarebbe stato come cedere. Si sarebbe perso d'animo se non avesse avuto quel senso di giusta indignazione a dargli coraggio. Rimase immobile, rigido, la mascella serrata, mentre Allaston lo sbatteva due, tre, quattro volte contro il muro.

«Non parlarmi mai più in questo modo, mezza sega» disse il poliziotto.

Steve sentì svanire la propria rabbia. Allaston non gli stava neppure facendo male. Capì che era tutta scena. Il detective stava recitando una parte, e neanche tanto bene. Lui faceva il poliziotto cattivo, Mish quello buono. Da lì a poco sarebbe entrata, gli avrebbe offerto un caffè e avrebbe finto di essergli amica. Ma l'obiettivo sarebbe stato lo stesso: convincerlo a confessare lo stupro di una donna che lui non aveva mai conosciuto, Lisa Margaret Hoxton. «Basta con le stronzate, detective» disse Steve. «So bene che lei è un duro, un figlio di buona donna con i peli che escono dalle narici, e lei sa bene che, se fossimo da qualche altra parte e lei non avesse quella pistola, potrei suonargliele fino a domani mattina, quindi smettiamola di metterci alla prova.»

Allaston pareva sorpreso. Senza dubbio si era aspettato che Steve fosse troppo intimorito per parlare. Lo lasciò andare e si avviò verso la porta.

«Mi avevano detto che sei uno che fa il furbo» disse. «Sta' a sentire quello che farò per insegnarti un po' di educazione. Per il momento tornerai in cella, solo che questa volta non sarai solo. Vedi, tutte le quarantuno celle vuote là sotto sono inagibili, quindi dovrai stare con un tizio di nome Rupert Butcher, meglio conosciuto come Porky. Tu pensi di essere un grosso bastardo, ma lui è più grosso di te. È reduce da un crack party durato tre giorni e ha un gran mal di testa. Ieri sera, più o meno all'ora in cui tu davi fuoco alla palestra e infilavi il tuo cazzo schifoso dentro la povera Lisa Hoxton, Porky Butcher stava infilzando a morte la sua ragazza con un forcone da giardinaggio. Dovreste trovarvi benissimo insieme, voi due. Andiamo.»

Steve era spaventato. Tutto il suo coraggio svanì, come se avessero staccato la spina, e si sentì sconfitto e inerme. Il detective lo aveva umiliato, ma non aveva mai minacciato di fargli del male. Ora, una notte in compagnia di uno psicopatico costituiva un pericolo reale. Questo Butcher aveva già commesso un omicidio: se fosse stato in grado di ragionare avrebbe capito di aver ben poco da perdere commettendone un altro.

«Aspetti un momento» disse Steve, con voce tremante.

«Allora?» Allaston si voltò lentamente verso di lui.

«Se confesso, avrò una cella solo per me?»

Il sollievo sul volto di Allaston era evidente. «Certo» rispose. Di colpo la sua voce si era fatta cordiale.

Questo cambiamento di tono provocò in Steve un violento moto di sdegno. «Ma se non confesso, lascerete che Porky Butcher mi ammazzi.»

Allaston allargò le braccia in un gesto sconsolato.

La paura di Steve si trasformò in odio puro. «Se è così, detective» disse, «vada pure a farsi fottere.»

La faccia di Allaston assunse nuovamente un'espressione sorpresa. «Bastardo» sibilò. «Vedremo se farai ancora tanto il difficile tra due ore. Muoviti!»

Accompagnò Steve all'ascensore e lo scortò fino alle celle. Spike era ancora là. «Metti questo stronzo insieme a Porky» gli disse Allaston.

Spike inarcò le sopracciglia. «Si è comportato così male?»

«Già. Ah, a proposito... Steve soffre di incubi.»

«Davvero?»

«Se lo senti urlare non ti preoccupare. Sta solo sognando.»

«Ho capito» rispose Spike.

Allaston se ne andò e Spike accompagnò Steve in cella.

Porky era sdraiato sulla cuccetta. Era alto più o meno come Steve, ma era molto più grosso. Sembrava un culturista rimasto coinvolto in un incidente stradale: la maglietta tesa sui muscoli prominenti era tutta imbrattata di sangue. Era steso a pancia in su, la testa rivolta verso il fondo della cella, i piedi che sporgevano dalla branda. Quando Spíke aprì il cancello per far entrare Steve, Porky socchiuse gli occhi.

Il cancello sbatté e Spike lo chiuse a chiave.

Porky spalancò gli occhi e fissò Steve.

Steve ricambiò lo sguardo per un attimo.

«Sogni d'oro» augurò Spike.

Porky richiuse gli occhi.

Steve sedette sul pavimento, la schiena appoggiata al muro e rimase a guardare Porky che dormiva.

14

Berrington Jones guidò verso casa lentamente. Si sentiva deluso e sollevato allo stesso tempo. Come una persona che è a dieta e che lotta contro la tentazione finché non arriva alla gelateria e la trova chiusa, il caso gli aveva impedito di invischiarsi in qualcosa che sapeva di dover evitare.

Ma non aveva fatto alcun passo avanti verso la soluzione del problema rappresentato dal progetto di Jeannie e soprattutto da ciò che esso rischiava di svelare. Forse avrebbe dovuto impegnarsi più a fondo per cercare di scoprire le reali intenzioni della donna invece di pensare a divertirsi. Parcheggiò la macchina ed entrò in casa, pensieroso.

La casa era immersa nel silenzio: Marianne, la governante, doveva essere già andata a letto. Entrò nello studiolo e controllò la segreteria telefonica. C'era un messaggio.

«Buonasera, professore. Sono il sergente Delaware, è lunedì sera e l'ho chiamata per ringraziarla della collaborazione.» Berrington si strinse nelle spalle. Si era limitato a confermare che Lisa Hoxton lavorava al Pandemonio. Il messaggio proseguì. «Poiché lei è il superiore della signorina Hoxton e lo stupro ha avuto luogo all'interno del campus, ho pensato di avvertirla che questa sera abbiamo arrestato un uomo. Si tratta di un individuo che partecipa al vostro programma di studio e che oggi era presente nel vostro istituto; si chiama Steven Logan.»

«Cristo!» esclamò Berrington.

«La vittima lo ha riconosciuto nel corso di un confronto, quindi sono certa che il test del Dna confermerà che si tratta proprio di lui. La prego di passare questa informazione a chiunque lei ritenga opportuno nell'ambito dell'università. Grazie.»

«No!» esclamò Berrington, lasciandosi cadere su una sedia. «No» ripeté più piano.

Poi cominciò a piangere.

Dopo un attimo si alzò, sempre piangendo, e andò a chiudere la porta dello studio, per paura che entrasse la cameriera. Quindi tornò a sedersi alla scrivania e si prese il volto tra le mani.

Rimase in quella posizione per parecchio tempo.

Quando finalmente le lacrime si furono asciugate, afferrò il telefono e compose un numero che conosceva a memoria.

«Dio, fa' che non ci sia la segreteria telefonica» disse a voce alta, mentre aspettava.

Rispose la voce di un giovane. «Pronto?»

«Sono io» disse Berrington.

«Ciao, come va?»

«Malissimo.»

«Oh.» Il tono di voce era colpevole.

Se Berrington aveva qualche dubbio residuo, il tono della risposta lo spazzò via. «Sai perché ti chiamo, vero?»

«No, dimmelo tu.»

«Non mi prendere in giro, per favore. Sto parlando di domenica sera.»

Il giovane emise un sospiro. «E va bene.»

«Maledetto stupido! Sei andato al campus, vero? Tu hai...» Si rese conto che non doveva dire certe cose al telefono. «L'hai fatto di nuovo.»

«Mi dispiace...»

«Ti dispiace!»

«Come hai fatto a scoprirlo?»

«All'inizio non sospettavo di te... pensavo non fossi in città. Ma poi hanno arrestato una persona che è la tua copia esatta.»

«Accidenti! Questo significa che sono...»

«Che sei fuori tiro.»

«Che botta di fortuna! Senti...»

«Cosa?»

«Tu non dirai niente, vero, alla polizia o...»

«No. Non dirò una parola» replicò Berrington con il cuore gonfio. «Puoi fidarti di me.»

MARTEDÌ

15

La città di Richmond aveva l'aria di una nobildonna decaduta
e Jeannie trovò che i genitori di Dennis Pinker erano perfettamente in sintonia con l'ambiente. Charlotte Pinker, una rossa
lentigginosa con un frusciante abito di seta, aveva l'aspetto di
una gran dama della Virginia, anche se viveva in una casupola
di legno circondata da un minuscolo giardinetto. Dichiarò di
avere cinquantacinque anni, ma Jeannie giudicò che fosse più
vicina ai sessanta. Il marito, che lei chiamava "il maggiore",
aveva più o meno la stessa età e l'aspetto tranquillo e leggermente trascurato di chi è andato in pensione da tempo. Fece
una maliziosa strizzatina d'occhio a Jeannie e Lisa, dicendo:
«Gradireste un cocktail, ragazze?».

La moglie aveva un raffinato accento del sud e parlava con
la voce un tantino troppo alta, come se stesse tenendo una
conferenza. «Per amor del cielo, maggiore, sono le dieci di
mattina!»

Lui si strinse nelle spalle. «Era solo per ravvivare un po' la
festa.»

«Questa non è una festa... le signore sono qui per studiarci.
Perché nostro figlio è un assassino.»

Jeannie notò che lo chiamava "nostro figlio", ma questo non
significava gran che. Poteva comunque essere stato adottato.
Era molto impaziente di avere notizie certe sulla nascita di
Dennis Pinker. Se i genitori avessero ammesso che era stato
adottato, il mistero sarebbe stato per metà risolto. Ma doveva
essere prudente: era una questione delicata. Se l'avesse chie-

sto loro in modo troppo brusco, probabilmente avrebbero mentito. Si costrinse ad aspettare il momento giusto.

Anche l'aspetto fisico di Dennis la faceva stare sulle spine. Era davvero il sosia di Steven Logan? Osservò con curiosità le fotografie nelle cornici da quattro soldi sparse per il piccolo soggiorno. Purtroppo erano state scattate parecchi anni addietro. Il piccolo Dennis era ritratto su un passeggino, a cavalcioni di un triciclo, in tenuta da baseball, e mentre stringeva la mano a Topolino a Disneyland. Non c'erano sue foto da adulto. Senza dubbio i genitori preferivano ricordare il bambino innocente che era stato prima di diventare un assassino. Quindi Jeannie non apprese nulla dalle foto. Ora quel dodicenne dai capelli chiari poteva essere identico a Steven Logan, oppure essere diventato un uomo brutto e rachitico con i capelli scuri.

Charlotte e il maggiore avevano già risposto in precedenza a parecchi questionari, e ora dovevano sostenere entrambi un colloquio di circa un'ora. Mentre Jeannie intervistava Charlotte, Lisa portò il maggiore in cucina.

Jeannie aveva difficoltà a concentrarsi sulle domande. Continuava a tornare col pensiero a Steve chiuso in prigione. Non riusciva ancora a credere che fosse uno stupratore e non solamente perché questo avrebbe rovinato la sua teoria. Quel ragazzo le piaceva: era intelligente, simpatico e sembrava gentile. Aveva anche un lato vulnerabile: lo sconcerto e l'angoscia che aveva dimostrato nell'apprendere di avere un gemello psicopatico le avevano fatto venire voglia di abbracciarlo.

Quando chiese a Charlotte se qualche altro membro della sua famiglia avesse avuto guai con la giustizia, Charlotte le rivolse uno sguardo pieno di orgoglio e rispose, trascinando le parole: «Gli uomini della mia famiglia sono sempre stati terribilmente violenti». Inspirò allargando le narici. «Io sono una Marlowe, e noi Marlowe siamo sempre stati una famiglia dal sangue caldo.»

Dunque Dennis non era stato adottato, oppure la donna non voleva ammetterlo. Jeannie mascherò il proprio disappunto. Chissà se Charlotte avrebbe negato che Dennis potesse avere un gemello.

La domanda andava fatta. «Signora Pinker, c'è qualche possibilità che Dennis abbia un fratello gemello?» chiese Jeannie.

«No.»

La risposta della donna era stata del tutto piatta: niente indignazione, niente rabbia, solo un categorico diniego.

«Ne è sicura?»

Charlotte scoppiò a ridere. «Mia cara, è una cosa sulla quale una madre difficilmente può sbagliare!»

«Quindi non è stato adottato.»

«Ho portato quel bambino nel mio grembo, che Dio mi perdoni.»

Jeannie fu presa dallo sconforto. Tra le due, era più facile che a mentire fosse Charlotte Pinker piuttosto che Lorraine Logan, ma la cosa preoccupante era che entrambe negavano che i loro figli fossero gemelli.

Quando si accomiatarono dai Pinker, Jeannie era demoralizzata: aveva il presentimento che Dennis si sarebbe rivelato assolutamente diverso da Steve.

La Ford Aspire che avevano noleggiato era parcheggiata fuori. Era una giornata calda: Jeannie indossava un abito senza maniche, reso appena un po' più formale dalla giacca. Il condizionatore della Ford entrò in funzione con un gemito e cominciò a pompare aria tiepida. Lei si tolse i collant e appese la giacca al gancio del sedile posteriore.

Poi si mise alla guida. Non appena imboccarono l'autostrada che portava alla prigione, Lisa disse: «Tu sei convinta che io abbia identificato la persona sbagliata e ciò mi preoccupa».

«Preoccupa anche me» rispose Jeannie. «So che non l'avresti fatto se non ne fossi stata certa.»

«Come puoi essere così sicura che io mi sia sbagliata?»

«Non sono sicura di nulla. Ho solo la forte sensazione che non sia stato lui.»

«A me pare che dovresti dare il giusto peso a una sensazione e a una testimonianza diretta e credere a quest'ultima.»

«Lo so. Ma hai mai visto quella trasmissione di Alfred Hitchcock? È in bianco e nero e spesso la replicano sulla televisione via cavo.»

«So che cosa stai per dirmi. Ti riferisci a quell'episodio in cui quattro persone assistono a un incidente stradale e ognuna di esse vede qualcosa di diverso.»

«Ti sei offesa?»

Lisa sospirò. «Dovrei, ma non posso arrabbiarmi con te: sei troppo simpatica.»

«Grazie» disse Jeannie stringendole una mano.

Ci fu un lungo silenzio, poi Lisa disse: «Non sopporto l'idea che le persone mi considerino debole».

«Io non ti considero debole» ribatté Jeannie aggrottando la fronte.

«La maggior parte delle persone sì. Perché sono piccola, ho il nasino all'insù e le lentiggini.»

«Be', certo non hai l'aria della dura.»

«Però lo sono. Vivo da sola, mi prendo cura di me stessa, ho un lavoro e nessuno mi può fottere. Almeno, così credevo prima di domenica. Ora penso che la gente abbia ragione: io sono debole. Non riesco affatto a badare a me stessa! Qualsiasi psicopatico che passa per la strada mi può abbrancare, puntarmi un coltello contro la faccia, fare quello che vuole del mio corpo e lasciare il suo sperma dentro di me.»

Jeannie la guardò: era pallida per la collera. Sperava che quello sfogo le facesse bene. «Tu non sei debole» le disse.

«*Tu* sì che sei forte» ribatté Lisa.

«Io ho il problema opposto... la gente pensa che io sia invulnerabile solo perché sono alta un metro e ottanta, ho una narice forata e un atteggiamento aggressivo. Credono che niente possa ferirmi.»

«Tu non hai un atteggiamento aggressivo.»

«Forse mi sbaglio.»

«Chi pensa che tu sia invulnerabile? Io no di certo.»

«La donna che gestisce il Bella Vista, la casa di riposo in cui si trova mia madre, mi ha detto, senza tanti preamboli: "Sua madre non arriverà a sessantacinque anni". Testuali parole. "Credevo che preferisse sapere come stanno le cose." Io avrei voluto risponderle che il fatto che abbia un anellino al naso non significa che sia priva di sentimenti.»

«Mish Delaware dice che gli stupratori non sono realmente interessati al sesso. A loro piace sottomettere una donna, do-

144

minarla, spaventarla, farle male. Lui ha scelto una donna che sembrava facile da spaventare.»

«Chi non si sarebbe spaventata?»

«Però non ha scelto te. Probabilmente tu l'avresti steso.»

«Magari mi capitasse l'occasione.»

«E comunque tu avresti reagito con più forza di me, non saresti rimasta paralizzata dalla paura. E quindi non ti ha scelto.»

Jeannie capì dove stava andando a parare. «Lisa, può anche essere vero, ma ciò non significa che lo stupro sia stato colpa tua, capisci? Tu non ti devi rimproverare di nulla. È come se ti fossi trovata coinvolta in un incidente ferroviario: avrebbe potuto capitare a chiunque.»

«Hai ragione» convenne Lisa. Dopo una quindicina di chilometri lasciarono l'interstatale all'uscita con l'indicazione PENITENZIARIO DI GREENWOOD. Era un carcere vecchio stile composto da un gruppo di edifici in pietra grigia, intorno ai quali correvano alte mura sormontate dal filo spinato. Lasciarono la macchina all'ombra di un albero nel parcheggio riservato ai visitatori. Jeannie indossò la giacca ma lasciò perdere i collant.

«Sei pronta?» chiese. «Se non ho sbagliato tutto, Dennis dovrebbe essere la copia esatta dell'uomo che ti ha violentata.»

«Sono pronta» rispose Lisa, annuendo con aria cupa.

Il cancello principale si aprì per far uscire un camion e loro entrarono indisturbate. A parte il filo spinato, non si poteva dire che la sicurezza fosse strettissima, pensò Jeannie. Erano attese. Una guardia controllò i loro documenti e le scortò attraverso un cortile caldo come un forno, dove un gruppo di giovani neri vestiti con la divisa della prigione giocavano a basket.

L'edificio dell'amministrazione aveva l'aria condizionata. Vennero fatte entrare nell'ufficio del direttore, John Temoigne. L'uomo indossava una camicia con le maniche corte ma aveva la cravatta. Nel posacenere c'erano mozziconi di sigaro. Jeannie gli strinse la mano. «Sono la dottoressa Jean Ferrami della Jones Falls University.»

«Come sta, Jean?»

Evidentemente Temoigne era il tipo d'uomo che trovava difficile chiamare una donna col suo cognome. Ciò spinse

Jeannie a non dirgli il nome di battesimo di Lisa. «E questa è la mia assistente, la signorina Hoxton.»

«Salve, dolcezza.»

«Direttore, le ho già spiegato nella mia lettera in che cosa consiste il nostro lavoro, ma se ha qualche domanda da fare sarò felice di rispondere.» Jeannie non poteva esimersi dal dirlo, anche se moriva dalla voglia di dare un'occhiata a Dennis Pinker.

«Vi devo avvisare che Pinker è un uomo violento e molto pericoloso» disse Temoigne. «Conoscete i particolari del delitto che ha commesso?»

«Credo che abbia tentato di molestare una donna in un cinema e quando la poveretta ha cercato di resistergli l'ha uccisa.»

«Più o meno. È successo al cinema Eldorado, giù in centro a Greensburg. Stavano proiettando un film dell'orrore. Pinker si è infilato nel seminterrato e ha tagliato i fili della corrente. Poi, mentre tutta la sala era in preda al panico, se n'è andato in giro a palpare le ragazze.»

Jeannie, allarmata, cercò lo sguardo di Lisa. Le analogie con il fatto accaduto la domenica precedente alla JFU erano evidenti. Il maniaco aveva creato il panico con un diversivo, dopodiché aveva colpito. Inoltre, nei due scenari c'era una comune traccia di fantasia adolescenziale: palpare tutte le ragazze in un cinema buio e guardare le donne che scappavano nude da uno spogliatoio. Dal tipo di crimine che avevano commesso, Steve Logan e Dennis potevano benissimo essere gemelli.

«Una donna ha cercato incautamente di resistergli e lui l'ha strangolata» proseguì Temoigne.

Jeannie si adombrò. «Direttore, se la palpassero, lei non tenterebbe di resistere?»

«Io non sono una ragazza» rispose Temoigne, con l'aria di chi si gioca l'asso che ha nella manica.

A quel punto intervenne Lisa, dando prova di molto tatto. «Dovremmo cominciare, dottoressa Ferrami... ci aspetta un lavoro molto lungo.»

«Ha ragione.»

«Normalmente i colloqui con i prigionieri si svolgono attraverso una griglia» disse Temoigne. «Ma voi avete chiesto espressamente di stare nella stessa stanza con lui, e io ho ricevuto ordini dall'alto di accontentarvi. Ciononostante, vi prego di pensarci due volte. È un criminale violento e pericoloso.»

Jeannie provò un brivido d'ansia ma si sforzò di apparire calma. «Ci sarà una guardia armata a proteggerci?»

«Naturalmente. Ma sarei più tranquillo se tra voi e lui ci fosse una bella griglia di ferro.» Rivolse loro un sorriso lascivo. «Non c'è bisogno di essere uno psicopatico per sentirsi tentati da due ragazze giovani e belle come voi.»

Jeannie si alzò di scatto. «Apprezzo le sue premure, direttore, davvero. Ma alcune delle operazioni che dobbiamo compiere, come il prelievo di sangue e le foto, non possono essere compiute attraverso le sbarre. Inoltre, alcune parti del nostro colloquio sono di natura piuttosto intima e temiamo che una simile barriera tra noi e il soggetto possa compromettere i risultati.»

L'uomo si strinse nelle spalle. «Be', quand'è così, faremo come dite. Vi accompagno alle celle.»

Uscirono dall'ufficio e attraversarono il cortile arroventato, diretti verso un edificio squadrato a due piani. Una guardia aprì un cancello e li fece entrare. Dentro faceva caldo quanto fuori. «Da questo momento Robinson si prenderà cura di voi» disse Temoigne. «Ragazze, se avete bisogno di qualcosa, lanciate un urlo.»

«Grazie, direttore» disse Jeannie. «La ringraziamo per la collaborazione.»

Robinson era un nero alto, sulla trentina, con un'aria rassicurante. Aveva la pistola nella fondina e un manganello dall'aspetto minaccioso. Le fece entrare in una piccola stanza per i colloqui con un tavolo e una decina di sedie impilate una sopra l'altra. Sul tavolo c'era un posacenere e in un angolo una fontanella. A parte questo, la stanza era completamente vuota. Il pavimento era di linoleum grigio e le pareti erano dello stesso colore. Non c'erano finestre.

«Pinker sarà qui a momenti» disse Robinson, quindi aiutò Jeannie e Lisa a sistemare le sedie intorno al tavolo.

Poi si sedettero.

Un attimo dopo la porta si aprì.

16

Berrington Jones incontrò Jim Proust e Preston Barck al Monocle, un ristorante di Washington situato nei pressi del Senato. Essendo uno dei locali preferiti per i pranzi di lavoro, era affollato di persone famose: membri del Congresso, consulenti politici, giornalisti, portaborse. Berrington aveva deciso che era inutile cercare di essere discreti. Erano troppo conosciuti, specialmente il senatore Proust, con quella sua testa pelata e il grosso naso. Se si fossero incontrati in un posto meno ovvio, qualche reporter li avrebbe sicuramente individuati, scrivendo un articolo circa i possibili motivi di quell'incontro segreto. Molto meglio farsi vedere in un locale dove c'erano almeno trenta persone che li conoscevano: avrebbero di certo pensato che stessero discutendo normalmente di affari.

Lo scopo di Berrington era quello di far procedere l'accordo con la Landsmann. Era stata fin dall'inizio un'impresa rischiosa, ma ora Jeannie Ferrami l'aveva resa decisamente pericolosa. L'alternativa era quella di rinunciare al loro sogno. Avrebbero avuto una sola occasione per far invertire la rotta agli Stati Uniti e riportarli sulla via dell'integrità razziale. Non era troppo tardi, non ancora. La visione di un'America bianca, rispettosa delle leggi e della religione e fondata sulla sacralità della famiglia poteva diventare realtà. Erano tutti sulla sessantina: non avrebbero avuto un'altra occasione.

Jim Proust aveva una personalità più spiccata, era irruente e collerico, e Berrington lo trovava alquanto irritante, tuttavia riusciva quasi sempre a convincerlo. Preston, invece, pur essendo assai più gentile e simpatico, era davvero un osso duro.

Berrington aveva cattive notizie da comunicare e appena ebbero finito di ordinare affrontò l'argomento. «Oggi Jeannie Ferrami è andata a Richmond per incontrare Dennis Pinker.»

«Perché diavolo non glielo hai impedito?» sbottò Jim. Aveva una voce profonda e aspra, abituato com'era ad abbaiare ordini.

L'atteggiamento prepotente di Jim irritò Berrington. «Cosa avrei dovuto fare, secondo te, legarla?»

«Sei il suo capo, no?»

«È un'università, Jim, non l'esercito.»

«Cerchiamo di tenere bassa la voce, ragazzi» disse Preston con aria nervosa. Portava un paio di occhiali piccoli e stretti con la montatura nera: usava lo stesso identico modello dal 1959 e Berrington aveva notato che ora stava tornando di moda. «Sapevamo che avrebbe potuto succedere prima o poi. Penso che dovremmo prendere noi l'iniziativa e confessare tutto, subito.»

«Confessare?» ripeté Jim incredulo. «Secondo te abbiamo fatto qualcosa di male?»

«Alcuni potrebbero pensarlo...»

«Ti ricordo che quando la Cia presentò il rapporto che ha dato origine a tutto questo, *Nuovi sviluppi della scienza sovietica*, il presidente Nixon in persona disse che si trattava della notizia più allarmante giunta da Mosca dai tempi in cui l'Unione Sovietica era riuscita a realizzare la fissione dell'atomo.»

«Magari quel rapporto non era assolutamente attendibile...» disse Preston.

«Ma noi credemmo che lo fosse. E, cosa ancora più importante, lo credette anche il presidente. Non ricordi la paura che ci mise addosso?»

Berrington lo ricordava benissimo. La Cia aveva rivelato che i sovietici lavoravano a un programma di riproduzione degli esseri umani tendente a creare scienziati perfetti, giocatori di scacchi perfetti, atleti perfetti e... soldati perfetti. Nixon aveva ordinato al Centro militare per la ricerca scientifica, come si chiamava allora, di dar vita a un programma parallelo, onde produrre soldati americani perfetti. Jim Proust aveva ricevuto l'incarico di trasformare tale proposito in realtà.

Jim si era immediatamente rivolto a Berrington in cerca

d'aiuto. Pochi anni prima, Berrington aveva scioccato tutti, specialmente la moglie Vivvie, arruolandosi nell'esercito proprio nel momento in cui il movimento antimilitarista dilagava tra i suoi coetanei. Era andato a lavorare a Fort Detrick, a Frederick, nel Maryland, e aveva studiato il fenomeno dell'affaticamento nei soldati. All'inizio degli anni Settanta era già diventato il maggior esperto mondiale nello studio dell'ereditarietà dei tratti che definiscono il buon soldato, quali aggressività e resistenza. Frattanto Preston, che era rimasto a Harvard, aveva fatto una serie di importanti scoperte nel campo della fecondazione umana. Berrington lo aveva convinto a lasciare l'università per partecipare attivamente al grande esperimento insieme a lui e a Proust.

Era stato il momento più grandioso della carriera di Berrington. «Ricordo anche quanto fosse eccitante» disse. «Eravamo l'ala di sfondamento della scienza, stavamo per rimettere in sesto l'America e il nostro presidente ci aveva chiesto di fare questo lavoro per lui.»

Preston giocherellò con l'insalata. «I tempi sono cambiati. Non è più una scusa valida dire: "L'ho fatto perché me l'ha chiesto il presidente degli Stati Uniti". Un bel po' di gente è finita in galera per aver fatto quello che il presidente pretendeva.»

«Che cosa c'è di male?» insistette Jim, caparbio. «D'accordo, era segreto. Ma perdio, che cosa c'è da confessare?»

«L'abbiamo tenuto nascosto» disse Preston.

Jim arrossì sotto la perfetta abbronzatura. «Abbiamo solo trasferito il progetto al settore privato.»

Erano tutti sofismi, pensò Berrington, ma non lo disse per non far saltare in aria Jim. Quei pagliacci del comitato per la rielezione del presidente si erano fatti beccare al Watergate e tutta Washington se l'era fatta sotto dalla paura. Preston aveva creato la Genetico, dandole l'assetto di una società per azioni privata, e Jim aveva ottenuto dall'esercito commesse sufficienti a garantirne la sopravvivenza e renderla finanziariamente autonoma. Dopo un po' le "Cliniche della fertilità" erano diventate così redditizie che i profitti riuscivano a coprire le spese del programma di ricerca senza l'aiuto dei contratti dell'esercito. Berrington era tornato a lavorare nel mondo accademico e Jim era passato dall'esercito alla Cia e poi al Senato.

«Non sto dicendo che abbiamo sbagliato» disse Preston «anche se alcune delle cose che facemmo agli inizi erano illegali.»

Berrington intervenne per evitare che i due assumessero posizioni opposte. «Per ironia della sorte il piano si rivelò impraticabile: era impossibile creare americani perfetti, la procreazione naturale era troppo inesatta, ma noi fummo abbastanza furbi da intravedere le potenzialità dell'ingegneria genetica.»

«A quei tempi, nessuno conosceva neppure l'esistenza di quel termine» disse Jim con un grugnito, affondando il coltello nella bistecca.

Berrington annuì. «Jim ha ragione, Preston. Dovremmo essere orgogliosi di quanto abbiamo fatto, non vergognarcene. Se ci pensate, noi abbiamo compiuto un miracolo. Ci siamo dati il compito di scoprire se alcuni tratti caratteristici, quali l'intelligenza e l'aggressività, sono di origine genetica. Poi abbiamo identificato i geni responsabili di questi tratti e abbiamo cercato di riprodurli in embrioni in vitro... e siamo a un passo dal successo!»

Preston si strinse nelle spalle. «Tutti gli studiosi di biologia umana stanno lavorando agli stessi progetti...»

«Non è esatto. I nostri sono più specifici e noi abbiamo puntato su quelli giusti.»

«Questo è vero.»

Ognuno a modo suo, i due amici di Berrington si erano sfogati. Erano così prevedibili, pensò lui con indulgenza: forse tutti i vecchi amici lo erano. Jim aveva dato in escandescenze e Preston si era messo a piagnucolare. Ora avevano ricuperato la calma ed erano in grado di considerare la situazione con maggiore freddezza. «Questo ci riporta a Jeannie Ferrami» disse Berrington. «Tra un anno o due potrebbe essere in grado di dirci come rendere aggressive le persone senza per questo farle diventare dei criminali. Anche le ultime tessere del puzzle stanno andando a posto. L'acquisizione da parte della Landsmann ci offre la possibilità di accelerare il programma e far arrivare Jim alla Casa Bianca. Non è proprio il momento di tirarsi indietro.»

«È tutto molto bello» osservò Preston. «Ma come faremo? La Landsmann ha un comitato etico, caso mai non lo sapessi.»

Berrington inghiottì un boccone di dentice. «La prima cosa di cui dobbiamo renderci conto è che non ci troviamo di fronte a una crisi, ma a un problema. E il problema non è la Landsmann. I loro contabili non scoprirebbero la verità neppure se avessero a disposizione cent'anni per controllare i nostri conti. Il nostro problema è Jeannie Ferrami. Dobbiamo impedire che scopra dell'altro, almeno fino a lunedì prossimo, giorno in cui firmeremo i documenti di vendita della società.»

«Ma tu non puoi darle ordini» disse Jim con sarcasmo «perché la JFU è un'università, non l'esercito.»

Berrington annuì. Era riuscito a fare in modo che tutti e due accettassero la sua impostazione. «È vero» ammise con calma. «Non posso darle ordini. Ma per manovrare le persone ci sono modi più sottili di quelli che si usano nell'esercito, Jim. Se mi lasciate fare, mi occuperò io di lei.»

«E come?» chiese Preston. Non era ancora convinto.

Berrington si era posto questa stessa domanda mille volte. Non aveva un piano, solo un'idea. «Credo che il suo modo di servirsi delle banche dati sanitarie non sia pienamente legittimo. Sta sollevando problemi di carattere etico. Forse posso costringerla a fermarsi.»

«Si sarà coperta le spalle.»

«Non ho bisogno di un motivo valido. Mi basta un pretesto.»

«Com'è questa ragazza?» chiese Jim.

«Sulla trentina. Alta, molto atletica. Capelli scuri, un anellino alla narice, guida una vecchia Mercedes rossa. Per molto tempo ho avuto un'altissima opinione di lei, ma ieri sera ho scoperto che nella sua famiglia scorre sangue cattivo. Suo padre è un criminale. Lei, però, è intelligente, orgogliosa e testarda.»

«Sposata? Divorziata?»

«Single. Non ha un ragazzo.»

«È racchia?»

«No, anzi, è molto bella. Ma difficile da trattare.»

Jim annuì pensieroso. «Abbiamo ancora molti amici fidati nell'ambiente dei servizi segreti. Non dovrebbe essere poi così difficile farla sparire.»

«Niente violenza, Jìm, per l'amor di Dìo.» Preston sembrava spaventato.

Un cameriere si avvicinò al tavolo per ritirare i piatti e loro rimasero in silenzìo finché non si fu allontanato. Berrington sapeva che doveva riferire quanto aveva appreso dal messaggio del sergente Delaware la sera prima. Con il cuore gonfio, disse: «C'è un'altra cosa che dovete sapere. Domenica sera una ragazza è stata violentata nella palestra dell'università. La polizia ha arrestato Steve Logan. La vittima lo ha riconosciuto durante il confronto».

«È stato lui?» chiese Jim.

«No.»

«Sai chi è stato?»

Berrington lo guardò negli occhi. «Sì, Jim. Lo so.»

«Oh, merda!» esclamò Preston.

«Forse dovremmo far sparire i ragazzi» concluse Preston.

Berrington si sentì chiudere la gola come se stesse soffocando. Sapeva di essere arrossito. Si sporse in avanti e puntò un dito contro la faccia di Jim. «Non dire mai più una cosa simile in mia presenza!» lo minacciò, avvicinando tanto il dito agli occhi di Jim che questi ebbe un sussulto.

«Smettetela, voi due! La gente ci guarda!» sibilò Preston.

Berrington abbassò il braccio, ma non aveva ancora finito. Se non fossero stati in un luogo così affollato, avrebbe preso Jim per la gola. Invece, si limitò ad afferrargli con una mano il bavero della giacca. «Noi abbiamo dato la vita a quei ragazzi. Noi li abbiamo fatti venire al mondo. Buoni o cattivi, la responsabilità è nostra.»

«D'accordo, d'accordo!» disse Jim.

«Senti bene quello che ti dico, Jim. Se a uno di loro dovesse mai succedere qualcosa, te lo giuro, io ti faccio saltare la testa.»

Arrivò il cameriere e chiese: «I signori desiderano un dessert?».

Berrington lasciò andare il bavero.

Jim si lisciò la giacca con un gesto di stizza.

«Maledetto» mormorò Berrington. «Maledetto!»

«Mi porti il conto, per favore» disse Preston rivolto al cameriere.

17

Steve Logan non era riuscito a chiudere occhio per tutta la notte.

Porky Butcher, invece, aveva dormito come un angioletto, russando piano di quando in quando. Steve era rimasto seduto sul pavimento a guardarlo, osservando timoroso ogni suo movimento, ogni tic, pensando a ciò che sarebbe successo quando l'uomo si fosse svegliato. Avrebbe cercato di azzuffarsi con lui? Avrebbe tentato di violentarlo? Di picchiarlo?

Aveva buoni motivi per tremare di paura. In prigione le risse fra detenuti erano una cosa normale. Molti venivano feriti, qualcuno persino ucciso. Alla gente che stava fuori non importava nulla: pensava che se i carcerati si facevano a pezzi e si ammazzavano l'un l'altro, c'erano meno probabilità che derubassero e uccidessero i cittadini onesti.

Steve continuò a ripetersi che doveva cercare a ogni costo di non sembrare una vittima. Sapeva che per la gente era facile farsi un'idea sbagliata su di lui: Tip Fredricks aveva fatto quell'errore. Steve aveva un aspetto bonario. Benché fosse alto e muscoloso, aveva l'aria di uno che non avrebbe fatto male a una mosca.

Ora, invece, doveva sembrare pronto a reagire, doveva dare l'impressione di essere un duro senza, però, risultare provocatorio. Più che altro non doveva permettere che Porky lo catalogasse come un universitario per bene. Questo avrebbe fatto di lui il bersaglio perfetto per prese in giro, vessazioni di ogni genere, prepotenze e botte da orbi. Doveva cercare di apparire un criminale incallito. Se non ci fosse riuscito, avrebbe dovuto mandare a Porky segnali contraddittori, cercando di confonderlo.

E se nessuna delle due tattiche avesse funzionato?

Porky era più alto e più grosso di lui, e poteva essere un abile picchiatore. Certo, Steve era più in forma e probabilmente anche più veloce, ma erano sette anni che non faceva a botte con qualcuno. In uno spazio più grande, sarebbe riuscito a stendere Porky e a sfuggirgli senza riportare troppi danni. Ma lì, in quella cella, chiunque vincesse, lo scontro sarebbe comunque stato cruento. Se il detective Allaston aveva detto la verità, nelle ultime ventiquattr'ore Porky aveva dimostrato di avere l'istinto del killer. "E io? Io ce l'ho l'istinto del killer?" si chiese Steve. "Esiste un istinto del genere? Io sono stato lì lì per uccidere Tip Fredricks. Vuol dire che sono uguale a Porky?"

Quando pensava a cosa avrebbe voluto dire avere la meglio su Porky, Steve rabbrividiva. Immaginava l'uomo steso sul pavimento della cella, sanguinante, con lui sopra, nella stessa posizione in cui era stato sopra a Tip Fredricks, e la voce di Spike, il secondino, che diceva: "Cristo santo, credo che sia morto!". No, avrebbe preferito prenderle.

Forse sarebbe stato meglio affidarsi alla resistenza passiva: raggomitolarsi sul pavimento e lasciare che Porky lo prendesse a calci finché non si fosse stancato. Ma Steve non sapeva se sarebbe stato capace di farlo. Così rimase seduto per terra con la gola secca e il cuore che gli batteva forte, a fissare l'energumeno che dormiva, vivendo con gli occhi della fantasia risse furibonde dalle quali usciva sempre perdente.

Pensava fosse un giochetto che i poliziotti facevano spesso. Di sicuro Spike il secondino non era sembrato sorpreso. Forse, invece di pestare la gente nelle stanze degli interrogatori per farla confessare, lasciavano che fossero gli altri sospetti a fare il lavoro per loro. Steve si domandò quanta gente avesse confessato crimini che non aveva commesso pur di non passare una notte in cella in compagnia di qualcuno come Porky.

Giurò a se stesso che non lo avrebbe mai dimenticato. Quando fosse diventato avvocato, e avesse difeso persone accusate di qualche crimine, non avrebbe mai accettato come prova una confessione. Si vide davanti a una giuria. "Una volta anch'io sono stato accusato di un crimine che non avevo commesso, e sono stato lì lì per confessare" avrebbe detto. "Io ci sono passato. So come ci si sente."

Ma poi gli venne in mente che, se fosse stato dichiarato colpevole, l'avrebbero espulso dalla facoltà di legge e non avrebbe mai difeso nessuno.

Continuò a ripetersi che non sarebbe stato condannato. Il test del Dna lo avrebbe scagionato. Intorno a mezzanotte lo avevano fatto uscire dalla cella e, sempre ammanettato, lo avevano portato al Mercy Hospital che si trovava a pochi isolati dalla centrale di polizia. Lì, gli avevano fatto un prelievo di sangue dal quale avrebbero ricavato il suo Dna. Aveva chiesto all'infermiera quanto tempo ci sarebbe voluto per effettuare il test ed era rimasto sbigottito nell'apprendere che i risultati non sarebbero stati pronti prima di tre giorni. Era tornato in cella sconsolato. Lo avevano messo nuovamente insieme a Porky che, grazie a Dio, continuava a dormire.

Pensò che, volendo, sarebbe riuscito a restare sveglio per ventiquattr'ore. Non potevano trattenerlo oltre, senza un ordine del tribunale. Era stato arrestato verso le sei del pomeriggio, quindi avrebbe dovuto restare lì fino alla stessa ora del giorno dopo. Allora, se non prima, dovevano dargli la possibilità di chiedere la libertà su cauzione. Sarebbe stata la sua unica occasione per uscire da lì.

Cercò di ricordare la lezione sulla libertà su cauzione. "L'unico elemento che la corte deve tenere in considerazione è se la persona accusata si presenterà al processo" aveva detto il professor Rexam. Allora gli era sembrata noiosa come una predica, ora significava tutto. Cominciò a ricordare i dettagli. Si doveva tener conto di due fattori: il primo era l'entità della possibile pena. Più l'accusa era grave, più era rischioso concedere la libertà su cauzione: era più probabile che fuggisse una persona accusata di omicidio che una accusata di furto. Lo stesso valeva se la persona era recidiva e di conseguenza rischiava una lunga condanna. Steve non aveva precedenti: era stato condannato una volta per lesioni aggravate, ma a quel tempo aveva meno di diciotto anni e questo non poteva essere usato contro di lui. Quindi sarebbe comparso davanti al tribu-

nale assolutamente incensurato, tuttavia le accuse di cui doveva rispondere erano molto gravi.

Il secondo fattore, ricordò, erano i "legami sociali": la famiglia, la casa, il lavoro. Un uomo che viveva con la moglie e i figli da più di cinque anni allo stesso indirizzo e lavorava dietro
l'angolo aveva maggiori probabilità di ottenere la libertà su
cauzione di uno che non aveva famiglia in città, si era trasferito in un appartamento sei settimane prima e si dichiarava
"musicista disoccupato". Su questo punto Steve era tranquillo. Viveva con i suoi genitori e frequentava il secondo anno di
legge. Fuggendo avrebbe avuto più da perdere che da guadagnare.

Teoricamente i giudici non avrebbero dovuto tener conto
della pericolosità dell'accusato – sarebbe stato come giudicarlo colpevole in anticipo – ma in pratica lo facevano. Un tizio
che passava da una rissa all'altra non era certo trattato come
uno accusato di aggressione per la prima volta. Se Steve fosse
stato accusato di una serie di stupri invece che di uno solo, le
sue probabilità di ottenere la libertà sarebbero state praticamente nulle.

Da come stavano le cose pensava di avere il cinquanta per
cento delle probabilità e, senza mai togliere gli occhi da Porky,
provava mentalmente arringhe sempre più eloquenti.

Era ancora deciso a difendersi da solo. Non aveva fatto la
telefonata cui aveva diritto. Desiderava disperatamente tenere i genitori all'oscuro di tutto finché non fosse stato in grado
di dire che era stato prosciolto. Il pensiero di dover comunicare loro che si trovava in carcere era insopportabile: sarebbero rimasti sconvolti dal dolore. Certo sarebbe stato un confor-
to poter condividere con loro la sua odissea, ma, ogni volta
che gli veniva la tentazione di farlo, gli tornavano in mente i
loro volti quando sette anni prima erano entrati nella stazione
di polizia dopo la rissa con Tip Fredricks: raccontar loro
quanto era successo gli avrebbe fatto più male dei pugni di
Porky Butcher.

Per tutta la notte continuarono ad arrivare altri uomini nelle celle. Alcuni erano passivi e si lamentavano, altri protesta-
vano ad alta voce la propria innocenza, solo uno si azzuffò

con i poliziotti ottenendo come unico risultato di essere pestato con professionalità.

Verso le cinque del mattino tornò la quiete. Intorno alle otto il secondino che aveva preso il posto di Spike portò la colazione in contenitori di polistirolo provenienti da un ristorante che si chiamava Mother Hubbard's. L'arrivo del cibo mise in agitazione i detenuti delle altre celle e tutto quel rumore svegliò Porky.

Steve rimase seduto sul pavimento, fingendo di guardare un punto nel vuoto, ma intanto con la coda dell'occhio osservava attentamente le mosse di Porky. Pensò che la cordialità sarebbe stata interpretata come un segno di debolezza. Una passiva ostilità era l'atteggiamento giusto da assumere.

Porky si sollevò a sedere sulla branda, tenendosi la testa tra le mani, e prese a fissare Steve in silenzio. Steve immaginò che gli stesse prendendo le misure. Dopo un minuto o due Porky brontolò: «Che cazzo ci fai qua dentro?».

Steve assunse un'espressione vuota e risentita, poi lasciò vagare lo sguardo fintanto che i suoi occhi non incrociarono quelli di Porky, sostenendone lo sguardo per qualche istante. Porky era bello e aveva un viso rotondo che comunicava una sorda aggressività. Puntò su Steve gli occhi iniettati di sangue rivolgendogli uno sguardo interlocutorio. A Steve dava l'aria di un tipo dissoluto, un perdente, ma pericoloso. Distolse lo sguardo, fingendo indifferenza, e non rispose alla domanda. Più tempo ci avesse messo Porky a farsi un'idea di lui, meglio sarebbe stato.

Quando il secondino porse il cibo attraverso le sbarre, Steve lo ignorò.

Porky prese un vassoio. Mangiò tutta la pancetta, le uova, il pane tostato e bevve il caffè; poi si servì del gabinetto rumorosamente e senza alcun imbarazzo.

Quando ebbe finito si tirò su i pantaloni, andò a sedersi sulla cuccetta, guardò Steve e disse: «Cosa può aver fatto un ragazzo bianco per farsi sbattere qua dentro?».

Quello era il momento più pericoloso. Porky lo stava studiando. Ora Steve doveva sembrare tutto tranne ciò che era, un vulnerabile universitario della classe media che non aveva più fatto a botte da quando era al liceo.

Girò la testa e guardò Porky come se lo vedesse per la prima volta. Lo osservò a lungo prima di rispondere, poi, biascicando le parole, rispose: «Quello stronzo voleva fottermi, e allora l'ho fottuto io, ma per bene».

Porky lo guardò. Steve non sapeva se l'uomo gli avesse creduto. Dopo un interminabile momento, Porky disse: «Omicidio?».

«L'hai detto.»

«Anch'io.»

Sembrava che Porky se la fosse bevuta. Steve aggiunse, spericolato: «Quello stronzo ha finito di menarmela».

«Già» convenne Porky.

Poi rimase in silenzio. Sembrava che stesse pensando. Alla fine chiese: «Perché ci hanno messo assieme?».

«Non hanno un cazzo di prove contro di me» rispose Steve. «Pensano che se faccio fuori te, qua dentro, mi hanno fregato.»

Porky si sentì ferito nell'orgoglio. «E se io faccio fuori te?»

Steve si strinse nelle spalle. «Allora fregano te.»

Porky annuì lentamente. «Già» concluse. «Ha senso.»

Sembrava aver esaurito gli argomenti di conversazione. Dopo un po' tornò a sdraiarsi.

Steve attese. Era finita?

Dopo qualche minuto Porky parve riaddormentarsi.

Quando cominciò a russare, Steve si appoggiò al muro, lasciandosi sfuggire un profondo sospiro di sollievo.

Per parecchie ore non successe nulla.

Nessuno venne a parlare con Steve, nessuno gli spiegò che cosa stesse succedendo. Non c'era nessun Ufficio Informazioni cui rivolgersi. Voleva sapere quando avrebbe avuto la possibilità di chiedere la libertà su cauzione, ma nessuno gli diceva niente. Cercò di attaccare discorso con il secondino, ma l'uomo lo ignorò.

Porky dormiva ancora quando l'agente venne ad aprire la porta della cella. Gli mise manette e ferri, poi svegliò Porky e fece lo stesso con lui. Vennero incatenati ad altri due uomini, accompagnati in fondo alla zona delle celle e fatti entrare in un piccolo ufficio.

Dentro c'erano due scrivanie, ognuna con un computer e una stampante laser. Davanti c'erano alcune file di sedie di plastica grigia. A una scrivania era seduta una donna di colore sui trent'anni, vestita con eleganza. Alzò lo sguardo su di loro e disse: «Sedetevi, prego», poi continuò a lavorare, pestando sulla tastiera con le dita curate.

A piccoli passi avanzarono verso le sedie e si sedettero. Steve si guardò attorno: era un normale ufficio, con mobili di metallo, lavagne per i messaggi, un estintore e una vecchia cassaforte. Dopo essere stato in cella sembrava una reggia.

Porky chiuse gli occhi e parve addormentarsi di nuovo. Uno degli altri due prese a fissarsi stralunato la gamba destra, chiusa in un gesso, mentre l'altro sorrideva al nulla: evidentemente non si rendeva conto di dove si trovava, e sembrava fatto completo o matto perso, o tutt'e due le cose insieme.

Alla fine la donna sollevò lo sguardo dal monitor e ordinò: «Dite il vostro nome».

Steve era il primo della fila e così rispose. «Steven Logan.»

«Signor Logan, io sono il magistrato Williams.»

Ma certo! Ora ricordava quella parte della procedura. Il magistrato incaricato era un funzionario della corte, ma meno importante di un giudice. Si occupava dei mandati di arresto e di altre questioni procedurali di minore importanza. Aveva anche la facoltà di disporre il rilascio su cauzione, ricordò Steve, e si sentì sollevato. Forse stava per uscire da lì.

«Sono qui per informarvi delle imputazioni a vostro carico» proseguì la donna. «Comunicarvi la data, l'ora e il luogo del processo, l'eventuale concessione della libertà su cauzione o sulla parola e, se sarete rilasciati, le condizioni del rilascio.» Parlava molto in fretta, ma Steve colse il riferimento alla libertà su cauzione che confermava i suoi ricordi. Quella era la persona che lui avrebbe dovuto convincere.

«Lei è accusato di violenza carnale di primo grado, aggressione a scopo di violenza carnale, lesioni personali e sodomia.» Mentre elencava i terribili crimini di cui Steve era accusato, la faccia rotonda della donna rimase impassibile. Proseguì comunicandogli la data del processo – da lì a tre settimane – e Steve ricordò che ogni sospettato aveva diritto a essere giudicato entro trenta giorni dall'arresto.

«Per la violenza carnale rischia l'ergastolo. Per l'aggressione a scopo di violenza carnale da due a quindici anni. Entrambi sono reati gravi.» Steve sapeva benissimo che cosa fosse un reato grave, ma si chiese se Porky Butcher ne avesse mai sentito parlare.

Gli venne in mente che lo stupratore aveva dato fuoco alla palestra. Come mai non lo accusavano anche di incendio doloso? Forse la polizia non aveva prove che lo collegassero direttamente all'incendio.

La donna gli porse due fogli: su uno c'era scritto che lui era stato informato del suo diritto a essere rappresentato da un legale, il secondo spiegava come contattare un difensore d'ufficio. Steve dovette firmarli entrambi.

La donna lo sottopose a un fuoco di fila di domande e inserì le risposte nel computer. «Dica il suo nome per intero, indirizzo e numero di telefono. Da quanto tempo vive lì? Dove viveva prima?»

Steve cominciò a sentirsi più fiducioso quando poté dire al magistrato che viveva con i suoi genitori, frequentava il secondo anno di legge e non aveva precedenti penali. La donna gli domandò se era drogato o alcolizzato e lui rispose di no. Steve si chiese se avrebbe avuto la possibilità di fare una qualche dichiarazione in merito alla richiesta di rilascio, ma la donna parlava molto in fretta e sembrava seguire una scaletta ben precisa.

«Per l'accusa di sodomia, trovo non esistano presupposti sufficienti per l'arresto» disse. Sollevò lo sguardo dallo schermo e guardò Steve in faccia. «Questo non vuol dire che lei non abbia commesso il reato, ma che non ci sono sufficienti informazioni nella dichiarazione della polizia perché io possa confermare l'accusa.»

Steve si chiese perché l'investigatore avesse incluso quel capo di imputazione. Forse avevano sperato che si indignasse al punto da tradirsi dicendo: "È disgustoso! Va bene, l'ho scopata ma non l'ho sodomizzata. Per chi mi avete preso?".

Il magistrato proseguì: «In ogni caso lei sarà giudicato anche per questa accusa».

Steve era confuso. Qual era lo scopo della sua precedente affermazione se poi lui doveva comunque rispondere di quella accusa? E se lui, studente del secondo anno di legge, trovava tutto questo così difficile da capire, come se la cavava l'uomo della strada?

«Ha qualche domanda?» gli chiese il magistrato.

Steve fece un respiro profondo. «Voglio chiedere il rilascio su cauzione» attaccò. «Io sono innocente...»

La donna lo interruppe. «Signor Logan, lei è accusato di reati gravi, reati che rientrano nella sezione 638B del codice. Questo significa che io, in qualità di magistrato incaricato, non posso decidere un rilascio su cauzione. La decisione è di competenza di un giudice.»

Fu come ricevere un pugno in faccia. Steve era così deluso che si sentì male. La guardò con aria incredula. «Ma allora qual è lo scopo di questa farsa?!» esclamò, arrabbiato.

«In questo momento lei è in stato di fermo senza possibilità di cauzione.»

«E allora perché mi ha fatto tutte queste domande? Perché mi ha illuso? Io speravo di poter uscire da questo posto!» disse Steve, alzando la voce.

La donna rimase imperturbabile. «Tutte le informazioni che lei mi ha dato verranno verificate da un investigatore che poi riferirà alla corte» rispose calma. «Il suo rilascio su cauzione verrà esaminato domani dal giudice.»

«Ma mi tengono in cella con lui!» urlò Steve, puntando un dito in direzione di Porky che dormiva.

«L'assegnazione delle celle non è di mia competenza...»

«Quell'uomo è un assassino! L'unico motivo per cui non mi ha ancora ammazzato è che non riesce a stare sveglio! Io intendo presentare un formale reclamo a lei, in quanto magistrato del tribunale: io sono sottoposto a torture psicologiche e la mia vita è in pericolo.»

«Quando le celle sono piene è necessario...»

«Le celle non sono piene. Se dà un'occhiata oltre quella porta lo vedrà anche lei. Sono quasi tutte vuote. Mi hanno messo con lui perché mi picchiasse. E, se lui lo farà, io procederò a un'azione penale contro di lei, magistrato Williams, perché ha lasciato che accadesse.»

A queste parole lei si ammorbidì leggermente. «Vedrò che cosa posso fare. Ora le darò dei documenti: la prego di firmarli e di tenerne una copia.» Gli porse l'elenco delle imputazioni a suo carico, la dichiarazione di ammissibilità dell'arresto e parecchie altre carte.

Frustrato e avvilito, Steve prese la penna a sfera che la donna gli porgeva e firmò i documenti. Intanto il secondino cercava di svegliare Porky, scrollandolo. Steve restituì i documenti al magistrato che li mise dentro un fascicolo.

Poi la donna si rivolse a Porky. «Dica il suo nome.»

Steve si nascose il volto tra le mani.

18

Jeannie fissò la porta che si apriva lentamente.

L'uomo che entrò nella stanza dei colloqui era il ritratto di Steven Logan.

Sentì Lisa trasalire al suo fianco. Dennis Pinker assomigliava così tanto a Steve che Jeannie non sarebbe stata in grado di distinguerli.

Il sistema funzionava, pensò, esultante. Aveva avuto ragione. Anche se i loro genitori negavano con decisione l'esistenza di un gemello, i due giovani erano uguali come due gocce d'acqua.

Dennis portava i capelli chiari e ricci pettinati allo stesso modo di Steve, con la riga da una parte, e le maniche della tuta arrotolate, proprio come faceva Steve con la camicia di lino azzurro. Dennis si chiuse la porta alle spalle con un calcio, esattamente come aveva fatto Steve quando era entrato nell'ufficio di Jeannie al Pandemonio. Si sedette e le rivolse un sorriso fanciullesco e accattivante come quello di Steve. Jeannie non riusciva quasi a credere che quell'uomo non fosse Steve.

Si voltò verso Lisa. La ragazza fissava Dennis a occhi spalancati, il volto terreo per la paura. «È lui» mormorò.

Dennis guardò Jeannie e le disse: «Tu mi darai le mutandine».

La fredda determinazione dell'uomo la raggelò, ma allo stesso tempo stimolò il suo interesse di scienziata. Steve non avrebbe mai detto una cosa simile. Eccolo lì davanti a lei, lo stesso materiale genetico trasformato in due individui totalménte diversi: uno, un universitario affascinante; l'altro, uno psicopatico. Ma la differenza era poi solo superficiale?

Robinson, la guardia, disse calmo: «Comportati come si deve e fa' il bravo, Pinker, altrimenti saranno guai».

Sul volto di Dennis comparve nuovamente quel sorriso fanciullesco, ma ciò che aggiunse riempì Jeannie di paura. «Robinson non se ne accorgerà neppure, ma tu sì» le disse. «Uscirai di qui col vento che ti soffia tra le chiappe.»

Jeannie si costrinse a restare calma. Erano solo fanfaronate. Dalla sua lei aveva l'intelligenza e la durezza: Dennis avrebbe avuto difficoltà ad aggredirla anche se fosse stata da sola. Avendo accanto una guardia carceraria armata di manganello e pistola era perfettamente al sicuro.

«Tutto a posto?» chiese piano a Lisa.

La ragazza era pallida, ma aveva un'espressione determinata e rispose cupa: «Sto bene».

Come i suoi genitori, Dennis aveva già riempito parecchi questionari di base. Ora Lisa passò a quelli più complessi, che non potevano essere completati facendo una crocetta in una casella. Man mano che procedevano, Jeannie rivedeva le risposte e le confrontava con quelle di Steven. Le somiglianze erano straordinarie: profilo psicologico, interessi e hobby, gusti, attitudini, erano esattamente uguali. Dennis presentava persino lo stesso altissimo QI di Steven.

Che spreco, rifletté. Quel giovane sarebbe potuto diventare uno scienziato, un chirurgo, un ingegnere, un esperto di informatica. E invece era chiuso lì dentro, a vegetare.

La grossa differenza tra Dennis e Steve stava nella rispettiva capacità di socializzazione. Steven era una persona matura che dimostrava di essere in grado di integrarsi nella società più di tanti altri: era a suo agio con gli estranei, non aveva difficoltà ad accettare l'autorità, stava bene con gli amici, era felice di far parte di una squadra. Dennis aveva la stessa capacità di rapportarsi agli altri di un bambino di tre anni. Prendeva tutto quello che voleva, aveva difficoltà a condividere, aveva paura degli sconosciuti e se non riusciva a fare a modo suo diventava violento.

Jeannie ricordava quando lei aveva tre anni. Era il suo primo ricordo. Si rivedeva sporta in avanti sulla culla in cui dormiva la sorellina appena nata, Patty indossava una graziosa tutina rosa con fiorellini azzurri ricamati sul colletto. Jeannie sentiva ancora l'odio che si era impossessato di lei mentre osservava quel visetto. Patty le aveva rubato mamma e papà. Jeannie desiderava con tutte le sue forze uccidere quell'intrusa che le aveva sottratto tanto di quell'amore prima dedicato esclusivamente a lei. «Vuoi bene alla tua sorellina, vero?» le aveva chiesto zia Rosa e Jeannie aveva risposto: «La odio. Vorrei che morisse». Zia Rosa le aveva dato uno schiaffo e Jeannie si era sentita doppiamente maltrattata.

Jeannie e Steven erano maturati. Dennis no. Perché Steven era diverso da Dennis? Era stato salvato dall'educazione? Oppure la diversità era solo apparente e la capacità di socializzazione era solo una maschera sotto cui si nascondeva uno psicopatico?

Durante il colloquio, si rese conto che c'era un'altra differenza: Dennis le faceva paura. Non riusciva a identificarne esattamente la causa, ma era come se intorno a lui aleggiasse un'atmosfera di minaccia. Jeannie aveva l'impressione che quell'uomo avrebbe compiuto qualsiasi azione gli fosse passata per la mente senza curarsi delle conseguenze. Steve non le aveva fatto quella impressione, neanche per un attimo.

Jeannie lo fotografò e gli fece dei primi piani delle orecchie. Nel gemelli omozigoti, di solito le orecchie erano straordinariamente simili, specialmente l'attaccatura dei lobi.

Quando ormai l'intervista si avviava al termine, Lisa procedette al prelievo di sangue, operazione per la quale aveva ricevuto una preparazione specifica. Jeannie non vedeva l'ora di fare il confronto del Dna. Era certa che Steven e Dennis avessero gli stessi geni. Questo avrebbe dimostrato, al di là di ogni dubbio, che erano gemelli omozigoti.

Lisa sigillò la provetta e vi appose la propria firma, secondo la procedura, quindi uscì per riporla nel contenitore termico che era rimasto in macchina. Jeannie avrebbe concluso il colloquio da sola.

Affrontando l'ultima serie di domande, Jeannie pensò che sarebbe stato perfetto avere Steven e Dennis al laboratorio, insieme, per una settimana, ma non sarebbe stato possibile né per loro, né per parecchie altre coppie di gemelli. Studiando soggetti criminali si sarebbe sempre dovuta scontrare col problema della loro reclusione. Finché Dennis non fosse uscito di galera, ammesso che un giorno ne fosse uscito, non avrebbe potuto sottoporlo ai test più sofisticati, quelli che implicavano l'uso di macchinari. Doveva rassegnarsi. Del resto aveva molti altri dati su cui lavorare.

«La ringrazio per la pazienza, signor Pinker» disse, quando ebbe finito anche l'ultimo questionario.

«Non mi hai ancora dato le mutandine» disse lui con freddezza.

«Su, Pinker, sei stato bravo tutto il pomeriggio! Ora non rovinare tutto» lo ammonì Robinson.

Dennis gli rispose con un'occhiata di disprezzo. Poi si rivolse a Jeannie. «Robinson ha paura dei topi, lo sapeva, signora psicologa?»

Jeannie provò un'ansia improvvisa. Stava succedendo qualcosa che non capiva. Si affrettò a raccogliere le proprie carte.

«È vero, io odio i topi, ma non ho paura» disse Robinson, imbarazzato.

«Neanche di quello grosso e grigio là nell'angolo?» chiese Dennis, indicando con il dito.

Robinson si girò di scatto. Non c'era alcun topo nell'angolo, ma, mentre la guardia gli voltava la schiena, Dennis si infilò una mano in tasca e tirò fuori un involucro ben chiuso. Si era mosso con tanta rapidità che Jeannie non capì che cosa stesse facendo finché non fu troppo tardi. Spiegò un fazzoletto blu a pallini bianchi dentro il quale era avvolto un grosso ratto grigio dalla lunga coda rosa. Jeannie rabbrividì. Non era schizzinosa, ma c'era qualcosa di raccapricciante nel vedere quel topo tenuto amorevolmente dalle stesse mani che avevano strangolato una donna.

Prima che Robinson avesse il tempo di voltarsi, Dennis lasciò andare il topo.

La bestia attraversò di corsa la stanza. «Eccolo là, Robinson. Là!»

Robinson si voltò, vide il topo e impallidì. «Merda!» grugnì ed estrasse il manganello.

Il topo corse lungo il battiscopa, cercando un posto dove nascondersi. Robinson gli si lanciò dietro, menando colpi col manganello. Lo mancò, ma lasciò tutta una serie di segni neri sul muro.

Jeannie osservava Robinson con crescente preoccupazione. C'era qualcosa di strano, qualcosa che non andava. Sembrava uno scherzo, ma Dennis non era certo un tipo scherzoso, era un pervertito sessuale e un assassino. Ciò che aveva fatto non rientrava nel suo carattere, a meno che – si rese conto con orrore – non si trattasse di un diversivo e Dennis avesse un altro scopo...

Si sentì sfiorare i capelli. Si voltò e il suo cuore smise di battere.

Dennis le era scivolato alle spalle e le teneva davanti al viso un rudimentale coltello ricavato da un cucchiaio.

Avrebbe voluto urlare ma si sentiva la gola strozzata. Un attimo prima si era creduta perfettamente al sicuro, e ora un assassino la minacciava con un coltello. Come era potuto succedere così in fretta? Le parve che il sangue non le arrivasse più al cervello e non riuscì più a ragionare.

Dennis l'afferrò per i capelli con la mano sinistra e le puntò il coltello così vicino agli occhi da impedirle quasi di metterlo a fuoco. Si chinò su di lei e le sussurrò qualcosa all'orecchio. Jeannie avvertì l'alito caldo e puzzolente di lui sulla guancia. La voce era così bassa da non riuscire quasi a sentirla con tutto il fracasso prodotto da Robinson. «Fa' come ti dico o ti affetto gli occhi.»

«Oh, no, non mi accecare, ti prego» lo implorò lei, in preda al terrore.

L'insolito tono supplichevole e sottomesso con cui aveva pronunciato quelle parole risvegliò il suo orgoglio. Tentò disperatamente di reagire, di riflettere. Robinson, ignaro di tutto, continuava a dare la caccia al topo. Jeannie non riusciva a credere che una cosa simile potesse accadere. Erano nel cuore di un penitenziario, in presenza di una guardia armata, eppure lei si trovava in balia di Dennis. Quanto era stata ingenua a pensare, solo poche ore prima, che se lui l'avesse aggredita avrebbe saputo dargli del filo da torcere! Cominciò a tremare dalla paura.

Dennis le tirò con forza i capelli, costringendola ad alzarsi dalla sedia.

«Ti prego!» ripeté Jeannie, e mentre pronunciava le parole si odiò per averlo implorato in quel modo, ma era troppo terrorizzata per smettere. «Farò tutto quello che vuoi!»

Sentì le labbra di lui sfiorarle l'orecchio. «Togliti le mutandine.»

Jeannie si irrigidì. Pur di sfuggirgli era pronta a fare qualsiasi cosa, anche la più vergognosa, ma togliersi le mutandine poteva rivelarsi una mossa pericolosa quanto sfidarlo. Non sapeva che fare. Con lo sguardo cercò Robinson, ma lui si trovava alle sue spalle e Jeannie non osava voltarsi per via del coltello vicino agli occhi. Lo sentiva imprecare contro il topo e menare grandi colpi con il manganello. Era chiaro che non si era accorto di nulla.

«Non ho molto tempo» mormorò Dennis con un tono di voce che ricordava un vento gelido. «Se non mi dai quello che voglio, non vedrai mai più il sole.»

Gli credeva. Aveva appena finito di sottoporlo a tre ore di test psicologici e sapeva com'era fatto. Non aveva coscienza: ignorava che cosa fossero la colpa o il rimorso. Se avesse contrastato i suoi desideri, lui non avrebbe esitato ad accecarla.

Cosa sarebbe successo se si fosse tolta le mutandine? pensò Jeannie disperata. Dennis si sarebbe accontentato e avrebbe allontanato la lama dal suo viso? Oppure l'avrebbe sfigurata comunque? E se avesse preteso qualcosa di più?

Perché Robinson non si decideva a uccidere quel maledetto topo?

«Svelta!» sibilò Dennis.

Che cosa c'era di peggio della cecità? «Va bene» rispose con un gemito.

Si chinò goffamente, mentre Dennis la teneva per i capelli e continuava a puntarle contro il coltello. Annaspando si tirò su la gonna dell'abito di lino e si calò le semplici mutandine bianche di cotone. Non appena queste scivolarono a terra bloccando le caviglie, Dennis fece un profondo grugnito con la gola, come un orso. Jeannie si vergognava anche se la ragione le diceva che quanto stava facendo non era colpa sua. Si affrettò a riabbassare il vestito, per coprire la propria nudità. Poi, sollevando i piedi, si liberò delle mutandine, e con un calcio le allontanò da sé, sul pavimento di linoleum.

Si sentiva terribilmente vulnerabile.

Dennis la lasciò andare, afferrò rapidamente le mutandine e se le premette contro il volto, inspirando a fondo, gli occhi chiusi per il trasporto.

Jeannie lo fissò, inorridita da quella forzata intimità. Rabbrividì disgustata, quasi la stesse toccando.

Che cosa avrebbe fatto adesso?

Il manganello di Robinson produsse un rumore liquido, rivoltante. Jeannie si voltò e vide che finalmente era riuscito a colpire il topo. Il bastone aveva spiacciato il treno posteriore dell'animale, e sulle piastrelle grigie del pavimento si era formata una chiazza rossa. La bestia non poteva più correre, ma era ancora viva: gli occhi erano aperti e il corpo si muoveva a ogni respiro. Robinson lo colpì ancora, spappolandogli la testa. Il topo smise di muoversi e dal cranio fracassato colò una poltiglia grigiastra.

Jeannie si voltò nuovamente verso Dennis e, con sua massima sorpresa, vide che era seduto al tavolo dove era stato tutto il pomeriggio, con un'espressione innocente, come se non si fosse mai mosso di lì. Il coltello e le mutandine erano scomparsi.

Era salva? Era tutto finito?

Robinson ansimava per lo sforzo. «Non sei stato tu a portare qua dentro quell'animale schifoso, vero, Pinker?» chiese con uno sguardo sospettoso.

«No, signore» rispose Dennis disinvolto.

"Sì che è stato lui!" Le parole presero forma nella sua mente, ma per qualche strano motivo Jeannie non riuscì a pronunciarle.

«Perché se sapessi che hai fatto una cosa del genere, io ti...» proseguì la guardia ma poi, lanciando un'occhiata obliqua a Jeannie, decise che era meglio non esprimere esattamente ciò che gli avrebbe fatto. «Sono sicuro che sai già che te ne pentiresti.»

«Sì, signore.»

Jeannie capì che era salva. Subito, però, al sollievo subentrò la rabbia. Fissò Dennis, oltraggiata. Avrebbe fatto finta che non fosse successo niente?

«Be', in ogni caso va' a prendere un secchio d'acqua e pulisci.»

«Subito, signore.»

«Sempre che la dottoressa Ferrami abbia finito con te.»

Jeannie avrebbe voluto dirgli "Mentre lei dava la caccia a quel topo, Dennis mi ha estorto le mutandine", ma le parole non volevano saperne di uscire. Suonavano troppo stupide. Immaginava già che cosa sarebbe successo se l'avesse detto. Sarebbe rimasta bloccata lì almeno per un'ora intanto che le accuse venivano verificate. Avrebbero perquisito Dennis e le mutandine sarebbero saltate fuori. Le avrebbero consegnate al direttore. Le pareva di vederlo, Temoigne, mentre esaminava le prove, tenendole con la punta delle dita e rigirandole da una parte all'altra, con espressione strana...

No. Non avrebbe detto nulla.

Provò una fitta di rimorso. Aveva sempre disprezzato le donne che subivano aggressioni e stavano zitte, lasciando che l'assalitore restasse impunito. Ora si stava comportando esattamente come loro.

Capì che Dennis contava proprio su questo. Aveva previsto la sua reazione e aveva calcolato di potersela cavare. Il pensiero la indignò a tal punto che per un attimo ebbe voglia di svelare l'accaduto solo per fargliela pagare. Poi vide mentalmente Temoigne, Robinson e tutti gli altri uomini della prigione che la guardavano e pensavano "Non ha le mutandine" e allora si rese conto che sarebbe stata un'umiliazione troppo grande da sopportare.

Dennis era straordinariamente astuto: come l'uomo che aveva dato fuoco alla palestra e violentato Lisa, come Steve...

«Mi sembra un po' scossa» le disse Robinson. «Immagino che i ratti le facciano lo stesso effetto che fanno a me.»

Jeannie si riprese. Era finita. Si era salvata la vita e gli occhi. In fondo non era successo niente di grave, pensò. Non era stata mutilata o violentata. Aveva soltanto perso le mutandine. Sia lodato il Signore. «Sto bene, grazie» rispose.

«Quando è così, l'accompagno fuori.»

I tre uscirono dalla stanza insieme.

«Va' a prendere uno straccio, Pinker» disse Robinson una volta fuori.

Dennis rivolse a Jeannie un lungo sorriso complice, come se fossero amanti e avessero passato il pomeriggio a letto insieme, poi scomparve all'interno del carcere. Jeannie lo guardò allontanarsi con immenso sollievo, ma era un sollievo pieno di repulsione: quell'uomo aveva la sua biancheria intima in tasca. Sarebbe andato a dormire con le mutandine premute contro la guancia, come un bambino con l'orsacchiotto? Oppure se le sarebbe avvolte intorno al pene e si sarebbe masturbato, immaginando di scoparla? Qualsiasi cosa decidesse di fare, Jeannie aveva l'impressione che vi avrebbe partecipato suo malgrado, che la sua privacy fosse stata violata, la sua libertà compromessa.

Robinson l'accompagnò al cancello principale e le strinse la mano. Jeannie si avviò verso la Chevrolet pensando che non vedeva l'ora di andarsene da quel posto. Aveva un campione del Dna di Dennis, e quella era la cosa più importante.

Lisa era già al volante, con il motore acceso per far girare l'aria condizionata. Jeannie si abbandonò sul sedile.

«Mi sembri a pezzi» disse Lisa, avviandosi.

«Fermati al primo centro commerciale» le disse Jeannie.

«Certo. Di che cosa hai bisogno?»

«Adesso te lo dico» rispose Jeannie. «Ma so che non ci crederai.»

19

Uscito dal ristorante, Berrington andò in un tranquillo bar nelle vicinanze e ordinò un martini.

La noncuranza con cui Jim Proust aveva parlato di omicidio lo aveva molto scosso. Berrington sapeva di aver fatto la figura dello stupido prendendo Jim per il bavero e mettendosi a urlare, ma non era pentito. Se non altro, ora Jim sapeva senza ombra di dubbio come lui la pensasse.

I litigi fra loro erano tutt'altro che inusuali. Ricordava ancora la prima grande crisi, all'inizio degli anni Settanta, allo scoppio dello scandalo Watergate. Erano stati momenti terribili: essere conservatori era diventato un disonore, i politici che propendevano per il mantenimento dell'ordine pubblico erano considerati tutti corrotti, qualsiasi attività sotterranea, per quanto ispirata a fini onesti, era improvvisamente vista come una cospirazione anticostituzionale. Preston Barck, terrorizzato, voleva rinunciare all'intera missione. Jim Proust gli aveva detto che era un codardo, che non c'era alcun pericolo e aveva proposto di portare avanti il progetto con maggior riservatezza, coinvolgendo anche la Cia. Sicuramente sarebbe stato pronto ad assassinare qualsiasi giornalista avesse ficcato il naso in quello che stavano facendo. Era stato Berrington a suggerire la creazione di una società privata, prendendo le distanze dal governo. Ancora una volta toccava a lui trovare un modo per risolvere i loro guai.

Il locale era immerso in una fresca penombra. Un televisore sistemato sopra il bancone trasmetteva una soap opera, ma il volume era stato messo al minimo. Il gin ghiacciato calmò

Berrington. La sua rabbia gradatamente svanì e si mise a pensare a Jeannie Ferrami.

La paura lo aveva spinto a fare una promessa azzardata. Aveva incautamente detto a Jim e a Preston che si sarebbe occupato lui di Jeannie e ora doveva mantenere l'impegno. Doveva impedirle di continuare a indagare su Steve Logan e Dennis Pinker.

Era terribilmente difficile. Benché fosse stato lui ad assumerla e a farle avere la borsa di studio, non era in grado di darle ordini: come aveva detto a Jim, l'università non era l'esercito. Jeannie era una dipendente della JFU e la Genetico aveva già sborsato fondi sufficienti a coprire un anno di lavoro. Ovviamente, nel lungo termine avrebbe potuto toglierle i finanziamenti, ma non bastava. Doveva fermarla immediatamente, quel giorno o l'indomani al più tardi, prima che scoprisse abbastanza per rovinarli tutti.

Calmati, pensò, calmati.

Il punto debole di Jeannie era l'utilizzo delle banche dati sanitarie senza il consenso dei pazienti. Era il genere di cosa su cui i giornali riuscivano a costruire uno scandalo, a prescindere dal fatto che la privacy di qualcuno fosse stata realmente violata: le università avevano il sacro terrore degli scandali poiché mettevano in fuga i finanziatori.

Stroncare un progetto scientifico così promettente era una vera vigliaccata e andava contro tutto ciò che Berrington aveva sempre sostenuto. Era stato lui a incoraggiare Jeannie e ora toccava a lui fermarla. Ne sarebbe uscita distrutta, e a ragione. Berrington continuava a ripetersi che la ragazza aveva geni cattivi e che comunque prima o poi si sarebbe cacciata nei guai, tuttavia avrebbe preferito non essere lui la causa della sua rovina.

Cercò di non pensare al suo corpo. Le donne erano sempre state il punto debole di Berrington. Non aveva mai avuto altri vizi: beveva con moderazione, non giocava, non riusciva a capire perché la gente si drogasse. Aveva amato molto sua moglie, Vivvie, ma questo non gli aveva impedito di cedere alla tentazione di andare con altre donne, e alla fine Vivvie lo aveva lasciato proprio per questo. Ora, quando pensava a Jeannie, se la immaginava mentre gli accarezzava i capelli e gli diceva: "Sei stato così buono con me, ti devo tanto... Come potrò mai ringraziarti?".

Questi pensieri lo facevano vergognare di se stesso: doveva essere il suo mentore, non il suo seduttore.

Insieme al desiderio provava anche stizza. Era solo una ragazza, perdio, come poteva costituire una minaccia tanto seria? Come poteva una ragazza con un anellino nel naso mettere in pericolo lui, Preston e Jim proprio quando stavano per realizzare il sogno della loro vita? Era impensabile che qualcosa li fermasse proprio ora: la sola idea lo gettava in preda al panico. Quando non fantasticava di fare l'amore con lei, immaginava di strangolarla.

Nonostante tutto, però, era riluttante a scatenarle contro l'opinione pubblica. Sapeva quanto fosse difficile pilotare la stampa. C'era la possibilità che cominciassero con un'inchiesta su Jeannie e finissero con l'indagare su di lui. Era una tattica pericolosa. Ma non gliene veniva in mente nessun'altra, a parte i folli progetti omicidi di Jim.

Vuotò il bicchiere. Il barista gli offrì un altro martini, ma lui rifiutò. Si guardò intorno e vide un telefono pubblico vicino al bagno degli uomini. Infilò la sua American Express nel lettore e chiamò l'ufficio di Jim. Rispose uno dei suoi insolenti giovani collaboratori. «Ufficio del senatore Proust.»

«Parla Berrington Jones...»

«In questo momento il senatore è in riunione.»

Jim doveva proprio insegnare ai suoi accoliti a essere un po' più educati. «Allora vediamo se possiamo evitare di interromperlo» disse. «Ha qualche appuntamento con la stampa nel pomeriggio?»

«Non ne sono sicuro. Posso chiederle perché desidera saperlo, signore?»

«No, giovanotto, non può» rispose Berrington esasperato. Gli assistenti boriosi erano la maledizione di Capitol Hill. «Può rispondere alla mia domanda, oppure può passarmi Jim Proust, oppure può dire addio al suo maledetto lavoro. Quale delle tre ipotesi preferisce?»

«Attenda, prego.»

Seguì una lunga pausa. Berrington rifletté che augurarsi che Jim insegnasse ai suoi aiutanti a essere educati era come sperare che uno scimpanzé insegnasse ai suoi piccoli le buone maniere a tavola. L'impronta del capo si propagava a tutto lo staff: una persona sgarbata aveva sempre dipendenti scortesi.

Una nuova voce venne al telefono. «Professor Jones, il senatore dovrebbe tenere una conferenza stampa tra quindici minuti per la presentazione del libro del senatore Dinkey, *Una nuova speranza per l'America*.»

Era perfetto. «Dove?»

«Al Watergate.»

«Gli dica che ci sarò anch'io e si assicuri che il mio nome sia sulla lista degli invitati, per favore.» Berrington riattaccò senza aspettare la risposta.

Uscì dal bar e prese un taxi per andare all'albergo. Era una questione delicata. Manipolare la stampa era molto pericoloso: un buon reporter avrebbe guardato oltre la storia e avrebbe cominciato a chiedersi perché era stata montata. Ma, ogni volta che pensava ai rischi, ricordava a se stesso anche ciò che ne avrebbe ricavato e cercava di farsi coraggio.

Individuò la sala dove si sarebbe dovuta tenere la conferenza stampa. Il suo nome non era sull'elenco – gli assistenti boriosi non erano mai efficienti – ma l'addetto stampa dello scrittore lo riconobbe e lo accolse come una celebrità in più da sfoggiare davanti alle telecamere. Berrington si congratulò con se stesso per aver indossato la camicia a righe di Turnbull & Asser che in fotografia gli dava un'aria molto distinta.

Prese un bicchiere di Perrier e si guardò intorno. C'era un piccolo leggio davanti a una gigantografia della copertina del libro, e un tavolino con sopra una pila di comunicati stampa. Le troupe televisive stavano sistemando i riflettori. Berrington vide uno o due giornalisti che conosceva, ma non erano persone di cui ci si potesse fidare.

Però continuavano ad arrivarne altri. Fece un giro della sala scambiando qualche chiacchiera e tenendo d'occhio la porta. Conosceva la maggior parte dei giornalisti: era una piccola celebrità. Non aveva letto il libro, ma Dinkey aderiva a una linea di pensiero tradizionalista e di destra che era una versione addolcita di quella che lui condivideva con Jim e Preston; Berrington fu quindi felice di dichiarare ai reporter che appoggiava in pieno il messaggio del libro.

Qualche minuto dopo le tre, arrivò Jim con Dinkey. Subito dietro di loro c'era Hank Stone, veterano del "New York Times". Calvo, il naso rosso, la pancia che sporgeva dalla cintura dei pantaloni, il colletto della camicia aperto, la cravatta allentata, le scarpe beige tutte spellate: doveva essere il giornalista più male in arnese fra quelli accreditati alla Casa Bianca.

Berrington si chiese se non fosse lui la persona giusta.

Hank non aveva opinioni politiche dichiarate. Berrington lo aveva conosciuto quindici o venti anni prima, in seguito a un articolo che il giornalista aveva scritto sulla Genetico. Da quando era arrivato a Washington aveva dedicato soltanto un paio di pezzi alle teorie di Berrington, ma si era occupato soprattutto delle idee di Jim Proust. Le aveva affrontate da un punto di vista sensazionalistico più che intellettuale, come fanno sempre i giornali, tuttavia, a differenza della stampa progressista, non si era mai lasciato andare a giudizi moralistici.

Hank prendeva una soffiata per quello che valeva: se pensava che la storia fosse valida ci scriveva sopra un articolo. Ciò che Berrington non sapeva era se avrebbe tentato di approfondire la questione.

Il giornalista salutò Jim e strinse la mano a Dinkey. Parlarono per alcuni minuti mentre Berrington si guardava intorno sperando di scovare un candidato migliore, ma non arrivò nessun altro e la conferenza stampa ebbe inizio.

Berrington rimase ad ascoltare tutti i discorsi, tenendo a freno la propria impazienza. Non c'era abbastanza tempo. Se avesse avuto a disposizione qualche giorno, avrebbe potuto trovare un elemento migliore di Hank, ma non poteva disporre di giorni, aveva solo qualche ora. Inoltre, un incontro apparentemente fortuito come quello avrebbe destato meno sospetti che non un appuntamento o un invito a pranzo.

Quando i discorsi furono terminati, capì che doveva accontentarsi di Hank.

Mentre gli altri giornalisti cominciavano ad andarsene, Berrington attaccò discorso con lui. «Hank, sono proprio felice di averti incontrato. Forse ho qualcosa per te.»

«Bene!»

«Si tratta dell'uso improprio delle informazioni mediche ricavate da banche dati.»

«Non è esattamente il mio genere, Berry, ma dimmi pure» rispose Hank con una leggera smorfia.

Berrington era sulle spine: l'altro non sembrava affatto interessato. Proseguì, ricorrendo a tutta la sua capacità di persuasione. «Io invece credo che sia proprio il tuo genere, perché tu saresti in grado di coglierne gli aspetti potenziali che potrebbero sfuggire a un qualsiasi altro giornalista.»

«Be', sentiamo.»

«Innanzitutto, noi non ci siamo parlati.»

«È già un po' più interessante.»

«In secondo luogo, ti domanderai perché ti sto passando questa storia, ma è una domanda che non mi dovrai mai fare.»

«Di bene in meglio» disse Hank, ma non promise nulla.

Berrington decise di non esagerare. «All'Istituto di psicologia della Jones Falls c'è una giovane ricercatrice, la dottoressa Jean Ferrami, che per trovare soggetti idonei al suo studio consulta grosse banche dati sanitarie senza il permesso delle persone cui i dati si riferiscono.»

Hank si grattò il naso. «È una storia sui computer o sull'etica scientifica?»

«Non lo so, il giornalista sei tu.»

«Non mi sembra quel grande scoop» disse, senza entusiasmo.

"Non fare tanto il difficile, bastardo!" Berrington sfiorò il braccio di Hank con un gesto amichevole. «Fammi un favore: fa' qualche indagine» disse in tono persuasivo. «Chiama il rettore dell'università, il dottor Maurice Obell. Chiama la dottoressa Ferrami. Di' loro che è per un articolo importante, e vedi un po' cosa rispondono. Ci scommetto che otterrai reazioni interessanti.»

«Non lo so...»

«Hank, ti assicuro che ne vale la pena.» "Dimmi di sì, figlio di puttana, dimmi di sì!"

Hank esitò e finalmente ribatté: «E va bene, farò un tentativo».

Berrington cercò di nascondere la propria soddisfazione

dietro un'espressione solenne, ma non riuscì a trattenere un sorriso di trionfo.

Hank se ne accorse e si insospettì. «Non starai cercando di servirti di me, vero, Berry? Magari per spaventare qualcuno?»

Berrington sorrise e gli circondò le spalle con un braccio. «Hank!» esclamò. «Fidati di me.»

20

Jeannie comperò una confezione da tre paia di mutandine bianche di cotone da Walgreen, in un centro commerciale appena fuori Richmond. Andò nella toilette delle signore di un vicino Burger King e se ne infilò un paio. Solo allora tirò un sospiro di sollievo.

Strano come si fosse sentita indifesa senza biancheria. Sembrava non riuscisse a pensare a nient'altro. Eppure, quando era innamorata di Will Temple, le piaceva andare in giro senza mutandine, la faceva sentire sexy. Seduta in biblioteca, in laboratorio, o anche solo camminando per la strada, fantasticava di incontrare Will inaspettatamente e che lui, in un impeto di passione, le dicesse: "Non c'è molto tempo, ma so che devo averti qui, adesso, subito" e Jeannie sarebbe stata pronta per lui. Evidentemente, senza un uomo nella sua vita la biancheria intima diventava necessaria come le scarpe.

Nuovamente a proprio agio, tornò alla macchina. Lisa guidò fino all'aeroporto di Richmond-Williamsburg, dove lasciarono l'auto e presero l'aereo che le avrebbe riportate a Baltimora.

Mentre decollavano, Jeannie pensò che la chiave del mistero andava cercata nell'ospedale dove erano nati Dennis e Steven. Due gemelli omozigoti erano finiti con due madri diverse. Era uno scenario da romanzo d'appendice, eppure doveva essere accaduto proprio qualcosa del genere.

Consultò i documenti che aveva nella valigetta e, controllando i dati relativi alla nascita dei due soggetti, scoprì con orrore che Steven era nato il venticinque agosto, mentre la data di nascita di Dennis era il sette settembre... quasi due settimane dopo!

«Deve esserci un errore. Chissà perché non ho controllato prima» disse, mostrando a Lisa le date discordanti.

«Possiamo ricontrollare» osservò Lisa.

«In qualcuno dei nostri moduli si chiede in quale ospedale sia nato il soggetto?»

Lisa emise una risatina. «Temo che sia proprio l'unica domanda che non abbiamo inserito.»

«Deve trattarsi di un ospedale militare. Il colonnello Logan è nell'esercito e probabilmente anche "il maggiore" lo era, quando è nato Dennis.»

«Controlleremo.»

Lisa non era impaziente quanto Jeannie. Per lei era una ricerca come un'altra, per Jeannie era tutto. «Preferirei chiamare subito» disse. «C'è un telefono sull'aereo?»

Lisa aggrottò le sopracciglia. «Non vorrai mica chiamare la madre di Steven?»

A Jeannie non sfuggì il tono di disapprovazione nella sua voce. «Sì. Perché non dovrei?»

«Sa che lui è in carcere?»

«Bella domanda. Non lo so. Maledizione, non vorrei essere proprio io a darle la notizia.»

«Forse a quest'ora ha già chiamato la famiglia.»

«Potrei andare a parlare con Steve in carcere. È permesso, vero?»

«Credo di sì. Ma probabilmente solo in certe fasce orarie, come negli ospedali.»

«Be', io vado e speriamo bene. Intanto potrei chiamare i Pinker.» Fece un cenno a una hostess che passava. «C'è un telefono sull'aereo?»

«No, mi dispiace.»

«Peccato.»

La hostess sorrise. «Non ti ricordi di me, Jeannie?»

Jeannie la guardò e la riconobbe immediatamente. «Penny Watermeadow!» esclamò. Penny aveva fatto il dottorato in inglese alla Minnesota nello stesso periodo in cui Jeannie studiava in quella università. «Come stai?»

«Benone. E tu cosa fai?»

181

«Lavoro alla Jones Falls. Al momento ho un progetto di ricerca che mi sta creando problemi. E tu? Pensavo avessi intenzione di dedicarti alla carriera universitaria.»

«Infatti era così, ma non ce l'ho fatta.»

Jeannie si sentì in imbarazzo per aver avuto successo dove la sua amica aveva fallito. «Peccato.»

«Ora sono contenta. Il lavoro mi piace e la retribuzione è più alta di quella offerta da molte università.»

Jeannie non ci credeva. Trovava assurdo che una laureata lavorasse come hostess. «Ho sempre pensato che saresti stata un'ottima insegnante.»

«Per un po' ho insegnato alle superiori. Poi mi sono beccata una coltellata da uno studente che non era d'accordo con me su Macbeth. Mi sono domandata che cosa stessi facendo... rischiare la vita per insegnare Shakespeare a dei ragazzini che non vedevano l'ora di tornare in strada a rubare per comprarsi il crack.»

Jeannie ricordava il nome del marito di Penny. «Come sta Danny?»

«Alla grande. Ora è responsabile di zona. Significa che deve viaggiare molto, ma ne vale la pena.»

«Mi ha fatto piacere incontrarti. Vivi a Baltimora?»

«No, a Washington.»

«Dammi il tuo numero di telefono, così ti chiamo.» Le porse una penna e Penny scrisse il proprio numero di telefono sulla copertina di uno dei fascicoli di Jeannie.

«Potremmo andare a pranzo assieme» propose Penny. «Sarebbe divertente.»

«Sicuro.»

Penny proseguì lungo il corridoio.

«Sembra molto sveglia» osservò Lisa.

«È intelligentissima. Sono davvero turbata. Non c'è niente di male nel fare la hostess, ma è come sprecare venticinque anni di studi.»

«Le telefonerai?»

«No. Ha voluto rimuovere tutto. Le ricorderei le sue speranze di un tempo. E sarebbe una tortura.»

«Credo tu abbia ragione. Mi fa pena.»

«Anche a me.»

Subito dopo l'atterraggio, Jeannie cercò un telefono e chiamò i Pinker a Richmond, ma la linea era occupata. «Maledizione!» esclamò. Attese cinque minuti e riprovò, ma era ancora occupato. «Charlotte deve aver chiamato tutta la sua famiglia di rissaioli per raccontar loro della nostra visita» osservò. «Le telefonerò più tardi.»

Lisa aveva la macchina nel parcheggio e diede un passaggio a Jeannie fino a casa. Prima di scendere, Jeannie le disse: «Potrei chiederti un grosso favore?».

«Certo. Però non ti assicuro che lo farò» rispose Lisa ridendo.

«Comincia l'esame del Dna questa sera.»

Lisa assunse un'espressione sconsolata. «Oh, Jeannie! Siamo state in giro tutto il giorno. Devo ancora andare a fare la spesa...»

«Lo so. E io devo fare un salto al carcere. Vediamoci in laboratorio più tardi. Va bene alle nove?»

«D'accordo» rispose Lisa con un sorriso. «Sono curiosa anch'io di vedere che cosa dice il test.»

«Se cominciamo stasera, potremmo avere il risultato dopodomani.»

Lisa sembrava perplessa. «Accelerando un po' le procedure, sì.»

«Così mi piaci!» esclamò Jeannie e scese dall'auto. Lisa ripartì.

Jeannie avrebbe voluto andare subito alla centrale di polizia, ma decise che sarebbe stato meglio dare prima un'occhiata a suo padre ed entrò in casa.

Stava guardando *La ruota della fortuna*. «Ciao, Jeannie. Sei arrivata tardi» le disse.

«Ero a lavorare. E non ho ancora finito» aggiunse. «Com'è andata la giornata?»

«Un po' noiosa, tutto il giorno qui da solo.»

Provò pena per lui. Evidentemente non aveva amici. Però il suo aspetto era decisamente migliorato rispetto alla sera precedente. Era pulito, rasato, riposato. Per pranzo si era scaldato una pizza surgelata; c'erano ancora i piatti sporchi sul bancone della cucina. Jeannie fu sul punto di chiedergli chi diavolo secondo lui dovesse metterli in lavastoviglie, ma si morse la lingua.

Posò la valigetta e cominciò a riordinare. Lui rimase davanti al televisore.

«Sono stata a Richmond, in Virginia» disse.

«Interessante. Che cosa c'è per cena, tesoro?»

"No" pensò lei, "non è possibile. Non può trattarmi come trattava la mamma." «Perché non prepari tu qualcosa?»

Questo attirò la sua attenzione. Si voltò a guardarla ed esclamò: «Io non so cucinare!».

«Neanch'io, papà.»

Lui aggrottò la fronte, poi sorrise. «E allora mangeremo fuori!»

L'espressione sul suo volto era dolorosamente familiare. Con la mente Jeannie tornò indietro di vent'anni. Lei e Patty indossavano jeans a zampa d'elefante identici. Rivide suo padre, con i capelli e le basette scure, che diceva: «Andiamo al luna park! Cosa ne dite di un po' di zucchero filato? Su, saltate in macchina!». Allora era l'uomo più meraviglioso del mondo. Poi la sua memoria fece un balzo in avanti di dieci anni. Jeannie indossava jeans neri e Doc Marteen, i capelli di suo padre erano ormai grigi e più corti, e diceva: «Ti porterò io a Boston, con tutta la tua roba, prenderò un furgone. Sarà l'occasione per stare un po' di tempo insieme, mangeremo lungo la strada e ci divertiremo un mondo! Fatti trovare pronta alle dieci!». Aveva aspettato tutto il giorno, ma lui non si era fatto vedere. Il giorno dopo Jeannie aveva preso un Greyhound.

Ora, nello scorgere la stessa eccitazione nei suoi occhi, desiderò con tutto il cuore di poter tornare all'età di nove anni e credere a ogni sua parola. Ma ormai era cresciuta. «Quanti soldi hai?» gli chiese.

«Non ne ho, te l'ho detto» fece lui imbronciato.

«Neanch'io. Quindi non possiamo andare a mangiare fuori.» Aprì il frigo. Aveva una lattuga, alcune pannocchie di mais fresche, una confezione di costolette d'agnello, un pomodoro e mezza scatola di riso Uncle Ben's. Tirò tutto fuori e lo mise sul bancone. «Senti cosa facciamo» disse. «Mangeremo mais fresco con burro fuso come antipasto, seguito da costolette di agnello al limone con contorno di insalata e riso e, per finire, gelato.»

«È fantastico!»

184

«Comincia a preparare mentre sono fuori.»

Lui si alzò e guardò sconsolato il cibo posato sul bancone.

«Sarò di ritorno poco dopo le dieci» disse Jeannie, prendendo la valigetta.

«Ma io non sono capace di cucinare questa roba!»

Jeannie prese dallo scaffale sopra il frigo un libro di cucina del "Reader's Digest" e glielo porse. «Guarda qua dentro.» Gli diede un bacio sulla guancia e uscì.

Mentre si dirigeva in centro si augurò di non essere stata troppo crudele. Suo padre apparteneva a un'altra generazione, ai suoi tempi le regole erano diverse. Comunque, lei non avrebbe potuto fargli da governante anche se avesse voluto: aveva il suo lavoro cui pensare. Dandogli un posto dove dormire aveva già fatto più di quanto suo padre avesse mai fatto per lei. Eppure avrebbe preferito lasciarlo su una nota più allegra. Per quanto inadeguato, era l'unico padre che aveva.

Parcheggiò la macchina in un garage a pagamento e attraversò il quartiere a luci rosse, diretta verso la centrale di polizia. L'edificio aveva un atrio grandioso, con panche di marmo e un murale che illustrava episodi della storia di Baltimora. Al piantone d'ingresso disse che era lì per vedere Steven Logan, una persona in stato di fermo. Si aspettava di incontrare delle difficoltà, invece dopo pochi minuti di attesa arrivò una giovane donna in uniforme che la fece entrare e l'accompagnò a un ascensore. Salirono di qualche piano.

Jeannie venne fatta accomodare in una saletta grande quanto un ripostiglio e totalmente vuota, con una finestrella nel muro all'altezza del viso e un interfono. La finestrella dava su un cubicolo identico. Per far passare qualcosa da una stanza all'altra si sarebbe dovuto fare un buco nel muro.

Jeannie guardò al di là del vetro. Dopo circa cinque minuti arrivò Steven. Non appena entrò nel cubicolo, Jeannie si accorse che era ammanettato e aveva i piedi incatenati, come un pericoloso criminale. Steve si avvicinò al vetro e guardò dall'altra parte. Scorgendola le rivolse un gran sorriso. «Che bella sorpresa!» disse. «A essere sinceri è l'unica cosa bella che mi sia accaduta in tutta la giornata.»

Nonostante i modi allegri, aveva un aspetto orribile. Il viso era pallido e tirato. «Come sta?» gli chiese Jeannie.

«Sono un po' stanco. Mi hanno messo in cella con un assassino in preda ai postumi di una festa a base di crack. Ho paura di addormentarmi.»

Jeannie provò pena per lui, poi rammentò a se stessa che quello poteva essere l'uomo che aveva violentato Lisa. Non riusciva ancora a crederci. «Quanto tempo pensa che la terranno qui?»

«L'udienza è fissata per domani. Se non mi concedono la libertà su cauzione, me ne starò chiuso qua dentro finché non arriveranno i risultati del test del Dna. Pare che ci vogliano tre giorni.»

Sentir parlare di Dna la riportò allo scopo della sua visita. «Oggi ho visto il suo gemello.»

«E...?»

«Non c'è dubbio. È la sua copia esatta.»

«Forse è stato lui a violentare Lisa Hoxton.»

Jeannie scosse la testa. «Avrebbe dovuto fuggire dal carcere durante il fine settimana. Invece è ancora rinchiuso là dentro.»

«Non potrebbe essere ritornato dopo lo stupro per crearsi un alibi?»

«Troppo fantasioso. Se Dennis riuscisse a scappare dalla prigione, niente potrebbe indurlo a tornarvi.»

«Credo che lei abbia ragione» ammise Steven con aria triste. «Ho un paio di domande da farle.»

«Spari.»

«Innanzitutto ho bisogno di controllare la sua data di nascita.»

«Venticinque agosto.»

Esattamente quella che aveva annotato in precedenza. Forse aveva sbagliato a scrivere quella di Dennis. «Per caso sa esattamente dove è nato?»

«Certo. In quel periodo papà era di stanza in Virginia, e io sono nato all'ospedale militare di Fort Lee.»

«Ne è sicuro?»

«Sicurissimo. La mamma ne parla nel suo libro *Avere un figlio*.» Steve strinse gli occhi e assunse un'espressione che Jeannie aveva imparato a riconoscere. Stava cercando di intuire ciò che lei pensava. «Dove è nato Dennis?»

«Non lo so ancora.»

186

«Ma siamo nati lo stesso giorno.»

«Purtroppo, lui afferma di essere nato il sette settembre. Ma potrebbe trattarsi di un errore. Controllerò. Appena sarò in ufficio chiamerò sua madre. Ha già parlato con i suoi genitori?»

«No.»

«Vuole che li chiami io?»

«No! La prego. Non voglio che sappiano nulla finché non potrò dir loro che sono stato prosciolto.»

Jeannie aggrottò la fronte. «Da quello che mi ha raccontato su di loro, sono convinta che capirebbero.»

«Certo. Ma io non voglio dar loro un dispiacere così grande.»

«Potrebbe essere doloroso, ma forse preferirebbero saperlo, per poterla aiutare.»

«No. La prego, non li chiami.»

Jeannie si strinse nelle spalle. Le nascondeva qualcosa, ma in ogni caso spettava a lui decidere.

«Jeannie... lui com'è?»

«Dennis? Apparentemente è come lei.»

«Ha i capelli lunghi, oppure corti, i baffi, le unghie sporche, l'acne, zoppica...»

«I capelli sono corti, pettinati proprio come i suoi, non ha barba, le mani sono curate, la pelle liscia. Siete uguali come due gocce d'acqua.»

«Gesù!» Steve sembrava profondamente turbato.

«La grossa differenza sta nel comportamento. Dennis non sa come relazionarsi al resto del genere umano.»

«È molto strano.»

«Io non la penso così, anzi trovo che sia una conferma della mia teoria. Da piccoli eravate entrambi quelli che io definisco "ragazzi selvaggi". Ho preso questa espressione da un film francese; con essa intendo un bambino che non ha paura di nulla, è difficile da controllare, iperattivo. Sono soggetti che si adattano molto difficilmente alla società e alle sue norme. I suoi genitori ci sono riusciti, Charlotte Pinker e suo marito no.»

La spiegazione non bastò a rassicurarlo. «Ma, sotto sotto, Dennis e io siamo uguali.»

«Eravate entrambi nati "selvaggi".»

«Però io ho una patina di civiltà.»

Jeannie capiva che Steve era profondamente preoccupato. «Perché le interessa così tanto?»

«Mi piacerebbe sentirmi un essere umano, non un gorilla addomesticato.»

Sebbene lui avesse un'espressione solenne, Jeannie scoppiò a ridere. «Anche i gorilla devono imparare a convivere con gli altri. Come tutti gli animali che vivono in gruppo. È da lì che nasce il comportamento criminale.»

Steve sembrava molto interessato. «Dal vivere in gruppo?»

«Esatto. Il crimine è la violazione di una importante regola sociale. Gli animali solitari non hanno regole. Un orso può benissimo distruggere la tana di un altro orso, rubargli il cibo e uccidergli i piccoli. I lupi invece no: se lo facessero, non potrebbero vivere in branco. I lupi sono monogami, si prendono cura anche dei piccoli degli altri e rispettano lo spazio individuale. Se un individuo infrange le regole, viene punito; se continua a farlo, viene o espulso dal branco o ucciso.»

«E invece quando si infrangono regole sociali poco importanti?»

«Come scoreggiare in ascensore? Noi le chiamiamo cattive maniere. L'unica punizione è la disapprovazione degli altri... è incredibile quanto sia efficace.»

«Perché è così interessata alle persone che violano le regole?»

Jeannie pensò a suo padre. Chissà se aveva ereditato i suoi cattivi geni. Forse Steve si sarebbe sentito meglio, se avesse saputo che anche lei era preoccupata della propria eredità genetica. Ma aveva mentito a proposito di suo padre per così tanto tempo che ora non le riusciva facile parlare di lui. «È un grave problema» rispose vaga. «Tutti sono interessati al crimine.»

La porta alle sue spalle si aprì ed entrò la giovane agente. «Il tempo è finito, dottoressa Ferrami.»

«Va bene» disse Jeannie, voltandosi appena. «Steve, sapeva che Lisa Hoxton è la migliore amica che ho a Baltimora?»

«No, non lo sapevo.»

«Lavoriamo insieme. Lei è un tecnico di laboratorio.»

«Che tipo è?»

«Non il tipo capace di inventarsi un'accusa.»

Lui annuì.

«Però voglio dirle che io non credo sia stato lei.»

Per un attimo credette che Steve stesse per mettersi a piangere. «Grazie» riuscì a dire con la voce rotta dall'emozione. «Lei non sa quanto questo significhi per me.»

«Mi chiami quando esce di qui.» Gli disse il suo numero di telefono. «Crede di riuscire a ricordarlo?»

«Lo ricorderò.»

A Jeannie dispiaceva andarsene. Gli rivolse quello che, nelle sue intenzioni, era un sorriso di incoraggiamento. «Buona fortuna.»

«Grazie. Ne ho proprio bisogno.»

Jeannie si voltò e uscì.

La poliziotta l'accompagnò fino all'atrio. Si stava facendo notte e Jeannie tornò al garage. Prese la Jones Expressway e si diresse verso nord a tutta velocità, impaziente di arrivare all'università. Guidava sempre troppo veloce. Era una guidatrice esperta ma spericolata, lo sapeva, ma non ce la faceva proprio a rispettare il limite dei novanta all'ora.

Parcheggiò la Mercedes davanti al Pandemonio, accanto alla Honda Accord bianca di Lisa, ed entrò. Lisa stava accendendo le luci del laboratorio. Il contenitore termico con il campione di sangue di Dennis Pinker era posato sul bancone.

L'ufficio di Jeannie si trovava sull'altro lato del corridoio. Passò la tessera magnetica nel lettore per far scattare la serratura ed entrò. Si sedette alla scrivania e compose il numero dei Pinker a Richmond. «Finalmente!» esclamò, sentendo che la linea era libera.

Fu Charlotte a rispondere. «Come sta mio figlio?» chiese.

«È in buona salute» rispose Jeannie. "Non sembrava neppure uno psicopatico" pensò, "finché non mi ha puntato un coltello agli occhi e mi ha costretta a dargli le mutandine." Cercò qualcosa di positivo da dire. «È stato molto disponibile.»

«Ha sempre avuto buone maniere» osservò Charlotte, con quel suo molle accento del sud che usava per pronunciare le affermazioni più oltraggiose.

«Signora Pinker, potrebbe ripetermi la data di nascita di suo figlio?»

«È nato il sette dì settembre» enunciò con enfasi, come se dovesse essere dichiarata festa nazionale.

Non era la risposta che Jeannie aveva sperato. «E in quale ospedale è nato?»

«A quell'epoca eravamo a Fort Bragg, nel North Carolina.»

Jeannie soffocò un'imprecazione.

«Il maggiore stava addestrando le reclute per il Vietnam» proseguì Charlotte con voce orgogliosa. «Il comando medico dell'esercito ha un grosso ospedale a Fort Bragg. È lì che Dennis è venuto alla luce.»

Jeannie non riusciva a farsi venire in mente nient'altro da dire. Il mistero era ancora più fitto. «Signora Pinker, desidero ringraziarla ancora per la gentile collaborazione.»

«Di niente.»

Jeannie tornò in laboratorio e disse a Lisa: «Evidentemente, Steven e Dennis sono nati a distanza di tredici giorni l'uno dall'altro in due Stati diversi. Io proprio non capisco.»

Lisa aprì una scatola di provette. «Be', esiste un test incontrovertibile. Se hanno lo stesso Dna sono gemelli omozigoti, a prescindere da qualsiasi affermazione chiunque possa fare sulla loro nascita.» Tirò fuori due provette. Erano alte cinque centimetri, avevano il fondo conico e un tappo di plastica. Lisa aprì una confezione di etichette e scrisse DENNIS PARKER su una e STEVEN LOGAN su un'altra, quindi le applicò alle due provette vuote che poi sistemò nell'apposito contenitore.

Ruppe il sigillo della fiala che conteneva il sangue di Dennis e ne trasferì una goccia nella provetta vuota che portava il suo nome. Poi tirò fuori dal frigo un campione contenente il sangue di Steven e ripeté l'operazione.

Con l'aiuto di una pipetta graduata – un cannuccia di vetro con un bulbo a un'estremità – lasciò cadere una piccola quantità di cloroformio in entrambe le provette. Quindi prese una pipetta pulita e aggiunse una quantità uguale di fenolo.

Chiuse entrambe le provette e le mise nell'agitatore per qualche secondo. Il cloroformio avrebbe disciolto i grassi mentre il fenolo avrebbe degradato le proteine, lasciando però intatte le lunghe molecole elicoidali di acido desossiribonucleico.

Lisa rimise le provette nel portacampioni. «Per adesso non possiamo fare altro» disse.

Il fenolo, solubile in acqua, si sarebbe lentamente separato dal cloroformio, dando origine a un menisco di separazione tra i due solventi. Il Dna sarebbe rimasto nella parte acquosa, facilmente recuperabile con una pipetta per la fase successiva del test. Per questo, però, occorreva attendere la mattina seguente.

Un telefono si mise a squillare da qualche parte. Jeannie era perplessa: sembrava proprio che il suono provenisse dal suo ufficio. Attraversò il corridoio e andò a rispondere. «Pronto?»

«Parlo con la dottoressa Ferrami?»

Jeannie odiava le persone che telefonano e ti chiedono chi sei senza comunicarti il loro nome. Era come bussare alla porta di qualcuno e dire: "Chi diavolo è lei?". Ricacciò indietro una risposta pungente e disse: «Sono la dottoressa Ferrami. Chi parla, per favore?».

«Naomi Freelander, del "New York Times".» Dalla voce doveva essere una fumatrice incallita sui cinquant'anni. «Avrei qualche domanda da rivolgerle.»

«A quest'ora?»

«Io lavoro a tutte le ore. A quanto pare anche lei.»

«Perché ha chiamato proprio me?»

«Sto facendo delle ricerche per un articolo sull'etica scientifica.»

«Ah.» Jeannie pensò immediatamente a Steve che ignorava di essere stato adottato. Questo era in effetti un problema etico, anche se non insolubile, ma di certo il "Times" non poteva esserne al corrente. «Che cosa vuole sapere?»

«A quanto mi risulta lei ricorre alle banche dati sanitarie alla ricerca di soggetti da studiare.»

«Ah, okay.» Jeannie si rilassò. Su questo punto non aveva nulla di cui preoccuparsi. «Sì, ho creato un programma che analizza i dati computerizzati e individua coppie uguali. Il mio scopo è quello di rintracciare gemelli omozigoti. Può essere utilizzato su ogni tipo di banca dati.»

«Per utilizzare questo programma lei deve avere accesso agli archivi medici.»

«Dipende da quello che si intende per accesso. Sono stata at-

191

tenta a non violare la privacy di nessuno. Non ho mai visionato una sola cartella clinica. E il programma non stampa i dati.»

«Che cosa stampa?»

«Il nome delle due persone, con l'indirizzo e il numero di telefono.»

«Però li stampa accoppiati.»

«Ovvio. È questo lo scopo.»

«Quindi se lei lo usasse, poniamo, su una banca dati di encefalogrammi, le direbbe che le onde cerebrali di Tizio sono uguali a quelle di Caio?»

«Uguali o simili. Ma non mi direbbe niente sullo stato di salute delle due persone.»

«Però, se lei avesse appreso in precedenza da altre fonti che Tizio è uno schizofrenico paranoide, potrebbe dedurne che anche Caio lo è.»

«È impossibile sapere cose simili.»

«Lei potrebbe conoscere Tizio.»

«E come?»

«Potrebbe essere il suo portinaio, ad esempio.»

«Su, andiamo!»

«È possibile.»

«E questa sarebbe la base del suo articolo?»

«Forse.»

«D'accordo. Teoricamente è possibile, ma le probabilità che ciò accada sono così infinitesimali che nessuna persona ragionevole le prenderebbe in considerazione.»

«Questo è discutibile.»

Quella giornalista sembrava decisa a trovare una violazione a tutti i costi, a prescindere dalla realtà dei fatti. Jeannie cominciò a preoccuparsi. Aveva già abbastanza problemi senza che ci si mettessero pure i giornali. «Quali elementi ha?» chiese. «Ha davvero trovato qualcuno convinto che la sua privacy sia stata violata dalle mie ricerche?»

«A me interessano le possibili conseguenze.»

All'improvviso Jeannie ebbe una specie di intuizione. «Chi le ha detto di parlare con me?»

«Perché me lo chiede?»

«Per lo stesso motivo per cui lei mi ha fatto delle domande fino adesso. Perché vorrei saperlo.»

«Non glielo posso dire.»

«Interessante» rispose Jeannie. «Io le ho parlato diffusamente dei miei metodi di ricerca, perché non ho niente da nascondere. Ma non posso dire lo stesso di lei. Secondo me, lei... si vergogna, sì, si vergogna del modo in cui ha scoperto il mio progetto. È così?»

«Io non ho niente di cui vergognarmi» rispose secca la giornalista.

Jeannie cominciava ad arrabbiarsi. Chi credeva di essere, quella donna? «Be', qualcuno si vergogna. Altrimenti perché tanto mistero?»

«Devo proteggere le mie fonti.»

«Da che cosa?» Jeannie sapeva che avrebbe fatto meglio a lasciar perdere. Non ci si guadagna niente a mettersi contro la stampa. Ma l'atteggiamento di quella donna era insopportabile. «Come le ho appena spiegato, non c'è niente di male nei miei metodi. Non costituiscono una minaccia per la privacy di nessuno. Quindi perché la sua fonte dovrebbe essere così reticente?»

«La gente ha i suoi motivi...»

«A me sembra proprio che la sua fonte sia in cattiva fede.» Mentre diceva quelle parole, Jeannie pensò: "Perché qualcuno dovrebbe fare una cosa simile, proprio a me?".

«Non posso commentare.»

«Non può commentare, eh?» ripeté Jeannie, con sarcasmo. «Questa me la devo ricordare.»

«Dottoressa Ferrami, la ringrazio per la collaborazione.»

«Non c'è di che» rispose lei e riattaccò.

Rimase a fissare il telefono per qualche istante. «E questa che cosa diavolo voleva?»

MERCOLEDÌ

21

Berrington Jones dormì male.

Aveva passato la notte con Pippa Harpenden, una delle se-
gretarie dell'Istituto di fisica. Molti professori, parecchi dei
quali sposati, le avevano chiesto di uscire, ma Berrington era
l'unico cui avesse detto di sì. Lui si era vestito con eleganza,
l'aveva portata in un ristorante molto intimo, aveva ordinato
un ottimo vino e si era goduto le occhiate invidiose degli altri
uomini della sua età che cenavano in compagnia delle mogli
vecchie e brutte. Poi l'aveva portata a casa, aveva acceso le
candele, aveva indossato il pigiama di seta e avevano fatto
l'amore, lentamente, finché lei non aveva ansimato di piacere.

Alle quattro, però, si era svegliato e aveva cominciato a
pensare a tutto quello che poteva andare storto nel suo piano.
Il giorno prima Hank Stone aveva continuato a tracannare il
vino scadente offerto dall'editore e poteva benissimo non ricordarsi neppure di aver parlato con lui. E, anche se se lo fosse ricordato, i direttori del "New York Times" potevano anche
decidere di non dar seguito alla cosa. Potevano fare qualche
ricerca e rendersi conto che non c'era niente di male in quello
che Jeannie stava facendo. Oppure poteva succedere che deci-
dessero di muoversi, ma con calma, e cominciassero a lavorarci la settimana seguente. E allora sarebbe stato troppo tardi.

«Ti senti bene, Berry?» chiese Pippa dopo un po' che lo sentiva girarsi e rigirarsi nel letto.

Lui le accarezzò i lunghi capelli biondi e lei rispose con ge-
miti assonnati ma promettenti. Berrington aveva sempre pensato che fare l'amore con una bella donna fosse la cura perfet-

ta per ogni guaio, ma capì che in quel momento non avrebbe funzionato. Aveva troppi pensieri per la testa. Sarebbe stato un sollievo poterle parlare dei suoi problemi – Pippa era intelligente, avrebbe capito e lo avrebbe consolato – ma non poteva rivelare i suoi segreti a nessuno.

Dopo un po' si alzò e andò a fare jogging. Quando tornò, lei se n'era già andata, lasciando un biglietto di ringraziamento avvolto in una calza nera velata.

Pochi minuti prima delle otto arrivò la donna delle pulizie e gli preparò un'omelette. Marianne era una ragazza magra e nervosa originaria della Martinica. Conosceva pochissimo l'inglese ed era terrorizzata all'idea di essere rispedita nel suo paese, il che la rendeva estremamente docile. Era graziosa, e Berrington era convinto che, se le avesse chiesto di fargli un pompino, lei avrebbe pensato che rientrasse fra i suoi doveri di dipendente dell'università. Ovviamente lui non avrebbe mai fatto una cosa del genere: andare a letto con la servitù non era nel suo stile.

Fece una doccia, si rase e indossò un austero completo grigio scuro con una sottilissima riga chiara, con camicia bianca e cravatta nera a piccoli pois rossi. Si mise i gemelli d'oro con le iniziali, infilò un fazzoletto bianco nel taschino della giacca e lucidò la punta delle oxford nere fino a farle brillare.

Giunto al campus, si recò nel suo ufficio e accese il computer. Come molti dei grandi accademici, insegnava pochissimo. Alla Jones Falls teneva una sola lezione all'anno. Il suo compito era quello di dirigere e indirizzare la ricerca degli scienziati dell'istituto e di aggiungere il prestigio del proprio nome agli articoli che costoro scrivevano. Quella mattina, però, non riusciva a concentrarsi su nulla: rimase a guardare fuori della finestra quattro giovani impegnati in un vivace doppio a tennis, aspettando che il telefono squillasse.

Non dovette attendere molto.

Alle nove e trenta Maurice Obell, rettore della Jones Falls University, lo chiamò. «C'è un problema.»

Berrington si irrigidì. «Che cosa succede, Maurice?»

«Mi ha appena chiamato una stronza del "New York Times". Dice che qualcuno del tuo istituto viola la privacy della gente. Una certa dottoressa Ferrami.»

"Dio ti ringrazio!" pensò Berrington esultante. Hank Stone aveva mantenuto la promessa! Cercò di dare un tono solenne alla propria voce. «Temevo qualcosa del genere» disse. «Vengo subito.» Riattaccò e rimase qualche momento a riflettere. Era troppo presto per cantar vittoria. Quello era solo l'inizio: ora doveva fare in modo che Maurice e Jeannie agissero come voleva lui.

Maurice gli era parso preoccupato. Ottimo. Bastava solo fare in modo che continuasse a preoccuparsi. Maurice doveva convincersi che se Jeannie non avesse smesso immediatamente di usare il suo software di ricerca sarebbe stata una catastrofe. Una volta che avesse preso drastici provvedimenti, Berrington doveva solo fare in modo che restasse fedele alla decisione presa.

La cosa più importante era impedire ogni forma di compromesso. Jeannie non era diplomatica per natura, ma la posta in gioco era il suo futuro, per cui avrebbe di certo tentato ogni strada. Berrington doveva fomentare la sua rabbia e indurla a reagire in modo sempre più aggressivo.

Uscì dal Pandemonio e attraversò il campus, passando davanti al Barrymore Theatre e alla Facoltà di belle arti, quindi puntò verso la Hillside Hall. Un tempo residenza di campagna del primo fondatore dell'università, l'edificio ospitava gli uffici amministrativi. L'ufficio del rettore occupava quello che era stato uno splendido salotto. Berrington salutò con un cortese cenno del capo la segretaria del dottor Obell e le disse: «Mi sta aspettando».

«Si accomodi, professore» rispose la donna.

Maurice era davanti alla finestra a bovindo che dava sul prato. Era un uomo basso dal torace possente. Era tornato dal Vietnam su una sedia a rotelle, paralizzato dalla vita in giù. Berrington si sentiva a proprio agio con lui, forse perché erano stati entrambi nell'esercito. Li accomunava anche la passione per la musica di Mahler.

Maurice aveva spesso un'espressione infastidita. Per mandare avanti la JFU doveva mettere insieme ogni anno dieci milioni di dollari in donazioni, da privati e società, ed era giustamente terrorizzato dalla cattiva pubblicità.

Girò la carrozzella e andò verso la scrivania. «Quella donna ha detto che da tempo stavano preparando un grosso articolo sull'etica scientifica. Berry, non posso permettere che venga citato il nome della Jones Falls come esempio di scienza che va contro l'etica. Ad almeno metà dei nostri finanziatori verrebbe un colpo. Dobbiamo fare qualcosa.»

«Chi è?»

Maurice consultò un appunto scarabocchiato su un taccuino. «Naomi Freelander. Redattrice per le questioni etiche. Lo sapevi che i giornali hanno pure i redattori per le questioni etiche? Io no.»

«Non mi sorprende che il "New York Times" ce l'abbia.»

«Questo però non impedisce a quei signori di agire come la Gestapo. A quanto pare, stavano per andare in stampa con quell'articolo, quando hanno avuto una soffiata su questa tua Ferrari.»

«Chissà da dove è partita» osservò Berrington.

«Di bastardi in giro ce ne sono tanti.»

«Sono d'accordo con te.»

Maurice sospirò. «Dimmi che non è vero, Berry. Dimmi che non ha violato la privacy di nessuno.»

Berrington accavallò le gambe, cercando di assumere un atteggiamento rilassato pur essendo teso come una corda di violino. Il momento era cruciale. «Non credo abbia fatto qualcosa di male. Si limita a passare in rassegna banche dati sanitarie in cerca di persone che non sanno di avere un gemello. A dire il vero, è molto ingegnoso...»

«Esamina i dati medici delle persone senza il loro permesso?»

Berrington finse una certa riluttanza. «Be'... in un certo senso...»

«Allora deve smetterla immediatamente.»

«Il problema è che lei ha veramente bisogno di quelle informazioni per il progetto a cui lavora.»

«Forse potremmo offrirle qualcosa in cambio.»

Berrington non aveva pensato alla possibilità di corromperla. Dubitava che avrebbe funzionato, ma valeva la pena di tentare. «Buona idea.»

«È di ruolo?»

«Ha cominciato da noi questo semestre come assistente. Le

mancano sei anni per arrivare a essere di ruolo, se non di più. Ma potrei offrirle un aumento. So che ha bisogno di denaro, me lo ha detto lei.»

«Quanto guadagna adesso?»

«Trentamila dollari l'anno.»

«Quanto pensi che dovremmo offrirle?»

«Una somma consistente. Altri otto o diecimila dollari.»

«E dove li prendiamo?»

Berrington sorrise. «Credo che potrei riuscire a convincere la Genetico a tirarli fuori.»

«Allora faremo così. Chiamala subito, Berry. Se è al campus, falla venire qui immediatamente. Sistemeremo questa faccenda prima che la "polizia etica" ritorni alla carica.»

Berrington prese il telefono di Maurice e chiamò l'ufficio di Jeannie. Lei rispose al primo squillo.

«Parla Jeannie Ferrami.»

«Sono Berrington.»

«Buon giorno.» Il suo tono di voce era cauto. Forse lunedì sera aveva intuito le sue vere intenzioni e temeva che ci stesse riprovando. O forse aveva già avuto sentore del problema con il "New York Times".

«Potrebbe venire da me subito?»

«Nel suo ufficio?»

«Mi trovo nell'ufficio del dottor Obell a Hillside Hall.»

Jeannie emise un sospiro esasperato. «Ha qualcosa a che fare con una certa Naomi Freelander?»

«Sì.»

«Sono tutte stronzate, lo sa, vero?»

«Io lo so, ma è una faccenda da chiarire.»

«Vengo immediatamente.»

Berrington riattaccò. «Arriva subito» disse a Maurice. «A quanto pare ha già parlato con quella giornalista.»

I prossimi minuti sarebbero stati decisivi. Se Jeannie si fosse difesa bene, Maurice avrebbe potuto cambiare idea. Berrington doveva fare in modo che Maurice restasse fermo sulle sue posizioni senza, però, mostrare ostilità nei confronti di Jeannie. Era una ragazza tutt'altro che conciliante, una testa calda che si faceva valere, specialmente quando pensava di essere nel giusto. Probabilmente si sarebbe inimicata Maurice comunque, anche senza l'intervento di Berrington. Ma, casomai si fosse comportata in modo insolitamente mite e ragionevole, lui doveva pensare a un piano alternativo.

«Mentre aspettiamo potremmo buttare giù un comunicato stampa» suggerì, folgorato da un'ispirazione.

«È un'ottima idea.»

Berrington prese un blocco per appunti e cominciò a scrivere. Aveva bisogno di qualcosa su cui Jeannie non potesse assolutamente essere d'accordo, qualcosa che offendesse il suo orgoglio e la facesse infuriare: la Jones Falls University ammetteva che erano stati commessi alcuni errori, si scusava con tutte le persone la cui privacy era stata violata e assicurava che il programma sarebbe stato sospeso quel giorno stesso.

Lo porse alla segretaria di Maurice e le chiese di batterlo subito.

Poco dopo arrivò Jeannie, visibilmente indignata. Indossava una T-shirt verde smeraldo molto larga, jeans neri e quel tipo di scarpe che un tempo venivano utilizzate solo da chi lavorava nei cantieri ma che ormai andavano tanto di moda. Portava un anellino d'argento alla narice e i capelli raccolti in una coda di cavallo. Berrington la trovava attraente, ma il suo abbigliamento di certo non avrebbe fatto colpo sul rettore. Jeannie aveva l'aspetto della tipica insegnante giovane e irresponsabile, pronta a mettere nei guai l'università.

Maurice la invitò a sedersi e le raccontò della telefonata che aveva ricevuto dalla giornalista. I suoi modi erano rigidi: Berrington pensò che si trovasse a proprio agio solo con uomini maturi, e che le giovani donne in jeans aderenti fossero per lui creature aliene.

«Ha chiamato anche me» ribatté Jeannie irritata. «È ridicolo.»

«Ma lei accede realmente a banche dati sanitarie» osservò Maurice.

«Io non intervengo personalmente, tutto avviene tramite computer. Nessun essere umano vede fisicamente questi dati. Il mio software produce un elenco di nomi e indirizzi raggruppati a due a due.»

«Anche così...»

«Prima di procedere noi chiediamo il permesso dei potenziali soggetti di studio. Fino a quando non accettano di partecipare al nostro programma, non diciamo loro neppure che sono gemelli. Dunque, quale privacy viene violata?»

Berrington finse di appoggiarla. «Te l'ho detto, Maurice. Il "Times" ha capito male.»

«Loro non ne sono tanto convinti. Io devo pensare alla reputazione dell'università.»

«Mi creda, il mio lavoro non farà altro che accrescere questa reputazione» disse Jeannie, chinandosi in avanti. Berrington colse nella sua voce la sete di nuove scoperte che animava tutti i veri scienziati. «Questo è un progetto importantissimo. Sono l'unica ad aver capito come studiare la genetica della criminalità. I risultati faranno scalpore.»

«Ha ragione» gettò lì Berrington. Il progetto era davvero affascinante. Affossarlo era un delitto, ma non aveva altra scelta.

Maurice scosse la testa. «Io ho il dovere di proteggere l'università da qualsiasi scandalo.»

«Lei ha anche il dovere di difendere la libertà accademica» aggiunse Jeannie, avventata.

Aveva scelto la tattica sbagliata. L'epoca in cui i rettori potevano essere considerati paladini della conoscenza era passata da un pezzo. Ormai erano semplici collettori di fondi. Parlando di libertà accademica Jeannie era riuscita soltanto a offendere Maurice.

«Non ho bisogno di una lezione sui miei doveri di rettore, signorina» replicò lui, asciutto.

Con grande soddisfazione di Berrington, Jeannie non capì l'antifona. «No?!» esclamò, accalorandosi. «Ci troviamo davanti a un conflitto bello e buono. Da una parte c'è un giornale deciso a mettere in piedi una montatura, dall'altra c'è uno scienziato che cerca la verità. Se un rettore cede davanti a questo tipo di pressioni, non c'è più speranza!»

Berrington era esultante. Jeannie era bellissima, con le guance arrossate dalla passione e gli occhi che mandavano lampi, ma si stava scavando la fossa da sola. A ogni parola che pronunciava si metteva sempre più contro Maurice.

A quel punto Jeannie parve rendersi conto di ciò che stava facendo, perché all'improvviso cambiò tattica. «D'altro canto, nessuno di noi vuole una cattiva pubblicità per l'università»

203

aggiunse con un tono più conciliante. «Capisco benissimo la sua preoccupazione, dottor Obell.»

Maurice si ammorbidì immediatamente, con grande delusione di Berrington. «Mi rendo conto che questo la mette in una posizione difficile» disse. «E l'università è pronta a offrirle una compensazione, sotto forma di un aumento di stipendio di diecimila dollari all'anno.»

Jeannie parve trasalire.

«Questo le permetterebbe di togliere sua madre dal ricovero per anziani di cui mi parlava» aggiunse Berrington.

Jeannie esitò solo un momento. «Ve ne sarei profondamente grata» disse, «ma questo non risolverebbe il problema. Per la mia ricerca ho comunque bisogno di coppie di gemelli con tendenze criminali, altrimenti viene a mancare il materiale di studio.»

Berrington aveva previsto che non si sarebbe lasciata corrompere.

«Ma ci deve pur essere un altro modo per trovare questi soggetti» insistette Maurice.

«No. Non c'è. Ho bisogno di gemelli omozigoti, cresciuti separatamente, dei quali almeno uno deve essere un criminale. È un'impresa quasi impossibile. Il mio programma individua persone che non sanno neppure di avere un gemello. Non c'è altro metodo.»

«Non me ne ero reso conto» ammise Maurice.

Il tono della conversazione si stava facendo pericolosamente amichevole. Poi arrivò la segretaria e porse un foglio a Maurice. Era il comunicato stampa scritto da Berrington. Maurice lo mostrò a Jeannie dicendo: «Se vogliamo stroncare questa faccenda sul nascere, dobbiamo assolutamente emettere un comunicato entro oggi».

Lei lo lesse velocemente e la sua rabbia si riaccese. «Ma queste sono tutte fesserie!» esclamò, infuriata. «Non è stato commesso alcun errore. Non è stata violata la privacy di nessuno. Nessuno si è lamentato!»

Berrington dissimulò la propria soddisfazione. Era paradossale che una persona così focosa fosse al tempo stesso tanto paziente e perseverante da portare avanti ricerche scientifiche lunghe e noiose. L'aveva vista lavorare con i suoi soggetti di studio: sembrava che non la irritassero o annoiassero mai, neppure quando facevano confusione con i test. Quando era con loro, Jeannie non faceva differenza tra bene e male. Si limitava a prendere nota di ciò che dicevano, e alla fine li ringraziava con sincerità. Fuori del laboratorio, invece, si accendeva come una miccia alla minima provocazione.

Berrington decise di fare la parte del moderatore. «Ma, Jeannie, il dottor Obell ritiene che dobbiamo emettere un comunicato deciso.»

«Non potete dire che il mio software non verrà più utilizzato! Tanto varrebbe cancellare l'intero progetto!»

Maurice assunse un'espressione dura. «Non posso permettere che il "New York Times" pubblichi un articolo nel quale si afferma che gli scienziati della Jones Falls violano la privacy della gente» esclamò. «Ci costerebbe migliaia di dollari in mancate donazioni.»

«Trovi un compromesso» lo implorò Jeannie. «Dica che sta esaminando il problema. Istituisca una commissione. Se necessario, creeremo nuove procedure di tutela della privacy.»

"Oh, no!" pensò Berrington. Era una proposta pericolosamente piena di buon senso. «Abbiamo già un comitato etico» disse, cercando di guadagnare tempo. «È un sottocomitato del Senato accademico.» Il Senato accademico era l'organo di governo dell'università, formato da tutti i professori di ruolo, ma il lavoro veniva svolto dai vari comitati. «Potresti annunciare che il problema verrà affrontato in quella sede.»

«Non servirà» rispose Maurice in tono brusco. «Tutti capiranno che è uno stratagemma per prendere tempo.»

«Ma non si rende conto che volendo a tutti i costi prendere un provvedimento subito, lei sta praticamente escludendo la possibilità di una seria discussione?»

Berrington decise che quello era il momento buono per concludere l'incontro. I due erano su posizioni opposte e nessuno sembrava disposto a cedere di un passo. Doveva finirla lì, prima che riuscissero a trovare un compromesso. «Giusto, Jeannie» si intromise. «Mi consenta di fare una proposta... se mi permetti, Maurice.»

«Certo, sentiamo.»

«Abbiamo due problemi distinti. Il primo è trovare il modo

di far proseguire la ricerca di Jeannie senza coinvolgere l'università in uno scandalo. È una cosa che dobbiamo risolvere io e Jeannie, e avremo modo di approfondire la questione in seguito. Il secondo problema è come presentare il fatto all'opinione pubblica. E questo riguarda l'istituto, e più in generale la nostra università, e dovremmo discuterne tu e io, Maurice.»

Maurice sembrava sollevato. «Mi sembra molto ragionevole.»

«Grazie per essere venuta da noi immediatamente, Jeannie.»

Lei si rese conto che la stavano congedando. Si alzò perplessa. Sapeva di essere stata incastrata, ma non riusciva a capire come. «Mi chiamerà lei?» disse a Berrington.

«Sicuro.»

«Bene.» esitò un attimo, poi uscì dalla stanza.

«Donna difficile» osservò Maurice.

Berrington si sporse in avanti con le mani intrecciate e gli occhi bassi, cercando di assumere un atteggiamento umile. «Mi sento un po' in colpa, Maurice.» Maurice scosse la testa, ma Berrington proseguì. «Ho assunto io Jeannie Ferrami. Ovviamente non avevo idea che avrebbe ideato un simile metodo di ricerca... ciò nonostante la responsabilità è mia, e credo che tocchi a me tirarti fuori da questa situazione.»

«Che cosa proponi?»

«Non posso chiederti di non far pubblicare quel comunicato stampa. Non ne ho il diritto. Non puoi anteporre un progetto di ricerca al bene dell'università, me ne rendo conto.» Sollevò lo sguardo.

Maurice esitò. Per una frazione di secondo, Berrington si chiese con timore se sospettasse di essere stato manovrato. Ma, se anche quel dubbio si era affacciato alla sua mente, non vi era rimasto a lungo, perché disse: «Apprezzo molto che tu mi abbia detto questo, Berry. Ma che cosa farai con Jeannie?».

Berrington si rilassò. Sembrava proprio che ce l'avesse fatta. «È un problema mio» rispose. «Lascia che sia io a occuparmene.»

Steve cedette al sonno nelle prime ore di mercoledì mattina.

La prigione era silenziosa, Porky russava e Steve non dormiva da quarantadue ore. Cercava di stare sveglio provando mentalmente il discorso che l'indomani avrebbe fatto al giudice per ottenere il rilascio su cauzione, ma continuava a scivolare in un sogno a occhi aperti in cui il giudice gli sorrideva con aria benevola dicendo "Cauzione concessa. Quest'uomo può andare" e lui usciva nella strada illuminata dal sole. Seduto sul pavimento della cella nella sua solita posizione, con la schiena appoggiata contro il muro, si era sorpreso più volte ad appisolarsi, svegliandosi di soprassalto, ma alla fine la natura aveva avuto la meglio sulla forza di volontà.

Dormiva profondamente quando venne bruscamente svegliato da un forte colpo alle costole. Boccheggiando per il dolore, aprì gli occhi. Porky gli aveva dato un calcio e ora era chino su di lui, gli occhi folli spalancati, e urlava: «Brutto figlio di troia, mi hai rubato la roba! Dove l'hai messa? Eh, dove? Tirala fuori subito o t'ammazzo!».

Steve reagì senza riflettere. Scattò come una molla e, con il braccio destro teso e rigido, gli infilò due dita negli occhi. Porky lanciò un urlo di dolore e indietreggiò. Steve lo incalzò, quasi volesse spingergliele fin nel cervello, fin dall'altra parte della testa. Sentiva una voce in lontananza, una voce che sembrava la sua e urlava improperi.

Porky fece un altro passo indietro e cadde di schianto sul gabinetto, coprendosi gli occhi.

Steve gli afferrò il collo con entrambe le mani, lo attirò a sé e gli diede una ginocchiata in faccia. Dalla bocca di Porky uscì uno schizzo di sangue. Steve lo prese per la camicia, lo sollevò di peso dal gabinetto e lo sbatté sul pavimento. Stava per prenderlo a calci, quando tornò in sé. Esitò, fissando Porky a terra sanguinante, e la rossa nebbia del furore si dileguò. «Oh, no!» esclamò. «Che cosa ho fatto?»

Il cancello della cella si spalancò e due poliziotti armati di manganello si precipitarono dentro.

Steve sollevò le mani davanti a sé.

«Calmati» disse uno dei due.

«Ora sono calmo» rispose Steve.

I poliziotti lo ammanettarono e lo portarono fuori della cella; uno gli diede un violento pugno nello stomaco. Steve si piegò in due. «Questo nel caso stessi pensando di fare altro casino» disse l'uomo.

Sentì la porta della cella che si chiudeva con violenza e la voce di Spike, il secondino, che diceva col suo solito tono canzonatorio: «Hai bisogno di un medico, Porky? Perché caso mai conosco un veterinario sulla East Baltimore». Poi l'uomo scoppiò a ridere per la propria battuta.

Steve si raddrizzò, riprendendosi dal pugno. Gli faceva ancora male, ma ora riusciva a respirare. Guardò Porky al di là delle sbarre. Era seduto e si sfregava gli occhi. «'fanculo, stronzo» rispose a Spike con le labbra sanguinanti.

Steve si sentì sollevato: non era ferito gravemente.

«Tanto era ora di tirarti fuori di qui, studentello» disse Spike rivolto a Steve. «Questi signori sono venuti a prenderti per portarti in tribunale.» Consultò un foglio. «Vediamo, chi altri c'è per la Northern District Court? Il signor Robert Sandilands, meglio conosciuto come Sniff...» Fece uscire altri tre uomini dalle celle e li incatenò insieme a Steve. Quindi i due poliziotti li accompagnarono fino al parcheggio degli automezzi, dove li fecero salire su un autobus.

Steve si augurò ardentemente di non dover mai più tornare in quel posto.

Fuori era ancora buio. Si disse che dovevano essere circa le sei. I tribunali non cominciavano a lavorare prima delle nove o delle dieci, quindi l'aspettava una lunga attesa. Attraversarono tutta la città e dopo quindici o venti minuti entrarono nel garage dï un tribunale. Scesero dall'autobus e si avviarono verso il seminterrato.

C'erano otto gabbie sistemate tutto intorno a una zona centrale libera. Ogni gabbia aveva una panca e un gabinetto, ma erano più grandi delle celle della centrale e i quattro prigionieri vennero rinchiusi in un unico recinto che conteneva già sei uomini. Vennero liberati dalle catene che furono gettate sul tavolo in mezzo allo stanzone. C'erano parecchi secondini, comandati da una donna di colore alta e truce con l'uniforme da sergente.

Nell'ora che seguì arrivarono non meno di trenta prigionieri. Furono suddivisi in modo che ogni gabbia non ne contenesse più di dodici. Alla fine arrivò un gruppetto di donne accolte da urla e fischi, che vennero sistemate in un recinto in fondo allo stanzone.

Dopo, non successe più niente per parecchie ore. Fu distribuïta la colazione, ma ancora una volta Steve rifiutò il cibo: non riusciva ad abituarsi all'idea di mangiare in un gabinetto. Alcuni prigionieri parlavano a voce alta, ma la maggior parte se ne stava zitta e tranquilla. Parecchi sembravano sbronzi. Gli insulti tra prigionieri e guardie non erano così feroci come alla centrale e Steve si chiese se ciò dipendesse dal fatto che lì comandava una donna.

Le carceri non erano affatto come le facevano vedere in televisione, pensò. I film e i serial televisivi presentavano le prigioni come alberghi di infima categoria: non mostravano mai i gabinetti in piena vista, non parlavano di insulti o pestaggi inflitti a chi si comportava male.

Quel giorno poteva essere l'ultimo che passava in galera. Se avesse creduto in Dio, avrebbe pregato con tutto il cuore.

Erano quasi le dodici quando cominciarono a prelevare i prigionieri dalle celle.

Steve era nel secondo gruppo. Vennero nuovamente ammanettati e incatenati a dieci per volta. Poi furono accompagnati di sopra, nell'aula del tribunale.

Questa ricordava una cappella metodista. Le pareti erano dipinte di verde da terra fino a una riga nera che correva all'altezza della vita; al di sopra era tutto color crema. Il pavimento era coperto da una moquette verde e c'erano nove file di panche di legno chiaro che sembravano banchi di chiesa.

Nell'ultima fila sedevano la madre e il padre di Steve.

Steve rimase a bocca aperta per lo shock.

Suo padre indossava l'unìforme da colonnello e teneva il berretto sotto il braccio. Sedeva impettito, come se fosse sull'attenti. Aveva lineamenti celtici, occhi azzurri e capelli neri, e l'ombra scura della barba sulle guance appena rasate. La sua espressione era severa e vuota, il volto tirato per la tensione trattenuta a stento. La mamma sedeva al suo fianco, piccoletta e rotonda, il viso grazioso gonfio di pianto.

Steve avrebbe voluto sprofondare. Sarebbe tornato volentieri in cella con Porky pur di non dover affrontare quel momento. Si fermò, bloccando tutta la fila dei detenuti, e restò lì a fissare addolorato i suoi genitori, finché un secondino non gli diede uno spintone e lui riprese a camminare barcollando verso la prima fila di panche.

Davanti ai prigionieri era seduta una donna, il cancelliere del tribunale. Un secondino stava di guardia alla porta. L'unico altro funzionario presente era un uomo di colore sui quarant'anni, con gli occhiali, vestito in giacca, cravatta e jeans. Chiese i nomi ai prigionieri spuntandoli da una lista.

Steve si voltò a guardare. Nelle panche riservate al pubblico non c'era nessuno a parte i suoi genitori. Ringraziò il cielo di avere una famiglia che si curava così tanto di lui da presentarsi lì: gli altri prigionieri non avevano nessuno. Allo stesso tempo, però, avrebbe preferito sopportare quell'umiliazione senza testimoni.

Suo padre si alzò e si fece avanti. L'uomo in jeans gli rivolse la parola in tono servile. «Desidera, signore?»

«Sono il padre di Steven Logan. Vorrei parlargli» rispose lui in tono autoritario. «Posso sapere chi è lei?»

«David Purdy, sono l'investigatore incaricato delle indagini preliminari. Sono stato io a chiamarla questa mattina.»

Dunque era così che i suoi l'avevano saputo. Avrebbe dovuto immaginarlo. Il magistrato incaricato gli aveva detto che un investigatore avrebbe controllato le sue affermazioni. Il modo più semplice era quello di chiamare i suoi genitori. Fremette al pensiero di quella telefonata. Cosa aveva detto l'investigatore? "Devo controllare l'indirizzo di Steven Logan, che si trova in stato di arresto a Baltimora, con l'accusa di stupro. Lei è sua madre?"

«Piacere, signor Purdy.» Suo padre strinse la mano all'investigatore, ma dal suo atteggiamento Steve capì che lo odiava.

«Può parlare con suo figlio, vada pure, non c'è problema.»

Lui lo ringraziò con un brusco cenno del capo, avanzò lungo la panca alle spalle dei prigionieri e si sedette subito dietro Steve. Gli posò una mano sulla spalla e strinse piano. A Steve vennero le lacrime agli occhi. «Non sono stato io, papà.»

«Lo so, Steve» rispose suo padre.

Questa fiducia incondizionata fu la goccia che fa traboccare il vaso e Steve cominciò a piangere. Una volta che ebbe iniziato, non riuscì più a fermarsi. Si sentiva debole per la fame e il sonno. Tutta la fatica e la sofferenza degli ultimi due giorni ebbero la meglio su di lui e le lacrime presero a solcargli le guance. Continuò a deglutire e ad asciugarsi il volto con le mani ammanettate.

«Volevamo prenderti un avvocato, ma non ce n'è stato il tempo» disse suo padre dopo un po'. «Abbiamo avuto appena quello di venire qui.»

Steve annuì. Se solo fosse riuscito a controllarsi sarebbe stato lui stesso il suo avvocato.

Arrivarono due ragazze accompagnate da una donna poliziotto. Non erano ammanettate. Si sedettero e cominciarono a ridacchiare. Dovevano avere diciott'anni.

«Come diavolo è successo, Steve?» chiese suo padre.

Lo sforzo di rispondere alla domanda aiutò Steve a smettere di piangere. «Devo assomigliare al vero colpevole» disse, tirando su col naso e deglutendo. «La vittima ha creduto di riconoscermi nel corso di un confronto. E nel momento in cui il fatto è accaduto mi trovavo da quelle parti. L'ho detto alla polizia. Il test del Dna mi scagionerà, ma ci vogliono tre giorni. Spero proprio che mi concedano di uscire su cauzione.»

«Di' al giudice che siamo qui» suggerì suo padre. «Vedrai che servirà.»

Steve si sentiva un bambino consolato dal padre. Gli tornò in mente il ricordo agrodolce del giorno in cui gli avevano regalato la sua prima bicicletta. Doveva essere stato il suo quinto compleanno. La bicicletta aveva le ruotine stabilizzatrici sulla ruota posteriore per impedirgli di cadere. Davanti alla casa c'era un grande giardino con due gradini che scendevano verso un patio. «Va' pure sul prato e stai lontano dai gradini» gli aveva detto papà, ma la prima cosa che lui aveva fatto era stata quella di scendere in bicicletta giù per gli scalini. Era caduto rovinosamente, facendosi male e rompendo la bicicletta. Si aspettava che suo padre andasse su tutte le furie per la sua disobbedienza. Invece papà lo aveva aiutato a rialzarsi, gli aveva pulito le ferite delicatamente e si era messo a riparare la bici. Nessuna traccia dell'esplosione di collera che Steve aveva temuto. Non si era mai sentito dire da suo padre "Io te l'avevo detto". Qualsiasi cosa accadesse, i suoi genitori erano sempre dalla sua parte.

Entrò il giudice.

Era una bella donna sui cinquant'anni, bianca, molto piccola di statura ed elegante. Indossava una toga nera e aveva con sé una lattina di Diet Coke che posò sulla scrivania.

Steve cercò di interpretare la sua espressione. Era crudele o benevola? Era una donna dall'animo tenero e la mente aperta, oppure un caporale intransigente che desiderava in cuor suo di spedirli tutti quanti sulla sedia elettrica? Si soffermò sugli occhi azzurri, il naso a punta, i capelli leggermente sale e pepe. Aveva un marito con lo stomaco da bevitore di birra, un figlio grande che le dava delle preoccupazioni, un nipotino adorato con il quale si rotolava sul tappeto? Oppure viveva sola in un costoso appartamento pieno di freddi mobili moderni dagli spigoli aguzzi? Le motivazioni teoriche per concedere o negare il rilascio su cauzione che Steve aveva studiato all'università ora sembravano quasi irrilevanti. Ciò che realmente importava era il carattere di quella donna.

Il giudice osservò la fila di prigionieri e disse: «Buon giorno. Sono qui per esaminare le richieste di rilascio su cauzione». Aveva la voce bassa ma chiara, la pronuncia perfetta. Tutto di lei sembrava preciso e ordinato... tranne quella lattina di Coca, un tocco di umanità che alimentava le speranze di Steve.

«Avete ricevuto tutti la descrizione delle accuse?» chiese, quindi procedette alla lettura di un documento che spiegava i loro diritti e le modalità per richiedere un avvocato.

Poi proseguì: «Quando sentite pronunciare il vostro nome, per favore alzate la mano. Ian Thompson». Un prigioniero alzò la mano. Il giudice elencò i capi di imputazione e la pena prevista. Apparentemente Ian Thompson aveva svaligiato tre case nell'elegante quartiere di Roland Park. Il giovane, un ispanico con un braccio al collo, non mostrava alcun interesse per il proprio destino e appariva annoiato dal procedimento.

Quando il giudice gli annunciò che avrebbe dovuto affrontare un'udienza preliminare e un processo, Steve attese impaziente di vedere se gli avrebbero concesso il rilascio su cauzione.

L'investigatore si alzò. Parlando molto velocemente, disse che Thompson viveva all'attuale indirizzo da un anno, aveva una moglie e un figlio piccolo, ma era disoccupato. Era un eroinomane con precedenti penali. Se fosse toccato a lui decidere, pensò Steve, non avrebbe permesso che un uomo del genere tornasse in libertà.

Il giudice, invece, fissò la cauzione in venticinquemila dollari. Steve si sentì incoraggiato. Sapeva che normalmente l'accusato doveva versare solo il dieci per cento della cauzione in contanti, quindi Thompson avrebbe potuto uscire se fosse riuscito a trovare duemilacinquecento dollari. Sembrava una decisione clemente.

Poi fu la volta di una delle ragazze. Era rimasta coinvolta in una rissa con una coetanea ed era accusata di aggressione. L'investigatore disse al giudice che viveva con i suoi genitori e lavorava come cassiera in un vicino supermercato. Evidentemente non rappresentava un grosso rischio e il giudice le concesse la libertà sulla parola, il che significava che non doveva tirar fuori neanche un dollaro.

Era un'altra decisione indulgente e il morale di Steve si risollevò ancora di più.

All'imputata venne ordinato di non farsi trovare accanto all'abitazione della ragazza con cui si era picchiata. Questo ricordò a Steve che il giudice poteva porre alcune condizioni alla libertà su cauzione. Forse lui avrebbe potuto impegnarsi a stare lontano da Lisa Hoxton. Non aveva la minima idea di dove vivesse e di che faccia avesse, ma era disposto a dire qualsiasi cosa pur di uscire da lì.

L'imputato seguente era un bianco di mezza età che aveva esibito il proprio pene davanti ad alcune clienti del supermercato Rite-Aid intente a fare acquisti nel reparto di igiene femminile. L'uomo aveva molti precedenti simili. Viveva solo, allo stesso indirizzo da cinque anni. Con grande sorpresa e costernazione di Steve, il giudice rifiutò il rilascio. L'uomo era piccolo e magro: a Steve sembrava un povero, innocuo squilibrato, ma forse il giudice, in quanto donna, era particolarmente severo con i reati a sfondo sessuale.

Il magistrato guardò l'elenco e disse: «Steven Charles Logan».

Steve alzò la mano. *Fammi uscire di qui, ti prego!* «Lei è accusato di violenza carnale di primo grado, reato che comporta una possibile condanna all'ergastolo.»

Steve udì la madre, dietro di lui, farsi sfuggire un singulto.

Quando il giudice ebbe finito di leggere i capi di imputazione e le pene previste, si alzò l'investigatore. Lesse l'età, l'indirizzo e la professione di Steve, e disse che non aveva precedenti né dipendenze di alcun tipo. Steve rifletté che, in confronto agli altri imputati, sembrava proprio un cittadino modello. Di certo il giudice doveva averlo notato.

Quando Purdy ebbe concluso, Steve disse: «Posso parlare, Vostro Onore?».

«Sì, ma tenga presente che potrebbe non essere nel suo interesse dirmi qualcosa che riguarda il reato di cui è accusato.»

Steve si alzò in piedi. «Sono innocente, Vostro Onore, ma a quanto pare assomiglio allo stupratore, quindi se lei mi concede la libertà su cauzione prometto che non mi avvicinerò alla vittima, se ritenesse opportuno mettere questa condizione.»

«Lo riterrei sicuramente opportuno.»

Avrebbe voluto perorare la propria causa, ma tutti i magniloquenti discorsi che si era preparato in cella ora erano come svaniti e non gli veniva in mente niente da dire. Frustrato, si sedette.

Suo padre si alzò in piedi. «Vostro Onore, sono il colonnello Charles Logan, il padre di Steven Logan. Sarei felice di rispondere a qualsiasi domanda se lei dovesse ritenerlo opportuno.»

«Non sarà necessario» rispose la donna con un'occhiata gelida.

Steve si chiese se si fosse risentita per l'intervento di suo padre. Forse voleva solo mettere in chîaro che non si lasciava impressionare dal suo grado militare. Forse voleva dire: "Tutti sono uguali nel mio tribunale, a prescindere dalla loro rispettabilità e dalla classe cui appartengono".

Il padre di Steve si risedette.

Il giudice guardò Steve. «Signor Logan, lei conosceva la vittima prima che avvenisse il crimine di cui léi è accusato?»

«Non l'ho mai incontrata.»

«L'aveva mai vista prima?»

Steve immaginò che la donna si stesse chiedendo se lui aveva dato la caccia a Lisa Hoxton per un po', prima di aggredirla. «Non lo posso dire. Non so che aspetto abbia» rispose.

Per qualche secondo il giudice parve riflettere sulle sue parole. Steve si sentiva come se fosse stato appeso a uno spuntone di roccia per la punta delle dita. Una sola parola di quella donna lo avrebbe salvato. Ma, se gli avesse rifiutato la cauzione, sarebbe stato come precipitare nell'abisso.

«La cauzione è fissata in duecentomila dollari» disse lei, dopo un'eternità.

Steve venne travolto dal sollievo, come da un'ondata di marea, e tutto il suo corpo si rilassò. «Grazie a Dio» mormorò.

«Lei non dovrà avvicinare Lisa Hoxton, né recarsi al 1321 di Vine Avenue.»

Steve sentì la mano di suo padre afferrargli la spalla. Alzò le mani ancora ammanettate e sfiorò le dita ossute.

Sapeva che sarebbero passate almeno una o due ore prima che lo lasciassero andare, ma non gli importava molto, adesso che era sicuro di tornare in libertà. Si sarebbe mangiato sei hamburger giganti e avrebbe dormito un giorno intero. Desiderava fare un bel bagno caldo, indossare abiti puliti, riavere il suo orologio al polso. Voleva godersi la compagnia di persone che non lo chiamassero "figlio di puttana" ogni volta che gli rivolgevano la parola.

Poi, con una certa sorpresa, si rese conto che la cosa che desiderava di più era telefonare a Jeannie Ferrami.

23

Quando tornò nel suo ufficio, Jeannie era furibonda. Maurice Obell si era rivelato un codardo. Solo perché una giornalista d'assalto aveva fatto alcune insinuazioni, peraltro infondate, lui si era lasciato intimorire. E Berrington era troppo debole per prendere le sue difese in maniera efficace.

Quel software di ricerca era la sua maggiore scoperta. Aveva cominciato a lavorarci appena si era resa conto che le sue ricerche sulla criminalità non sarebbero mai andate avanti se non avesse trovato soggetti di studio adatti. Ci aveva impiegato tre anni, ed era il suo unico vero successo, a parte i tornei di tennis. La soluzione dei problemi logico-matematici era sempre stato il suo forte. Doveva studiare la psicologia di esseri umani imprevedibili e irrazionali e lo faceva manipolando enormi quantità di dati relativi a migliaia di individui: era un lavoro di statistica e di matematica. Se il suo software di ricerca non era valido, anche lei era inutile. Tanto valeva mettersi a fare la hostess come Penny Watermeadow.

Fu sorpresa nel trovare Annette Bigelow che la aspettava fuori della porta. Annette stava facendo un dottorato di ricerca ed era affidata alle sue cure di docente. Le tornò in mente che la settimana precedente Annette le aveva consegnato la sua proposta per il lavoro di quell'anno, e quella mattina avevano un appuntamento per discuterla. Jeannie decise di annullare l'incontro: aveva cose più importanti da fare. Ma poi, vedendo l'espressione zelante sul volto della giovane, ricordò quanto fossero importanti quelle sessioni di lavoro per gli studenti. Si sforzò di sorridere e le disse: «Mi dispiace averti fatto aspettare. Mettiamoci al lavoro».

Per fortuna aveva letto attentamente la sua proposta e aveva annotato alcune osservazioni. Annette aveva intenzione di pescare tra i dati disponibili sui gemelli in cerca di eventuali correlazioni per quanto riguardava idee politiche e atteggiamenti morali. Era un'idea interessante, supportata da solide basi scientifiche. Jeannie suggerì qualche piccolo miglioramento e le diede l'okay.

Mentre Annette stava andando via, Ted Ransome mise dentro la testa. «Hai una faccia come se volessi tagliare le palle a qualcuno.»

«Sì, ma non a te» rispose Jeannie con un sorriso. «Vieni dentro a bere una tazza di caffè.»

Ransome "il bello" era, di tutti gli uomini che lavoravano nell'istituto, quello che lei preferiva. Professore associato, studiava psicologia della percezione ed era felicemente sposato con due figli. Jeannie sapeva che lui la considerava attraente, ma tutto finiva lì. Tra loro c'era un piacevole fremito di tensione sessuale che non costituiva però una minaccia.

Jeannie accese la caffettiera elettrica di fianco alla sua scrivania e gli raccontò del "New York Times" e di Maurice Obell. «Ma quello che vorrei veramente sapere» concluse, «è chi ha fatto la soffiata al "Times".»

«Deve essere stata Sophie.»

Sophie Chapple era l'unica altra donna tra i docenti dell'Istituto di psicologia. Benché fosse vicina alla cinquantina e titolare di cattedra, vedeva in Jeannie una rivale e si era dimostrata gelosa di lei fin dall'inizio del semestre, lamentandosi di ogni cosa, dalle minigonne al modo in cui parcheggiava la macchina.

«Pensi davvero che sia il tipo che fa una cosa simile?» chiese Jeannie.

«Altroché.»

«Forse hai ragione.» Jeannie non finiva mai di meravigliarsi delle bassezze dei grandi scienziati. Una volta aveva visto un onorato matematico mollare un pugno al fisico più brillante d'America solo perché non aveva rispettato la fila alla caffetteria. «Potrei chiederglielo.»

«Mentirebbe» osservò lui, inarcando le sopracciglia.

«Ma potrebbe tradire un'espressione colpevole.»

«Nascerà una lite.»

«È già in corso.»

Squillò il telefono. Jeannie rispose e fece cenno a Ted di versare il caffè. «Pronto?»

«Parla Naomi Freelander.»

Jeannie esitò. «Non sono sicura di voler parlare con lei.»

«Mi risulta che lei ha smesso di usare le banche dati sanitarie per la sua ricerca.»

«No.»

«Che cosa intende dire, con no?»

«Intendo dire che non ho smesso. Le sue telefonate hanno dato origine a qualche discussione, ma non è ancora stata presa alcuna decisione.»

«Ho qui un fax del rettore in cui l'università si scusa con le persone la cui privacy è stata violata e si impegna a sospendere la ricerca.»

Jeannie era stupefatta. «Hanno emesso quel comunicato stampa?»

«Non lo sapeva?»

«Ne ho visto una bozza e mi sono dichiarata contraria.»

«Sembra proprio che abbiano sospeso il suo programma senza dirglielo.»

«Non possono farlo.»

«Che cosa intende dire?»

«Che ho un contratto con questa università. Non possono fare tutto quello che vogliono.»

«Mi sta dicendo che intende continuare sfidando apertamente i vertici dell'università?»

«Non si tratta di una sfida. Loro non hanno il potere di darmi degli ordini.» Jeannie colse lo sguardo di Ted. Lui alzò una mano e la agitò, come per dire no. Jeannie si rese conto che aveva ragione: non era questo il modo di parlare con la stampa. Cambiò tattica. «Senta» disse, con un tono di voce più accomodante, «lei stessa ha ammesso che in questo caso la violazione di privacy era una *possibilità.*»

«Sì, ma...»

«E non ha ancora trovato una sola persona disposta a lamentarsi del mio programma. Però non ha alcuno scrupolo a far annullare il mio progetto di ricerca.»

«Non sta a me giudicare, io mi limito a riportare le notizie.»

«Sa di che cosa tratta la mia ricerca? Sto cercando di scoprire cos'è che rende una persona un criminale. Sono la prima studiosa ad aver individuato un modo realmente valido per studiare il problema. Se le cose vanno come devono, ciò che io scoprirò renderà gli Stati Uniti un luogo migliore per i suoi nipoti.»

«Io non ho nipoti.»

«È questa la sua scusa?»

«Non ho bisogno di scuse...»

«Magari no, però farebbe meglio a trovare un caso di violazione della privacy che interessi veramente a qualcuno. Non gioverebbe anche al suo giornale?»

«Questo lo lasci giudicare a me.»

Jeannie sospirò. Aveva fatto del suo meglio. A denti stretti, cercò di porre fine alla conversazione su una nota più cordiale.

«Be', allora buona fortuna.»

«Apprezzo molto la sua collaborazione, dottoressa Ferrami.»

«Addio» disse Jeannie, riattaccando. E poi aggiunse: «Stronza».

Ted le porse una tazza di caffè. «Se ho capito bene, hanno annunciato che il tuo programma è stato sospeso.»

«Non riesco a capire. Berrington aveva detto che avremmo discusso sul da farsi.»

Ted abbassò la voce. «Tu non conosci Berry come lo conosco io. Credimi, è una serpe. Io non mi fiderei neppure a girargli le spalle.»

«Forse si tratta di un errore» disse Jeannie, attaccandosi al proverbiale fuscello. «Forse la segretaria del dottor Obell ha inviato il comunicato per sbaglio.»

«Può darsi» ammise Ted. «Ma io punto sulla teoria della serpe.»

«Pensi che dovrei chiamare il "Times" e dire che non sono stata io a rispondere al mio telefono, ma qualcun altro?»

Lui scoppiò a ridere. «Penso che dovresti andare da Berry e

chiedergli se è stato lui a fare in modo che il comunicato uscisse prima di discutere la questione con te.»

«Giusto.» Finì di bere il caffè e si alzò.

Ted andò alla porta. «Buona fortuna. Io faccio il tifo per te.»

«Grazie.» Per un attimo Jeannie pensò di dargli un bacio sulla guancia, ma poi lasciò perdere.

Percorse tutto il corridoio e salì un piano di scale. La porta dell'ufficio di Berrington era chiusa a chiave. Jeannie andò nell'ufficio della segretaria del dipartimento. «Ciao, Julie. Dov'è Berry?»

«È uscito e per oggi non rientra. Ma mi ha chiesto di fissare un appuntamento con te per domani.»

Maledizione! Quel bastardo la evitava. La teoria di Ted era giusta. «A che ora, domani?»

«Nove e mezzo?»

«Ci sarò.»

Tornò al suo piano ed entrò in laboratorio. Lisa era al bancone e stava controllando la concentrazione di Dna nelle provette di Steven e di Dennis. Aveva miscelato due microliti di ogni campione con due millilitri di colorante fluorescente. A contatto con il Dna il colorante emetteva una fluorescenza direttamente proporzionale alla quantità del Dna e misurabile con un fluorimetro munito di una scala graduata, che dava il risultato in nanogrammi di Dna per microlitro di campione.

«Come ti senti?» chiese Jeannie.

«Bene.»

Jeannie guardò Lisa in faccia. Era ancora nella fase della rimozione, questo era evidente. Aveva un'espressione impassibile, concentrata sul lavoro, ma sotto sotto si percepiva la tensione. «Hai parlato con tua madre?» I genitori di Lisa vivevano a New York.

«Non voglio che si preoccupi.»

«Le mamme esistono per questo. Chiamala.»

«Magari stasera.»

Mentre Lisa continuava il suo lavoro, Jeannie le raccontò della giornalista del "New York Times". Lisa miscelò i campioni di Dna con un enzima chiamato endonucleasi della restrizione. Questi enzimi distruggono le molecole di Dna estraneo che possono essere presenti nel corpo. Agiscono tagliando la lunga molecola in migliaia di frammenti più corti. Ciò che rende questi enzimi così utili agli ingegneri genetici è che una endonucleasi taglia sempre il Dna in un punto specifico, consentendo di comparare i frammenti provenienti da due campioni di sangue diversi. Se i frammenti sono sovrapponibili, i due campioni di sangue provengono dallo stesso individuo, o da gemelli monovulari. Se sono differenti, appartengono a individui diversi.

È come tagliare due centimetri di nastro dalla cassetta di un'opera, prendendo per esempio da due nastri diversi un frammento a cinque minuti dall'inizio: se la musica su entrambi è un duetto che fa "Se a caso madama", vuol dire che tutti e due provengono da Le nozze di Figaro. Per escludere la possibilità che due opere completamente diverse abbiano la stessa sequenza di note proprio in quel punto, è necessario confrontare più di un frammento.

Il processo di frammentazione richiede parecchie ore e non può essere accelerato: se il Dna non è completamente sequenzato, il test non può essere considerato valido.

Lisa rimase scioccata dal racconto ma non si dimostrò solidale come Jeannie si sarebbe aspettata. Forse dipendeva dal fatto che solo tre giorni prima la ragazza aveva subito un trauma devastante e la crisi di Jeannie, al confronto, le appariva un evento di secondaria importanza. «Se sarai costretta a lasciar perdere il tuo progetto, che cosa ti piacerebbe studiare?» le chiese.

«Non ne ho idea» rispose Jeannie. «Non riesco nemmeno a immaginare di lasciarlo.» Si rese conto che Lisa non provava affatto la sete di conoscenza che anima il vero scienziato. Per un tecnico di laboratorio come Lisa un progetto di ricerca valeva l'altro.

Jeannie tornò nel suo ufficio e chiamò il Bella Vista Sunset Home. Gli eventi di quegli ultimi giorni l'avevano sempre costretta a rimandare. «Posso parlare con la signora Ferrami, per favore?»

«Stanno mangiando» fu la brusca risposta.

Jeannie ebbe un attimo di esitazione. «D'accordo. Vorrebbe dirle per favore che ha chiamato sua figlia Jeannie e che proverò più tardi?»

«Va bene.»

Jeannie ebbe l'impressione che la donna non stesse prendendo nota. «J-e-a-n-n-i-e» disse. «Sua figlia.»

«Sì, va bene.»

«Grazie mille.»

«Di niente.»

Jeannie riattaccò. Doveva assolutamente tirare fuori sua madre da quel posto. Non si era ancora data da fare per le lezioni private nel fine settimana.

Guardò l'orologio: era da poco passato mezzogiorno. Prese il mouse e fissò lo schermo: non aveva senso lavorare quando il suo progetto rischiava di essere annullato da un momento all'altro. Furiosa e disorientata, decise che per quel giorno avrebbe lasciato perdere.

Spense il computer, chiuse a chiave l'ufficio e uscì dall'istituto. Aveva sempre la sua Mercedes rossa. Salì in auto e accarezzò il volante che le dette un piacevole senso di familiarità.

Cercò di tirarsi un po' su di morale. Aveva un padre, e questo era per lei un raro privilegio. Forse avrebbe dovuto passare un po' di tempo con lui, godersi la novità. Sarebbero potuti andare giù al porto a fare una passeggiata. Gli avrebbe comperato una giacca nuova da Brooks Brothers. Non aveva soldi, ma l'avrebbe fatta caricare sulla carta di credito. Diamine, la vita era così breve!

Sentendosi un po' meglio, partì diretta verso casa. Parcheggiò ed entrò. «Papà, sono a casa» disse, salendo le scale. Entrando nel soggiorno capì subito che c'era qualcosa che non andava. Dopo un attimo si rese conto che il televisore era stato spostato. Forse lo aveva portato in camera da letto. Andò a vedere, ma il televisore non c'era. Allora tornò in soggiorno. «Oh, no!» esclamò. Era sparito anche il videoregistratore. «Papà, non puoi aver fatto questo!» Erano scomparsi pure lo stereo e il computer. «No! Non ci posso credere!» Corse in camera sua e aprì la scatola in cui teneva i gioielli. Il diamante da un carato che le aveva regalato Will Temple non c'era più.

Squillò il telefono e lei rispose automaticamente.

«Sono Steve Logan» disse la voce. «Come sta?»

«È il giorno più terribile della mia vita» rispose Jeannie e scoppiò in lacrime.

24

Steve Logan riattaccò.

Si era fatto una doccia, si era sbarbato, aveva indossato abiti puliti e aveva divorato le lasagne che sua madre gli aveva preparato. Aveva raccontato ai genitori ogni dettaglio della sua disavventura, minuto per minuto. Loro avevano insistito perché si rivolgesse a un legale, anche se lui aveva spiegato che le accuse nei suoi confronti sarebbero cadute non appena fossero stati resi noti i risultati del test del Dna. L'indomani mattina si sarebbe incontrato con un avvocato. Aveva dormito per tutto il tragitto tra Baltimora e Washington sul sedile posteriore della Lincoln Mark VIII di suo padre e ora stava bene, anche se non aveva certo recuperato le quasi due notti di veglia.

E desiderava vedere Jeannie.

O, meglio, lo desiderava prima di sentirla al telefono. Ora che la sapeva nei guai, era ancora più impaziente. Aveva una gran voglia di abbracciarla e dirle che tutto si sarebbe risolto per il meglio.

Inoltre aveva l'impressione che ci fosse un collegamento tra i problemi di Jeannie e i suoi. Pareva che tutto avesse cominciato ad andare storto dal momento in cui lei lo aveva presentato al suo capo, che nel vederlo era rimasto visibilmente scosso.

Voleva sapere qualcosa di più sul mistero delle proprie origini. Di questo con i genitori non aveva ancora parlato – era troppo bizzarro e inquietante – ma doveva assolutamente discuterne con Jeannie.

Prese di nuovo in mano il telefono e compose il suo numero, poi cambiò idea. Lei avrebbe detto che non desiderava compagnia. Le persone depresse di solito si sentono così, anche quando hanno veramente bisogno di una spalla su cui piangere. Avrebbe potuto presentarsi da lei di persona e dirle: "Ehi, tiriamoci su di morale!".

Andò in cucina. Sua madre stava strofinando il tegame delle lasagne con una paglietta di ferro. Il padre era andato in ufficio. Steve si mise a caricare i piatti sporchi nella lavastoviglie. «Mamma» cominciò, «ti sembrerà un po' strano, ma...»

«Ti vedi con una ragazza» concluse lei.

Steve sorrise. «Come fai a saperlo?»

«Sono tua madre. Telepatia. Come si chiama?»

«Jeannie Ferrami. È una dottoressa.»

«E adesso per chi mi prendi, per una madre ebrea? Dovrei essere colpita dal fatto che è medico?»

«No, non è medico, è una scienziata.»

«Com'è?»

«Be', è un tipo fantastico, sai, alta, atletica, gioca benissimo a tennis. Ha bellissimi capelli neri, occhi scuri, porta un anellino d'argento alla narice ed è, come dire, energica, è sempre molto schietta nel parlare, affronta gli argomenti in modo diretto, ma è anche molto allegra. Io l'ho fatta ridere un paio di volte, ma più che altro è...» Si interruppe, per cercare il termine giusto. «... è una persona che si impone: quando sei con lei non puoi guardare altrove...»

Per un attimo sua madre si limitò a fissarlo, poi disse: «Ragazzo mio, questa volta ti sei preso proprio una bella cotta!».

«Be', non è detto...» replicò Steve, poi si interruppe. «Sì, hai ragione. Sono pazzo di lei.»

«E lei di te?»

«Non ancora.»

Sua madre gli rivolse un sorriso adorante. «Su, va' da lei. Spero tanto che ti meriti.»

Lui le diede un bacio. «Come hai fatto a diventare così buona?»

«Con la pratica.»

La macchina di Steve era parcheggiata fuori: erano passati a prenderla dal campus della Jones Falls e sua madre l'aveva riportata a Washington. Steve imboccò la I-95 e si diresse nuovamente verso Baltimora.

Jeannie aveva bisogno di affetto e tenerezza. Quando si erano sentiti per telefono, lei gli aveva raccontato del furto commesso dal padre e del voltafaccia del rettore. Aveva bisogno di qualcuno che la coccolasse, compito per il quale si sentiva perfettamente qualificato.

Guidando verso Baltimora, la immaginò seduta di fianco a lui su un divano, che rideva e gli diceva frasi del tipo: "Sono proprio contenta che tu sia venuto", "Con te mi sento molto meglio" oppure "Perché non ci togliamo tutti i vestiti e ci infiliamo a letto?".

Si fermò in un centro commerciale nel quartiere di Mount Washington e comperò una pizza ai frutti di mare, una bottiglia di chardonnay da dieci dollari, una vaschetta di gelato Ben & Jerry Tropicale-Croccante e dieci garofani gialli. Gli cadde l'occhio sulla prima pagina del "Wall Street Journal" che portava un titolone sulla Genetico Inc. Quella era la società che finanziava la ricerca sui gemelli di Jeannie. Sembrava che stesse per essere acquisita dalla Landsmann, un gruppo tedesco. Comperò anche il giornale.

Le sue meravigliose fantasie erano offuscate dal timore che Jeannie fosse uscita di casa dopo aver parlato con lui. O forse era in casa ma non avrebbe risposto al campanello della porta. Poteva anche non essere sola.

Fu felice nel vedere la Mercedes 230C rossa parcheggiata lì accanto: Jeannie era in casa. Già, ma poteva anche essere uscita a piedi, o in taxi, o magari in auto con un amico.

Il citofono era di quelli senza telecamera. Premette il pulsante del campanello e rimase lì a fissare il microfono sperando che ne uscisse una risposta. Non successe nulla. Suonò di nuovo. Questa volta si udì un rumore gracchiante. Provò un tuffo al cuore. «Chi è?» chiese una voce risentita.

«Steve Logan. Sono venuto a tirarla su di morale.»

Ci fu una lunga pausa. «Steve, non me la sento di vedere nessuno.»

«Se non altro lasci che le consegni questi fiori.»

Lei non rispose. Aveva paura, pensò Steve, profondamente deluso. Gli aveva detto che lo credeva innocente, ma questo quando lui era dietro le sbarre. Ora che si trovava sulla soglia di casa sua e lei era sola, era un altro paio di maniche. «Non ha cambiato idea su di me, vero?» le disse. «È ancora convinta che io sia innocente? Altrimenti me ne vado.»

L'apriporta ronzò e il portone si aprì.

Decisamente quella donna non sapeva resistere davanti a una sfida, pensò Steve.

Entrò in un piccolo ingresso con due porte. Una era aperta e dava su una rampa di scale. In cima c'era Jeannie, vestita con una T-shirt verde brillante.

«Sarà meglio che salga» gli disse.

Non era il più entusiastico dei benvenuti, ma Steve sorrise lo stesso e salì reggendo il grosso sacchetto di carta in cui aveva messo i regali. Lei lo fece accomodare in un piccolo soggiorno con angolo cottura. A Jeannie piaceva il bianco e nero mescolato ai colori vivaci; aveva un divano nero con cuscini arancione, un orologio blu elettrico sulla parete bianca, lampade con paralumi di un giallo squillante, mentre sul bancone della cucina erano posate tazze da caffè rosse.

Steve appoggiò il sacchetto sul bancone. «Senta» disse, «lei ha bisogno di mangiare qualcosa. Dopo si sentirà meglio.» Tirò fuori la pizza. «E un bicchiere di vino allenterà la tensione. Poi, quando sarà pronta a concedersi un vero lusso, potrà mangiare il gelato, direttamente dal contenitore, senza neanche metterlo in una coppetta. E dopo che avrà mangiato e bevuto tutto, resteranno comunque i fiori. Ecco qua.»

Lei lo fissava come se fosse un marziano.

«E comunque pensavo che avesse bisogno di qualcuno che venisse a trovarla e le dicesse che lei è davvero una persona meravigliosa e speciale» aggiunse.

Gli occhi di Jeannie si riempirono di lacrime. «Merda!» esclamò. «Non piango mai, io!»

Lui le posò le mani sulle spalle. Era la prima volta che la toccava. L'attirò a sé, un po' esitante. Lei non oppose resistenza. Incapace di credere alla propria fortuna, la strinse fra le braccia. Era alta quasi quanto lui. Gli appoggiò la testa sulla spalla e Steve sentì il suo corpo scosso dai singhiozzi. Le accarezzò i capelli: erano morbidi e pesanti. Ebbe subito una fulminea erezione e si scostò leggermente, sperando che non se ne accorgesse. «Andrà tutto a posto» le disse. «Troverai una soluzione.»

Lei si abbandonò tra le sue braccia per un lungo, delizioso momento. Steve sentì il calore e il profumo del suo corpo. Si domandò se baciarla o meno. Temeva che, se avesse precipitato le cose, lei lo avrebbe respinto. Ma l'attimo passò e Jeannie si staccò da lui.

Si asciugò il naso sul bordo della T-shirt sformata, regalandogli una fugace visione sexy del ventre piatto e abbronzato. «Grazie» disse. «Avevo proprio bisogno di una spalla su cui piangere.»

Il tono prosaico di quelle parole smorzò l'ardore di Steve. Per lui era stato un momento di intensa emozione, per lei niente più che un modo per sfogare la tensione. «Fa tutto parte del servizio» replicò scherzando, e subito si pentì di averlo detto.

Jeannie aprì uno sportello e tirò fuori i piatti. «Mi sento già meglio» disse. «Su, mangiamo.»

Steve si appollaiò su uno sgabello davanti al bancone della cucina. Lei tagliò la pizza e stappò il vino. Gli piaceva guardarla mentre si muoveva per la casa, richiudeva un cassetto con il fianco, controllava un bicchiere socchiudendo gli occhi per vedere se era pulito, maneggiava il cavatappi con le dita lunghe e agili. Gli tornò in mente la prima ragazza di cui si era innamorato. Si chiamava Bonnie e aveva sette anni, come lui. Ricordava di essere rimasto a fissare i boccoli biondi e gli occhi verdi chiedendosi come fosse possibile che quella meravigliosa creatura si trovasse nel cortile della scuola elementare di Spillar Road. Per un certo tempo aveva avuto perfino il dubbio che si trattasse di un angelo.

Non pensava che Jeannie fosse un angelo, ma c'erano in lei una grazia e un'armonia di movimenti che gli procuravano il medesimo stupore.

«Hai una notevole capacità di recupero» commentò lei. «L'ultima volta che ti ho visto avevi un aspetto orribile. Ed era solo ventiquattr'ore fa; sembri già completamente ristabilito.»

«Me la sono cavata con poco. Ho un bernoccolo nel punto in cui il detective Allaston mi ha sbattuto la testa contro il muro, e un grosso livido all'altezza delle costole, dove Porky Butcher mi ha preso a calci questa mattina alle cinque, ma va bene anche così, l'importante è non tornare più là dentro.» Allontanò quel pensiero. Non sarebbe mai tornato in prigione: il test del Dna lo avrebbe scagionato.

Osservò la libreria di Jeannie. Aveva un sacco di volumi di saggistica, le biografie di Darwin, Einstein e Francis Bacon, qualche romanzo di scrittrici di cui lui non aveva mai letto niente, Erica Jong e Joyce Carol Oates, cinque o sei libri di Edith Wharton, qualche classico moderno. «Ehi, vedo che hai il mio romanzo preferito!» esclamò.

«Lascia che indovini... *To Kill a Mockingbird*.»

Steve era stupito. «Come fai a saperlo?»

«Ma dai, l'eroe è un avvocato che sfida i pregiudizi sociali per difendere un uomo innocente. Non è questo il tuo sogno? E poi, non pensavo proprio che avresti scelto *The Women's Room*.»

Lui scosse la testa rassegnato. «Sai così tante cose di me che mi intimidisci.»

«E tu, quale pensi sia il mio libro preferito?»

«È un test?»

«Certo.»

«Hmm, vediamo... *Middlemarch*.»

«Perché?»

«L'eroina è una donna forte e indipendente.»

«Sì, ma lei non realizza nulla! E poi non si tratta di un romanzo. Riprovaci.»

Steve scosse la testa. «Non è un romanzo...» A un tratto ebbe un'ispirazione. «Lo so! La storia di una brillante scoperta scientifica che ha chiarito uno dei misteri della vita umana. Ci scommetto che è *La doppia elica*.»

«Bravo!»

Cominciarono a mangiare. La pizza era ancora tiepida. Jeannie sembrava pensierosa e rimase in silenzio per un po'. «Oggi ho combinato un bel disastro» disse, alla fine. «Ora me ne rendo conto. Avrei fatto bene a smorzare i toni. Avrei dovuto continuare a ripetere: "Forse potremmo parlarne, non prendiamo decisioni affrettate" e invece ho sfidato l'università, e raccontando tutto alla stampa ho peggiorato ancora di più la situazione.»

«Sei un po' intransigente.»

Lei annuì. «Un conto è essere intransigenti, un conto è essere stupidi.»

Steve le mostrò il "Wall Street Journal". «Questo potrebbe spiegare perché il tuo istituto si preoccupa tanto della cattiva pubblicità. Il tuo sponsor sta per essere venduto.»

Jeannie diede un'occhiata al primo paragrafo. «Centottanta milioni di dollari? Accidenti!» Continuò a leggere prendendo un'altra fetta di pizza. Quando ebbe finito l'articolo scosse la testa. «La tua teoria è molto interessante, ma non mi convince del tutto.»

«Perché?»

«Il più ostile nei miei confronti sembrava Maurice Obell, non Berrington. Anche se, a quanto mi dicono, Berrington sa essere meschino. Io non sono così importante. Rappresento solo una piccolissima parte della ricerca sponsorizzata dalla Genetico. Anche se il mio lavoro violasse davvero la privacy della gente, non sarebbe uno scandalo così grande da mettere a repentaglio un'acquisizione di queste dimensioni.»

Steve si pulì le dita con un tovagliolo di carta e prese in mano la fotografia incorniciata di una donna con un bambino piccolo. La donna assomigliava un po' a Jeannie, ma aveva i capelli diritti. «È tua sorella?»

«Sì. Si chiama Patty. Ora ha tre bambini, tutti maschi.»

«Io non ho né fratelli né sorelle» disse lui, poi si corresse. «A meno di non contare Dennis Pinker.» L'espressione di Jeannie mutò di colpo e Steve esclamò: «Mi stai guardando come se fossi un animale da laboratorio».

«Scusami. Vuoi un po' di gelato?»

«Certo.»

Jeannie posò il contenitore sul bancone e tirò fuori due cucchiai. A Steve piacque: mangiare dalla stessa vaschetta era un po' come baciarsi. Jeannie mangiava il gelato con gusto. Steve si chiese se faceva l'amore con la stessa avidità.

Inghiottì una cucchiaiata di gelato e disse: «Sono contento che tu mi creda. Purtroppo la polizia non è dello stesso avviso».

«Se tu fossi uno stupratore, tutta la mia teoria verrebbe a cadere.»

«Anche così, non sono molte le donne che mi avrebbero fatto entrare in casa loro. Specie se convinte che ho gli stessi geni di Dennis Pinker.»

«Ho avuto un attimo di esitazione» ammise lei, «ma tu mi hai dimostrato che ho ragione.»

«In che modo?»

Jeannie fece un gesto con la mano a indicare i resti della cena. «Quando Dennis Pinker prova attrazione per una donna, tira fuori il coltello e le ordina di togliersi le mutandine. Tu, invece, le porti una pizza.»

Steve scoppiò a ridere.

«Può anche farti ridere, ma c'è una gran bella differenza.»

«C'è una cosa che dovresti sapere di me» disse Steve. «Un segreto.»

Jeannie posò il cucchiaio. «Che cosa?»

«Una volta ho quasi ucciso una persona.»

«In che modo?»

Lui le raccontò la storia della rissa con Tip Fredricks. «Ecco perché sono così interessato a tutta questa faccenda. Non sai quanto mi abbia turbato sapere che mio padre e mia madre potrebbero non essere i miei veri genitori. E se il mio vero padre fosse un assassino?»

Jeannie scosse la testa. «Ti sei trovato coinvolto in una rissa tra adolescenti e la cosa ti è sfuggita di mano. Questo non fa di te uno psicopatico. Che ne è stato dell'altro ragazzo, di quel Tip?»

«Qualcun altro lo ha ucciso due anni dopo. Vendeva droga, ha litigato con il suo fornitore e costui gli ha sparato in testa.»

«Allora è molto probabile che fosse lui uno psicopatico» disse Jeannie. «Con individui del genere succede sempre così: non riescono a stare fuori dei guai. Un ragazzo grande e grosso come te può anche scontrarsi con la legge una volta, ma ne esce e riprende la sua esistenza normale. Invece Dennis continuerà a entrare e uscire di prigione finché qualcuno non lo ammazzerà.»

«Quanti anni hai, Jeannie?»

«Non ti è piaciuto che ti abbia definito un ragazzo grande e grosso.»

«Ho ventidue anni.»

«Io ventinove. È una bella differenza.»

«Ti sembro un ragazzo?»

«Senti, non lo so... probabilmente un uomo di trent'anni non sarebbe venuto fin qui da Washington solo per portarmi una pizza. È stato un gesto piuttosto impulsivo.»

«Ti dispiace che l'abbia fatto?»

«No» rispose lei, sfiorandogli il braccio. «Ne sono davvero felice.»

Steve ancora non sapeva a che punto si trovava con Jeannie, ma lei aveva pianto sulla sua spalla. Non sono cose che si fanno con un ragazzo, pensò.

«Quando avrai il risultato del mio test?»

Jeannie guardò l'orologio. «Probabilmente il processo di assorbimento è già concluso. Lisa preparerà il vetrino domani mattina.»

«Vuoi dire che il test è finito?»

«Quasi.»

«Possiamo andare a vedere? Sono impaziente di scoprire se ho lo stesso Dna di Dennis Pinker.»

«Penso che sia possibile» rispose Jeannie. «Anch'io sono piuttosto curiosa.»

«Allora che cosa stiamo aspettando?»

25

Berrington Jones aveva una tessera magnetica che apriva tutte
le porte del Pandemonio.

Nessuno ne era al corrente. Persino gli altri titolari di cattedra credevano ingenuamente che i loro uffici fossero inacces-
sibili. Sapevano che quelli delle pulizie avevano un passe-par-
tout, e così pure gli agenti della vigilanza. Ma non avevano
mai riflettuto sul fatto che poteva non essere difficile entrare
in possesso di una chiave di cui disponevano persino gli addetti alle pulizie.

In ogni caso, Berrington non l'aveva mai usata. Ficcare il
naso negli affari altrui era poco dignitoso e decisamente non
rientrava nel suo stile. Probabilmente Pete Watlingson teneva
nel cassetto della scrivania foto di ragazzi nudi, Ted Ransome
aveva di certo un po' di marijuana nascosta da qualche parte,
mentre Sophie Chapple poteva avere un vibratore per i lunghi
pomeriggi solitari, ma Berrington non voleva saperlo. Il pas-
se-partout era solo per le emergenze.

E quella era un'emergenza.

L'università aveva ordinato a Jeannie di non utilizzare più il
suo software di ricerca e aveva annunciato pubblicamente che
il progetto era stato sospeso, ma c'era da fidarsi fino in fondo?
Lui non poteva certo vedere i messaggi elettronici che correvano lungo le linee telefoniche da un terminale all'altro. Per
tutto il giorno era stato tormentato dall'idea che Jeannie avesse iniziato a esplorare un'altra banca dati. E non c'era modo di
sapere che cosa avrebbe potuto scoprire.

Così era tornato in ufficio e si era seduto alla scrivania,

mentre la luce tiepida del crepuscolo accarezzava gli edifici di mattoni rossi del campus. Continuava a giocherellare con la tessera magnetica preparandosi a fare qualcosa che andava contro le sue più intime convinzioni.

La dignità era per lui un bene molto prezioso. L'aveva sviluppata fin dalla più tenera età. Essendo il più piccolo della sua classe, senza un padre che gli dicesse come affrontare i prepotenti, con una madre troppo impegnata a far quadrare i conti per occuparsi della sua felicità, si era lentamente creato un'aria di superiorità, un atteggiamento distaccato dietro cui trincerarsi. A Harvard aveva furtivamente osservato un compagno che proveniva da una ricca famiglia dell'alta borghesia assimilando ogni dettaglio del suo aspetto, dalle cinture di cuoio ai fazzoletti di lino, dalle giacche di tweed alle sciarpe di cashmere, imparando a spiegare il tovagliolo e a porgere la sedia alle signore, meravigliandosi per il misto di disinvoltura e deferenza con cui trattava i professori, per il fascino superficiale e l'implicita freddezza dei suoi rapporti con le persone di classe inferiore. Quando Berrington cominciò il master, tutti erano ormai convinti che anche lui provenisse da una famiglia ricca.

Era difficile scrollarsi di dosso il manto della dignità. C'erano professori che potevano togliersi la giacca e mettersi a giocare a football con un gruppo di laureandi, ma non Berrington. Gli studenti non gli raccontavano mai barzellette e non lo invitavano alle loro feste, però non erano neanche insolenti con lui, né chiacchieravano durante le sue lezioni, e tantomeno contestavano i suoi voti.

In un certo senso, da quando era stata creata la Genetico, tutta la sua vita era stata un inganno, ma lui l'aveva portata avanti con audacia e tracotanza. Tuttavia non esisteva un modo elegante per introdursi e frugare nell'ufficio di un'altra persona.

Guardò l'orologio. A quell'ora il laboratorio doveva essere chiuso. La maggior parte dei suoi colleghi se n'era tornata a casa o era andata al bar del Faculty Club. Ogni momento era buono. Non esisteva un'ora in cui poter essere sicuri che l'edificio fosse vuoto: gli scienziati lavoravano quando ne avevano voglia. Se lo avessero visto, sarebbe ricorso alla sua faccia tosta.

Uscì dall'ufficio, scese le scale e percorse il corridoio fino alla porta di Jeannie. In giro non c'era nessuno. Passò la tessera nel lettore e la porta si aprì. Entrò, accese le luci e richiuse la porta.

Era l'ufficio più piccolo dell'istituto. A dire il vero, in origine era un ripostiglio, ma Sophie Chapple aveva malignamente insistito perché diventasse l'ufficio di Jeannie, con la scusa che c'era bisogno di un locale più grande in cui immagazzinare gli scatoloni dei questionari. Era una stanza molto stretta con una piccola finestra. Jeannie però era riuscita a ravvivarla con due sedie dipinte di rosso brillante, un vaso contenente una palma lunga e sottile e la riproduzione di un'acquaforte di Picasso, una corrida dipinta con le squillanti tonalità del giallo e dell'arancione.

Prese in mano il ritratto incorniciato che stava sulla scrivania. La foto era in bianco e nero e ritraeva un bell'uomo con un paio di basette e la cravatta larga assieme a una giovane donna dall'espressione determinata: doveva essere stata scattata negli anni Settanta e quelli dovevano essere i genitori di Jeannie. A parte questo, la scrivania era perfettamente sgombra. Che ragazza ordinata.

Si sedette e accese il computer. Mentre il sistema si avviava controllò i cassetti. Il primo conteneva penne e blocchi per scrivere. In un altro trovò una scatola di assorbenti interni e un paio di collant nuovi. Berrington odiava i collant. Conservava dolci ricordi adolescenziali di giarrettiere e calze con la cucitura. Inoltre i collant erano poco igienici, come del resto i calzoncini da ginnastica in nylon. Se il presidente Proust lo avesse nominato ministro della Sanità, avrebbe fatto stampare su tutte le confezioni di collant un avviso sui danni che potevano causare alla salute. Nell'altro cassetto trovò uno specchietto e una spazzola che aveva ancora tra le setole qualche capello nero e lungo di Jeannie. L'ultimo conteneva un dizionario tascabile e un paperback intitolato *A Thousand Acres*. Fino a quel momento non aveva scoperto alcun segreto.

Sullo schermo comparve il menù. Prese il mouse e cliccò su "Agenda". Gli appuntamenti di Jeannie erano prevedibili: lezioni, conferenze, sedute di laboratorio, partite a tennis, appuntamenti per un drink o per un cinema. Domenica sarebbe andata a Oriole Park, a Camden Yards, per assistere alla partita; Ted Ransome e sua moglie l'avevano invitata a casa loro per il brunch di domenica. Lunedì doveva portare l'auto dal meccanico. Non c'era alcuna annotazione che dicesse "Esame archivio medico Acme Insurance". La lista delle cose da fare era altrettanto prosaica: "Comperare vitamine, chiamare Ghita, regalo compleanno Lisa, controllare modem".

Uscì dall'agenda e cominciò a curiosare tra i file. Aveva una quantità enorme di dati statistici su fogli di lavoro. I file di videoscrittura erano più piccoli: un po' di corrispondenza, qualche schema per questionari, la bozza di un articolo. Usando la funzione di ricerca, controllò tutta la directory dell'editore di testo alla ricerca della scritta "banca dati". Saltò fuori parecchie volte nell'articolo, e ancora nelle copie archiviate di tre lettere che aveva spedito, ma in nessuno di quei documenti aveva trovato alcun riferimento a un prossimo utilizzo del suo dannato software di ricerca. «Allora!» esclamò a voce alta. «Ci deve essere qualcosa, perdio.»

Neppure dentro l'archivio c'era gran che; del resto Jeannie era lì solo da poche settimane. Nel giro di un anno o due sarebbe stato pieno zeppo di questionari compilati, la materia prima del suo lavoro di ricerca. Ora c'erano solo alcune lettere in una cartellina, comunicazioni interne dell'istituto in un'altra, mentre un terzo raccoglitore conteneva fotocopie di articoli.

In un armadietto praticamente vuoto trovò, appoggiata a faccia in giù, una fotografia incorniciata di Jeannie in compagnia di un uomo alto e con la barba, entrambi in bicicletta sullo sfondo di un lago. Berrington pensò che si trattasse di un amore ormai finito.

Era sempre più preoccupato. Quello era lo studio di una persona organizzata, una persona che si programmava la vita. Conservava le lettere in arrivo e teneva copia di quelle che spediva. Doveva esserci un'indicazione di quanto stava per fare. Non aveva alcun motivo di tenerlo nascosto: fino a quel giorno nessuno aveva insinuato che stesse facendo qualcosa di cui vergognarsi. Doveva per forza avere in programma il controllo di un'altra banca dati. L'unica spiegazione possibile per quell'assoluta mancanza di riferimenti era che Jeannie avesse preso accordi di persona o per telefono, magari con qualcuno che le era molto amico. Se le cose stavano davvero così, non avrebbe trovato un bel nulla perquisendo il suo ufficio.

Sentì un rumore di passi nel corridoio e si irrigidì; poi udì lo scatto della serratura quando la tessera venne fatta scivolare attraverso il lettore.

Rimase a fissare la porta, impotente. Non c'era niente che potesse fare: l'avevano colto con le mani nel sacco, seduto alla scrivania di Jeannie, davanti al computer acceso. Non poteva certo fingere di essere entrato per caso.

La porta si aprì. Berrington si aspettava di vedere Jeannie e invece era un agente della sicurezza.

L'uomo lo riconobbe. «Oh, salve, professore» disse la guardia. «Ho visto la luce accesa e ho pensato di dare un'occhiata. Di solito, la dottoressa Ferrami tiene la porta aperta quando è qui.»

Berrington si sforzò di non arrossire. «Non c'è problema» disse. *Mai scusarsi, mai giustificarsi.* «Stia tranquillo che chiuderò la porta quando avrò finito.»

«Bene.»

La guardia rimase lì in silenzio, in attesa di una spiegazione. Berrington serrò la mascella. Alla fine l'uomo disse: «Allora buona notte, professore».

«Buona notte.»

Finalmente l'agente uscì.

Berrington si rilassò. Nessun problema.

Controllò che il modem fosse acceso, poi cliccò su America OnLine ed entrò nella mailbox di Jeannie. Il terminale era programmato per inserire automaticamente la password. C'erano tre messaggi e lui li scaricò. Il primo era un avviso sull'aumento di costo del collegamento Internet. Il secondo arrivava dall'University of Minnesota e diceva:

SARÒ A BALTIMORA VENERDÌ E MI PIACEREBBE BERE QUALCOSA INSIEME A TE IN RICORDO DEI VECCHI TEMPI. CON AFFETTO, WILL.

Berrington si chiese se questo Will fosse il tizio con la barba e la bicicletta nella foto. Cancellò il messaggio e aprì il terzo.

Questo lo elettrizzò.

SARAI CONTENTA DI SAPERE CHE QUESTA SERA FARÒ GIRARE IL
TUO PROGRAMMA SUL NOSTRO ARCHIVIO DI IMPRONTE DIGITALI.
CHIAMAMI. GHITA.

Il messaggio arrivava dall'Fbi.
«Puttana» sibilò Berrington. «Questa sarà la nostra fine.»

26

Berrington non si fidava a parlare per telefono di Jeannie e dell'archivio impronte digitali dell'Fbi. Moltissime telefonate venivano intercettate dai servizi segreti. Ormai la sorveglianza era affidata a computer programmati per captare determinate parole e frasi. Se qualcuno diceva "plutonio" o "eroina", oppure "uccidere il presidente", il computer registrava automaticamente la conversazione e allertava un operatore.

L'ultima cosa di cui Berrington aveva bisogno era che qualche ficcanaso della Cia si chiedesse perché mai il senatore Proust fosse così interessato agli archivi impronte digitali dell'Fbi.

Salì sulla sua Lincoln Town Car color argento, imboccò la Baltimore-Washington Parkway e schizzò via a centoquaranta chilometri orari. Gli capitava spesso di oltrepassare il limite di velocità. In realtà era insofferente verso ogni tipo di regola. Era una palese contraddizione, e lui lo sapeva bene. Odiava i pacifisti, i drogati, gli omosessuali, le femministe, i musicisti rock e tutti gli anticonformisti che rifiutavano la tradizione americana. Ma, al tempo stesso, non tollerava che qualcuno potesse dirgli dove parcheggiare l'auto, quanto pagare gli impiegati o quanti estintori mettere nel suo laboratorio.

Mentre si dirigeva verso Washington, si chiese chi fossero i contatti di Jim Proust nei servizi segreti. Erano solo un manipolo di vecchi soldati che si radunavano per rievocare i vecchi tempi in cui avevano ricattato dimostranti pacifisti e assassinato presidenti sudamericani? Oppure erano ancora operativi? Si aiutavano ancora l'un l'altro, come i mafiosi, e considerava no lo scambio di favori quasi un obbligo religioso? Oppure quei giorni erano finiti per sempre? Era passato tanto tempo da quando Jim aveva lasciato la Cia. Forse neppure lui sapeva come stavano le cose.

Benché fosse già piuttosto tardi, Jim stava aspettando Berrington nel suo ufficio a Capitol Hill. «Cosa diavolo è successo che tu non potessi dirmi per telefono?» furono le parole con cui lo accolse.

«Sta per far girare il suo dannato programma di ricerca sui file di impronte digitali dell'Fbi.»

Jim impallidì. «Funzionerà?»

«Ha funzionato sui dati ortodontici, non vedo perché non dovrebbe funzionare sulle impronte digitali.»

«Oh, Cristo!» esclamò Jim.

«Quante impronte hanno in memoria?»

«Da quello che ricordo, più di venti milioni di gruppi. Ma non possono essere tutti criminali. Ci sono così tanti criminali negli Stati Uniti?»

«Non lo so. Forse hanno anche le impronte di persone già morte. Concentrati, Jim, per l'amor del cielo. Puoi fermare questa cosa?»

«Chi è il suo contatto all'Fbi?»

Berrington gli porse la stampa che aveva fatto della E-mail di Jeannie. Mentre Jim la studiava, Berrington si guardò attorno. Sulle pareti dell'ufficio Jim aveva appeso fotografie che lo ritraevano con tutti i presidenti americani dopo Kennedy. C'era il capitano Proust in divisa che faceva il saluto militare a Lyndon Johnson, il maggiore Proust che ostentava ancora una bella chioma bionda mentre stringeva la mano a Dick Nixon, il colonnello Proust che guardava con aria minacciosa Jimmy Carter, il generale Proust in compagnia di Ronald Reagan, tutti e due intenti a ridere come matti, Proust in abiti civili (allora era vicedirettore della Cia) impegnato in una seria conversazione con un George Bush dall'aria accigliata, e il senatore Proust, ormai calvo e con gli occhiali, che puntava un dito contro Bill Clinton. Altre foto lo ritraevano mentre ballava con Margaret Thatcher, giocava a golf con Bob Dole e andava a cavallo con Ross Perot. Berrington aveva poche foto di quel genere; Jim, invece, ne aveva collezionate tante che avrebbe potuto organizzare una mostra. Su chi voleva far colpo? Probabilmente su se stesso: vedendosi tutto il giorno con le persone più importanti del mondo Jim si convinceva di essere importante pure lui.

«Non ho mai sentito parlare di questa Ghita Sumra» disse Jim. «Non può essere tanto in alto.»

«Chi conosci all'Fbi?» gli chiese Berrington con impazienza.

«Hai mai incontrato i Creane, David e Hilary?»

Berrington scosse la testa.

«Lui è un vicedirettore, lei un'ex alcolista, tutti e due sulla cinquantina. Dieci anni fa, quando ero a capo della Cia, David lavorava per me nella sezione diplomatica: aveva il compito di tenere d'occhio tutte le ambasciate straniere e i loro apparati di spionaggio. Era simpatico. Un pomeriggio Hilary si ubriacò, salì sulla sua Honda Civic e a Springfield, sulla Beulah Road, investì una bambina nera di sei anni, uccidendola. Ma non si fermò. Proseguì fino a un centro commerciale e da lì chiamò Dave a Langley. Lui andò a prenderla con la sua Thunderbird e la portò a casa, poi denunciò il furto della Honda.»

«Ma qualcosa andò storto.»

«Una testimone insistette nel dire che alla guida della macchina c'era una donna bianca di mezza età, e un detective testardo fece notare che i furti d'auto da parte di donne sono piuttosto rari. La testimone identificò Hilary senza esitazione, lei crollò e confessò.»

«Che cosa successe?»

«Andai a parlare con il procuratore distrettuale. Lui voleva sbatterli entrambi in galera. Gli giurai che si trattava di una questione importantissima per la sicurezza nazionale e lo convinsi a lasciar cadere le imputazioni. Hilary cominciò a frequentare gli Alcolisti Anonimi e da quel momento in poi smise di bere.»

«E Dave è passato all'Fbi e ha fatto carriera.»

«Esatto, e mi deve della riconoscenza.»

«È in grado di fermare questa Ghita?»

«È uno dei nove assistenti che fanno capo direttamente al

vicedirettore. Non dirige la sezione impronte digitali, ma è molto potente.»

«Ma può farlo?»

«Non lo so!» sbottò Jim. «Glielo chiederò, va bene? Se si può fare, lui per me lo farà.»

«Okay, Jim» disse Berrington. «Solleva quel maledetto telefono e chiediglielo.»

27

Jeannie entrò nel laboratorio, seguita da Steve, e accese le luci. «Il linguaggio genetico ha quattro lettere» stava spiegando. «A, C, G e T.»

«Perché proprio quelle quattro?»

«Adenina, Citosina, Guanina e Timina. Sono le basi disposte a coppie nella parte interna dei lunghi filamenti che costituiscono la molecola di Dna. Formano parole e frasi, come "Mettere cinque dita a ogni piede".»

«Ma nel Dna di tutti ci dovrebbe essere il comando "Mettere cinque dita a ogni piede".»

«Ottima osservazione. Il tuo Dna è molto simile al mio e a quello di qualunque altro essere umano. Abbiamo anche molto in comune con gli animali, poiché le nostre cellule sono costituite dalle stesse proteine.»

«Allora come si fa a capire la differenza tra il Dna di Dennis e il mio?»

«Tra le parole ci sono dei pezzetti che non significano nulla, sono sequenze inintelligibili. Sono come gli spazi che dividono una parola dalla seguente. Il loro nome completo è oligonucleotidi, ma tutti li chiamano "oligo". Nello spazio tra "cinque" e "dita" potrebbe esserci un oligo che dice TATAGAGACCCC, ripetuto più volte,»

«E tutti abbiamo questo TATAGAGACCCC?»

«Sì, ma il numero delle volte in cui è ripetuto varia. Dove tu hai 31 oligo TATAGAGACCCC io posso averne 287. Questo però non ha alcuna importanza, perché gli oligo non significano nulla.»

«Come fai a confrontare i miei oligo con quelli di Dennis?».

Jeannie gli mostrò una piastra rettangolare che aveva la forma e le dimensioni di un libro. «Stratifichiamo questa piastra con un gel, facciamo dei pozzetti su tutta la superficie e vi facciamo cadere gocce del tuo Dna e di quello di Dennis. Poi mettiamo la piastra qui dentro.» Sul bancone era posata una piccola vasca di vetro. «Vi facciamo passare una corrente elettrica per un paio d'ore. Questo fa sì che i frammenti di Dna filtrino attraverso il gel disponendosi in bande diritte. Siccome i frammenti piccoli si muovono più velocemente di quelli grandi, il tuo frammento, con 31 oligo, arriverà alla fine del gel prima del mio, che ne ha 287.»

«Come fate a vedere la distanza che hanno coperto?»

«Usiamo composti chiamati sonde. Queste sostanze chimiche si legano a particolari oligo. Supponiamo di avere una sonda specifica per l'oligo TATAGAGACCCC. Prendiamo un foglio di nitrocellulosa saturo di una soluzione sonda, come questo» disse, mostrandogli una specie di straccetto piatto e quadrato che ricordava una spugnetta per lavare i piatti, «e lo applichiamo sul gel in modo che evidenzi i frammenti. Le sostanze sonda sono fluorescenti, perciò possono impressionare una pellicola fotografica.» Jeannie guardò in un'altra vasca. «Vedo che Lisa ha già posato la nitrocellulosa sulla pellicola» proseguì, guardando nella vaschetta. «Credo che il profilo si sia già formato. Non ci resta che fissare la pellicola.»

Steve guardò attentamente la pellicola mentre Jeannie la passava nella soluzione di lavaggio e poi la sciacquava sotto l'acqua corrente. Su quella pagina c'era scritta la sua storia. Ma Steve vide solo un'immagine che gli ricordava tanto una scala a pioli. Alla fine Jeannie l'asciugò e l'agganciò davanti al luminoscopio.

Steve osservò con attenzione. La pellicola era percorsa da cima a fondo da linee diritte, larghe circa mezzo centimetro, come binari grigi. Le tracce erano contrassegnate alla base della pellicola da numeri che andavano da 1 a 18. All'interno dei binari grigi c'erano dei trattini neri. A Steve non dicevano proprio nulla.

«I segni neri indicano fin dove hanno migrato i tuoi frammenti» gli spiegò Jeannie.

«Ma in ogni binario ci sono due segni neri.»

«È perché tu hai due filamenti di Dna, uno ereditato da tuo padre e l'altro da tua madre.»

«Ma certo! La doppia elica.»

«Esatto. E i tuoi genitori hanno oligo diversi» concluse Jeannie. Consultò un foglio, poi sollevò lo sguardo su di lui. «Sei sicuro di essere pronto... comunque vada?»

«Certo.»

«Okay.» Jeannie riabbassò lo sguardo sul foglio. «Il binario tre è il tuo sangue.»

C'erano due linee a circa due centimetri di distanza l'una dall'altra, a metà della pellicola.

«Il binario quattro è quello di controllo. Probabilmente è il mio sangue o quello di Lisa. I segni neri dovrebbero trovarsi in una posizione completamente diversa.»

«È vero.» I due segni erano molto vicini l'uno all'altro, e si trovavano proprio in fondo alla pellicola, vicino ai numeri.

«Il binario cinque è quello di Dennis Pinker. I segni si trovano nella stessa posizione dei tuoi, o sono diversi?»

«Nella stessa» rispose Steve. «Combaciano perfettamente.»

Lei lo guardò. «E allora, Steve, siete gemelli.»

Steve non voleva crederci. «Esiste una qualche possibilità di errore?»

«Sicuro» rispose lei. «Esiste una probabilità su cento che due individui pur non essendo parenti abbiano un frammento uguale sia nel Dna paterno sia in quello materno. Di solito facciamo il test su quattro frammenti diversi, usando oligo e sonde differenti. Questo riduce la possibilità di errore a uno su cento milioni. Lisa ne farà altri tre e ci vorrà mezza giornata ciascuno. Ma io so già il risultato. E anche tu, non è vero?»

«Credo di sì» convenne Steve con un sospiro. «Sarà meglio che cominci a crederci. Da dove diavolo sono saltato fuori?»

Jeannie sembrava pensierosa. «C'è una cosa che hai detto e che mi è rimasta impressa: "Io non ho né fratelli né sorelle". Da quello che mi hai raccontato dei tuoi genitori, sembrano il tipo di persone a cui piacerebbe avere la casa piena di bambini, almeno tre o quattro.»

«È così» rispose Steve. «Ma mia madre non riusciva a restare incinta. Quando sono nato io aveva trentatré anni ed era sposata con papà ormai da dieci. Ha pure scritto un libro sull'argomento: *Consigli per le donne che non riescono ad avere figli*. È stato il suo primo bestseller. Con i soldi che ha guadagnato ha comperato un piccolo cottage in Virginia.»

«Charlotte Pinker aveva trentanove anni quando è nato Dennis. Ci scommetto che anche lei aveva problemi di infertilità. Chissà se questo spiega qualcosa.»

«Come potrebbe?»

«Non lo so. Tua madre ha fatto qualche cura particolare?»

«Non ho mai letto il libro. Potrei chiamarla e chiederlo direttamente a lei.»

«Lo faresti davvero?»

«È venuto il momento che le parli di questo mistero.»

Jeannie gli indicò una scrivania. «Usa pure il telefono di Lisa.»

Steve compose il numero di casa. Fu sua madre a rispondere. «Ciao, mamma.»

«Le ha fatto piacere vederti?»

«Lì per lì no, ma sono ancora con lei.»

«Allora non ti odia?»

Steve lanciò un'occhiata a Jeannie. «No, mamma, non mi odia, ma ritiene che sia troppo giovane per lei.»

«Ti sta ascoltando?»

«Sì, e credo proprio di averla messa in imbarazzo. Sarebbe la prima volta. Senti, mamma, siamo in un laboratorio e abbiamo un piccolo problema. Pare che il mio Dna sia uguale a quello di un altro individuo che Jeannie sta studiando, un tizio che si chiama Dennis Pinker.»

«Non può essere uguale... dovreste essere gemelli.»

«E questo sarebbe possibile solo se io fossi stato adottato.»

«Steve, tu non sei stato adottato, se è questo che stai pensando. E non avevi un gemello. Dio solo sa come avrei potuto cavarmela con due bambini terribili come te.»

«Hai fatto qualche cura contro l'infertilità, prima che io nascessi?»

«Sì. Il dottore mi ha indicato un centro di Filadelfia cui si erano rivolte anche altre mogli di ufficiali. Si chiamava Aventine Clinic. Lì mi hanno sottoposta a una cura ormonale.»

Steve riferì a Jeannie, che prese nota su un blocchetto.

La madre di Steve proseguì, «La cura ha funzionato e tu, frutto sospirato di tutti questi sforzi, te ne stai a Baltimora a ronzare intorno a una bellissima ragazza più anziana di te di sei anni, mentre dovresti essere qui a Washington, a prenderti cura della tua vecchia genitrice.»

Steve rise. «Grazie, mamma.»

«Ah, Steve?»

«Sì, dimmi.»

«Non fare tardi. Domattina devi andare dall'avvocato. Cerchiamo di venir fuori da questo impiccio giudiziario prima di preoccuparci del tuo Dna.»

«Non farò tardi. Ciao.» Riattaccò.

«Chiamo subito Charlotte Pinker» disse Jeannie, «Spero che non sia già andata a dormire.» Sfogliò l'agenda di Lisa, prese il telefono e compose il numero. Dopo un attimo disse: «Salve, signora Pinker, sono la dottoressa Ferrami della Jones Falls University. Sto bene, grazie, e lei? Spero non le dispiaccia, ma avrei da farle ancora una domanda. Lei è davvero molto gentile e comprensiva. Sì... prima di restare incinta di Dennis, si è sottoposta a qualche cura contro l'infertilità?». Ci fu una lunga pausa, poi il volto di Jeannie si illuminò. «A Filadelfia? Sì, ne ho sentito parlare. Una cura ormonale. Questo è molto interessante e mi sarà di grande aiuto. Grazie ancora. Arrivederci.» Riattaccò. «Abbiamo fatto centro!» esclamò. «Charlotte è stata nella stessa clinica.»

«Fantastico» disse Steve, «ma questo che cosa significa?»

«Non ne ho idea» rispose Jeannie. Alzò nuovamente il telefono e compose il numero dell'ufficio informazioni. «Che numero devo fare per un abbonato di Filadelfia? Grazie.» Digitò il numero. «Aventine Clinic» disse all'operatore e attese. Guardando Steve disse: «Probabilmente è chiusa da anni».

Steve la osservava, affascinato. Jeannie aveva il volto raggiante per l'entusiasmo mentre le idee le si accavallavano nella mente. Era incantevole. Lui avrebbe voluto poter fare di più per aiutarla.

Di colpo Jeannie afferrò la matita e annotò un numero. «Grazie!» disse e riattaccò. «Esiste ancora!»

Steve era senza parole. Forse il mistero dei suoi geni stava per essere risolto. «Gli archivi!» esclamò. «La clinica deve avere un archivio. Potrebbero esserci degli indizi.»

«Devo assolutamente andare là» disse Jeannie, poi aggrottò la fronte, pensierosa. «Ho un'autorizzazione firmata da Charlotte Pinker. La chiediamo a tutti quelli che intervistiamo, perché ci permette di consultare qualsiasi documentazione medica. Potresti farne firmare una a tua madre questa sera e mandarmela per fax alla JFU?»

«Certo.»

Jeannie compose un numero con gesti febbrili. «Buona sera, parlo con la Aventine Clinic? Mi può passare il responsabile di turno? Grazie.»

Seguì una lunga pausa. Jeannie batteva impaziente la matita sulla scrivania. Steve la osservava con occhi adoranti. Per lui poteva andare avanti così anche tutta la notte.

«Buona sera, signor Ringwood. Sono la dottoressa Ferrami della Jones Falls University. Due miei soggetti di studio si sono sottoposti a cure nella vostra clinica ventitré anni fa e mi sarebbe molto utile poter consultare le loro cartelle. Ho un'autorizzazione firmata dalle interessate che potrei mandarle per fax prima del mio arrivo... sì, mi sarebbe molto utile. Domani è troppo presto? Diciamo alle due? Lei è molto gentile. Farò così. Grazie. Arrivederci.»

«Una clinica ostetrica dove si cura l'infertilità» disse Steve assorto. «Quell'articolo del "Wall Street Journal" non diceva che la Genetico possiede cliniche del genere?»

Jeannie lo fissò a bocca aperta. «Oh, mio Dio» mormorò. «Ma certo!»

«Che ci sia qualche collegamento?»

«Scommetto proprio di sì.»

«Ma allora...»

«Allora Berrington Jones potrebbe sapere sul conto tuo e di Dennis molto più di quanto non voglia far credere.»

28

Era stata una giornata da dimenticare, pensò Berrington uscendo dalla doccia, però era finita bene.

Si guardò allo specchio. Era in gran forma per i suoi cinquantanove anni: magro, figura ben diritta, pelle leggermente abbronzata e pancia quasi inesistente. I peli del pube erano ancora scuri, ma solo perché se li tingeva per nascondere l'imbarazzante grigiore. Voleva potersi spogliare di fronte a una donna senza dover spegnere la luce.

Aveva iniziato la giornata pensando di avere in pugno Jeannie Ferrami e invece lei si era dimostrata un osso duro, più di quanto non si aspettasse. "Non farò mai più l'errore di sottovalutarla" rifletté.

Tornando da Washington aveva fatto un salto a casa di Preston Barck per informarlo degli ultimi sviluppi. Come al solito, Preston si era dimostrato ancora più pessimista e preoccupato di quanto la situazione richiedesse. Influenzato dall'umore di Preston, Berrington era tornato a casa avvolto da una cappa di malinconia. Mentre entrava era squillato il telefono: usando un codice improvvisato, Jim gli aveva confermato che David Creane avrebbe bloccato la collaborazione dell'Fbi con Jeannie. Si era impegnato a fare le telefonate necessarie quella sera stessa.

Berrington si asciugò e indossò un pigiama di cotone blu e una vestaglia da camera a righe bianche e blu. Marianne, la governante, aveva la serata libera, ma in frigo c'era una casseruola di pollo alla provenzale, come diceva l'appunto scritto con grafia incerta e infantile che aveva lasciato. La mise in forno e si versò un bicchierino di whisky di malto Springbank. Mentre beveva il primo sorso, squillò il telefono.

Era la sua ex moglie, Vivvie. «Il "Wall Street Journal" dice che diventerai ricco» esordì.

Gli parve di vederla, una donna di sessant'anni, bionda e snella, seduta sulla terrazza della sua casa in California a godersi il tramonto sull'Oceano Pacifico. «Immagino che tu voglia tornare da me.»

«Ci ho pensato, Berry. Ci ho pensato molto seriamente per almeno dieci secondi. Poi mi sono resa conto che centottanta milioni di dollari non erano ancora sufficienti.»

Quelle parole lo fecero ridere.

«Sono felice per te, Berry, davvero.»

Sapeva che era sincera. Era ricchissima di suo. Dopo averlo lasciato era entrata nel campo immobiliare a Santa Barbara e le cose le erano andate molto bene. «Grazie.»

«Che cosa farai di tutto quel denaro? Lo lascerai al ragazzo?»

Avevano un figlio che studiava economia e commercio. «Non ne avrà bisogno, farà una fortuna come commercialista. Potrei darne una parte a Jim Proust. Ha intenzione di candidarsi alla presidenza.»

«Che cosa te ne verrà in cambio? Vuoi diventare ambasciatore a Parigi?»

«No, ma potrei prendere in considerazione la nomina a ministro della Sanità.»

«Ehi, Berry, stai parlando sul serio? No, non rispondere, so già che al telefono non diresti mai certe cose.»

«Esatto.»

«Ora devo andare. Il mio accompagnatore ha appena suonato alla porta. Mi farò viva prontamente, mio tenente.» Era un vecchio scherzo tra i componenti della famiglia.

Lui le diede la risposta di rito. «Grazie tanto, sei uno schianto.» Poi riattaccò.

Trovava un po' deprimente che Vivvie passasse la serata fuori con qualcuno – non aveva idea di chi potesse essere – mentre lui se ne stava a casa, solo con il suo whisky. A parte la morte del padre, il momento più triste della vita di Berrington era stato quando Vivvie lo aveva lasciato. Non la biasimava per questo – le era sempre stato irrimediabilmente infedele – ma l'aveva amata e ne sentiva ancora la mancanza, a tredici anni dal divorzio. Il fatto che fosse tutta colpa sua lo rendeva ancora più triste. Scherzare con lei al telefono gli aveva ricordato quanto si fossero divertiti insieme ai bei tempi.

Accese il televisore e guardò *Prime Time Live* mentre la cena si scaldava. La cucina si riempì del profumo delle erbe che usava Marianne. Era un'ottima cuoca. Forse dipendeva dal fatto che la Martinica era stata una colonia francese.

Proprio mentre stava tirando fuori la casseruola dal forno, il telefono squillò nuovamente. Questa volta era Preston Barck. Sembrava scosso. «Ho appena parlato con Dick Minsky a Filadelfia» disse. «Jeannie Ferrami ha fissato un appuntamento in clinica per domani.»

Berrington si lasciò cadere pesantemente sulla sedia. «Gesù!» esclamò. «Come diavolo ha fatto a risalire alla clinica?»

«Non lo so. Dick non c'era, è stato il responsabile del turno di notte a parlare con lei. A quanto pare la ragazza ha chiesto di poter dare un'occhiata alle cartelle cliniche di alcune ex pazienti della clinica che sono attualmente al centro di un suo studio. Ha spedito via fax le loro autorizzazioni e ha detto che sarebbe andata là domani pomeriggio alle due. Per fortuna Dick ha chiamato la clinica per qualche altro motivo e il responsabile gli ha riferito la conversazione.»

Dick Minsky era stato una delle prime persone assunte dalla Genetico, ancora negli anni Settanta. Aveva iniziato come fattorino e adesso era il direttore generale delle cliniche. Non era mai entrato a far parte del loro gruppo ristretto – quella sarebbe stata prerogativa sempre e solo di Jim, Preston e Berrington – però sapeva che c'era qualcosa di oscuro nel passato della società. Dick era la discrezione fatta persona.

«Che cosa gli hai detto di fare?»

«Gli ho ordinato di annullare l'appuntamento, è chiaro. E, se si dovesse presentare comunque, di metterla alla porta, informandola che non può avere accesso a quelle cartelle.»

Berrington scosse la testa. «Non basta.»

«Perché?»

«Questo la renderà solo più curiosa. Cercherà di trovare un'altra strada per arrivare agli archivi.»

«Per esempio?»

Berrington sospirò. Come al solito Preston mancava totalmente di fantasia. «Be', se fossi in lei, io chiamerei la Landsmann, mi farei passare la segretaria di Michael Madigan e le direi di suggerire al suo capo di dare un'occhiata agli archivi della Aventine Clinic, a partire da ventitré anni fa, prima di firmare l'accordo relativo all'acquisizione. Questo lo spingerebbe a farci alcune domande, non credi?»

«E allora come intendi muoverti?» chiese Preston stizzito.

«Credo che dovremo distruggere tutte le cartelle degli anni Settanta.»

Dall'altra parte ci fu un momento di silenzio. «Berry, quelle cartelle sono uniche. Dal punto di vista scientifico non hanno prezzo...»

«E pensi che io non lo sappia?» ribatté seccamente Berrington.

«Ci deve essere un altro modo.»

Berrington sospirò. Era dispiaciuto quanto Preston. Aveva ardentemente sperato che un giorno, in un lontano futuro, qualcuno avrebbe scritto la storia dei loro esperimenti pionieristici, rivelando finalmente al mondo la loro audacia e il loro acume scientifico. Gli si spezzava il cuore all'idea di cancellare in quel modo clandestino testimonianze di enorme valore storico. A quel punto, però, era inevitabile. «Fintanto che le cartelle esistono, costituiscono una minaccia per noi. Devono essere distrutte. E subito.»

«Che cosa diremo al personale?»

«Non lo so, Preston! Inventati qualcosa, perdio! Spiega che è una nuova strategia di gestione degli archivi documenti. Purché inizino a distruggerli domani mattina presto, non mi frega un accidente di quello che dirai.»

«Suppongo tu abbia ragione. Chiamerò subito Dick. Ti dispiace telefonare a Jim e metterlo al corrente?»

«Certo.»

«A presto.»

Berrington compose il numero di casa di Jim Proust. Rispose la moglie, una donna esile dall'aria infelice, e glielo passò subito. «Sono a letto, Berry. Cosa diavolo c'è, ancora?»

I rapporti fra loro si andavano facendo sempre più tesi.

Berrington raccontò a Jim quello che aveva saputo da Preston e lo informò del loro piano.

«Bella mossa» disse Jim. «Ma non credo che basti. Questa Ferrami può seguire altre strade per giungere fino a noi.»

Berrington provò una forte irritazione. Per Jim niente era mai abbastanza. Qualsiasi cosa venisse proposta, Jim voleva sempre un'azione più decisa, misure più estreme. Poi però represse quel senso di fastidio. Stavolta Jim aveva ragione: Jeannie si era dimostrata un segugio implacabile nel seguire la pista. Non sarebbe bastato un ostacolo a scoraggiarla. «Sono d'accordo con te» disse. «Ah, oggi ho saputo che Steve Logan è uscito di prigione, quindi la ragazza non è più sola. Dobbiamo sistemare la faccenda una volta per tutte.»

«Bisogna spaventarla.»

«Jim, per amor del cielo...»

«Lo so che questo fa uscire il coniglio che c'è in te, Berry, ma deve essere fatto.»

«Scordatelo.»

«Senti...»

«Ho un'idea migliore, Jim, se solo riuscissi ad ascoltarmi per un minuto.»

«Okay, ti ascolto.»

«Intendo farla licenziare.»

Jim ci rifletté su per qualche istante. «Non saprei... basterà?»

«Certo. Lei crede di essersi imbattuta in un'anomalia biologica. È il genere di cosa che può far decollare la carriera di un giovane scienziato. Non ha idea di cosa ci sia sotto, è convinta che la Jones Falls abbia solo paura della cattiva pubblicità. Se perde il posto, non avrà più gli strumenti né alcun motivo per proseguire l'indagine. E, poi, sarà troppo occupata a cercarsi un altro lavoro. So che ha bisogno di soldi.»

«Forse hai ragione.»

Berrington si insospettì. Jim aveva accettato troppo facilmente. «Non starai pensando di combinare qualcosa da solo, vero?» gli chiese.

Jim eluse la domanda. «Puoi farlo davvero, voglio dire, puoi farla licenziare?»

«Certo.»

«Lunedì però mi hai detto che l'università non è l'esercito.»

«È vero, non puoi metterti a urlare contro la gente e ordinarle quello che deve fare. Ma sono nell'ambiente accademico da quasi quarant'anni. So come funziona il sistema. Se è davvero necessario, so come sbarazzarmi di un'assistente senza troppa fatica.»

«Va bene.»

Berrington aggrottò la fronte. «Allora sei d'accordo, Jim?»

«Sicuro.»

«Okay. Dormi bene.»

«Buona notte.»

Berrington riattaccò. Il pollo alla provenzale era ormai freddo. Lo gettò nella spazzatura e andò a letto.

Rimase sveglio a lungo, pensando a Jeannie Ferrami. Alle due si alzò e prese un sonnifero. Poi, finalmente, si addormentò.

29

Quella sera a Filadelfia faceva molto caldo. Nella casa popolare tutte le porte e le finestre erano aperte: nessuna delle stanze aveva l'aria condizionata. I rumori della strada salivano fino all'appartamento 5A, all'ultimo piano: clacson, risate, frammenti di musica. Su una scrivania di legno di pino, tutta rigata e segnata da vecchie bruciature di sigaretta, un telefono stava squillando.

Lui rispose.

«Sono Jim» disse una voce che sembrava un latrato.

«Ehi, zio Jim, come stai?»

«Sono preoccupato per te.»

«Come mai?»

«So quello che è successo domenica sera.»

Lui esitò. Non sapeva che cosa rispondere. «Hanno arrestato una persona per quello.»

«Ma la sua ragazza è convinta che sia innocente.»

«E allora?»

«Verrà a Filadelfia domani.»

«A far che?»

«Non ne sono sicuro. Ma potrebbe rappresentare un pericolo.»

«Merda!»

«Potresti occuparti di lei.»

«In che senso?»

«Vedi tu.»

«Come faccio a trovarla?»

«Conosci la Aventine Clinic? È nel tuo quartiere.»

«Certo, è sulla Chestnut, ci passo davanti ogni giorno.»

«Lei sarà lì alle due del pomeriggio.»

«Come faccio a riconoscerla?»

«Alta, capelli scuri, un anellino alla narice, sulla trentina.»

«Ce ne sono tante di donne così.»

«Probabilmente guiderà una Mercedes rossa.»

«Questo restringe il campo.»

«Ora, ricordati bene che l'altro tizio è fuori su cauzione.»

«E allora?»

«Allora, se le succedesse qualcosa, dopo che è stata vista insieme a te...»

«Ho capito! Penseranno che sia stato lui.»

«Sei sempre stato molto sveglio, ragazzo mio.»

Lui rise. «E tu molto perfido, zietto.»

«Ah, un'ultima cosa.»

«Ti ascolto.»

«È molto bella. Divertiti.»

«Ciao, zio Jim. E grazie.»

GIOVEDÌ

30

Jeannie stava facendo di nuovo il sogno della Thunderbird.

Nella prima parte del sogno rivide qualcosa di realmente accaduto quando lei aveva nove anni e sua sorella sei, durante uno dei brevi periodi che il padre aveva trascorso con loro. In quel momento era pieno di soldi (solo parecchi anni dopo Jeannie si sarebbe resa conto che tutto quel denaro doveva provenire da una rapina andata a buon fine). Era arrivato a casa con una Ford Thunderbird nuova fiammante, color turchese, con la tappezzeria interna in tinta abbinata, la macchina più bella che una bambina di nove anni potesse immaginare. Erano andati tutti a fare un giro, Jeannie e Patty sedute davanti, sul lungo sedile unito tra mamma e papà. Mentre costeggiavano il George Washington Memorial Park, papà si era preso Jeannie in grembo e le aveva lasciato impugnare il volante.

Jeannie aveva sterzato verso la corsia di sorpasso e aveva sobbalzato per lo spavento quando una macchina che stava per superarli si era messa a suonare con forza; subito papà aveva ripreso il volante riportando bruscamente la Thunderbird in carreggiata. Nel sogno, invece, papà non c'era più: Jeannie guidava senza alcun aiuto, mamma e Patty sapevano che non riusciva a vedere oltre il parabrezza, eppure rimanevano imperturbabili, sedute al suo fianco, e lei stringeva il volante sempre più forte, sempre più forte in attesa della collisione, mentre le altre macchine suonavano e suonavano.

Si svegliò con le unghie piantate nel palmo delle mani e lo squillo insistente del campanello che le echeggiava nelle orecchie. Rimase immobile per un momento, assaporando il senso di sollievo che viene dalla consapevolezza che si è trattato solo di un sogno. Poi saltò giù dal letto e andò al citofono. «Chi è?»

«Sono Ghita. Svegliati e fammi entrare.»

Ghita lavorava al quartier generale dell'Fbi a Washington, ma viveva a Baltimora. Jeannie pensò che stesse andando in ufficio. Premette il pulsante che apriva il portone.

Indossò un'enorme T-shirt che le arrivava quasi alle ginocchia: era abbastanza decente per ricevere un'amica. Ghita salì le scale, l'immagine della donna in carriera: tailleur di lino blu scuro, i capelli neri tagliati a caschetto, orecchini molto piccoli, grandi occhiali dalla montatura leggera, una copia del "New York Times" sotto il braccio. «Cosa diavolo sta succedendo?» disse, senza alcun preambolo.

«Non lo so, mi sono appena svegliata» rispose Jeannie, ma intuì che c'erano cattive notizie in vista.

«Ieri sera il mio capo mi ha chiamata a casa per dirmi che non dovevo più avere contatti con te.»

«No!» Jeannie aveva assolutamente bisogno dei risultati dall'Fbi per dimostrare che il suo metodo funzionava nonostante il mistero di Steven e Dennis. «Maledizione! E ti ha detto perché?»

«Ha affermato che i tuoi metodi violano la privacy delle persone.»

«Strano che l'Fbi si preoccupi di dettagli insignificanti come questi.»

«Pare che il "New York Times" la pensi allo stesso modo» aggiunse Ghita, mostrandole il giornale. In prima pagina c'era un articolo intitolato:

BIOETICA:
DUBBI, TIMORI E UNA DISPUTA

Jeannie temeva che la "disputa" si riferisse alla sua situazione. Aveva ragione. L'articolo si apriva così:

Jean Ferrami è una giovane scienziata molto decisa. Contro il volere dei colleghi e del rettore della Jones Falls University di Baltimora, continua con ostinazione a consultare cartelle mediche alla ricerca di gemelli.

«Ho un contratto» afferma. «Non possono darmi ordini.» I dubbi avanzati circa l'eticità del suo metodo di lavoro non sembrano affatto incrinare la fermezza della Ferrami.

Jeannie fu assalita da un'ondata di nausea. «Mio Dio, è orribile!»

Buona parte dell'articolo trattava della ricerca sugli embrioni umani, e Jeannie dovette andare a pagina 19 prima di trovare nuovamente il suo nome.

L'ennesimo grattacapo per le autorità universitarie viene dal caso della dottoressa Jean Ferrami dell'Istituto di psicologia della Jones Falls. Benché il rettore, il dottor Maurice Obell, e il direttore dell'Istituto, professor Berrington Jones, abbiano convenuto che il suo lavoro viola i principi dell'etica, la dottoressa Ferrami si rifiuta di sospenderlo, e non è detto che essi possano fare qualcosa per fermarla.

Jeannie lesse l'articolo fino in fondo, ma non vi era traccia delle argomentazioni con cui aveva difeso la correttezza del progetto. L'accento era tutto sul suo atteggiamento di sfida.

Era scioccante e doloroso vedersi attaccare in quel modo. Si sentì ferita e offesa allo stesso tempo, proprio come la volta in cui un ladro l'aveva gettata a terra con uno spintone e le aveva rubato il portafoglio in un supermercato di Minneapolis. Sapeva che la giornalista era in malafede e senza scrupoli, ma provava ugualmente un senso di vergogna, come se avesse davvero fatto qualcosa di male. Si sentiva esposta al disprezzo di tutta la nazione.

«A questo punto sarà difficile trovare ancora qualcuno che mi metta a disposizione le banche dati» disse, avvilita. «Vuoi un po' di caffè? Ho proprio bisogno di qualcosa per tirarmi su. Non capita spesso che una giornata inizi così male.»

«Mi dispiace, Jeannie, ma sono nei guai anch'io per aver coinvolto il Bureau.»

Mentre accendeva la macchina del caffè, Jeannie ebbe una folgorazione. «Questo articolo è fazioso, ma lasciamo perdere. Il punto è: se il tuo capo ti ha chiamata ieri sera, non può essere perché aveva letto il giornale.»

«Forse sapeva già che l'articolo sarebbe uscito.»

«Chi può averlo avvertito?»

«Non mi ha detto nulla di preciso, ma so che ha ricevuto una telefonata da Capitol Hill.»

Jeannie assunse un'aria perplessa. «Sembra quasi una questione politica. Perché mai un senatore o un membro del Congresso dovrebbe interessarsi a quello che faccio fino al punto di ordinare all'Fbi di non collaborare con me?»

«Forse è stato solo avvertito da un amico che sapeva dell'articolo.»

Jeannie scosse la testa. «L'articolo non parla dell'Fbi. Nessuno sa che sto lavorando con gli archivi dell'Fbi. Non l'ho detto neppure a Berrington.»

«Cercherò di scoprire chi ha fatto quella telefonata.»

Jeannie guardò nel frigorifero. «Hai già fatto colazione? Ho delle ciambelle alla cannella.»

«No, grazie.»

«Non ho fame neanch'io» concluse, chiudendo lo sportello del frigorifero. Era disperata. Non c'era proprio niente che potesse fare? «Ghita, immagino che tu non possa far girare il mio programma senza che il tuo capo lo venga a sapere, vero?»

Non nutriva molte speranze, ma la risposta dell'amica la lasciò di stucco. «Non hai ricevuto la mia E-mail, ieri?»

«Sono andata via presto. Cosa diceva?»

«Che avrei fatto girare il programma ieri sera.»

«E l'hai fatto?»

«Sì. È per questo che sono venuta qui. L'avevo già fatto girare quando il mio capo mi ha chiamata.»

Improvvisamente in Jeannie si riaccese la speranza. «Davvero?! Hai qui i risultati?»

«Te li ho mandati per E-mail.»

Jeannie era elettrizzata. «Ma è fantastico! Li hai guardati? C'erano molti gemelli?»

«Parecchi. Venti o trenta coppie.»

«È grandioso! Significa che il mio programma funziona!»

«Il problema è che il mio capo non sa che l'ho già fatto girare. Ho avuto paura e ho mentito.»

Jeannie aggrottò la fronte. «È imbarazzante... voglio dire, e se lo venisse a sapere?»

«È questo il punto, Jeannie. Devi distruggere quell'elenco.»

«Cosa?!»

«Se lo scopre sono finita.»

«Ma non posso distruggerlo! Specialmente se conferma la mia teoria!»

Il volto di Ghita assunse un'espressione dura. «Devi farlo.»

«È terribile» esclamò Jeannie affranta. «Come posso distruggere una cosa che può significare la mia salvezza?»

«Io sono finita in questo pasticcio per fare un piacere a te» ribatté Ghita, puntandole contro un dito. «E ora tu devi tirarmi fuori!»

Jeannie non era convinta che fosse tutta colpa sua. «Non sono stata io a dirti di mentire al tuo capo» replicò, acida.

Questo mandò Ghita su tutte le furie. «Ero spaventata!»

«Un momento. Cerchiamo di stare calme» disse Jeannie. Versò il caffè nelle tazze e ne porse una a Ghita. «Potresti dire al tuo capo che c'è stato un malinteso. Tu avevi dato ordine che la ricerca venisse annullata, ma poi hai scoperto che era già stata portata a termine e trasmessa via E-mail.»

Ghita prese la tazza ma non bevve. Sembrava sull'orlo di una crisi di pianto. «Tu sai che cosa vuol dire lavorare all'Fbi? Io mi scontro quotidianamente con gli uomini più maschilisti d'America. Non aspettano altro che una scusa per dire che le donne non ce la possono fare.»

«Ma tu non rischi il licenziamento.»

«Mi stai mettendo in una situazione molto difficile.»

Era vero: non c'era niente che Ghita potesse fare per costringere Jeannie. «Su, non prendertela.»

Ghita non si ammorbidì. «E invece sì. Ti sto chiedendo di distruggere quella lista.»

«Non posso!»

«Allora non ho altro da dirti» concluse Ghita avviandosi verso la porta.

«Non andartene così» la pregò Jeannie. «Siamo amiche da troppo tempo!»

Ghita uscì.

«Merda!» esclamò Jeannie. «Merda! Merda!»

Il portone si chiuse con un tonfo.

"Bene, ho appena perso una delle mie più vecchie amiche" pensò Jeannie.

Ghita l'aveva abbandonata. Jeannie comprendeva le sue ragioni: una giovane donna che cercava di far carriera era sottoposta a notevoli pressioni. Tuttavia, era lei a trovarsi sotto tiro, non Ghita. L'amicizia di Ghita non aveva retto a quella prova.

Jeannie si chiese se anche le altre sue amiche si sarebbero allontanate da lei.

Depressa, fece una doccia veloce e cominciò a mettersi addosso le prime cose che trovava. Poi si fermò e si costrinse a riflettere. Stava per affrontare una battaglia: avrebbe fatto meglio a vestirsi in maniera adeguata. Si tolse i jeans neri e la T-shirt rossa e ricominciò da capo. Si lavò i capelli e li asciugò con cura. Quindi si truccò: fondotinta, ombretto, mascara e rossetto. Indossò un tailleur nero con una camicetta grigio perla, calze velate e scarpe di vernice col tacco alto. Sostituì l'anellino d'argento alla narice con una semplice pallina d'oro.

Si guardò nello specchio. Si sentiva pericolosa e aveva un aspetto pericoloso. «Va', Jeannie, stendili» mormorò, e uscì.

31

Mentre si dirigeva in macchina verso l'università, Jeannie pensava a Steve Logan. Lo aveva definito un ragazzo grande e grosso, ma in realtà era più maturo di molti uomini cosiddetti adulti. Jeannie aveva pianto sulla sua spalla, quindi era chiaro che nel suo inconscio si fidava di lui. Trovava gradevole il suo odore, che ricordava quello del tabacco. Nonostante l'angoscia non aveva potuto fare a meno di notare l'erezione, che lui aveva peraltro cercato di nascondere. Si sentiva lusingata che potesse eccitarsi in quel modo solo abbracciandola, e sorrise al pensiero di quella sera. Peccato non avesse dieci o quindici anni di più.

Steve le rammentava il suo primo amore, Bobby Springfield. Allora lei aveva tredici anni, lui quindici. Jeannie non sapeva quasi niente dell'amore e del sesso, e lui era ignorante quanto lei, così si erano imbarcati insieme per un viaggio esplorativo. Arrossiva ancora al ricordo delle cose che avevano fatto in quei sabato sera, seduti nell'ultima fila del Moviedrome. La cosa più eccitante in Bobby, come del resto in Steve, era quella sensazione di passione trattenuta. A Bobby bastava sfiorarle i capezzoli o toccarle le mutandine per eccitarsi, e questo la faceva sentire irresistibile. Per un po' di tempo aveva abusato di quel potere, portandolo al massimo dell'eccitazione solo per dimostrare che poteva farlo. Presto, però, si era resa conto, nonostante i tredici anni, che era un gioco molto stupido. Eppure non aveva mai smesso del tutto di amare il piacere pericoloso che si prova stuzzicando un gigante incatenato. Era successo anche con Steve.

Quel ragazzo era l'unica cosa buona all'orizzonte. Jeannie era nei guai, guai grossi. Non poteva dare le dimissioni dall'università proprio adesso. Dopo che il "New York Times" l'aveva resa famosa per aver sfidato i suoi capi, sarebbe stato molto difficile trovare un altro lavoro nell'ambiente scientifico. "Se fossi un professore" pensò, "non prenderei con me una piantagrane."

Comunque ormai era troppo tardi per assumere una posizione più cauta. La sua unica speranza era quella di proseguire con tenacia, utilizzando i dati dell'Fbi: avrebbe prodotto risultati scientifici talmente convincenti da indurre chiunque a riconsiderare la sua metodologia, valutandone serenamente l'eticità.

Quando si fermò nel parcheggio riservato erano le nove. Mentre chiudeva a chiave la macchina e si avviava verso il Pandemonio, sentì un'ondata di acido nello stomaco: troppa tensione e niente cibo.

Entrando nel suo ufficio capì immediatamente che c'era stato qualcuno.

Non si trattava degli addetti alle pulizie. Jeannie conosceva bene le tracce del loro passaggio: le sedie spostate di pochi centimetri, i segni circolari lasciati dalle tazze del caffè cancellati, il cestino della carta sistemato sul lato sbagliato della scrivania. No, era diverso: qualcuno si era seduto davanti al suo computer. La tastiera aveva un'altra angolazione: l'intruso l'aveva inconsciamente spostata nella posizione a lui più congeniale. Il mouse si trovava al centro del tappetino, mentre lei lo lasciava sempre ordinatamente appoggiato contro il bordo della tastiera. Si guardò intorno e vide un'anta del mobiletto socchiusa e l'angolo di un foglio che spuntava dal cassetto dell'archivio.

La stanza era stata perquisita.

Si consolò pensando che quella era opera di un dilettante. Non era la Cia che la stava spiando. La cosa la metteva comunque a disagio e quando si sedette alla scrivania e accese il computer provò un senso di vuoto allo stomaco. Chi era stato? Un membro della facoltà? Uno studente? Un agente della vigilanza corrotto? Qualche estraneo? E perché?

Sotto la porta era stata fatta scivolare una busta. Conteneva l'autorizzazione firmata da Lorraine Logan, che Steve aveva inviato per fax al Pandemonio. L'avrebbe portata con sé alla Aventine Clinic, insieme a quella di Charlotte Pinker.

Entrò nella posta elettronica. C'era un solo messaggio: i risultati della ricerca sugli archivi dell'Fbi. «Alleluia!» esclamò sottovoce.

Con profondo sollievo scaricò la lista di nomi e indirizzi. La sua intuizione trovava conferma: la ricerca aveva effettivamente scoperto coppie di gemelli. Non vedeva l'ora di controllare se c'erano altre anomalie come quella di Steve e di Dennis.

Jeannie ricordò che Ghita le aveva mandato un messaggio precedente con la E-mail per avvertirla che avrebbe lanciato il programma. Che fine aveva fatto? Si chiese se non fosse stato scaricato dall'intruso della sera prima. Questo avrebbe spiegato anche la telefonata allarmata ricevuta dal capo di Ghita.

Stava per mettersi a esaminare i nomi sulla lista quando squillò il telefono. Era il rettore. «Sono Maurice Obell. Credo sia il caso di parlare dell'articolo apparso sul "New York Times", non le pare?»

Jeannie sentì che lo stomaco le si chiudeva. "Ci siamo" pensò con apprensione. Ora si comincia. «Certo» rispose. «A che ora le andrebbe bene?»

«Speravo potesse venire nel mio ufficio subito.»

«Sarò lì fra cinque minuti.»

Copiò i risultati su un dischetto, quindi uscì dal sistema. Tolse il dischetto dal computer e prese una penna. Rifletté per un momento, poi scrisse sull'etichetta LISTASPESA. Senza dubbio era una precauzione inutile, ma la fece sentire meglio.

Infilò il dischetto nella scatoletta che conteneva i file di backup e uscì.

Cominciava già a fare caldo. Mentre attraversava il campus si chiese a che cosa mirasse Obell con quell'incontro. Il suo unico obiettivo era ottenere il permesso di proseguire nella ricerca. Doveva mostrarsi decisa e far chiaramente intendere che non si sarebbe lasciata intimorire; tuttavia l'ideale sarebbe stato placare le ire delle autorità accademiche e attenuare il conflitto.

Era contenta di aver indossato il tailleur nero, anche se in quel momento era in un bagno di sudore: la faceva apparire più vecchia e autorevole. I tacchi alti ticchettavano sulle pietre del lastricato davanti a Hillside Hall. Venne subito ammessa nell'elegante ufficio del rettore.

C'era anche Berrington Jones, seduto su una poltroncina, con una copia del "New York Times" in mano. Lei gli sorrise, felice di avere un alleato. Lui la salutò in modo piuttosto distaccato, con un cenno del capo. «Buon giorno, Jeannie.»

Maurice Obell era dietro la grande scrivania, sulla sua poltrona a rotelle. «L'università non può tollerare una cosa simile, dottoressa Ferrami» esordì con i suoi soliti modi bruschi.

Non le chiese di sedersi, ma Jeannie non aveva intenzione di lasciarsi sgridare come una scolaretta, quindi prese una sedia, la avvicinò, si sedette e accavallò le gambe. «È un peccato che lei abbia comunicato alla stampa di aver sospeso il mio programma prima di accertarsi se aveva il diritto di farlo» ribatté, con tutta la freddezza che riuscì a mettere nella voce. «Convengo pienamente con lei che l'università ci ha fatto una figura ridicola.»

Obell si adirò. «Non sono io il responsabile di questo.»

Ora basta fare la dura, decise Jeannie. Era giunto il momento di dirgli che erano tutti e due dalla stessa parte. «Certo che no» ammise. «La verità è che siamo stati entrambi un po' precipitosi, e la stampa ne ha approfittato.»

«Ormai il danno è fatto» intervenne Berrington. «Non serve scusarsi...»

«Io non mi stavo scusando» ribatté lei secca. Quindi si rivolse nuovamente a Obell e gli sorrise. «Però, credo che dovremmo smetterla di litigare.»

Ancora un volta fu Berrington a rispondere. «È troppo tardi» disse.

«Io sono sicura che non è così» ribatté lei. Si chiese perché Berrington avesse detto una cosa simile. Anche lui doveva desiderare che la situazione si normalizzasse: non era nel suo interesse infiammare gli animi. Continuò a guardare il rettore, sempre sorridendogli. «Siamo persone razionali. Dobbiamo riuscire a trovare un compromesso che mi permetta di continuare il mio lavoro, pur preservando il buon nome dell'università.»

Era chiaro che a Obell l'idea piaceva, anche se aggrottò la fronte e disse: «Non vedo come...».

«Questa è solo una perdita di tempo...» sbottò Berrington con impazienza.

Era la terza volta che interveniva con un commento sferzante. Jeannie ingoiò un'altra risposta stizzita. Perché si comportava in quel modo? Che volesse davvero costringerla a interrompere la ricerca, metterla nei guai con l'università e screditarla? Pareva proprio di sì. Era Berrington che si era introdotto nel suo ufficio, aveva scaricato la sua E-mail e avvertito l'Fbi? Che fosse stato lui a fare la soffiata al "New York Times" dando inizio a quella disputa? Era talmente sbalordita dalla logica perversa di quella possibilità che per un attimo rimase senza parole.

«Abbiamo già deciso quale sarà la linea di condotta dell'università» proseguì Berrington.

Jeannie si rese conto che si era sbagliata su chi comandasse veramente in quella stanza. Il capo era Berrington, non Obell. Berrington era il tramite attraverso il quale arrivavano i milioni di dollari della Genetico di cui Obell aveva assoluto bisogno per finanziare la ricerca. Berrington non aveva nulla da temere da Obell, semmai era il contrario. Jeannie aveva tenuto d'occhio la scimmia, non il suonatore d'organino.

Berrington aveva ormai lasciato cadere ogni finzione. «Non l'abbiamo convocata per chiederle il suo parere.»

«Per che cosa, allora?» ribatté Jeannie.

«Per licenziarla.»

Jeannie rimase di sasso. Si era aspettata una minaccia di licenziamento, ma non il licenziamento. Non riusciva a crederci. «Che cosa intende dire?» chiese stupidamente.

«Intendo dire che lei è licenziata» rispose Berrington. Si lisciò le sopracciglia con la punta dell'indice destro, segno che era molto compiaciuto di sé.

Jeannie si sentiva come se le avessero sferrato un pugno. "No, non posso essere stata licenziata" pensò. "Sono qui solo da poche settimane. Stavo andando bene, lavoravo sodo. Pensavo che fossero tutti contenti di me, a parte Sophie Chapple. Come ha fatto a succedere tutto così in fretta?"

Cercò di radunare le idee. «Voi non potete licenziarmi.»

«L'abbiamo appena fatto.»

«No.» Man mano che lo shock iniziale passava, Jeannie cominciò a provare un senso di rabbia e di ribellione. «Voi non siete i padroni dell'università. Esistono delle procedure.» Di norma le università non potevano licenziare gli insegnanti senza una specie di udienza. Era scritto sul suo contratto, ma non aveva mai letto a fondo i dettagli. Improvvisamente la cosa assumeva per lei un'importanza vitale.

Fu Maurice Obell a fornirle l'informazione. «Ovviamente, ci sarà un'udienza davanti al comitato disciplinare del Senato accademico» disse. «Di solito è necessario un preavviso di quattro settimane, ma, considerata la cattiva pubblicità che circonda questo caso, in qualità di rettore sono ricorso a una procedura d'urgenza, e l'udienza si terrà domani mattina.»

Jeannie era stupita della velocità con cui avevano agito. Il comitato disciplinare? La procedura d'urgenza? L'indomani mattina? Più che una discussione sembrava un arresto. Si aspettava quasi che Obell le leggesse i suoi diritti.

E infatti fece qualcosa di simile. Spinse verso di lei un fascicolo posato sulla scrivania. «Qui dentro troverà le regole procedurali del comitato. Potrà farsi difendere da un avvocato o da un'altra persona, purché ne dia avviso prima al presidente del comitato.»

Finalmente Jeannie riuscì a mettere insieme una domanda logica. «Chi è il presidente?»

«Jack Budgen» rispose Obell.

«Chi l'ha deciso?» chiese brusco Berrington, alzando lo sguardo di scatto.

«Il presidente viene nominato annualmente» disse Obell. «Jack ha avuto l'incarico all'inizio del semestre.»

«Non lo sapevo.» Berrington sembrava seccato, e Jeannie sapeva perché. Budgen era il suo partner a tennis. Questo era incoraggiante: se non altro Jack sarebbe stato imparziale con lei. Forse non tutto era perso. Avrebbe avuto la possibilità di difendere se stessa e i suoi metodi di ricerca davanti a un gruppo di accademici. Ci sarebbe stata una vera discussione e non le superficiali conclusioni del "New York Times".

Inoltre disponeva dei risultati della ricerca condotta sugli archivi dell'Fbi. Cominciava già a vedere una possibile linea di difesa. Avrebbe mostrato quei dati al comitato. Con un po' di fortuna ci sarebbe stata qualche coppia di persone che non sapevano di essere gemelli. Questo avrebbe fatto colpo. Allora lei avrebbe spiegato le precauzioni che di solito prendeva per proteggere la privacy di ognuno...

«Credo sia tutto» disse Maurice Obell.

La stava congedando. Jeannie si alzò. «Che peccato essere arrivati a questo» disse.

«È stata lei a volerlo» ribatté pronto Berrington.

Si comportava come un bambino polemico. Jeannie non sopportava la prospettiva di un inutile battibecco. Gli lanciò un'occhiata sprezzante e uscì dalla stanza.

Attraversando il campus pensò tristemente che aveva del tutto mancato i suoi obiettivi. Invece di cercare l'accordo si era cacciata in una lotta da gladiatori. In realtà Berrington e Obell avevano già deciso prima che lei entrasse in quella stanza. L'incontro era stato una pura formalità.

Tornò al Pandemonio. Arrivando davanti all'ufficio, notò con irritazione che gli addetti alle pulizie avevano lasciato un sacchetto della spazzatura proprio davanti alla sua porta. Li avrebbe chiamati subito. Cercò di aprire la porta del suo ufficio ma scoprì che era bloccata. Fece passare la tessera magnetica nel lettore più volte, ma la serratura non scattò. Stava per andare in portineria e chiamare la manutenzione quando un terribile sospetto le attraversò la mente.

Guardò dentro il sacchetto di plastica nera. Non era pieno di cartaccia e di bicchieri di plastica. La prima cosa che vide fu la sua cartella di tela. Nel sacco c'erano pure la scatola di Kleenex che stava nel cassetto della sua scrivania, l'edizione economica di *A Thousand Acres* di Jane Smiley, due fotografie incorniciate e la spazzola.

Avevano svuotato la sua scrivania e l'avevano chiusa fuori del suo ufficio.

Jeannie era annichilita. Era un colpo ancora più forte di quello che aveva ricevuto nell'ufficio di Obell. Quelle erano solo parole, questo la faceva sentire tagliata fuori da una parte importantissima della propria vita. "È il mio ufficio" pensò, "come possono chiudermi fuori?" «Maledetti bastardi!» esclamò a voce alta.

Doveva essere stata opera della vigilanza mentre lei si trovava nell'ufficio di Obell. Ovviamente non l'avevano avvisata, perché questo le avrebbe permesso di portare via ciò di cui aveva realmente bisogno. Ancora una volta rimase sorpresa di quanto fossero spietati.

Era come subire un'amputazione. Le avevano portato via le sue ricerche, il suo lavoro. Non sapeva che cosa fare di se stessa, non sapeva dove andare. Per undici anni si era dedicata alla scienza, prima come studentessa, poi come laureata e infine come assistente. E ora, improvvisamente, non era più nulla.

Quando poi le tornò in mente il dischetto con i dati dell'Fbi, passò dallo sconforto alla disperazione più cupa. Frugò febbrilmente dentro il sacchetto di plastica, ma non c'erano dischetti. I suoi risultati, la base della sua difesa, erano chiusi dentro l'ufficio.

Si mise a battere inutilmente col pugno sulla porta. Uno studente che frequentava il suo corso di statistica le lanciò un'occhiata perplessa. «Posso aiutarla, professore?»

Jeannie ricordò il nome del ragazzo. «Ciao, Ben. Sì, potresti buttare giù a calci questa maledetta porta.»

Lui la osservò con espressione dubbiosa.

«Stavo scherzando» disse Jeannie. «Non ho bisogno di nulla, ti ringrazio.»

Il ragazzo si strinse nelle spalle e si allontanò.

Era perfettamente inutile restare lì a guardare una porta chiusa. Prese il sacchetto di plastica ed entrò nel laboratorio. Lisa era seduta alla sua scrivania, intenta a inserire dati nel computer. «Mi hanno licenziata» annunciò Jeannie.

Lisa sollevò lo sguardo. «Cosa?!»

«Mi hanno chiusa fuori dell'ufficio e hanno buttato tutta la mia roba in questo sacco della spazzatura.»

«Non ci posso credere!»

Jeannie prese la cartella dal sacchetto e tirò fuori la copia del "New York Times". «Tutto per colpa di questo.»

Lisa lesse i primi due paragrafi. «Ma sono solo stronzate!» concluse.

Jeannie si sedette. «Lo so. E non capisco perché Berrington finga di prenderle così sul serio.»

«Credi che stia fingendo?»

«Ne sono certa. È troppo intelligente per farsi infinocchiare da queste stupidaggini. Deve avere qualche altro motivo.» Jeannie prese a battere nervosamente i piedi sul pavimento. «È pronto a fare qualsiasi cosa, ha assunto una posizione veramente delicata... deve esserci in gioco qualcosa di molto importante per lui.» Forse avrebbe trovato la risposta negli archivi medici della Aventine Clinic a Filadelfia. Guardò l'orologio. Doveva essere là alle due. Presto sarebbe stata l'ora di andare.

Lisa non riusciva ancora a credere alla notizia. «Ma non possono licenziarti così» disse, indignata.

«Ci sarà un'udienza disciplinare domani mattina.»

«Mio Dio, fanno proprio sul serio.»

«Già.»

«C'è qualcosa che posso fare per te?»

Una cosa c'era, ma Jeannie non osava chiederla. Guardò Lisa. Nonostante il caldo, la ragazza indossava una camicetta accollata con sopra un maglione largo: voleva coprire il proprio corpo, una reazione allo stupro, senza dubbio. Aveva l'espressione solenne di chi ha da poco subito un lutto.

La sua amicizia si sarebbe rivelata fragile come quella di Ghita? Jeannie aveva paura di conoscere la risposta. Se anche Lisa l'avesse abbandonata, chi le sarebbe rimasto? Doveva metterla alla prova, anche se quello era il momento peggiore. «Potresti cercare di entrare nel mio ufficio» le disse, esitante. «I risultati dell'Fbi sono rimasti là dentro.»

Lisa non rispose subito. «Hanno cambiato la serratura?»

«È molto più semplice. Cambiano il codice elettronicamente, così la tua tessera non funziona più. Ci scommetto che non potrò neppure entrare in questo edificio quando è chiuso.»

«È difficile da accettare. È successo così in fretta.»

Jeannie odiava dover fare pressioni su Lisa per indurla a correre dei rischi. Si spremette il cervello alla ricerca di un'altra strada. «Forse potrei entrare io stessa. Potrei chiedere a un addetto alla pulizia, ma temo che la serratura non risponderà neppure alla loro tessera. Se l'ufficio non è usato, non è necessario pulirlo. Però gli agenti della vigilanza devono poter entrare.»

«Non ti aiuteranno. Sicuramente sanno che non sei rimasta chiusa fuori per errore.»

«È vero» ammise Jeannie. «Ma forse farebbero entrare te. Potresti dire che devi prendere qualcosa nel mio ufficio.»

Lisa sembrava perplessa.

«Odio dovertelo chiedere» disse Jeannie.

L'espressione di Lisa cambiò. «Ma sì!» disse alla fine. «Ci proverò.»

Jeannie si sentì un groppo in gola. «Grazie» esclamò, mordendosi il labbro. «Sei una vera amica.» Allungò il braccio sopra la scrivania e strinse la mano di Lisa.

La ragazza era imbarazzata per la commozione dell'amica. «Dove si trova esattamente la lista dell'Fbi?»

«È su un dischetto che porta l'etichetta LISTASPESA, in una scatola di dischetti nel cassetto della scrivania.»

«Va bene» disse Lisa e poi aggiunse: «Non capisco proprio perché ce l'abbiano tanto con te».

«È iniziato tutto con Steve Logan» rispose Jeannie. «I guai sono cominciati quando Berrington l'ha visto qui. Ma credo di essere vicina a scoprire il perché.»

Si alzò.

«Ora che cosa farai?» chiese Lisa.

«Andrò a Filadelfia.»

32

Berrington guardava fuori della finestra del suo ufficio. Quella mattina nessuno giocava a tennis. Con gli occhi della fantasia immaginò Jeannie sul campo. Il primo o il secondo giorno del semestre l'aveva vista correre da una parte all'altra del terreno di gioco con il gonnellino candido, le lunghe gambe abbronzate, le scarpe bianche che saettavano... si era subito invaghito di lei. Aggrottò la fronte, chiedendosi come mai fosse rimasto così colpito dal suo aspetto atletico. Vedere le donne praticare gli sport non lo eccitava in particolar modo. Non era tra gli appassionati di *American Gladiators*, come Gormley, il professore di egittologia, che aveva tutti gli incontri registrati su cassetta e, a quanto dicevano i maligni, se li guardava e riguardava la sera nello studiolo di casa. Eppure, quando giocava a tennis, Jeannie acquisiva una grazia particolare. Era come osservare i balzi di una leonessa in quei documentari sugli animali: i muscoli che guizzavano sotto la pelle, i capelli che fluttuavano a mezz'aria, il corpo che si muoveva, si bloccava, si voltava e riprendeva a muoversi con una rapidità incredibile, quasi sovrannaturale. Era uno spettacolo affascinante e lui ne era rimasto incantato. Ora quella ragazza stava mettendo a repentaglio quello per cui lui aveva lavorato una vita intera, ma gli sarebbe piaciuto poterla osservare ancora una volta mentre giocava a tennis.

Il fatto di non poterla licenziare in tronco anche se in fondo era lui a pagarle lo stipendio lo faceva andare su tutte le furie. Jeannie era una dipendente della Jones Falls University e la Genetico aveva già stanziato i fondi. Un'università non poteva licenziare un membro del corpo accademico allo stesso modo in cui un ristorante si libera di un cameriere incompetente. Si doveva per forza passare attraverso quella estenuante trafila.

«Al diavolo!» esclamò a voce alta mentre tornava alla scrivania.

Quella mattina era andato tutto perfettamente liscio finché non aveva saputo di Jack Budgen. Berrington aveva caricato ben bene Maurice prima che Jeannie arrivasse, riuscendo così a prevenire qualsiasi rappacificazione. Ma era una pessima notizia che il presidente del comitato disciplinare fosse proprio il compagno di tennis di Jeannie. Era un dettaglio che Berrington si era dimenticato di controllare: aveva dato per scontato di poter usare la propria influenza per pilotare la scelta del presidente ed era rimasto costernato nell'apprendere che la nomina era già cosa fatta.

Esisteva il serio pericolo che Jack fosse disposto ad accogliere la versione di Jeannie.

Si grattò la testa preoccupato. Berrington non socializzava mai con i colleghi – trovava più affascinante la compagnia di politici e giornalisti – ma conosceva bene le vicende di Jack Budgen. Jack si era ritirato dal tennis professionistico a trent'anni ed era tornato all'università per prendere un dottorato. Troppo vecchio per cominciare una carriera nella chimica, sua specialità originaria, aveva scelto il campo amministrativo. Per gestire il complesso delle biblioteche dell'università e mediare fra le richieste conflittuali di dipartimenti in lotta tra loro occorreva una persona cortese e piena di tatto, e Jack lo era.

Si domandò come si potesse influenzarlo. Non era un uomo subdolo, anzi, il contrario: il suo carattere conciliante si accompagnava infatti a una certa ingenuità. Si sarebbe offeso se Berrington avesse apertamente tentato di esercitare pressioni su di lui, o gli avesse sfacciatamente offerto una qualche ricompensa. Forse, però, sarebbe stato possibile influenzarlo usando un certo tatto.

Una volta anche Berrington si era lasciato corrompere. Tutte le volte che ci pensava gli veniva un groppo allo stomaco. Era successo agli inizi della sua carriera, quando non era ancora titolare di cattedra. Una laureanda era stata scoperta a

276

infrangere le regole: aveva pagato un altro studente perché le scrivesse la tesina di fine trimestre. Si chiamava Judy Gilmore ed era veramente molto graziosa. Avrebbe dovuto essere espulsa dall'università, ma il direttore dell'istituto aveva la facoltà di imporre una punizione più lieve. Judy si era presentata nello studio di Berrington per "parlare del problema". Aveva accavallato le gambe, prima la destra, poi la sinistra, lo aveva guardato languidamente negli occhi, si era sporta in avanti verso di lui in modo che potesse guardarle dentro la camicetta e intravedere il reggiseno di pizzo. Lui era stato comprensivo e le aveva promesso di aiutarla. Lei si era messa a piangere, lo aveva ringraziato, gli aveva preso la mano, lo aveva baciato sulla bocca e alla fine gli aveva tirato giù la cerniera dei pantaloni.

La ragazza non aveva fatto il minimo accenno a uno scambio di favori. Non gli aveva offerto del sesso prima che lui accettasse di aiutarla e, finito di fare l'amore sul pavimento dello studio, si era rivestita con calma, si era pettinata, lo aveva baciato e se n'era andata. Però, il giorno seguente lui aveva convinto il direttore dell'istituto a punirla con un semplice ammonimento.

Berrington si era lasciato corrompere perché era riuscito a convincere se stesso che non si trattava di corruzione. Judy gli aveva chiesto aiuto, lui aveva accettato di darglielo, poi lei aveva ceduto al suo fascino e avevano fatto l'amore. Col passare del tempo si era reso conto che erano tutte balle. L'offerta di sesso era stata implicita nel comportamento di Judy fin dal primo momento e, quando lui le aveva promesso il proprio aiuto, la ragazza aveva saggiamente siglato l'accordo. A Berrington piaceva considerarsi uomo di saldi principi e ciò che aveva fatto era assolutamente vergognoso.

Corrompere qualcuno era immorale quasi quanto farsi corrompere. Tuttavia, se ne avesse avuto la possibilità, avrebbe corrotto Jack Budgen. Era disgustato solo all'idea, ma non c'erano alternative.

Avrebbe fatto come Judy: avrebbe dato a Jack la possibilità di ingannare se stesso.

Berrington rifletté ancora qualche minuto, poi prese il telefono e lo chiamò.

«Grazie per avermi mandato una copia del tuo memo sull'ampliamento della libreria di biofisica» cominciò.

Dall'altra parte ci fu una pausa perplessa. «Ah, sì. È passato parecchio tempo... ma sono felice che tu abbia avuto il tempo di leggerlo.»

Berrington gli aveva dato appena un'occhiata. «Credo che la tua proposta abbia molti spunti interessanti. Ti ho chiamato per dirti che ti appoggerò quando verrà esaminata dall'apposito comitato.»

«Ti ringrazio molto.»

«A dire il vero potrei forse anche convincere la Genetico a stanziare una parte dei fondi necessari.»

Jack accolse l'idea con entusiasmo. «Potremmo chiamarla Biblioteca di biofisica Genetico.»

«Ottima idea. Domani ne parlerò a chi di dovere.» Berrington aspettava che fosse Jack a portare il discorso su Jeannie. Forse avrebbe potuto arrivarci tramite il tennis. «Come hai passato l'estate?» gli chiese. «Sei stato a Wimbledon?»

«No, quest'anno no. Ero troppo preso dal lavoro.»

«Peccato.» Con una certa trepidazione, finse di essere in procinto di riattaccare. «Ci sentiamo.»

Come sperava, Jack lo bloccò. «Ah, Berry, che cosa pensi di fare con quelle stupidaggini del giornale? Per la faccenda di Jeannie?»

«Ah, quella tempesta in un bicchier d'acqua...» gettò lì Berrington nascondendo il proprio sollievo.

«Ho cercato di chiamarla, ma non è in ufficio.»

«Non ti preoccupare per la Genetico» disse Berrington, anche se Jack non l'aveva neppure menzionata, «sono piuttosto tranquilli. Fortunatamente Maurice Obell ha agito con prontezza e decisione.»

«Ti riferisci all'udienza disciplinare.»

«Immagino che sia una pura formalità. Jeannie ha messo l'università in una posizione imbarazzante, si è rifiutata di interrompere la sua ricerca e si è rivolta alla stampa. Dubito persino che si prenderà la briga di difendersi. Ho detto a quelli della Genetico che abbiamo la situazione sotto controllo e al momento non credo che i rapporti tra loro e l'università siano in pericolo.»

«Bene.»

«Ovviamente le cose potrebbero cambiare se per qualche motivo il comitato dovesse schierarsi con Jeannie contro Maurice. Ma non credo sia probabile, e tu?» Berrington trattenne il respiro.

«Sai che presiedo io il comitato?»

Jack aveva eluso la domanda. Maledizione! «Sì, e mi fa molto piacere che ci sia una mente lucida come la tua a capo del procedimento. Se al tuo posto ci fosse stato Malcom Barnet» proseguì, riferendosi a un professore di filosofia che era solito portare i capelli rasati a zero, «Dio solo sa che cosa sarebbe potuto succedere.»

Jack scoppiò a ridere. «Il Senato accademico ha molto buon senso. Non metterebbe Malcom neppure a capo del comitato per i parcheggi... lui tenterebbe di farne uno strumento di cambiamento sociale.»

«Con te come presidente, immagino che il comitato sosterrà il rettore.»

Ancora una volta la risposta di Jack fu fastidiosamente ambigua. «Non tutti i membri della commissione sono prevedibili.»

"Brutto bastardo, lo stai facendo apposta per tormentarmi?" pensò Berrington. «Ma il presidente non è una mina vagante, ne sono sicuro» concluse, asciugandosi una goccia di sudore dalla fronte.

Ci fu una pausa. «Berry, non sarebbe corretto da parte mia formulare giudizi avventati...»

"Va' al diavolo!"

«... ma credo di poter affermare che la Genetico non abbia nulla di cui preoccuparsi.»

Finalmente! «Grazie, Jack. Lo apprezzo molto.»

«Ovviamente rimanga tra noi.»

«Naturale.»

«Ci vediamo domani.»

«Ciao.» Berrington riattaccò. Cristo, com'era stata dura!

Davvero Jack non capiva di essere stato corrotto? Forse faceva solo finta di niente.

In fondo non aveva alcuna importanza, purché portasse il comitato nella direzione giusta.

Certo, non era detto che sarebbe finita lì. La decisione del comitato andava ratificata dal Senato accademico. Jeannie avrebbe potuto assumere un avvocato con le palle e far causa all'università, chiedendo chissà quali risarcimenti, e il caso avrebbe potuto trascinarsi per anni. Ma la sua ricerca sarebbe stata bloccata, e questa era l'unica cosa che contava.

Tuttavia, la decisione del comitato non era ancora sicura. Se l'indomani mattina le cose non fossero andate per il verso giusto, Jeannie avrebbe potuto tornare al lavoro già da mezzogiorno e gettarsi a testa bassa sui segreti della Genetico. Berrington rabbrividì. Dio non volesse. Prese un blocco per appunti e buttò giù i nomi dei membri del comitato.

Jack Budgen - Biblioteche
Tenniel Biddenham - Storia dell'arte
Milton Powers - Matematica
Mark Trader - Antropologia
Jane Edelsborough - Fisica

Biddenham, Powers e Trader erano professori di vecchia nomina la cui carriera era legata a doppio filo con la Jones Falls e il suo prestigio. Berrington era sicuro che avrebbero appoggiato il rettore. L'incognita semmai era rappresentata dall'unica donna, Jane Edelsborough.

Come prossima mossa avrebbe dovuto occuparsi di lei.

33

Diretta a Filadelfia sulla I-95, Jeannie stava di nuovo pensando a Steve Logan.

La notte precedente, nel parcheggio del campus, gli aveva dato il bacio della buona notte. E ora, con sua grande sorpresa, si rammaricava che il bacio fosse stato così fugace. Le labbra di Steve erano piene e asciutte, la sua pelle calda. Non le sarebbe affatto dispiaciuto farlo di nuovo.

Perché dava tanta importanza alla sua età? Che cosa c'era di così meraviglioso negli uomini più vecchi? Will Temple a trentanove anni l'aveva mollata per un'ereditiera senza cervello. Alla faccia della maturità.

Premette il pulsante dell'autoradio alla ricerca di una buona stazione e trovò *Come as You Are* dei Nirvana. Tutte le volte che pensava di uscire con un suo coetaneo, o uno più giovane, provava un senso di timore, un po' come quel fremito di pericolo che percorre sempre le canzoni dei Nirvana. Gli uomini più vecchi erano rassicuranti, sapevano che cosa fare.

"Sono io?" pensò. "Jeannie Ferrami, la donna che fa sempre quello che vuole e manda tutti al diavolo? Io avrei bisogno di essere rassicurata? Ma smettila!"

Però era vero. Forse era colpa di suo padre. Non voleva un altro uomo irresponsabile nella propria vita. D'altro canto, suo padre era la prova vivente che gli uomini più vecchi potevano essere irresponsabili quanto i giovani.

Immaginava che il padre dormisse in qualche bettola di Baltimora. Si sarebbe bevuto e giocato tutti i soldi ricavati dalla vendita del computer e del televisore – non ci avrebbe messo molto – e poi avrebbe derubato qualcun altro oppure si sarebbe affidato alla clemenza dell'altra figlia. Jeannie lo odiava per quanto aveva fatto. L'incidente, però, era servito a far uscire il lato migliore di Steve. Era stato fantastico. "Al diavolo" pensò, "la prossima volta che lo vedo lo bacio di nuovo, ma questa volta come si deve."

Quando si ritrovò nell'affollato centro di Filadelfia, la tensione tornò. Quello poteva essere un grande passo avanti, la soluzione del mistero di Steve e Dennis.

La Aventine Clinic si trovava nella Città universitaria a ovest dello Shuylkill River, un quartiere pieno di edifici scolastici e case per studenti. La clinica era una bella costruzione bassa, stile anni Cinquanta, circondata da alberi. Jeannie parcheggiò in strada ed entrò.

Nella sala d'attesa c'erano quattro persone: una giovane coppia – la donna col viso tirato e l'uomo molto nervoso – e altre due donne più o meno dell'età di Jeannie, che sfogliavano riviste. Una garrula segretaria disse a Jeannie di accomodarsi e lei prese in mano un opuscolo, in carta patinata, della Genetico Inc. Se lo mise in grembo, aperto, senza leggerlo. Rimase invece a fissare le opere d'arte astratta piacevolmente insignificanti appese alle pareti della sala, battendo nervosamente i piedi sul pavimento coperto di moquette.

Odiava gli ospedali. Vi era stata solo una volta come paziente quando aveva abortito all'età di ventitré anni. Il padre del bambino era un aspirante regista. Jeannie aveva smesso di prendere la pillola perché si erano lasciati ma, dopo qualche giorno, lui era tornato. C'era stata un'affettuosa riconciliazione, avevano fatto l'amore senza prendere alcuna precauzione e lei era rimasta incinta. L'operazione in sé non aveva presentato alcun problema, ma Jeannie aveva pianto per giorni e giorni e aveva perso tutto l'affetto per il regista, benché lui le fosse stato vicino dall'inizio alla fine.

Recentemente era uscito il suo primo film girato a Hollywood, un film d'azione. Jeannie era andata a vederlo da sola al cinema Charles a Baltimora. L'unico tocco di umanità della storia, una monotona sequela di uomini che si sparavano addosso, era quando la ragazza del protagonista cadeva in depressione dopo aver abortito e lo cacciava di casa. L'uomo, un

detective della polizia rimaneva confuso e sconvolto. Jeannie
aveva pianto.

Il ricordo le faceva ancora male. Si alzò e prese a camminare
su e giù. Un minuto dopo un tizio uscì dalla parte posteriore
della sala e chiamò, a voce alta: «Dottoressa Ferrami!». Era un
tipo gioviale ma agitato, sulla cinquantina, con la testa pelata
e un'aureola di capelli rossicci tutto intorno. «Salve, salve, che
piacere conoscerla» disse, con ingiustificato entusiasmo.

Jeannie gli strinse la mano. «Ieri sera ho parlato con un certo signor Ringwood.»

«Certo, certo! Sono un suo collega. Mi chiamo Dick Minsky.
Come sta?» Dick aveva un tic che gli faceva battere violentemente le palpebre ogni pochi secondi. Jeannie provò compassione per lui.

L'uomo fece strada e si avviò su per una rampa di scale.
«Posso chiederle il motivo della sua ricerca?» chiese.

«Una stranezza medica» spiegò lei. «Ci sono due individui
che risultano gemelli omozigoti, ma non sembrano imparen-
tati. L'unico collegamento che sono riuscita a stabilire è che le
madri di entrambi sono state curate qui prima di restare in-
cinte.»

«Davvero?» replicò l'altro, come se non stesse affatto ascoltando. Jeannie rimase sorpresa: si era aspettata che l'uomo si
incuriosisse almeno un po'.

Entrarono in un ufficio. «Tutti i nostri archivi sono accessi-
bili via computer, purché si abbia il codice giusto» disse l'uomo. Si sedette davanti a un monitor. «Dunque, le pazienti che
ci interessano sono...?»

«Charlotte Pinker e Lorraine Logan.»

«Ci vorrà solo un minuto.» Cominciò a digitare i nomi.

Jeannie trattenne la propria impazienza. Quelle cartelle potevano anche non rivelare nulla. Si guardò intorno. Era un ufficio troppo sfarzoso per un semplice archivista. Dick doveva
essere qualcosa di più di un "collega" del signor Ringwood.
«Qual è la sua posizione, qui alla clinica, Dick?»

«Sono il direttore» rispose l'uomo senza sollevare lo sguardo dalla tastiera.

Jeannie inarcò le sopracciglia, perplessa: perché mai una
persona così importante si occupava della sua ricerca? Un

senso di inquietudine si infiltrò nel suo umore come un filo di fumo.

L'uomo aggrottò la fronte. «Strano. Il computer dice che non abbiamo dati relativi a nessuno dei due nomi.»

Il vago disagio di Jeannie prese forma. "Questo mi sta raccontando delle storie" pensò. La soluzione del mistero tornava ad allontanarsi e Jeannie si sentì assalire da una profonda delusione.

L'uomo girò lo schermo verso di lei in modo che potesse vederlo. «I nomi sono scritti esattamente così?»

«Sì.»

«In che periodo sono state curate queste pazienti?»

«Circa ventitré anni fa.»

Lui la guardò. «Santo cielo!» esclamò e batté le palpebre ancora più forte. «Temo proprio che lei abbia fatto un viaggio a vuoto.»

«Perché?»

«Non conserviamo cartelle così vecchie. È la nostra politica di gestione degli archivi.»

Jeannie lo guardò stringendo gli occhi. «Gettate via le cartelle vecchie?»

«Sì, le distruggiamo dopo vent'anni, a meno che la paziente sia stata ricoverata un'altra volta, nel qual caso la cartella viene trasferita su computer.»

Per Jeannie era una terribile delusione: aveva sprecato tempo prezioso che avrebbe potuto dedicare alla preparazione della propria difesa per l'udienza dell'indomani. «Strano che il signor Ringwood non me l'abbia detto quando ho parlato con lui ieri sera» commentò in tono aspro.

«Avrebbe dovuto farlo. Forse lei non ha specificato le date.»

«Sono sicurissima di avergli detto che le due donne erano state curate ventitré anni fa.» Jeannie ricordava di aver aggiunto un anno all'età di Steve per calcolare il periodo esatto.

«Allora è inspiegabile.»

In un certo senso Jeannie non era del tutto sorpresa di questo sviluppo. Dick Minsky, con la sua esagerata cordialità e il suo tic nervoso, era la caricatura dell'uomo che ha qualcosa da nascondere.

Riportò lo schermo nella posizione originale. «Credo che

non ci sia proprio nulla da fare» concluse, assumendo un'espressione di rammarico.

«Potremmo chiedere al signor Ringwood perché non mi ha avvertita che le cartelle erano state distrutte?»

«Peter oggi è rimasto a casa perché non stava bene.»

«Che straordinaria coincidenza.»

L'uomo tentò di assumere un'espressione offesa, ma il risultato fu una parodia. «Spero non voglia insinuare che stiamo cercando di nasconderle qualcosa.»

«Perché mai dovrei pensare una cosa simile?»

«Non saprei» rispose lui e si alzò. «Temo proprio di non poterle dedicare altro tempo.»

Jeannie si alzò e lo precedette alla porta. Lui la seguì giù per le scale fino all'ingresso. «Buona giornata» le disse, secco.

«Addio.»

Una volta fuori, Jeannie esitò. Aveva voglia di dare battaglia. Era tentata di fare qualcosa di provocatorio, per mostrare a quella gente che non sarebbero riusciti a raggirarla. Decise di dare un'occhiata in giro.

Il parcheggio era pieno di auto del personale medico, Cadillac e BMW ultimo modello. Si avviò lungo un lato dell'edificio. Un uomo di colore con la barba bianca stava spazzando via le cartacce con un rumoroso apparecchio ad aria. Lì non c'era niente di strano o di interessante. Si avvicinò al muro cieco e tornò sui propri passi.

Attraverso la porta di cristallo dell'ingresso vide che Dick Minsky era ancora nell'atrio e parlava con la garrula segretaria. Nel passare davanti all'entrata Jeannie si accorse che lui la teneva d'occhio con espressione preoccupata.

Jeannie fece il giro dell'edificio dall'altra parte e arrivò a un grosso contenitore della spazzatura. Tre uomini con guanti da lavoro stavano caricando i rifiuti su un camion. Si sentiva un po' stupida. Si stava comportando come l'investigatore di un giallo. Era sul punto di tornare indietro quando un particolare attrasse la sua attenzione. Gli uomini sollevavano enormi sacchi di plastica marrone apparentemente senza fare alcuno sforzo, come se pesassero pochissimo. Che cosa poteva gettare via una clinica, che fosse a un tempo voluminoso e leggero?

Carta tagliuzzata.

Udì la voce di Dick Minsky alle sue spalle. Sembrava spaventato. «Le dispiacerebbe andarsene, adesso, dottoressa Ferrami?»

Jeannie si voltò. Lui stava girando l'angolo dell'edificio, accompagnato da un uomo della vigilanza.

Jeannie si avvicinò velocemente a una pila di sacchi.

«Ehi!» gridò Dick Minsky.

Gli uomini della spazzatura si voltarono a guardarla, ma lei li ignorò. Strappò la plastica di un sacchetto, vi infilò dentro la mano e tirò fuori una manciata del contenuto.

Si ritrovò in mano un mucchietto di strisce di sottile carta marrone. Guardandole attentamente, vide che erano scritte, in parte a mano, in parte a macchina. Erano cartelle cliniche tutte tagliuzzate.

Poteva esserci un solo motivo per cui tanti sacchi venivano portati via proprio quel giorno.

Avevano distrutto le cartelle quella mattina, poche ore dopo la sua telefonata.

Lasciò cadere a terra i ritagli di carta e si allontanò. Uno degli uomini della spazzatura le urlò dietro qualcosa, indignato, ma lei non se ne curò.

Non c'erano più dubbi.

Si fermò davanti a Dick Minsky, le mani sui fianchi. Quell'uomo le aveva mentito, ecco perché era così nervoso. «In questa clinica avete qualche infame segreto, vero?» urlò. «Qualcosa che cercate disperatamente di nascondere distruggendo tutte quelle cartelle?»

Lui era terrorizzato. «Certo che no» riuscì a dire. «La sua insinuazione è offensiva.»

«Certo che lo è» ribatté lei. La sua impulsività ebbe il sopravvento. Gli puntò contro il petto l'opuscolo arrotolato della Genetico che teneva ancora in mano. «Ma questa indagine è molto importante per me, e le assicuro che chiunque cerchi di mentirmi in proposito si ritroverà nei guai, e molto seri, prima che io abbia finito.»

«La prego di andarsene.»

L'agente della vigilanza l'afferrò per il braccio sinistro.

«Me ne vado» disse Jeannie. «Non c'è alcun bisogno di toccarmi.»

286

Ma l'agente non mollò la presa. «Da questa parte, prego.»

Era un uomo di mezza età con i capelli grigi e la pancia sporgente. Nello stato d'animo in cui si trovava, Jeannie non era certo disposta a lasciarsi maltrattare. Con la mano destra afferrò il braccio con cui l'agente la teneva. I bicipiti erano flaccidi. «Mi lasci andare, per favore» gli disse e strinse. Jeannie aveva mani molto forti e la sua stretta era più potente di quella di molti uomini. L'agente cercò di non mollare la presa, ma il dolore era troppo forte e dopo un attimo dovette lasciarla andare.

«Grazie» disse lei e si allontanò.

Ora si sentiva meglio. Aveva avuto ragione a supporre che in quella clinica ci fosse qualcosa di utile alla sua ricerca. I loro sforzi per impedirle di scoprire qualcosa erano la miglior conferma possibile che avevano qualcosa da nascondere. La soluzione del mistero era collegata a quel luogo. Ma dove portava tutto questo?

Raggiunse la macchina, ma non vi salì. Erano le due e mezzo e non aveva pranzato. Era troppo nervosa per mangiare, ma aveva assolutamente bisogno di una tazza di caffè. Sull'altro lato della strada, di fianco alla sede di una setta religiosa, c'era una caffetteria. Sembrava modesta ma pulita. Jeannie attraversò la strada ed entrò.

Le parole di minaccia che aveva rivolto a Dick Minsky erano in realtà prive di fondamento: non poteva fare assolutamente nulla contro di lui. Arrabbiandosi non aveva ottenuto niente, anzi, aveva scoperto le proprie carte. Adesso loro sarebbero stati in guardia.

Il locale era quasi vuoto a parte alcuni studenti che stavano finendo di mangiare. Ordinò un caffè e un'insalata. Mentre aspettava aprì l'opuscolo che aveva preso nella sala d'aspetto della clinica.

La Aventine Clinic è stata fondata nel 1972 dalla Genetico Inc. come centro pilota per la ricerca e lo sviluppo delle tecniche di fecondazione umana in vitro: la creazione di quelli che i giornali definiscono "figli della provetta".

Improvvisamente le fu tutto chiaro.

34

Jane Edelsborough era una vedova sui cinquant'anni. Statuaria ma sciatta, indossava di solito sandali e abiti etnici dall'aspetto sformato. Aveva un'intelligenza eccezionale ma nessuno, vedendola, l'avrebbe mai immaginato. Berrington trovava sconcertanti le persone come lei: se uno era un genio perché doveva camuffarsi da idiota vestendosi male? Eppure le università erano piene di gente così, anzi era lui a rappresentare un'eccezione, ossessionato com'era dal proprio aspetto.

Quel giorno era particolarmente elegante nella giacca di lino blu scuro con gilet abbinato e pantaloni leggeri pied-de-poule. Prima di lasciare l'ufficio per andare a parlare con Jane osservò la propria immagine riflessa nello specchio dietro la porta.

Si diresse verso l'edificio che ospitava gli studenti. Era difficile incontrarci i membri del corpo insegnante – Berrington non vi aveva mai messo piede – ma, secondo la pettegola segretaria dell'Istituto di fisica, Jane era andata là a mangiare qualcosa, anche se era tardi.

L'atrio era pieno di ragazzi in calzoncini corti che facevano la fila per ritirare soldi dallo sportello automatico. Entrò nella caffetteria e si guardò attorno. Jane era seduta in un angolo: leggeva una rivista e mangiava patatine fritte con le mani.

Nel locale, oltre al normale bar, c'erano banchi di diverse specialità alimentari come quelli che si trovavano negli aeroporti e nei centri commerciali: un Pizza Hut, un bancone dei gelati e un Burger King. Berrington prese un vassoio e si diresse verso la caffetteria vera e propria. Dentro una vetrinetta c'erano alcuni sandwich dall'aria moscia e qualche dolce malinconico. Rabbrividì: in circostanze normali piuttosto che mangiare lì avrebbe preso la macchina e sarebbe andato in un altro Stato.

L'aspettava un'impresa ardua: Jane non era il suo tipo. Il che rendeva ancora più probabile un suo schierarsi dalla parte sbagliata all'udienza disciplinare. Doveva farsela amica in breve tempo. Ci sarebbe voluto tutto il suo fascino.

Prese una fetta di torta al formaggio e una tazza di caffè e raggiunse il tavolo di Jane. Era nervoso, ma si sforzò di apparire rilassato. «Jane» disse, «che piacevole sorpresa. Posso sedermi qui con te?»

«Certo» rispose lei, cordiale, mettendo da parte la rivista. Si tolse gli occhiali, rivelando occhi di un bel marrone scuro con rughe divertite agli angoli, ma quanto al resto era uno spavento: aveva i lunghi capelli grigi legati con una specie di straccio di un colore indefinibile e indossava una blusa grigioverde informe, con cerchi di sudore sotto le ascelle. «Non credo di averti mai visto qui» disse.

«Infatti non ci sono mai venuto. Ma alla nostra età è importante non fossilizzarsi nelle proprie abitudini, non credi?»

«Io sono più giovane di te» gli fece notare con aria mite. «Anche se non si direbbe.»

«Non è affatto vero...» Mise in bocca una forchettata di torta. La pasta era dura come cartone, mentre la farcitura sapeva di crema da barba al limone. La deglutì con grande fatica. «Che cosa ne pensi della biblioteca di biofisica proposta da Jack Budgen?»

«È per questo che sei venuto a cercarmi?»

«Non sono venuto a cercarti, sono venuto per mangiare qualcosa e vorrei non averlo fatto. È terribile. Come fai a pranzare qui?»

Lei infilò il cucchiaio in un dolce dall'aspetto equivoco. «Io non faccio caso a quello che mangio, Berry. Io penso al mio acceleratore di particelle. Parlami di questa nuova biblioteca.»

Un tempo Berrington era stato come lei, ossessionato dal lavoro. Certo, non aveva mai permesso a se stesso di assomigliare a un barbone, ma quando era un giovane scienziato aveva vissuto anche lui per l'eccitazione della scoperta. La sua esistenza, però, aveva preso un corso differente. I suoi libri erano la volgarizzazione del lavoro di altri: non scriveva una relazione originale da quindici o vent'anni. Per un attimo si chiese se una scelta diversa avrebbe potuto renderlo più felice. Quella donna sciatta e trasandata, che mangiava cose disgustose rimuginando su problemi di fisica nucleare, aveva un'aria tranquilla e appagata che Berrington non aveva mai conosciuto.

Non riusciva a incantarla: era troppo perspicace. Forse avrebbe dovuto lusingare la sua intelligenza. «Credo che tu dovresti avere un peso maggiore. Sei la decana dell'Istituto di fisica, uno degli scienziati più insigni della JFU... dovresti essere parte attiva nel progetto di questa biblioteca.»

«La faranno mai?»

«Credo che la Genetico potrebbe finanziarla.»

«Bene, questa sì che è una bella notizia. Ma qual è il tuo interesse in tutto questo?»

«Trent'anni fa mi sono fatto un nome cercando di scoprire quali caratteristiche umane sono ereditarie e quali vengono acquisite. Grazie al mio lavoro, e a quello di altri come me, oggi sappiamo che l'eredità genetica di un essere umano è più importante dell'educazione e dell'ambiente nel determinare l'intero quadro psicologico.»

«Natura, non educazione.»

«Esattamente. Io ho dimostrato che un essere umano è il suo Dna. I giovani sono interessati a capire come funziona questo processo. Qual è il meccanismo per cui una combinazione di sostanze chimiche rende azzurri i miei occhi mentre un'altra colora i tuoi di un profondo castano scuro che ricorda tanto la cioccolata.»

«Berry!» esclamò lei con un sorriso ironico. «Se fossi una segretaria di trent'anni con un seno prorompente potrei pensare che mi stai facendo il filo.»

Così andava meglio, pensò Berrington. Finalmente si era ammorbidita. «Prorompente?» ripeté sorridendo e osservandole il seno con intenzione. Poi la guardò negli occhi. «Io credo che tu sia tutta prorompente.»

Lei scoppiò a ridere, tuttavia Berrington capì che era compiaciuta. Finalmente stava concludendo qualcosa. Ma lei esclamò: «Ora devo proprio andare».

Maledizione! Quell'interruzione non ci voleva. Doveva mettere subito in tavola le sue carte. Si alzò anche lui. «Probabilmente verrà nominato un comitato per sovrintendere alla creazione della nuova biblioteca» disse, mentre uscivano dalla caffetteria. «Mi piacerebbe sentire la tua opinione su chi dovrebbe farne parte.»

«Non so... ho bisogno di pensarci su. Al momento devo tenere una lezione sull'antimateria.»

"Accidenti, mi sta scappando" pensò Berrington.

Poi lei disse: «Possiamo riparlarne in un'altra occasione?».

«Che ne diresti di una cena?» replicò lui con prontezza.

Parve sorpresa. «Va bene» rispose dopo un attimo.

«Stasera?»

Sul volto di lei comparve un'espressione stupita, «Perché no?»

Se non altro, avrebbe avuto un'altra opportunità. «Passo a prenderti alle otto» le disse, sollevato.

«Okay.» Gli diede il suo indirizzo e lui lo annotò su un taccuino.

«Che tipo di cucina preferisci?» le chiese. «No, non rispondere, adesso ricordo: tu pensi all'acceleratore di particelle.» Uscirono nella calda luce del sole. Lui le strinse appena il braccio. «Allora ci vediamo stasera.»

«Berry» lei ribatté «non è che vuoi qualcosa da me, vero?»

Le fece l'occhiolino. «Dipende da ciò che hai da darmi.»

Lei scoppiò a ridere e si allontanò.

35

Bambini in provetta. Fecondazione artificiale. Ecco il nesso.

Charlotte Pinker e Lorraine Logan non riuscivano ad avere figli ed erano state curate tutt'e due alla Aventine Clinic. La clinica era stata all'avanguardia nelle tecniche di fecondazione in vitro, un procedimento mediante il quale lo sperma del padre e l'ovulo della madre vengono uniti in laboratorio e l'embrione che ne risulta viene impiantato nell'utero della donna.

Si hanno gemelli omozigoti quando la cellula fecondata si divide a metà, nelle tube materne, dando origine a due individui. Se tale divisione fosse avvenuta in provetta e i gemelli così ottenuti fossero stati impiantati in due donne diverse, ecco che da due madri estranee tra loro sarebbero potuti nascere due gemelli monovulari. Eureka!

La cameriera le portò l'insalata, ma Jeannie era troppo eccitata per mangiare.

Agli inizi degli anni Settanta i figli della provetta erano soltanto una teoria, Jeannie ne era sicura. Ma evidentemente la Genetico aveva precorso i tempi nella ricerca.

Lorraine e Charlotte avevano affermato di essersi sottoposte a un trattamento ormonale. Probabilmente la clinica aveva mentito a proposito della cura.

Il fatto era di per sé molto grave ma, riflettendo, Jeannie si rese conto di un'implicazione ancora più grave. L'embrione utilizzato poteva essere stato il figlio biologico di Lorraine e Charles, o di Charlotte e del maggiore, ma non tutt'e due le cose. Dunque a una delle due donne era stato impiantato il figlio di un'altra coppia.

Jeannie provò un orrore e un disgusto ancora maggiori nel pensare che entrambe potevano aver ricevuto il bambino di un'estranea.

Si chiese perché mai la Genetico avesse ingannato i suoi pazienti in quel modo terrificante. Forse avevano bisogno di cavie umane per una tecnica non ancora sperimentata. Forse avevano chiesto il permesso e tale autorizzazione era stata rifiutata. Oppure avevano avuto qualche altro motivo per agire in segreto.

In ogni caso ora Jeannie capiva perché la sua indagine avesse messo in subbuglio la Genetico. Impiantare a una donna, senza che ne fosse a conoscenza, un embrione estraneo era la cosa più immorale che si potesse concepire. Non c'era da meravigliarsi che stessero disperatamente cercando di mettere tutto a tacere. Se Lorraine Logan avesse mai scoperto quello che le avevano fatto, sarebbero stati dolori.

Bevve un sorso di caffè. In fondo il viaggio a Filadelfia non era stato sprecato. Non aveva ancora tutte le risposte, ma aveva risolto la parte centrale del mistero. Era già una bella soddisfazione.

Alzando lo sguardo, rimase di stucco nel vedere Steve sulla porta.

Batté le palpebre e lo fissò. Indossava calzoni color kaki e una camicia azzurra sportiva. Entrò e richiuse la porta con il tacco della scarpa.

Lei gli sorrise e si alzò per salutarlo. «Steve!» esclamò, felice. Ricordando la decisione presa, gli gettò le braccia al collo e lo baciò sulle labbra. Quel giorno aveva un odore diverso: ricordava piuttosto le spezie che il tabacco. Lui la strinse a sé e ricambiò il bacio. Jeannie sentì la voce di una signora anziana che diceva: «Ah, bei tempi quando anch'io mi sentivo così!» e parecchie persone scoppiarono a ridere.

«Siediti» disse lei, liberandosi dall'abbraccio. «Vuoi qualcosa da mangiare? Prendi un po' della mia insalata. Che cosa fai qui? Non riesco a crederci. Devi avermi seguito... anzi, no, conoscevi il nome della clinica e hai deciso di venirmi a cercare.»

«Avevo voglia di parlarti» rispose lui lisciandosi le sopracciglia con la punta dell'indice. Qualcosa in quel gesto la inquietò – "Da chi altri l'ho visto fare?" – ma allontanò subito il pensiero.

«Ti piacciono i gesti teatrali.»

«Dici?» Sembrava diventato improvvisamente nervoso.

«Ti piacciono le improvvisate, vero?»

«Direi di sì.»

Jeannie gli sorrise. «Hai un'aria strana, oggi. Che cosa c'è?»

«Senti, mi hai messo in ansia» rispose lui. «Possiamo andarcene da qui?»

«Certo.» Jeannie posò una banconota da cinque dollari sul tavolo e si alzò.

«Dov'è la tua macchina?» chiese Jeannie, non appena furono usciti.

«Prendiamo la tua.»

Salirono a bordo della Mercedes. Lei allacciò la cintura di sicurezza, lui no. Non appena si avviarono lui le si avvicinò sul sedile, le sollevò i capelli e cominciò a baciarla sul collo. A Jeannie piaceva, ma allo stesso tempo provava un certo imbarazzo. «Temo che siamo un po' troppo vecchi per fare queste cose in macchina.»

«Okay» replicò lui. Si voltò a guardare la strada, ma non tolse il braccio. Jeannie era diretta verso est, sulla Chestnut. Quando arrivarono al ponte, lui disse: «Prendi l'autostrada. Voglio farti vedere una cosa». Seguendo le indicazioni, Jeannie svoltò a destra su Shuylkill Avenue e si fermò a un semaforo.

La mano posata sulle sue spalle scese e cominciò ad accarezzarle il seno. Jeannie sentiva il capezzolo indurirsi in risposta al tocco di lui, ma allo stesso tempo provava un senso di disagio. Era come se la stessero palpando nella metropolitana. «Steve, tu mi piaci, ma stai andando un po' troppo in fretta per i miei gusti.»

Lui non rispose, ma le sue dita trovarono il capezzolo e lo pizzicarono con forza.

«Ahi! Mi hai fatto male! Cosa diavolo ti è preso, oggi?» esclamò, allontanando bruscamente la mano di lui. Venne il verde e lei si avviò su per la rampa che si immetteva nella Shuylkill Expressway.

«Non so proprio perché sono qui con te» si lamentò lui. «Prima mi baci come una ninfomane, poi diventi un pezzo di ghiaccio.»

"E io che credevo che questo ragazzo fosse maturo!"

«Senti, se una ragazza ti bacia è perché ti vuole baciare. Questo non ti dà il permesso di fare con lei tutto quello che ti passa per la testa. Inoltre, non si dovrebbe mai fare male.» Jeannie imboccò l'autostrada a due corsie diretta verso sud.

«A certe ragazze piace sentire male» disse lui, posandole una mano sul ginocchio.

Lei scostò la mano. «Cos'è che vuoi farmi vedere?» chiese, cercando di distrarlo.

«Questo» rispose lui, afferrandole la mano destra. Un attimo dopo Jeannie sentì il suo pene nudo, turgido e caldo.

«Oh, Cristo!» Ritrasse la mano con violenza. Dio santo, che abbaglio aveva preso! «Mettilo via, Steve, e finiscila di comportarti come uno stupido adolescente!»

Subito dopo qualcosa la colpì con estrema violenza sulla guancia.

Lanciò un urlo e sbandò di lato. La macchina invase l'altra corsia e tagliò la strada a un gigantesco autoarticolato Mack. Si udì il frastuono assordante del clacson da nebbia. Il dolore al viso era fortissimo e Jeannie sentì in bocca il sapore del sangue. Si costrinse a ignorare il dolore e riprese il controllo dell'auto.

Con la più grande meraviglia, si rese conto che lui le aveva dato un pugno.

Nessuno lo aveva mai fatto.

«Brutto figlio di puttana!» urlò.

«O mi fai una sega o ti riempio di botte» disse lui.

«Va' a farti fottere!»

Con la coda dell'occhio lo vide tirare indietro il braccio per darle un altro pugno.

Istintivamente calcò il piede sul freno.

Lui venne proiettato in avanti e il pugno la mancò. Batté la testa contro il parabrezza. Si udì uno stridore di pneumatici, mentre una lunga limousine bianca sterzava bruscamente per evitare la Mercedes.

Quando lui ebbe recuperato l'equilibrio, Jeannie lasciò andare il pedale del freno e l'auto riprese la corsa. Se si fosse fermata per qualche secondo sulla corsia di sorpasso, pensò, lui si sarebbe spaventato a morte e l'avrebbe implorata di ripartire. Premette ancora una volta sul freno e lui venne nuovamente sbalzato in avanti.

Questa volta, però, recuperò l'equilibrio più in fretta. La macchina si fermò. Auto e camion le schizzavano tutt'intorno strombazzando. Jeannie era terrorizzata: da un momento all'altro qualche veicolo avrebbe travolto la Mercedes. Ma il suo piano non pareva funzionare: lui sembrava non avere alcuna paura. Le mise la mano sotto la gonna, le afferrò l'elastico dei collant e tirò. Si sentì uno strappo e i collant si aprirono in due.

Lei cercò di spingerlo via, ma lui le stava addosso. Di certo non avrebbe tentato di violentarla in autostrada. In preda alla disperazione, Jeannie aprì la portiera, ma non poté uscire dalla macchina perché aveva la cintura allacciata. Tentò di sganciarla, ma non riusciva ad arrivare alla fibbia perché era coperta dal corpo di Steve.

Alla sua sinistra c'era un'altra rampa, dalla quale un fiume ininterrotto di auto entrava in autostrada immettendosi direttamente nella corsia di sorpasso e sfrecciandole accanto a novanta all'ora. Non c'era nessuno disposto a fermarsi per aiutare una donna che veniva aggredita?

Mentre cercava di respingerlo, il suo piede scivolò dal freno e la macchina avanzò lentamente. Forse avrebbe potuto tentare di sbilanciarlo. Aveva il controllo della macchina, e questo era il suo unico vantaggio. Disperata, premette al massimo il piede sull'acceleratore.

La Mercedes partì con un balzo. Si sentì uno stridio di freni e un autobus della Greyhound la mancò per un pelo. Steve venne scagliato nuovamente contro il sedile, momentaneamente distolto, ma pochi secondi dopo le era di nuovo addosso, le infilava le mani nel reggiseno e dentro le mutandine mentre lei cercava di guidare. Jeannie era furiosa. Sembrava che a lui non importasse se correvano il rischio di finire ammazzati. Cosa diavolo poteva fare per fermarlo?

Sterzò bruscamente sulla sinistra mandandolo a sbattere contro la portiera del passeggero. Schivò per un soffio un camion della spazzatura: per un lungo istante si trovò a guardare il volto pietrificato dell'autista, un uomo anziano con i baffi grigi; poi proprio all'ultimo momento girò il volante dalla parte opposta e la Mercedes scartò violentemente, evitando la collisione.

Steve l'afferrò di nuovo. Lei frenò di colpo e subito dopo accelerò a tavoletta. Mentre veniva sballottato all'interno dell'abitacolo Steve continuava a ridere, come se fosse stato sull'autoscontro del luna park. Poi tornò alla carica.

Jeannie lo colpì con il gomito destro e col pugno, ma non con quanta forza avrebbe voluto perché doveva preoccuparsi del volante, e riuscì solo a guadagnare qualche secondo.

Quanto poteva andare avanti? Non c'erano macchine della polizia in quella città?

Oltre le spalle di lui vide che stavano per oltrepassare un'uscita. Nella corsia di sinistra appena dietro di lei c'era una vecchia Cadillac color azzurro cielo. All'ultimo momento Jeannie sterzò violentemente verso sinistra. I pneumatici urlarono, la Mercedes si inclinò su due ruote e Steve le crollò addosso. La Cadillac scartò per evitarla, ci fu una fanfara di clacson indignati, e subito dopo Jeannie udì i colpi sordi delle macchine che sbattevano una contro l'altra e un suono cristallino di vetri infranti. Le ruote ricaddero sull'asfalto con un tonfo da far tremare le ossa. Era sulla rampa. La macchina sbandò di coda, minacciando di finire contro i parapetti di cemento che delimitavano la corsia, ma Jeannie riuscì a tenerla diritta.

Accelerò lungo la rampa. Non appena la corsa dell'auto si fu stabilizzata, Steve le cacciò la mano tra le gambe cercando di infilare le dita dentro le mutandine. Lei si dibatté nel tentativo di fermarlo. Lo guardò in viso. Sorrideva, gli occhi spalancati, ansimante e sudato per l'eccitazione. Era pazzesco: si stava divertendo.

Non si vedeva una macchina. La rampa terminava con un semaforo che segnava via libera. Alla sua sinistra c'era un cimitero. Vide un cartello che puntava a destra con su scritto CIVIC CENTER BOULEVARD e svoltò in quella direzione, sperando di finire in un affollato centro cittadino. Con grande sgomento scoprì che quella strada era uno squallido deserto di centri commerciali abbandonati e piazzali di cemento. Davanti a lei un semaforo diventò rosso. Se si fosse fermata, sarebbe stata la fine.

Steve riuscì a infilare la mano dentro le mutandine e le ordinò di fermarsi. Anche lui aveva capito che se l'avesse violentata lì c'erano buone probabilità che nessuno lo disturbasse.

Ora le stava facendo male, spingeva con le dita e la pizzicava, ma peggio del dolore era la paura di ciò che sarebbe venuto dopo. Accelerò al massimo verso il semaforo rosso.

Da sinistra arrivò un'ambulanza che le passò davanti ondeggiando. Jeannie inchiodò e scartò per evitarla, pensando follemente: "Se vado a sbattere adesso, se non altro i soccorsi sono a portata di mano".

Improvvisamente Steve ritirò la mano e Jeannie ebbe un momento di tregua. Ma poi lui afferrò la leva del cambio e la spinse in folle. Subito la macchina perse velocità. Jeannie la rimise in marcia e schiacciò l'acceleratore a tavoletta, sorpassando l'ambulanza.

"Quanto può durare ancora?" pensò Jeannie. Doveva assolutamente raggiungere un quartiere abitato prima che la macchina si fermasse o andasse a sbattere. Ma Filadelfia sembrava essersi trasformata in un paesaggio lunare.

Steve afferrò il volante e cercò di dirigere l'auto contro un marciapiede. Jeannie riprese subito il controllo. L'auto sbandò e l'autista dell'ambulanza si attaccò al clacson.

Lui ci riprovò. Questa volta fu più astuto. Gettò la leva del cambio in folle con la mano sinistra mentre con la destra afferrava il volante. L'auto rallentò e salì sul marciapiede.

Jeannie tolse tutte e due le mani dal volante, le puntò contro il petto di Steve e lo spinse via con quanta forza aveva in corpo. La sua reazione lo colse di sorpresa e Steve fu scaraventato all'indietro. Jeannie rimise la marcia e premette l'acceleratore a tavoletta. L'auto partì come un razzo, ma Jeannie sapeva che non avrebbe potuto resistergli ancora a lungo. Presto lui sarebbe riuscito a fermare la macchina e lei sarebbe stata in trappola. Steve riguadagnò l'equilibrio mentre Jeannie affrontava una curva a sinistra. Mise subito entrambe le mani sul volante e lei pensò che era la fine. L'auto uscì dalla curva e il panorama cambiò bruscamente.

Davanti a lei c'era una strada affollata: un ospedale con alcune persone ferme fuori, una fila di taxi e sul marciapiede una bancarella che vendeva cibo cinese. «Sì!» urlò Jeannie trionfante e pestò sul freno. Steve tirò il volante verso di sé, ma Jeannie lo riportò in posizione. Sbandando, l'auto si fermò in mezzo alla strada. Una decina di tassisti fermi presso la bancarella si voltarono a guardare.

Steve aprì la portiera, scese e corse via.

«Signore ti ringrazio!» sospirò Jeannie.

Un attimo dopo era scomparso.

Jeannie rimase lì, seduta, ansimante. Se n'era andato. L'incubo era finito.

Uno dei tassisti si avvicinò alla Mercedes e mise dentro la testa. Jeannie si riassettò i vestiti in tutta fretta. «Tutto a posto, signora?» le chiese.

«Credo di sì» rispose lei, senza fiato.

«Cosa diavolo era tutto questo casino?»

Lei scosse la testa. «Vorrei tanto saperlo anch'io.»

36

Steve era seduto su un muretto vicino alla casa di Jeannie. Faceva molto caldo, e lui aveva scelto un posto all'ombra di un grande olmo. Jeannie viveva in un vecchio quartiere operaio con case a schiera. Gruppi di adolescenti usciti dalla vicina scuola tornavano a casa, ridendo, litigando e mangiando dolciumi. Non era passato poi molto tempo da quando lui era come loro, solo otto o nove anni.

Era preoccupato, disperato. Quel pomeriggio il suo avvocato aveva parlato con il sergente Delaware della Sezione reati sessuali di Baltimora. La donna gli aveva comunicato i risultati del test del Dna. Il Dna ricavato dalle tracce di sperma trovate nella vagina di Lisa Hoxton corrispondeva esattamente a quello di Steve.

Era sconvolto. Lui era sicuro che quel test avrebbe messo fine al suo incubo.

Capiva che il legale scelto per assisterlo non credeva più alla sua innocenza. Mamma e papà sì, anche se erano sconcertati: entrambi sapevano che il test del Dna era estremamente attendibile.

Nei momenti di maggior disperazione si diceva che poteva trattarsi di uno sdoppiamento della personalità. Forse esisteva un altro Steve che prendeva il sopravvento, violentava le donne e poi scompariva restituendogli il suo corpo. In questo modo lui non poteva sapere ciò che aveva fatto. Ricordava con orrore che c'erano alcuni secondi della sua rissa con Tip Fredricks che non era mai stato in grado di ricostruire. Non aveva esitato a infilare le dita negli occhi di Porky Butcher e gliele avrebbe spinte fino nel cervello. Era il suo alter ego che faceva quelle cose? No, Steve non ci credeva. Doveva esserci un'altra spiegazione.

L'unico filo di speranza era il mistero che circondava lui e Dennis Pinker. Dennis aveva il suo stesso Dna. C'era qualcosa che non andava e l'unica persona che poteva aiutarlo a capire era Jeannie Ferrami.

I ragazzi scomparvero e il sole si tuffò dietro la fila di case sull'altro lato della strada. Verso le sei la Mercedes rossa si infilò nel posto macchina a una ventina di metri da lui. Jeannie scese, ma non lo vide subito. Aprì il bagagliaio e tirò fuori un grosso sacco della spazzatura nero. Poi chiuse a chiave la macchina e s'incamminò verso di lui lungo il marciapiede. Era vestita in maniera formale, con un tailleur nero, ma sembrava scarmigliata e aveva un'andatura stanca che lo intenerì. Era sempre bella, però, e guardandola sentì rinascere il desiderio.

Quando fu giunta a pochi metri da lui, Steve si alzò, sorridendo, e fece un passo verso di lei.

Jeannie gli lanciò un'occhiata distratta, incontrò il suo sguardo e lo riconobbe. Sul suo volto si dipinse un'espressione inorridita.

Aprì la bocca e lanciò un urlo.

Lui rimase di sasso. «Jeannie, cosa c'è?» chiese, atterrito.

«Allontanati da me!» urlò lei. «Non mi toccare! Chiamo subito la polizia!»

Sconcertato, Steve alzò le mani. «Certo, certo. Tutto quello che vuoi tu. Non ti tocco, d'accordo? Cosa diavolo ti è preso?»

Dal portone uscì un vicino di casa. Doveva essere l'uomo che viveva nell'appartamento a pianterreno, pensò Steve. Era un anziano uomo di colore, in camicia a quadri e cravatta. «Va tutto bene, Jeannie?» chiese. «Mi è parso di sentire urlare.»

«Sono stata io, signor Oliver» rispose lei con voce scossa. «Questo schifoso mi ha aggredita a Filadelfia, oggi pomeriggio.»

«Aggredita?» ripeté Steve incredulo. «Ma io non farei mai una cosa del genere!»

«L'hai fatto esattamente due ore fa, brutto bastardo!»

Steve si arrabbiò. Era stanco di essere accusato di brutalità. «Ma va' al diavolo, sono anni che non vado a Filadelfia!»

Il signor Oliver intervenne. «Questo giovane se n'è stato seduto su quel muretto per quasi due ore, Jeannie. Non poteva essere a Filadelfia nel pomeriggio.»

Jeannie era infuriata e sembrava pronta ad accusare il bonario vicino di casa di essere un bugiardo.

Steve notò che era senza calze: le gambe nude non si addicevano a un abbigliamento così formale. Aveva un lato del viso leggermente gonfio e arrossato. La sua rabbia svanì. Qualcuno l'aveva realmente aggredita. Moriva dalla voglia di abbracciarla e consolarla e soffriva nel vedere che Jeannie aveva paura di lui. «Ti ha fatto male, quel bastardo» disse.

L'espressione di Jeannie cambiò. Il terrore svanì dal suo volto. «È arrivato qui due ore fa?»

Il vicino si strinse nelle spalle. «Un'ora e quaranta, un'ora e cinquanta forse.»

«Ne è sicuro?»

«Jeannie, se questo ragazzo era a Filadelfia due ore fa, deve essere venuto qui col Concorde.»

«Allora era Dennis» concluse Jeannie.

Steve le si avvicinò e lei non si ritrasse. Allungò una mano e le accarezzò la guancia gonfia con la punta delle dita. «Povera Jeannie.»

«Credevo fossi tu» disse lei, e gli occhi le si riempirono di lacrime.

Lui la strinse forte. Lentamente sentì il corpo di lei che si rilassava e si appoggiava contro il suo. Le accarezzò la testa, passando le dita tra le pesanti e scure ciocche di capelli. Chiuse gli occhi godendosi il contatto con quel corpo snello e forte. "Ci scommetto che anche Dennis ha qualche livido" pensò. "Almeno lo spero."

Il signor Oliver emise un colpetto di tosse. «Volete una tazza di caffè, ragazzi?»

Jeannie si staccò da Steve. «No, grazie» rispose. «L'unica cosa che desidero è togliermi questi abiti.»

La tensione, evidente sul suo viso, la rendeva ancora più affascinante. "Mi sto innamorando di questa ragazza" pensò Steve. "Non è che desidero solo andare a letto con lei... be', anche quello. Voglio che diventi mia amica, voglio guardare la televisione con lei, andare a fare la spesa, darle lo sciroppo per

302

la tosse quando ha l'influenza. Voglio vedere come si lava i denti, come si infila i jeans, come imburra i toast. Voglio che mi chieda se il rossetto arancione le sta bene, se deve comperarmi le lamette e a che ora rientrerò a casa."

Si domandò se avrebbe mai avuto il coraggio di dirglielo.

Jeannie attraversò il lungo porticato diretta verso la porta di casa. Steve esitò. Desiderava seguirla, ma lei non lo aveva invitato.

Sui gradini di casa, Jeannie si voltò. «Su, vieni» gli disse.

La seguì su per le scale ed entrò in soggiorno. Jeannie mollò il sacco di plastica sul tappeto, andò nell'angolo cottura e si tolse le scarpe e poi, con grande stupore di Steve, le gettò nel secchio della spazzatura. «Non voglio indossare mai più questi maledetti vestiti» disse, furiosa. Si tolse la giacca che andò a finire insieme alle scarpe. Poi, mentre Steve la fissava incredulo, si sbottonò la camicetta, se la tolse e la gettò via.

Portava un semplice reggiseno di cotone nero. Di certo non se lo sarebbe tolto di fronte a lui, pensò Steve, e invece lei portò le mani dietro la schiena, lo slacciò e lo buttò nella spazzatura. Aveva i seni piccoli e sodi, con pronunciati capezzoli scuri. Le spalline le avevano lasciato sulla pelle lievi segni rossi. Steve si sentì mancare il respiro.

Jeannie si slacciò la gonna e la lasciò cadere a terra. Indossava delle normalissime mutandine nere. Steve la guardò con gli occhi spalancati. Aveva un corpo perfetto: spalle forti, seni ben fatti, ventre piatto, gambe lunghe e ben tornite. Fece scendere anche le mutandine, ne fece un fagotto insieme alla gonna e lo infilò nel secchio. I peli del pube erano una massa di riccioli neri.

Per un attimo rivolse a Steve uno sguardo vuoto, quasi si stesse chiedendo perché mai si trovasse lì. «Devo fare una doccia» dichiarò e gli passò davanti totalmente nuda. Lui osservò eccitato la sua schiena, assorbendo i dettagli delle scapole, la vita sottile, le curve dolci dei fianchi, le gambe muscolose. Era bella da far male.

Jeannie uscì dalla stanza. Un attimo dopo Steve sentì scorrere l'acqua.

«Gesù!» esclamò a voce bassa mentre andava a sedersi sul

divano. Che cosa significava tutto questo? Era una specie di prova? Cosa stava cercando di dirgli?

Sorrise ripensando al corpo meraviglioso, snello, forte, perfettamente proporzionato. Qualsiasi cosa fosse accaduta, non avrebbe mai dimenticato quella visione.

Jeannie rimase a lungo sotto la doccia. Steve si rese conto che non l'aveva ancora messa al corrente delle incredibili novità. Finalmente l'acqua smise di scorrere. Un attimo dopo Jeannie riapparve, avvolta in un grande accappatoio di spugna color fucsia, i capelli bagnati appiccicati alla testa. Si sedette sul divano di fianco a lui e disse: «Me lo sono sognato, o mi sono appena spogliata davanti a te?».

«Non te lo sei sognato» rispose. «Hai gettato tutti i vestiti nella spazzatura.»

«Mio Dio, non so proprio cosa mi sia preso.»

«Non hai niente di cui scusarti. Sono felice che ti fidi tanto di me. Non sai quanto sia importante.»

«Penserai che sono completamente fuori di testa.»

«No, credo solo che tu sia scioccata da quanto ti è accaduto a Filadelfia.»

«Forse è così. Ricordo solo che ho sentito una voglia incontenibile di disfarmi degli abiti che indossavo quando è successo.»

«Potrebbe essere il momento giusto per aprire quella bottiglia di vodka che tieni nel freezer.»

Lei scosse la testa. «L'unica cosa che desidero veramente è una bella tazza di tè al gelsomino.»

«Te lo preparo io.» Steve si alzò e andò al bancone della cucina. «Perché vai in giro con un sacco della spazzatura?»

«Oggi mi hanno licenziata. Hanno messo tutte le mie cose in quel sacco e mi hanno chiusa fuori dell'ufficio.»

«Cosa?!» Steve non riusciva a crederci. «Come mai?»

«Oggi sul "New York Times" è apparso un articolo in cui si dice che il mio utilizzo delle banche dati sanitarie viola la privacy delle persone. Ma io credo che Berrington Jones lo abbia usato come pretesto per liberarsi di me.»

Steve era indignato. Voleva protestare, lanciarsi in sua difesa, salvarla da quella malvagia persecuzione. «Ma possono licenziarti così, su due piedi?»

«No, domani mattina ci sarà un'udienza davanti al comitato disciplinare del Senato accademico.»

«Abbiamo avuto entrambi una settimana incredibilmente difficile.» Stava per dirle dei risultati del Dna, ma Jeannie prese in mano il telefono.

«Desidero il numero del Penitenziario di Greenwood, è vicino a Richmond, in Virginia.» Mentre Steve riempiva il bollitore, Jeannie prese nota del numero e lo chiamò «Posso parlare con il direttore Temoigne? Sono la dottoressa Ferrami. Sì, resto in attesa, grazie... Buona sera, direttore, come sta? Io bene, grazie. Devo farle una domanda che potrà sembrarle stupida, ma vorrei sapere se Dennis Pinker è ancora in carcere. Ne è sicuro? L'ha visto con i suoi occhi? La ringrazio. Anche lei, grazie. Arrivederci.» Riattaccò e guardò Steve. «Dennis è ancora in carcere. Il direttore ha personalmente parlato con lui un'ora fa.»

Steve mise un cucchiaio di tè al gelsomino nella teiera e cercò due tazze. «Jeannie, la polizia ha i risultati del test del Dna.»

Lei si immobilizzò. «E...?»

«Il Dna dello sperma trovato nella vagina di Lisa combina perfettamente col mio.»

«Pensi anche tu quello che penso io?» chiese lei in tono assorto.

«Una persona che ha il mio stesso aspetto e il mio Dna ha violentato Lisa Hoxton domenica e ha aggredito te oggi a Filadelfia. E non era Dennis Pinker.»

I loro sguardi si incontrarono. «Siete in tre» disse piano Jeannie.

«Cristo!» Steve era disperato. «È del tutto inverosimile! La polizia non ci crederà mai. Come può accadere una cosa simile?»

«Aspetta» disse lei, tutta eccitata. «Non sai ancora quello che ho scoperto questo pomeriggio prima di incontrare il tuo sosia. Io ho la spiegazione del mistero.»

«Buon Dio, fa' che sia vero.»

Jeannie lo guardò con espressione preoccupata. «Steve, per te sarà uno shock.»

«Non mi interessa. Voglio solo capire.»

Jeannie frugò nel sacchetto di plastica nero e tirò fuori una cartella di tela. «Guarda qui» disse, porgendogli un opuscolo di carta patinata aperto alla prima pagina. Steve lesse il paragrafo iniziale:

La Aventine Clinic è stata fondata nel 1972 dalla Genetico Inc, come centro pilota per la ricerca e lo sviluppo delle tecniche di fecondazione umana in vitro: la creazione di quelli che i giornali definiscono "figli della provetta",

«Pensi che io e Dennis siamo figli della provetta?»

«Sì.»

Steve avvertiva uno strano senso di nausea alla bocca dello stomaco. «È strano. Come si spiega?»

«Gemelli monovulari possono essere stati concepiti in laboratorio e poi impiantati nell'utero di donne diverse.»

La sensazione di nausea aumentò. «Ma spermatozoo e ovulo venivano da mia madre e mio padre o dai Pinker?»

«Non lo so.»

«Allora i Pinker potrebbero essere i miei genitori naturali... Dio mio!»

«C'è un'altra possibilità.»

Steve capì dall'espressione preoccupata di Jeannie che anche questa rivelazione sarebbe stata traumatizzante. La sua mente fece un balzo e immaginò quello che lei stava per dire. «È possibile che lo spermatozoo e l'ovulo non provenissero né dai miei genitori, né dai Pinker. Potrei essere figlio di sconosciuti.»

Lei non rispose, ma dalla sua espressione solenne Steve capì che aveva indovinato.

Si sentiva disorientato. Era come un sogno in cui improvvisamente si trovava a precipitare nel vuoto. «È difficile da accettare» disse. Il bollitore elettrico si spense. Tanto per tenere le mani occupate, Steve versò l'acqua bollente nella teiera. «In effetti non ho mai assomigliato molto né a mia madre né a mio padre. Assomiglio a uno dei Pinker?»

«No.»

«Allora molto probabilmente si tratta di sconosciuti.»

«Steve, ciò non toglie che tua madre e tuo padre ti abbiano

voluto bene, ti abbiano allevato con amore e sarebbero pronti a dare la vita per te.»

Con mano tremante lui versò il tè nelle due tazze. Ne porse una a Jeannie e si sedette di fianco a lei sul divano. «Come si spiega il terzo gemello?»

«Se è stato possibile avere due gemelli in provetta, ci voleva poco per averne tre. Il procedimento è lo stesso: è sufficiente che una delle cellule embrionali si divida di nuovo. In natura succede, quindi immagino che possa accadere anche in laboratorio.»

Steve si sentiva come se stesse girando vorticosamente nell'aria, ma ora cominciava a provare anche un'altra sensazione: sollievo. Quella che Jeannie gli aveva raccontato era una storia bizzarra, ma se non altro forniva una spiegazione razionale del perché era stato accusato di due crimini brutali.

«Mamma e papà lo sanno?»

«Non credo. Tua madre e Charlotte Pinker mi hanno detto di essersi sottoposte a una cura in quella clinica. A quel tempo la fecondazione in vitro non era ancora praticata. La Genetico deve essere stata la prima a mettere a punto quella tecnica precedendo gli altri di svariati anni. Credo che l'abbiano sperimentata senza informare le pazienti di ciò che stavano facendo.»

«Non c'è da meravigliarsi allora che la Genetico abbia paura» disse Steve. «Ora capisco perché Berrington è così ansioso di screditarti.»

«Già. Quello che hanno fatto è davvero immorale. Al confronto la violazione della privacy è una cosa del tutto insignificante.»

«Non è stato solo immorale. Potrebbe rovinare la Genetico, finanziariamente.»

«Questo spiegherebbe un sacco di cose» disse Jeannie eccitata. «Ma in che modo potrebbe rovinarli?»

«È un illecito civile. L'abbiamo studiato l'anno scorso» spiegò lui, ma una parte della sua mente pensava: "Perché diavolo sto parlando di illeciti civili? Io voglio dirle quanto la amo!". «Se la Genetico ha proposto un trattamento ormonale e invece ha deliberatamente fecondato una donna con l'embrione di un'altra, senza avvisarla, si configura la rottura fraudolenta di contratto implicito.»

«Ma è successo un sacco di anni fa. Non esiste una legge sulla prescrizione?»

«Sì, ma decorre dal momento della scoperta della frode.»

«Ancora non capisco in che modo questo potrebbe rovinare la società.»

«Si tratta di un caso ideale per un indennizzo per danni. Qui il denaro non vale solo come compensazione per la vittima, ovvero per i costi che essa ha dovuto sostenere per allevare il figlio di un'altra persona, ma anche come strumento per punire i responsabili, e accertarsi che essi e chiunque altro si sentano disincentivati a commettere un'altra volta lo stesso crimine.»

«Quanto?»

«La Genetico ha intenzionalmente abusato del corpo di una donna per scopi occulti... sono sicuro che un avvocato che sappia fare il suo mestiere chiederebbe cento milioni di dollari.»

«Secondo l'articolo comparso sul "Wall Street Journal" di ieri, la società ne vale centottanta.»

«Quindi sarebbero rovinati.»

«Potrebbero volerci anni per arrivare al processo.»

«Ma non capisci? La sola minaccia sarebbe sufficiente a far saltare l'acquisizione!»

«Perché?»

«Il pericolo che la Genetico possa essere costretta a pagare una fortuna in risarcimenti riduce il valore delle sue azioni. Il passaggio verrebbe quanto meno rimandato per permettere alla Landsmann di accertare l'ammontare delle passività.»

«Accidenti! Quindi non è a rischio solo la loro reputazione. Potrebbero anche perdere tutti quei soldi.»

«Esattamente.» Il pensiero di Steve tornò ai suoi problemi immediati. «In ogni caso niente di tutto ciò può essermi di aiuto» disse, nuovamente depresso. «Devo poter provare la tua teoria del terzo gemello e l'unico modo per riuscirci è trovarlo.» All'improvviso gli venne un'idea. «Potremmo servirci del tuo software di ricerca? Capisci che cosa intendo?»

«Certo.»

Steve era sempre più eccitato. «Se ha scoperto me e Dennis, potrebbe scoprire me e il terzo, oppure Dennis e il terzo, o tutti e tre assieme.»

«Sì.»

Jeannie non era entusiasta come avrebbe dovuto. «Sei disposta a provare?»

«Con la reputazione che mi sono fatta avrò difficoltà a trovare qualcuno che mi lasci usare la sua banca dati.»

«Maledizione!»

«Però c'è un'altra possibilità. Ho già analizzato l'archivio impronte digitali dell'Fbi.»

L'umore di Steve si risollevò immediatamente. «Dennis sarà sicuramente schedato. Se al terzo sono state prese le impronte digitali, la ricerca lo avrà di certo trovato! È fantastico!»

«Sì. Ma i risultati sono in un dischetto nel mio ufficio.»

«Oh, no! E tu non ci puoi entrare!»

«Esatto.»

«Butterò giù la porta, andiamoci subito, che cosa aspettiamo?»

«Potresti finire in galera. Forse c'è un modo migliore.»

Steve cercò di mantenersi calmo. «Hai ragione. Deve esserci un altro modo per entrare in possesso di quel dischetto.»

Jeannie prese il telefono. «Ho chiesto a Lisa Hoxton di cercare di entrare nel mio ufficio. Vediamo se ce l'ha fatta.» Compose il numero. «Ciao, Lisa, come stai... io? Non troppo bene. Senti, so che ti sembrerà incredibile...» E le riassunse quello che aveva scoperto. «So che è difficile crederci, ma con quel dischetto posso provarlo... non sei riuscita a entrare nel mio ufficio? Merda!» Jeannie assunse un'espressione costernata. «Be', grazie lo stesso per averci provato. So che hai corso dei rischi. Lo apprezzo molto. Sì. Ciao.» Riattaccò.

«Lisa ha cercato di persuadere l'agente della vigilanza a lasciarla entrare. C'era quasi riuscita ma lui ha chiesto conferma al suo superiore e lei ha rischiato il licenziamento.»

«E ora che cosa facciamo?»

«Se domani all'udienza riesco a riavere il mio lavoro, posso riprendere possesso del mio ufficio.»

«Chi è il tuo avvocato?»

«Io non ho un avvocato, non ne ho mai avuto bisogno.»

«Puoi scommettere che l'università sarà rappresentata dal legale più costoso della città.»

«Merda! Io non posso permettermi un avvocato.»

Steve non osava dire quello che gli passava per la mente. «Be'... io sono avvocato.»

Lei l'osservò con espressione pensierosa.

«Ho fatto solo il primo anno di legge, ma nelle esercitazioni di patrocinio sono stato il migliore del corso.» Steve era eccitato all'idea di difenderla contro i baroni della Jones Falls University, ma Jeannie lo avrebbe considerato troppo giovane e inesperto? Cercò di leggerle nella mente, ma non ci riuscì. Lei continuava a guardarlo. Lui ricambiò lo sguardo, fissandola negli occhi. "Potrei andare avanti così all'infinito" pensò.

Poi lei si sporse in avanti e lo baciò sulle labbra, un bacio leggero e fugace. «Accidenti, Steve, sei proprio quello vero.»

Fu un bacio molto veloce, ma elettrizzante. Si sentiva da Dio. Non sapeva che cosa lei intendesse dire con "quello vero", ma doveva essere qualcosa di buono.

Le avrebbe dimostrato che la sua fiducia era ben riposta. Cominciò a pensare all'udienza. «Hai un'idea del regolamento del comitato, delle procedure disciplinari?»

Jeannie cercò nella cartella di tela e gli porse un fascicolo.

Lui ne esaminò il contenuto. Il regolamento era un misto di regole universitarie e linguaggio giuridico. Le mancanze per cui i membri del corpo accademico potevano essere licenziati comprendevano la bestemmia e la sodomia, ma quella che riguardava Jeannie era legata alla tradizione: gettare discredito e infamia sull'università.

In realtà il comitato disciplinare non aveva l'ultima parola: si limitava a proporre un'eventuale sanzione al Senato accademico, che rimaneva il vero strumento di governo dell'università. Buono a sapersi. Se l'indomani Jeannie avesse perso, il Senato avrebbe potuto fungere da corte d'appello.

«Hai una copia del tuo contratto?» chiese Steve.

«Certo.» Jeannie si avvicinò a una piccola scrivania e aprì un cassetto. «Eccolo.»

Steve lo lesse velocemente. La clausola numero 12 le imponeva di attenersi alle decisioni del Senato accademico. Sarebbe stato difficile impugnare legalmente la decisione finale.

Steve tornò al regolamento del comitato disciplinare. «Qui si dice che devi avvisare in anticipo il presidente se desideri farti rappresentare da un avvocato o da un'altra persona.»

«Chiamo subito Jack Budgen» disse Jeannie, «Sono le otto... sarà a casa.» Prese in mano il telefono.

«Aspetta» disse Steve. «Pensiamo prima a che cosa dirgli.»

«Hai ragione. Tu pensi in maniera strategica, io no.»

Steve si sentì lusingato. Il primo consiglio che aveva dato in qualità di legale era stato apprezzato. «Il tuo destino è nelle mani di quest'uomo. Che tipo è?»

«È il bibliotecario capo, e anche il mio avversario di tennis.»

«È il tizio con cui giocavi domenica?»

«Sì, Jack è più un amministrativo che un accademico. È un buon giocatore sul piano tattico, ma gli manca l'istinto omicida necessario per arrivare in alto nel tennis.»

«Okay, quindi il vostro rapporto è in un certo qual modo competitivo.»

«Forse.»

«Ora, che impressione vogliamo dargli?» Contò i punti sulle dita man mano che li enunciava. «Primo: vogliamo apparire ottimisti e sicuri di vincere. Tu non vedi l'ora che si tenga questa udienza. Sei innocente, e sei felice di avere l'opportunità di dimostrarlo, hai fiducia nel comitato e sai che riuscirà a stabilire la verità sotto la guida illuminata di Budgen.»

«Okay.»

«Secondo: sei una vittima, una povera ragazza indifesa...»

«Stai scherzando?»

Lui sorrise. «Come non detto. Sei un'insegnante molto giovane e ti trovi contro Berrington e Obell, due vecchie volpi abituate a fare il bello e il cattivo tempo alla JFU. E non puoi neppure permetterti un vero legale. Budgen è ebreo?»

«Non lo so. Potrebbe esserlo.»

«Lo spero. È più facile che siano i membri delle minoranze a rivoltarsi contro il potere costituito. Terzo: deve uscir fuori il vero motivo per cui Berrington ti sta perseguitando in questo modo. È una storia scioccante, ma deve essere raccontata.»

«Che cosa ci guadagno a svelarla?»

«Insinua l'idea che Berrington possa avere qualcosa da nascondere.»

«Bene. Qualcos'altro?»

«Non credo.»

Jeannie compose il numero e gli porse la cornetta.

311

Steve la prese con una certa trepidazione. Era la prima telefonata che faceva in qualità di legale. "Dio, speriamo di non fare fiasco!"

Mentre ascoltava il segnale di chiamata, cercò di ricordare Jack Budgen che giocava a tennis. Benché la sua attenzione fosse stata catturata soprattutto da Jeannie, rivedeva un uomo calvo sulla cinquantina, ancora in forma, dal gioco scaltro e ben ritmato. Budgen aveva battuto Jeannie che pure era più giovane e più forte di lui. Non era il caso di sottovalutarlo.

«Pronto?» rispose una voce colta e pacata.

«Professor Budgen, parla Steven Logan.»

Ci fu una breve pausa. «Ci conosciamo, signor Logan?»

«No, signore. La chiamo in quanto presidente del comitato disciplinare della Jones Falls University, per informarla che domani accompagnerò la dottoressa Ferrami. La dottoressa è impaziente di mettere a tacere le accuse che le sono state rivolte.»

«Lei è un avvocato?» Il tono di Budgen era freddo.

Steve si trovò a respirare affannosamente, come se avesse corso, ma si sforzò di restare calmo. «Sono uno studente di legge. La dottoressa Ferrami non può permettersi un avvocato. Tuttavia, farò del mio meglio per aiutarla a esporre chiaramente il suo caso, e se sbaglierò sarò costretto ad affidarmi alla sua clemenza.» Fece una pausa, dando a Budgen l'opportunità di fare un commento cordiale o magari un grugnito di comprensione: ma ci fu solo un gelido silenzio. Steve proseguì faticosamente. «Posso chiederle chi rappresenterà l'università?»

«So che hanno assunto Henry Quinn, della Harvey, Horrocks e Quinn.»

Steve fu preso dallo sgomento. Era uno degli studi legali più prestigiosi di Washington. Cercò di apparire rilassato. «Uno studio legale assolutamente rispettabile» commentò, con una risatina.

«Dice?»

Il fascino di Steve con quell'uomo non funzionava. Era arrivato il momento di fare il duro. «C'è una cosa che devo mettere in chiaro. Saremo costretti a esporre i veri motivi per cui Berrington Jones ha agito in questo modo contro la dottoressa Ferrami. Non accetteremo alcun annullamento dell'udienza, a nessuna condizione, Questo lascerebbe un'ombra sulla mia assistita. Ritengo che la verità debba assolutamente venire a galla.»

«Non mi risulta alcuna proposta di cancellare l'udienza.»

Certo che no. Non c'era stata alcuna proposta del genere. Steve proseguì con il suo tono da spaccone. «Ma se dovesse essercene una, l'avverto già da ora che la dottoressa Ferrami non l'accetterà.» Decise di concludere prima di fare qualche danno. «Professore, la ringrazio per la sua cortesia. Non vedo l'ora di incontrarla domani mattina.»

«Addio.»

Steve riattaccò. «Accidenti, che iceberg.»

Jeannie era perplessa. «Di solito non è così. Forse voleva solo essere formale.»

Steve era quasi sicuro che Budgen si fosse già fatto un'opinione e fosse ostile a Jeannie, ma non lo disse. «Comunque, gli ho esposto i nostri tre punti. E ho scoperto che l'università ha ingaggiato Henry Quinn.»

«È bravo?»

Era leggendario. A Steve veniva freddo a pensare che si sarebbe dovuto scontrare con lui. Ma non voleva scoraggiare Jeannie. «Un tempo era molto bravo, ma potrebbe non essere più all'altezza della sua fama.»

Jeannie parve accontentarsi della risposta. «E ora?»

Steve la guardò. L'accappatoio rosa si era aperto sul davanti, scoprendo un piccolo seno tra le pieghe del tessuto morbido. «Dobbiamo analizzare le domande che ti faranno all'udienza» rispose con rammarico. «Questa sera ci aspetta un sacco di lavoro.»

37

Jane Edelsborough era molto meglio nuda che vestita.

Era stesa sul lenzuolo rosa pallido, illuminata dalla fioca luce di una candela profumata. La sua pelle morbida e chiara era assai più bella degli abiti color fango che indossava di solito. I vestiti senza forma che prediligeva tendevano a nascondere quel suo corpo da amazzone con il seno generoso e i fianchi larghi. Aveva qualche chilo di troppo, ma questo le si addiceva.

Sdraiata sul letto, rivolse un sorriso languido a Berrington che si stava infilando i boxer azzurri. «Accidenti, è stato molto meglio di quanto mi aspettassi» disse.

Berrington pensava la stessa cosa, ma non era così villano da dirlo. Jane sapeva molte delle cose che lui era solito insegnare alle sue giovani amanti. Si chiese dove avesse imparato a fare così bene l'amore. Era stata sposata una volta con un fumatore incallito, morto di cancro ai polmoni dieci anni prima. Dovevano aver avuto un'ottima vita sessuale.

Gli era piaciuto tanto che non aveva neppure dovuto ricorrere alla sua solita fantasia: immaginava di aver appena fatto l'amore con una donna bella e famosa, Cindy Crawford, o Bridget Fonda o magari la principessa Diana, e lei, sdraiata al suo fianco, gli mormorava all'orecchio: "Grazie Berry, non è mai stato così bello, sei fantastico".

«Mi sento in colpa» disse Jane. «È molto tempo che non facevo qualcosa di così perverso.»

«Perverso?» ripeté lui, allacciandosi le scarpe. «Non vedo perché. Sei libera, bianca e maggiorenne, come si diceva una volta.» Vide che Jane trasaliva lievemente: l'espressione "libera, bianca e maggiorenne" era ormai "politicamente scorretta". «E comunque sei single» si affrettò ad aggiungere.

«Oh, no, non mi riferivo alla scopata» ribatté Jane con fare languido. «È che so che tu l'hai fatto solo perché faccio parte del comitato disciplinare.»

Lui si immobilizzò nell'atto di annodarsi la cravatta a righe.

«Dovrei davvero credere che tu mi abbia visto seduta nella caffetteria degli studenti e sia rimasto rapito dal mio magnetismo sessuale?» proseguì lei, rivolgendogli un sorriso triste. «Io non possiedo alcun magnetismo sessuale, Berry, per lo meno non per una persona superficiale come te. Dovevi avere un altro motivo e mi ci sono voluti circa cinque secondi per capire quale fosse.»

Berrington si sentiva uno stupido. Non sapeva che cosa dire.

«Tu, invece, hai magnetismo sessuale. A palate. Sei affascinante, hai classe. Hai un bel corpo, vesti con gusto e profumi di buono. E, più di ogni altra cosa, si capisce che ti piacciono davvero le donne. Le userai, le sfrutterai, le manipolerai, ma le ami anche. Sei perfetto per l'avventura di una notte, e ti ringrazio.»

Detto questo, si coprì con il lenzuolo rosa, si voltò su un fianco e chiuse gli occhi.

Berrington finì di vestirsi più in fretta che poté.

Prima di andarsene, si sedette sul bordo del letto. Lei aprì gli occhi. «Mi appoggerai, domani?»

Jane si tirò su a sedere e lo baciò con tenerezza. «Dovrò ascoltare l'esposizione delle prove prima di farmi un'opinione.»

Berry strinse i denti. «È molto importante per me, più di quanto tu immagini.»

Lei annuì comprensiva, ma la sua risposta fu implacabile. «Immagino sia altrettanto importante per Jeannie Ferrami.»

Lui le diede una strizzatina al seno sinistro, morbido e pesante. «Ma chi è più importante per te, Jeannie o io?»

«So bene che cosa significhi essere una giovane accademica in un ambiente universitario dominato dai maschi. Non lo dimenticherò mai.»

«Merda!» esclamò lui e ritirò la mano.

«Perché non dormi qui stanotte? Potremmo farlo di nuovo domani mattina.»

Lui si alzò. «Ho troppe cose per la testa.»

Lei chiuse gli occhi. «Peccato.»

Berrington uscì.

La sua macchina era parcheggiata nel vialetto della casa, vicino alla Jaguar di lei. Quella Jaguar avrebbe dovuto metterlo in guardia, pensò: Jane non era quello che sembrava. Era stato usato, ma gli era piaciuto. Si domandò se le donne si sentissero mai così dopo che lui le aveva sedotte.

Guidando verso casa pensò all'udienza dell'indomani. Aveva dalla sua i quattro uomini del comitato, ma non era riuscito ad assicurarsi l'appoggio di Jane. C'era qualcos'altro che poteva fare? A questo punto, sembrava proprio di no.

Quando arrivò a casa trovò sulla segreteria un messaggio di Jim Proust. Basta cattive notizie, pregò. Si sedette alla scrivania dello studiolo e compose il numero di Jim. «Sono Berry.»

«L'Fbi ha fatto casino» disse Jim senza preamboli.

Il morale di Berrington precipitò ulteriormente. «Raccontami.»

«L'ordine di annullare la ricerca non è arrivato in tempo.»

«Maledizione!»

«I risultati le sono stati spediti per posta elettronica.»

Ebbe paura. «Chi c'era sulla lista?»

«Non lo sappiamo. Il Bureau non ne ha tenuto una copia.»

Era intollerabile. «Dobbiamo assolutamente scoprirlo!»

«Tu potresti. Forse l'elenco è ancora nel suo ufficio.»

«Lei non può più entrare nel suo ufficio» ribatté Berrington, poi aggiunse speranzoso: «E potrebbe non aver fatto in tempo a ritirare il messaggio».

«Puoi farlo?»

«Certo.» Berrington guardò il Rolex d'oro. «Ci vado subito.»

«Chiamami appena sai qualcosa.»

«Certo.»

Risalì in macchina e andò alla Jones Falls. Il campus era buio e deserto. Parcheggiò davanti al Pandemonio ed entrò. Provava meno imbarazzo a curiosare nell'ufficio di Jeannie questa volta. Diamine, la posta in gioco era troppo alta per preoccuparsi della dignità.

Accese il computer ed entrò nella sua casella di posta elettronica. C'era un solo messaggio. "Dio, fa' che sia l'elenco dell'Fbi!" Lo scaricò. Con suo grande disappunto, era ancora quell'amico della University of Minnesota:

Hai ricevuto la mia E-mail di ieri? Domani verrò a Baltimora e mi farebbe piacere rivederti, anche se per pochi minuti. Chiamami per favore. Baci. Will.

Non aveva ricevuto il messaggio del giorno precedente perché Berrington lo aveva scaricato e poi cancellato. E non avrebbe ricevuto neppure questo. Ma dov'era la lista dell'Fbi? Doveva averla scaricata la mattina precedente, prima che la vigilanza la chiudesse fuori del suo ufficio.

Dove l'aveva salvata? Berrington cercò sul disco rigido sotto le parole "Fbi", "F.B.I." e "Federal Bureau of Investigation", ma non trovò nulla. Guardò in una scatola di dischetti nel cassetto della scrivania, ma c'erano solo alcuni file di back-up. «Questa donna tiene persino il back-up della lista della spesa!» borbottò.

Chiamò nuovamente Jim dall'ufficio di Jeannie. «Qui non c'è niente» disse brusco.

«Dobbiamo assolutamente scoprire chi c'è su quella lista!» abbaiò Jim.

«Che cosa dovrei fare secondo te, Jim... rapirla e torturarla?» chiese Berrington con tono sarcastico.

«Deve averla lei, quella lista, giusto?»

«Nella sua casella non c'è, quindi deve averla scaricata.»

«Se non è nel suo ufficio, deve averla a casa.»

«Logico.» Berrington capì dove voleva arrivare Jim. «Potresti far...» Era riluttante a pronunciare al telefono le parole "perquisire dall'Fbi". «Potresti far fare un controllo a casa sua?»

«Penso di sì. David Creane ha fatto fiasco, quindi mi deve ancora un favore. Lo chiamerò.»

«Domani mattina potrebbe essere il momento buono. L'udienza è fissata per le dieci, e lei sarà impegnata per un paio d'ore.»

«Capito. Me ne occupo io. Ma se ce l'avesse nella borsa? Cosa facciamo?»

«Non lo so, Jim. Buona notte.»

«'notte.»

Berrington riattaccò e rimase seduto a lungo a osservare la

piccola stanza rallegrata dai colori audaci prediletti da Jeannie. Se l'indomani le cose non fossero andate per il verso giusto, all'ora di pranzo sarebbe potuta essere nuovamente lì, alla sua scrivania, con l'elenco dell'Fbi, lanciata a testa bassa nella sua indagine, pronta a rovinare tre galantuomini.

Non doveva accadere, pensò, disperato. Non doveva assolutamente accadere.

VENERDÌ

38

Jeannie si svegliò nel piccolo soggiorno, sdraiata sul divano nero tra le braccia di Steve, con indosso solo l'accappatoio di spugna rosa.

"Come ci sono finita qui?"

Avevano passato quasi tutta la notte a prepararsi per l'udienza. Il cuore di Jeannie ebbe un balzo: quella mattina si sarebbe deciso il suo destino.

"Come mai sono sdraiata su di lui?"

Verso le tre del mattino aveva fatto un grande sbadiglio e aveva chiuso gli occhi per un momento.

"E poi...?"

Doveva essersi addormentata.

A un certo punto lui doveva aver preso la trapunta a righe rosse e blu dalla camera da letto, perché Jeannie vi si era trovata avvolta.

Ma non era certo colpa di Steve se si trovava con la testa posata sulla sua coscia e il braccio intorno alla vita. Doveva essere stata lei, nel sonno, a finire in quella posizione, con il volto sopra il suo inguine. Si chiese che cosa pensasse di lei. Quella sera il suo comportamento era stato a dir poco eccentrico: prima si era denudata davanti a lui, poi gli si era addormentata tra le braccia. Si comportava come se si trovasse con un vecchio amante.

"Be', ho un'ottima scusa per comportarmi in maniera bizzarra: ho avuto una settimana bizzarra."

Era stata maltrattata dall'agente McHenty, derubata dal padre, accusata dal "New York Times", minacciata con un coltello da Dennis Pinker, licenziata dall'università e infine aggredita a bordo della propria macchina. Si sentiva perseguitata.

Nel punto in cui il giorno prima aveva ricevuto il pugno il volto le pulsava lievemente, ma le ferite non erano solo fisiche. L'aggressione l'aveva segnata anche nella psiche. Quando ripensava alla colluttazione in macchina, veniva nuovamente assalita dalla rabbia e avrebbe voluto strozzare quell'uomo. Anche quando non ci pensava, sentiva in sottofondo una specie di ronzio di infelicità, come se quella violenza avesse tolto valore alla sua vita.

Eppure riusciva ancora a fidarsi di un uomo, non solo, riusciva ad addormentarsi su un divano abbracciata a uno che era la copia esatta dei suoi aggressori. A questo punto poteva dirsi sempre più sicura di Steve. Nessuno degli altri avrebbe passato la notte in quel modo, solo con una ragazza, senza costringerla a fare del sesso.

Aggrottò la fronte, perplessa. Ricordava vagamente che Steve aveva fatto qualcosa durante la notte, qualcosa di piacevole. Sì, ora ricordava come in un sogno, le sue grandi mani che le accarezzavano ritmicamente la testa, a lungo, mentre lei dormicchiava, pacifica come un gatto.

Sorrise e si mosse appena. «Sei sveglia?» le chiese lui immediatamente.

Lei sbadigliò e si stiracchiò. «Mi dispiace. Mi sono addormentata addosso a te. Stai bene?»

«La circolazione della gamba sinistra si è interrotta verso le cinque del mattino, ma, una volta abituato, sono stato bene.»

Jeannie si tirò su a sedere per vederlo meglio. Aveva gli abiti tutti stazzonati, i capelli arruffati e la barba lunga, ma era adorabile. «Hai dormito?»

Steve scosse la testa. «Mi divertivo troppo a guardarti.»

«Non dirmi che russo.»

«Tu non russi. Perdi solo un po' di saliva» replicò, indicando un punto dei calzoni tutto umido.

«Oh, che sfacciato!» Jeannie si alzò. Le cadde l'occhio sull'orologio blu alla parete: erano le otto e trenta. «Non abbiamo molto tempo» disse, agitata. «L'udienza comincia alle dieci.»

«Tu va' a fare la doccia mentre io preparo il caffè.»

Jeannie lo fissò con gli occhi spalancati. Non poteva essere vero. «Ma chi ti ha portato, Babbo Natale?»

Lui scoppiò a ridere. «Secondo la tua teoria, mi ha portato una provetta» disse, poi la sua espressione tornò seria. «Diamine, proprio non lo so.»

Anche l'umore di Jeannie si fece scuro. Andò in camera da letto, si tolse l'accappatoio ed entrò nella doccia. Mentre si lavava i capelli ripensò con amarezza a quanto aveva dovuto lottare negli ultimi dieci anni: la fatica che aveva fatto per ottenere le borse di studio, i massacranti allenamenti di tennis alternati a lunghe ore sui libri, le critiche minuziose e pesanti del suo irascibile tutor durante il dottorato. Aveva lavorato come un robot per arrivare dove era adesso, solo perché voleva diventare una scienziata e aiutare la razza umana a conoscersi meglio. E ora Berrington Jones stava per rovinare tutto.

La doccia la fece sentire meglio. Si stava asciugando i capelli, quando suonò il telefono. Rispose dalla derivazione in camera da letto. «Sì?»

«Jeannie, sono Patty.»

«Ciao, sorellina, che cosa c'è?»

«Papà è venuto da me.»

Jeannie si sedette sul letto. «Come sta?»

«Al verde, ma in buona salute.»

«Era già passato da me» disse Jeannie. «È arrivato lunedì. Martedì era già un po' seccato perché non gli ho preparato la cena. Mercoledì se n'è andato con il mio computer, il televisore e lo stereo. Deve aver già speso o essersi giocato tutto quello che ne ha ricavato.»

«Oh, Jeannie, è orribile!» esclamò Patty.

«Esatto. Ti consiglio di mettere sotto chiave la roba di valore.»

«Rubare ai propri familiari! Oh, Dio! Se Zip lo viene a sapere lo caccia fuori.»

«Patty, ho problemi ancora peggiori. Potrei essere licenziata oggi.»

«Oh, Jeannie, perché?»

«Ora non ho tempo per spiegartelo, ma ti chiamerò più tardi.»

«Va bene.»

«Hai parlato con la mamma?»

«Ogni giorno.»

«Oh, bene; mi fa sentire meglio. Io le ho parlato una volta sola. La seconda volta che l'ho chiamata era a tavola.»

«Le persone che rispondono al telefono sono molto sgarbate. Dobbiamo togliere la mamma da lì al più presto possibile.»

"Se oggi mi licenziano ci starà per un bel pezzo" pensò Jeannie, ma rispose: «Ti chiamo più tardi».

«Buona fortuna!»

Jeannie riattaccò e vide che sul comodino c'era una tazza di caffè fumante. Scosse la testa, stupita. Era solo una tazza di caffè, ma Steve intuiva sempre quello che le serviva. Aiutare gli altri sembrava una cosa naturale per lui. E non chiedeva niente in cambio, mentre Jeannie sapeva che quando un uomo anteponeva i bisogni di una donna ai suoi – e capitava raramente – si aspettava poi in cambio che lei si comportasse per un mese come una geisha.

Steve era diverso. "Se avessi saputo che esisteva anche questo modello di uomo, ne avrei ordinato uno anni fa" pensò.

Jeannie aveva sempre fatto tutto da sola. Suo padre non c'era mai. Sua madre era forte, ma alla fine la sua forza era diventata un problema, quasi quanto la debolezza del padre. La mamma aveva i suoi progetti per Jeannie e non era disposta a rinunciarvi. Voleva che diventasse una parrucchiera. Le aveva persino trovato un lavoro, due settimane prima del suo sedicesimo compleanno. Avrebbe dovuto lavare i capelli e pulire il pavimento nel salone di bellezza Alexis a Adams-Morgan. Il desiderio di Jeannie di diventare una scienziata le risultava totalmente incomprensibile. «Potresti essere una pettinatrice diplomata prima che le altre ragazze abbiano preso la laurea!» le aveva detto la mamma. Non aveva mai capito perché Jeannie avesse reagito così violentemente e si fosse rifiutata persino di andare a dare un'occhiata al salone di bellezza.

Ora, però, non era sola. C'era Steve ad aiutarla. A lei non importava che non fosse professionalmente qualificato: un avvocato di grido di Washington poteva non essere il modo migliore per far colpo sui cinque professori. La cosa importante era che lui sarebbe stato là, accanto a lei.

Si infilò l'accappatoio e lo chiamò. «Vuoi fare una doccia?»

«Certo» rispose lui entrando in camera da letto. «Vorrei tanto avere una camicia pulita.»

«Non ho camicie da uomo... però, aspetta un minuto, una ce l'ho.» Si era ricordata la camicia di Ralph Lauren che Lisa aveva avuto in prestito dopo l'incendio. Apparteneva a qualcuno dell'Istituto di matematica. Jeannie l'aveva mandata in lavanderia e ora era nel suo armadio, avvolta nel cellofan. La diede a Steve.

«È la mia taglia, diciassette trentasei» disse lui. «Perfetta.»

«Non chiedermi da dove viene perché è una storia troppo lunga» replicò. «Credo di avere pure una cravatta, da qualche parte.» Aprì un cassetto e tirò fuori una cravatta di seta blu a pallini che indossava con una camicia bianca quando voleva un look maschile e un po' estremo. «Eccola.»

«Grazie» disse Steve e si infilò in bagno.

Jeannie provò una leggera delusione. Sperava di vederlo nuovamente mentre si toglieva la camicia. Ah, gli uomini! Quelli orrendi si mettono in mostra anche se tu non lo vuoi mentre i belli sono pudichi come suore.

«Posso usare il tuo rasoio?» le chiese.

«Certo, fa' pure.»

"Ricordarsi: fare sesso con questo ragazzo prima che cominci a comportarsi troppo da fratello."

Jeannie si mise a cercare il tailleur nero, poi si ricordò di averlo gettato nella spazzatura la sera prima. «Brutta stupida!» mormorò. Probabilmente avrebbe potuto ripescarlo, ma sarebbe stato tutto sporco e stropicciato. Aveva una giacca blu elettrico di linea lunga e scivolata; poteva indossarla con una T-shirt bianca sopra un paio di pantaloni neri. Forse sarebbe stata un po' troppo vistosa, ma poteva andare.

Si sedette davanti allo specchio e si truccò. Steve uscì dal bagno. Era bello in giacca e cravatta e aveva un'aria formale. «Ci sono delle ciambelle alla cannella nel freezer» gli disse. «Se hai fame, puoi scongelarle nel microonde.»

«Fantastico» rispose. «Tu vuoi qualcosa?»

«Sono troppo tesa per mangiare. Però un'altra tazza di caffè mi farebbe piacere.»

Lui le portò il caffè mentre stava finendo di truccarsi. Jeannie lo bevve velocemente e si vestì. Quando entrò in soggiorno, Steve era seduto al bancone della cucina, «Hai trovato le ciambelle?»

«Certo.»

«Che fine hanno fatto?»

«Hai detto che non avevi fame e così me le sono mangiate tutte.»

«Tutte e quattro?»

«Sì... anzi, a dire il vero erano due confezioni.»

«Ti sei mangiato otto ciambelle?»

Steve era imbarazzato. «Io al mattino ho fame.»

Jeannie scoppiò a ridere. «Su, andiamo.»

Si voltò per avviarsi, ma lui l'afferrò per un braccio. «Un momento.»

«Cosa c'è?»

«Jeannie, è divertente essere amici, e mi piace stare con te, davvero, ma devi capire che io voglio qualcosa di più.»

«Lo so.»

«Mi sto innamorando di te.»

Lei lo guardò negli occhi. Era sincero. «Anch'io mi sto affezionando a te» rispose con tono leggero.

«Io voglio fare l'amore con te, lo voglio tanto da star male.»

Jeannie pensò che avrebbe potuto restare un giorno intero a sentirsi dire cose simili. «Senti» ribatté, «se scopi come mangi, sono tutta tua.»

Steve fece la faccia lunga e Jeannie capì di aver detto la cosa sbagliata.

«Mi dispiace, non volevo scherzarci sopra.»

Lui si strinse nelle spalle come per dire "non importa".

Jeannie gli prese la mano. «Senti che cosa facciamo. Innanzitutto salviamo me. Poi salviamo te. E poi ci divertiamo.»

«D'accordo» rispose Steve ricambiando la stretta.

Uscirono. «Andiamo con una macchina sola» disse Jeannie. «Ti riporto indietro io, più tardi.»

Salirono a bordo della Mercedes. L'autoradio si accese non appena lei mise in moto. Mentre si immetteva nel traffico della Quarantunesima Strada, sentì lo speaker pronunciare il nome della Genetico e alzò il volume. «Il senatore Jim Proust, ex direttore della Cia, dovrebbe confermare oggi la sua intenzione di candidarsi alla Casa Bianca per il partito repubblicano.

Ecco il suo programma elettorale: aliquota unica del dieci per cento sui redditi, compensata dall'abolizione dello stato sociale. I commentatori dicono che il finanziamento della sua campagna non sarà un problema: Proust sta per guadagnare sessanta milioni di dollari dalla vendita della Genetico, la società di ricerca medica di cui è comproprietario. Passando allo sport, i Philadelphia Rams...»

Jeannie spense la radio. «Che cosa ne pensi?»

Steve scosse la testa, sgomento. «La posta in gioco si fa sempre più alta» disse. «Se riveliamo la verità a proposito della Genetico, e l'offerta di acquisizione viene ritirata, Jim Proust non sarà in grado di pagarsi la campagna elettorale. E Proust è uno che fa sul serio: una spia, ex Cia, contrario alla limitazione delle armi. Ti sei messa contro persone molto pericolose, Jeannie.»

Lei strinse i denti. «Questo rende ancora più importante lottare contro di loro. Mia madre mi ha potuto allevare solo grazie allo stato sociale, Steve. Se Proust diventa presidente, le ragazze come me potranno fare solo le parrucchiere.»

39

Davanti a Hillside Hall, la sede degli uffici amministrativi della Jones Falls University, c'era una piccola folla di dimostranti. Trenta o quaranta studenti, per la maggior parte donne, erano radunati davanti ai gradini. Era una protesta calma e ordinata. Avvicinandosi, Steve vide uno striscione che diceva: RIASSUMETE SUBITO LA DOTTORESSA FERRAMI! Gli parve di buon auspicio. «Sono tutti dalla tua parte» disse a Jeannie.

Lei guardò meglio e arrossì di piacere. «Pare proprio di sì. Mio Dio, dopotutto c'è qualcuno che mi vuole bene!»

Un altro cartellone diceva:

NON

POTETE

FARE QUESTO

A J.F.

Quando videro Jeannie i manifestanti la salutarono con un applauso. Lei si avvicinò sorridendo. Steve la seguì, pieno di orgoglio. Non tutti i professori potevano contare sull'appoggio spontaneo degli studenti. Jeannie strinse la mano ai ragazzi e baciò le ragazze. Steve non poté fare a meno di notare una bionda graziosa che lo fissava intensamente.

C'era anche una donna un po' più anziana. Jeannie l'abbracciò. «Sophie!» esclamò. «Come posso ringraziarti?»

«Buona fortuna!» le augurò la donna.

Jeannie si staccò dalla folla, raggiante, e si avviò con Steve verso l'entrata. Lui commentò: «Be', queste persone pensano che tu debba rimanere al tuo posto».

«Non immagini quanto sia importante per me» ribatté Jeannie. «Quella era Sophie Chapple, una professoressa dell'Istituto di psicologia. Ero convinta che mi odiasse. Non riesco a credere che si sia schierata dalla mia parte.»

«E quella bella ragazza in prima fila chi era?»

Jeannie gli rivolse un'occhiata incuriosita. «Non l'hai riconosciuta?»

«Sono sicuro di non averla mai vista prima, ma lei non riusciva a staccare gli occhi da me.» Poi Steve capì. «Oh, mio Dio, deve essere la vittima dello stupro.»

«Lisa Hoxton.»

«Ora capisco perché mi guardava in quel modo.» Non poté resistere alla tentazione di voltarsi. Era graziosa, dall'aspetto vivace, piccola e paffutella. Il suo sosia l'aveva aggredita, gettata a terra e costretta ad avere rapporti sessuali con lui. Steve si sentì un groppo in gola. Prima era solo una ragazza come tante altre, ma ora quel ricordo da incubo l'avrebbe accompagnata per tutta la vita.

La sede amministrativa si trovava in un edificio vecchio e maestoso. Jeannie condusse Steve attraverso l'atrio di marmo fino a una porta su cui era scritto "Antico refettorio" e da lì in una cupa aula da vecchia dimora nobiliare: soffitti alti, strette finestre gotiche e austeri mobili di quercia dalle gambe tozze. Davanti al caminetto di pietra intagliata c'era un lungo tavolo.

Vi sedevano quattro uomini e una donna di mezza età. Steve riconobbe nell'uomo calvo seduto al centro l'avversario di Jeannie nella partita a tennis, Jack Budgen. Quello era il comitato, pensò, le persone dalle quali dipendeva il destino di Jeannie. Trasse un respiro profondo.

Sporgendosi in avanti al di sopra del tavolo, strinse la mano a Jack Budgen e disse: «Buon giorno, dottor Budgen. Sono Steven Logan. Ci siamo parlati ieri». Poi reagì quasi per istinto e si trovò a ostentare una rilassata sicurezza che era l'opposto di ciò che provava. Strinse la mano a ognuno dei membri del comitato, che si presentarono a loro volta.

All'estremità sinistra del tavolo erano seduti altri due uomini. Quello più piccolo con giacca e gilet blu scuro era Berrington Jones, che Steve aveva conosciuto il lunedì precedente in laboratorio. L'altro, magro, con i capelli biondo rossicci e il doppiopetto grigio scuro gessato doveva essere Henry Quinn. Steve strinse la mano a entrambi.

Quinn lo guardò sprezzante e gli disse: «Qual è la sua qualifica professionale, giovanotto?»,

Steve gli rivolse un sorriso cordiale e gli rispose a voce così bassa che nessun altro poté sentire: «Va' al diavolo, Henry»,

Quinn trasalì come se fosse stato schiaffeggiato e Steve pensò che quel vecchio bastardo avrebbe imparato a non trattarlo con condiscendenza.

Scostò una sedia per Jeannie e si sedettero entrambi di fronte al tavolo.

«Bene, sarà meglio cominciare» disse Jack. «Questa è una procedura informale. Credo che voi tutti abbiate ricevuto una copia del regolamento, quindi conosciamo tutti le norme. L'accusa è stata avanzata dal professor Berrington Jones, il quale propone che la dottoressa Ferrami venga licenziata per aver gettato discredito sulla Jones Falls University.»

Mentre l'uomo parlava, Steve cercò sui volti dei presenti qualche segnale di solidarietà. Ma non ne rimase rassicurato. Solo la donna, Jane Edelsborough, guardava Jeannie: gli altri cercavano di evitare il suo sguardo. Quattro contro, uno a favore. L'inizio era tutt'altro che promettente.

«Berrington è rappresentato dal signor Quinn» proseguì Jack.

Quinn si alzò in piedi e aprì la sua valigetta. Steve notò che le dita dell'uomo erano macchiate di nicotina. Tirò fuori un fascio di fotocopie ingrandite dell'articolo del "New York Times" che parlava di Jeannie e le distribuì ai presenti. Ben presto il tavolo fu ricoperto di pezzi di carta con su scritto: BIOETICA: DUBB', TIMORI E UNA DISPUTA. Era un potente richiamo visivo ai guai che Jeannie aveva causato. Steve si rammaricò di non avere a sua volta qualche foglio da distribuire, in modo da poter coprire quelli di Quinn.

Quella semplice ma efficace mossa d'apertura lo intimidì. Come poteva sperare di competere con un uomo che aveva almeno trent'anni di esperienza forense? "No, non posso farcela" pensò, in preda a un improvviso attacco di panico.

Quinn iniziò a parlare. La sua voce era secca e precisa, senza alcuna traccia di accento regionale. Parlava in modo lento e pedante; Steve si augurò che quella tattica si rivelasse un errore: una giuria di intellettuali non aveva certo bisogno di sentirsi spiegare le cose con parole elementari. Quinn riassunse la storia del comitato disciplinare soffermandosi sul ruolo che esso svolgeva nella gestione dell'università. Definì il termine "discredito" e mostrò una copia del contratto di assunzione di Jeannie. Man mano che la monotona esposizione procedeva, Steve si sentiva sempre più rincuorato.

Finalmente il preambolo ebbe termine e Quinn iniziò a interrogare Berrington. Cominciò con il chiedergli quando avesse sentito parlare per la prima volta del software di ricerca di Jeannie.

«Lo scorso lunedì pomeriggio» rispose Berrington, riferendo la conversazione che aveva avuto con Jeannie. La sua storia coincideva con quella che lei aveva raccontato a Steve.

«Appena ho compreso a fondo la sua tecnica, le ho detto che secondo me quello che stava facendo era illegale.»

«Cosa?!» esclamò Jeannie.

Quinn la ignorò e chiese a Berrington: «E qual è stata la reazione della dottoressa Ferrami?».

«Si è molto adirata...»

«Maledetto bugiardo!» esclamò Jeannie.

A questa accusa, Berrington arrossì.

«La prego, niente interruzioni» intervenne Jack Budgen.

Steve osservava le reazioni del comitato. Si erano voltati tutti a guardare Jeannie, non avevano potuto farne a meno. Le posò una mano sul braccio, come per trattenerla.

«Sono spudorate menzogne!» protestò lei.

«Che cosa ti aspettavi?» commentò Steve a bassa voce. «Sta giocando duro.»

«Mi dispiace» rispose lei con un sussurro.

«Non c'è niente di cui dispiacersi» le disse lui nell'orecchio. «Continua così. Hanno capito che la tua indignazione è sincera.»

Berrington proseguì. «Cominciò a comportarsi in maniera petulante, proprio come adesso. Mi disse che poteva fare quello che voleva, perché aveva un contratto.»

Uno degli uomini del comitato, Tenniel Biddenham, assunse un'espressione accigliata, perché evidentemente non gli piaceva l'idea che un giovane membro del corpo accademico si facesse scudo del proprio contratto con un superiore. Steve si rese conto che Berrington giocava una partita molto astuta. Sapeva volgere a proprio vantaggio una carta sfavorevole.

«E allora lei che cosa ha fatto?» chiese Quinn a Berrington.

«Be', mi sono detto che potevo anche aver torto. Non sono un avvocato, così ho deciso di chiedere un parere legale. Se i miei timori fossero stati confermati, avrei potuto dimostrarlo in modo adeguato. Se invece fosse emerso che il lavoro della dottoressa Ferrami non ledeva i diritti di nessuno, avrei senz'altro lasciato cadere la cosa.»

«E ha chiesto consiglio a un legale?»

«In realtà sono stato colto di sorpresa dagli eventi. Prima ancora che avessi la possibilità di parlare con un avvocato, il "New York Times" si è impadronito del caso.»

«Stronzate» sibilò Jeannie.

«Ne sei sicura?» le chiese Steve.

«Sicurissima.»

Steve prese nota.

«Ci racconti che cosa è accaduto mercoledì» proseguì Quinn.

«I miei peggiori timori si sono concretizzati. Il rettore dell'università, Maurice Obell, mi ha chiamato nel suo ufficio e mi ha chiesto spiegazioni circa le insistenti telefonate di giornalisti in cerca di notizie sull'attività del mio istituto. Allora abbiamo preparato una bozza di comunicato stampa e convocato la dottoressa Ferrami per discuterne con lei.»

«Oh, Cristo!» mormorò Jeannie.

Berrington proseguì. «Ma lei non ha voluto sentire ragioni. Ha di nuovo perso la calma, insistendo nel dire che poteva fare quello che voleva, poi se n'è andata sbattendo la porta.»

Steve guardò Jeannie con aria interrogativa. «Una bugia molto intelligente. Mi hanno presentato il comunicato stampa come un fatto compiuto» disse lei a bassa voce.

Steve annuì, ma decise che nel controinterrogatorio avrebbe sorvolato su quel punto. Probabilmente il comitato trovava in ogni caso scorretto che Jeannie se ne fosse andata sbattendo la porta.

«La giornalista ci aveva detto che doveva chiudere l'inchiesta alle dodici di quello stesso giorno» proseguì Berrington mellifluo. «Il dottor Obell riteneva che l'università dovesse dare un messaggio molto chiaro, e non le nascondo che io ero d'accordo con lui al cento per cento.»

«E il vostro annuncio ha avuto l'effetto sperato?»

«No. È stato un completo fallimento. E questo perché la dottoressa Ferrami ci ha smentito, dichiarando alla stampa che avrebbe ignorato i nostri ordini e che noi non avremmo potuto fare nulla per fermarla.»

«C'è stato qualche commento al di fuori dell'università?»

«Sicuro.»

Il tono con cui Berrington aveva risposto alla domanda fece suonare un campanello d'allarme nella mente di Steve, che prese un appunto.

«Ho ricevuto una telefonata da Preston Barck, il presidente della Genetico, che è un importante finanziatore della nostra università, e in particolare del programma di ricerca sui gemelli» proseguì Berrington. «Era giustamente preoccupato per il modo in cui viene impiegato il loro denaro. L'articolo dava l'impressione che i vertici dell'università fossero impotenti. "Chi dirige quella maledetta università?" mi ha chiesto. È stato molto imbarazzante.»

«Era questa la sua preoccupazione maggiore? L'imbarazzo di essere stato sfidato da un membro più giovane del corpo accademico?»

«Certamente no. Il problema principale era il danno che il lavoro della dottoressa Ferrami rischiava di arrecare alla Jones Falls.»

Bella mossa, pensò Steve. Nessun membro del comitato avrebbe gradito di essere sfidato da un'assistente e Berrington si era guadagnato la solidarietà di tutti. Ma Quinn aveva velocemente portato il dibattito a un livello più alto: ora i membri del comitato potevano autoconvincersi che licenziando Jeannie avrebbero protetto l'università, e non solo punito un dipendente indisciplinato.

«Un'università dovrebbe essere molto sensibile al problema

della privacy. I finanziatori ci sostengono e gli studenti fanno a gara per studiare da noi perché questa è una delle strutture educative più rispettabili della nazione. Il dubbio che da parte nostra possa non esserci attenzione ai diritti delle persone ci danneggia molto.»

Era una dichiarazione calma ed eloquente che tutto il comitato avrebbe approvato. Steve annuì per dimostrare che anche lui la condivideva, sperando che gli altri lo notassero e giungessero alla conclusione che non era questo il problema.

«Quante possibilità le erano rimaste a questo punto?» chiese Quinn.

«Una sola. Dovevamo dimostrare che non consentivamo ai nostri ricercatori di violare la privacy delle persone e che avevamo l'autorità per far rispettare le nostre regole. L'unico modo per farlo era licenziare la dottoressa Ferrami. Non c'erano alternative.»

«Grazie, professore» concluse Quinn e si sedette.

Steve era pessimista. Come aveva temuto, Quinn era stato abilissimo e Berrington terribilmente credibile: aveva dato di sé l'immagine del dirigente ragionevole e coscienzioso che faceva del proprio meglio per tenere a freno una dipendente incauta e impulsiva. Il tutto poi risultava ancora più verosimile perché aveva un fondamento di realtà: Jeannie era davvero una testa calda.

Ma Berrington aveva raccontato solo menzogne. Steve doveva partire da lì. Jeannie era nel giusto. Lui doveva solo dimostrarlo.

«Ha qualche domanda, signor Logan?» chiese Jack Budgen.

«Certo» rispose Steve. Lasciò passare un momento, mentre radunava le idee.

Ora toccava a lui. Non si trovava in un'aula di tribunale e non era neppure un vero avvocato, ma stava difendendo un debole contro le sopraffazioni di una potente istituzione. Le probabilità di vincere erano scarse, ma aveva la verità dalla sua. Era quello che aveva sempre sognato.

Si alzò e rivolse a Berrington un'occhiata dura. Se la teoria di Jeannie era giusta, quell'uomo doveva sentirsi a disagio, un po' come il dottor Frankenstein interrogato dal suo mostro.

Steve voleva giocare un po' su questo, voleva scuotere la sua sicurezza prima di attaccare con le domande concrete.

«Lei mi conosce, vero, professore?»

Berrington parve imbarazzato. «Sì... se ricordo bene, ci siamo incontrati lunedì.»

«E sa tutto di me?»

«Io... io non credo di seguirla.»

«Sono stato sottoposto a un'intera giornata di test nel suo laboratorio, quindi dispone di molte informazioni sul mio conto.»

«Ah, capisco, sì.»

Berrington appariva totalmente sconcertato.

Steve andò a mettersi dietro la sedia di Jeannie, in modo che tutti fossero costretti a guardarla. Era molto più difficile pensar male di una persona che ricambiava il tuo sguardo con quell'espressione aperta e coraggiosa.

«Professore, cominciamo dalla sua prima dichiarazione. Lei ha detto di aver avuto l'intenzione di consultare un legale dopo il colloquio avuto con la dottoressa Ferrami lunedì.»

«Sì.»

«Ma poi non l'ha fatto.»

«No, sono stato preceduto dagli eventi.»

«Non ha neanche fissato un appuntamento.»

«Non ne ho avuto il tempo...»

«Nei due giorni intercorsi tra la sua conversazione con la dottoressa Ferrami e l'incontro con il dottor Obell per discutere dell'articolo comparso sul "New York Times", lei non ha neppure chiesto alla sua segretaria di fissarle un appuntamento con un avvocato.»

«No.»

«E non ha chiesto in giro, né parlato con qualcuno dei suoi colleghi, perché le consigliassero la persona giusta cui rivolgersi.»

«No.»

«In realtà lei non è in grado di comprovare questa sua affermazione.»

«Però ho la reputazione di un uomo onesto» ribatté Berrington con un sorriso sprezzante.

«La dottoressa Ferrami ricorda con precisione il vostro incontro.»

«Mi fa piacere.»

«E sostiene che lei non ha affatto parlato di problemi legali o violazione della privacy, ma si è solo informato sul funzionamento del programma di ricerca.»

«Forse l'ha dimenticato.»

«O forse è lei che ricorda male.» Steve ebbe l'impressione di aver vinto su quel punto e cambiò bruscamente tattica. «La giornalista del "New York Times", la signora Freelander, ha detto in che modo è venuta a conoscenza del lavoro della dottoressa Ferrami?»

«Se anche l'ha fatto, il dottor Obell non me l'ha riferito.»

«E lei non lo ha chiesto.»

«No.»

«Si è mai domandato come facesse a saperlo?»

«So che i giornalisti hanno le loro fonti.»

«Poiché lei non ha pubblicato nulla su questo progetto, la fonte deve essere stata necessariamente una persona ben informata.»

Berrington esitò, poi guardò Quinn in cerca di aiuto, e questi si alzò in piedi. «Signore» disse, rivolgendosi a Jack Budgen, «al teste non dovrebbe essere chiesto di fare supposizioni.»

Budgen annuì.

«Questa è un'udienza informale» ribatté Steve. «Non siamo obbligati ad attenerci rigidamente alla procedura forense.»

Jane Edelsborough parlò per la prima volta. «La domanda mi sembra interessante e pertinente, Jack.»

Berrington le lanciò un'occhiataccia e lei si strinse appena nelle spalle, come volesse scusarsi. Era stato un gesto intimo, e Steve si chiese quale fosse il rapporto tra i due.

Budgen attese, forse nella speranza che un altro membro del comitato sostenesse un parere contrario: in tal caso la decisione finale sarebbe spettata a lui in quanto presidente, ma nessuno parlò. «Va bene» disse dopo un attimo di pausa. «Proceda pure, signor Logan.»

Steve non riusciva quasi a credere di aver vinto la sua prima schermaglia procedurale. Ai professori non piaceva che un avvocato di grido dicesse loro se una domanda era legittima o meno. Aveva la gola secca per la tensione. Con mano tremante si versò un po' d'acqua da una caraffa.

Bevve un sorso, si voltò nuovamente verso Berrington e procedette. «La signora Freelander conosceva il lavoro della dottoressa Ferrami più che a grandi linee, vero?»

«Sì.»

«Conosceva esattamente il metodo con cui la dottoressa Ferrami rintracciava gemelli cresciuti separatamente, avvalendosi di banche dati. Questa è una tecnica nuova, ideata da lei stessa, nota solo a lei e a un numero limitato di altri colleghi dell'Istituto di psicologia.»

«Se lo dice lei...»

«Sembra proprio che l'informazione sia partita dall'interno dell'istituto, non è così?»

«Può essere.»

«Quale motivo potrebbe avere un collega per gettare pubblicamente discredito sulla dottoressa Ferrami e sul suo lavoro?»

«Davvero non saprei.»

«Parrebbe proprio il gesto di un rivale maligno e geloso...»

«Forse.»

Steve annuì soddisfatto. Sentiva che stava prendendo il ritmo giusto. Cominciò a pensare che, nonostante tutto, poteva ancora farcela.

"Vacci piano con l'autocompiacimento" si disse. Segnare qualche punto non è la stessa cosa che vincere.

«Passiamo alla sua seconda affermazione. Quando il signor Quinn le ha chiesto se qualcuno al di fuori dell'università avesse fatto commenti sull'articolo del giornale, lei ha risposto: "Sicuro". Conferma questa dichiarazione?»

«Sì.»

«Quante telefonate ha ricevuto, esattamente, dai finanziatori, a parte quella di Preston Barck?»

«Be', ho parlato con Herb Abrahams...»

Steve capì che stava mentendo. «Mi perdoni se la interrompo, professore.» Berrington parve sorpreso, ma smise di parlare. «È stato il signor Abrahams a chiamare lei, o viceversa?»

«Hm, credo di essere stato io a chiamarlo.»

«Tra un momento ci ritorneremo. Ora ci dica quanti importanti finanziatori l'hanno chiamata per esprimere la loro preoccupazione circa le accuse comparse sul "New York Times".»

Berrington sembrava innervosito. «Non sono sicuro di aver ricevuto telefonate per questo motivo specifico.»

«Quante telefonate ha ricevuto da potenziali studenti?»

«Neanche una.»

«In quanti l'hanno chiamata per parlarle dell'articolo?»

«Nessuno, credo.»

«Ha ricevuto lettere sull'argomento?»

«Non ancora.»

«Non mi sembra che la notizia abbia creato poi tanto scalpore.»

«Non credo che lei possa trarre questa conclusione.»

Era una risposta fiacca e Steve fece una pausa per sottolinearla. Berrington sembrava imbarazzato. Il comitato era attento e seguiva ogni affondo e ogni stoccata. Steve guardò Jeannie: il suo volto era illuminato dalla speranza.

Riprese con le domande. «Parliamo dell'unica telefonata che ha ricevuto, quella di Preston Barck, il presidente della Genetico. Lei lo ha presentato come un semplice finanziatore preoccupato di come venivano usati i suoi soldi, ma è molto di più, no? Quando lo ha conosciuto per la prima volta?»

«A Harvard, quarant'anni fa.»

«Dev'essere uno dei suoi più vecchi amici.»

«Sì.»

«E in seguito mi risulta che abbiate fondato insieme la Genetico.»

«Sì.»

«Dunque è anche suo socio in affari.»

«Sì.»

«La società sta per essere acquisita dalla Landsmann, il famoso gruppo farmaceutico tedesco.»

«Sì.»

«Senza dubbio il signor Barck guadagnerà una bella somma dall'acquisizione.»

«Senza dubbio.»

«Quanto?»

«Ritengo che questa sia un'informazione riservata.»

Steve decise di non insistere sulla cifra. La riluttanza di Berrington era già sufficientemente significativa.

«C'è un altro suo amico che guadagnerà parecchio denaro, il senatore Proust. È di oggi la notizia che quei soldi gli serviranno per finanziare la sua campagna elettorale per la presidenza.»

«Non ho guardato il telegiornale, questa mattina.»

«Ma Jim Proust è un suo amico, no? Lei doveva pur essere a conoscenza della sua intenzione di presentarsi come candidato.»

«Tutti sapevano che ci stava pensando.»

«Anche lei guadagnerà dall'acquisizione?»

«Sì.»

Steve si allontanò da Jeannie e andò verso Berrington, in modo che tutti gli occhi fossero puntati su di lui. «Dunque lei è un azionista, non un semplice consulente.»

«È normale ricoprire entrambi i ruoli.»

«Professore, quanto guadagnerà da questa acquisizione?»

«Ritengo di non essere tenuto a dirlo.»

Questa volta Steve non aveva alcuna intenzione di mollare. «Secondo il "Wall Street Journal", il prezzo che verrà pagato per la società è di centottanta milioni di dollari.»

«Sì.»

«Centottanta milioni di dollari» ripeté Steve. Fece una pausa piuttosto lunga in modo che sulla sala scendesse un silenzio eloquente. Era una somma che un professore non avrebbe mai visto in tutta la sua vita, e Steve voleva dare ai membri del comitato l'impressione che Berrington non fosse uno di loro, che appartenesse a una razza totalmente diversa. «Lei è una delle tre persone che si divideranno questi centottanta milioni.»

Berrington annuì.

«Quindi lei aveva ottimi motivi per essere nervoso quando ha saputo di quell'articolo del "New York Times". Il suo amico Preston sta vendendo la società, il suo amico Jim sta per candidarsi alla Casa Bianca e lei sta per guadagnare una fortuna. È proprio sicuro di aver pensato alla reputazione della Jones Falls quando ha licenziato la dottoressa Ferrami? O aveva altre preoccupazioni? Siamo onesti, professore... lei si è fatto prendere dal panico.»

«Assolutamente...»

«Ha letto un articolo ostile, ha visto svanire l'acquisizione e ha reagito avventatamente. Si è fatto spaventare dal "New York Times".»

«Ci vuole ben più del "New York Times" per spaventarmi, giovanotto. Ho reagito con prontezza e decisione, non avventatamente.»

«Non ha fatto alcun tentativo per scoprire la fonte delle informazioni passate al giornale.»

«No.»

«Quanti giorni le sono stati necessari per appurare la verità o, almeno, verificare le accuse?»

«Non mi ci è voluto molto...»

«Sarebbe più giusto parlare di ore anziché di giorni?»

«Sì, ma...»

«Non sarebbe forse più giusto dire che c'è voluto meno di un'ora perché lei approvasse un comunicato stampa nel quale si diceva che il programma della dottoressa Ferrami era stato sospeso?»

«Sono sicurissimo che era trascorsa più di un'ora.»

Steve si strinse nelle spalle con enfasi. «Siamo generosi, diciamo che sono passate due ore. È stato sufficiente?» Si voltò e fece un gesto verso Jeannie, in modo che tutti guardassero verso di lei. «Le sono bastate due ore per decidere di gettar via l'intero programma di ricerca di una giovane scienziata?» Sul volto di Jeannie c'era una visibile espressione di dolore. Steve provò una fitta di pietà nei suoi confronti. Ma doveva giocare sulle emozioni, per il suo bene. Rigirò il coltello nella piaga. «Dopo due ore ne sapeva abbastanza da prendere una decisione che avrebbe distrutto il lavoro di anni? Abbastanza da mettere fine a una promettente carriera? Abbastanza da rovinare la vita di una donna?»

«Le ho chiesto di difendersi» rispose Berrington indignato. «Lei ha perso la calma ed è uscita dalla stanza.»

Steve esitò, poi decise di rischiare un'incursione nel melodrammatico. «È uscita dalla stanza!» ripeté con finto stupore. «È uscita dalla stanza! Lei le ha mostrato il comunicato stampa che annunciava la soppressione del suo programma di ricerca, senza prevedere alcuna indagine sulla fonte della notizia apparsa sul giornale, alcuna valutazione sulla fondatezza delle accuse, alcuna discussione, alcuna procedura d'obbligo: lei si è limitato a comunicare a questa giovane scienziata che la sua vita era rovinata. E la dottoressa Ferrami che cosa ha fatto? È uscita dalla stanza!» Berrington aprì la bocca per parlare, ma Steve lo prevenne. «Quando penso all'ingiustizia, all'illegalità, alla follia di ciò che lei ha compiuto mercoledì mattina, professore, non riesco a immaginare come la dottoressa Ferrami sia riuscita a dominarsi, limitandosi a una protesta così semplice ed eloquente.» Tornò in silenzio al proprio posto, poi si voltò verso il comitato e disse: «Non ho altre domande».

Jeannie stava con gli occhi bassi, ma gli strinse il braccio. Steve si chinò verso di lei e le chiese: «Come stai?».

«Sto bene.»

Le diede un colpetto sulla mano. Voleva dirle: "Penso che abbiamo vinto" ma sarebbe stato come sfidare la fortuna.

Harry Quinn si alzò. Sembrava perfettamente sereno. Sarebbe dovuto essere un po' più preoccupato dopo che Steve aveva fatto a pezzi il suo cliente. Ma senza dubbio faceva parte della professionalità restare imperturbabile indipendentemente dall'andamento del caso.

«Professore» attaccò Quinn, «se l'università non avesse sospeso il programma di ricerca della dottoressa Ferrami e non l'avesse licenziata, questo avrebbe avuto qualche influenza sull'acquisizione della Genetico da parte della Landsmann?»

«Assolutamente nessuna» rispose Berrington.

«Grazie. Non ho altre domande.»

Era stato decisamente efficace, pensò Steve amaramente. In un certo senso aveva sgonfiato tutto il suo controinterrogatorio. Cercò di nascondere la propria delusione a Jeannie.

Ora toccava a lei. Steve si alzò e la guidò nell'esposizione della sua tesi. Jeannie descrisse con calma e chiarezza il suo programma di ricerca e spiegò l'importanza di trovare gemelli allevati separatamente che fossero diventati criminali. Espose nel dettaglio le precauzioni prese per assicurarsi che nessun dato medico venisse divulgato prima che essi avessero firmato un'autorizzazione.

Si aspettava che Quinn la controinterrogasse per mettere in chiaro la possibilità, seppur minima, che informazioni confidenziali venissero rivelate per errore. Steve e Jeannie si erano preparati la sera prima, con lui che faceva la parte dell'accusa. Ma, con sua sorpresa, Quinn non aveva domande per lei. Temeva che si sarebbe difesa con troppa abilità? Oppure era sicuro di avere ormai il verdetto in tasca?

Quinn fu il primo a ricapitolare. Ripeté molte delle cose affermate da Berrington riuscendo ancora una volta a essere più tedioso di quanto Steve ritenesse consigliabile. Tuttavia la sua arringa conclusiva fu piuttosto breve. «Ci troviamo davanti a una crisi che non avrebbe mai dovuto avere luogo» disse. «Le autorità universitarie si sono comportate con prudenza dall'inizio alla fine. Sono state l'impulsività e l'intransigenza della dottoressa Ferrami a causare questo dramma. Lei ha un contratto e tale contratto regola il suo rapporto con il datore di lavoro. Ma, dopotutto, i membri più anziani della facoltà hanno il dovere di guidare quelli più giovani; e questi, se hanno un po' di buon senso, ascoltano i saggi consigli di chi è più anziano e ha più esperienza di loro. L'ostinata sfida della dottoressa Ferrami ha trasformato un problema in una crisi, e l'unica soluzione è che lei lasci l'università.» Quindi si sedette.

Era la volta di Steve. Aveva ripassato il suo discorso tutta la notte. Si alzò.

«Qual è lo scopo della Jones Falls University?»

Fece una pausa drammatica.

«La risposta può essere riassunta in una sola parola: la conoscenza. Se volessimo una definizione concisa del ruolo dell'università nella società americana, potremmo dire che la sua funzione è quella di cercare e divulgare la conoscenza.»

Guardò a uno a uno tutti i membri del comitato, invitandoli ad assentire. Jane Edelsborough annuì. Gli altri rimasero impassibili.

«Ogni tanto questa funzione subisce un attacco. Ci sono sempre persone che vogliono nascondere la verità, per un motivo o per l'altro: fini politici, pregiudizi religiosi o...» fece una pausa, guardando in direzione di Berrington, «... vantaggi economici. Io credo che voi tutti converrete che l'indipendenza intellettuale di un ateneo è cruciale per la sua reputazione. Ovviamente deve esistere un equilibrio tra questa indipendenza e altri obblighi, quali il rispetto dei diritti degli individui. Tuttavia, una decisa presa di posizione dell'università a difesa del proprio diritto a perseguire la conoscenza non potrebbe che accrescerne la reputazione.»

Fece un gesto con la mano a indicare l'università. «La Jones Falls è importante per tutti i presenti. Il prestigio di un accademico può aumentare o diminuire insieme a quello dell'istituzione per cui lavora. Io vi chiedo di pensare all'effetto che il vostro verdetto avrà sulla reputazione della JFU quale istituzione accademica libera e indipendente. L'università si lascerà intimorire dagli attacchi privi di fondamento di un quotidiano? Un programma di ricerca scientifica verrà annullato per il bene di un'acquisizione commerciale? Spero proprio di no. Spero che il comitato rafforzerà la reputazione della JFU dimostrando che qui conta un solo valore: la verità.» Li guardò, lasciando che le sue parole venissero assimilate. Dalla loro espressione, però, non riusciva a capire se il suo discorso avesse fatto effetto. Dopo un attimo si sedette.

«Grazie» disse Jack Budgen. «Chiederei a tutti, tranne i membri del comitato, di lasciare la sala mentre deliberiamo.»

Steve si diresse verso la porta con Jeannie, la fece passare e la seguì nel corridoio. Uscirono dall'edificio e andarono a mettersi all'ombra di un albero. Jeannie era pallida per la tensione. «Che cosa pensi?» gli chiese.

«Dobbiamo vincere per forza» rispose Steve. «Siamo nel giusto.»

«Che cosa faccio se perdiamo?» chiese. «Mi trasferisco nel Nebraska? Mi trovo un posto come maestra? O mi metto a fare la hostess come Penny Watermeadow?»

«Chi è Penny Watermeadow?»

Jeannie stava per rispondere, quando vide qualcosa dietro di lui che la fece esitare. Steve si voltò e vide Henry Quinn che fumava una sigaretta. «È stato molto brillante, là dentro» disse Quinn. «Spero che non mi considererà troppo condiscendente se le dico che mi sono divertito a combattere contro di lei.»

Jeannie fece un cenno di disgusto e si voltò.

Steve riuscì a restare più distaccato. Gli avvocati dovevano essere così, cordiali con gli avversari una volta fuori dell'aula. Inoltre, un giorno gli sarebbe potuto capitare di dover chiedere un lavoro a Quinn. «Grazie» rispose educatamente.

«Certamente lei aveva le argomentazioni migliori» proseguì l'altro, sorprendendo Steve con la sua franchezza. «D'altro canto, in casi come questi le persone votano in base ai propri interessi, e tutti i membri di quel comitato sono professori anziani. A prescindere dalle argomentazioni, troveranno difficile appoggiare un giovane contro uno del loro gruppo.»

«Sono tutti intellettuali» ribatté Steve. «Esseri raziocinanti.»

«Potrebbe aver ragione» disse Quinn annuendo, poi gli lanciò un'occhiata indagatrice. «Ha un'idea degli interessi veramente in ballo?»

«Che cosa intende dire?» chiese Steve cauto.

«Berrington è chiaramente terrorizzato per qualcosa, e non si tratta della cattiva pubblicità. Mi chiedevo se lei e la dottoressa Ferrami ne sapeste qualcosa.»

«Penso di sì» rispose Steve, «ma non possiamo provarlo, per il momento.»

«Insistete» disse Quinn. Lasciò cadere la sigaretta e la schiacciò. «Dio non voglia che Jim Proust diventi presidente» concluse, poi si allontanò.

"Questa poi!" pensò Steve, un progressista in incognito.

Jack Budgen comparve sulla soglia e fece loro segno di entrare. Steve prese Jeannie sottobraccio e tornarono nella sala.

Osservò i volti dei membri del comitato. Jack Budgen ricambiò il suo sguardo. Jane Edelsborough gli rivolse un fugace sorriso.

Era un buon segno. Le sue speranze aumentarono.

Si sedettero.

Jack Budgen sistemò inutilmente le carte che aveva davanti. «Ringraziamo entrambe le parti per aver fatto sì che questa udienza si svolgesse dignitosamente.» Fece una pausa solenne. «La nostra decisione è unanime. Riteniamo che il Senato accademico debba procedere al licenziamento della dottoressa Jean Ferrami. Grazie.»

Jeannie si nascose il volto tra le mani.

40

Rimasta finalmente sola, Jeannie si gettò sul letto e pianse.

Pianse a lungo. Batté i pugni sui cuscini, inveì contro le pareti, urlò le parolacce peggiori che conosceva: poi nascose il viso nella trapunta e pianse ancora. Le lenzuola erano bagnate di lacrime e striate di mascara nero.

Dopo un po' si alzò, si lavò il viso e fece il caffè. «Non è che tu abbia il cancro» si disse. «Su, controllati.» Ma era dura. Certo, non sarebbe morta, ma aveva perso tutto quello per cui aveva vissuto fino ad allora.

Ripensò a se stessa all'età di ventun anni. Si era laureata *summa cum laude* e aveva vinto il Mayfair Lites Challenge, tutto nello stesso anno. Si rivide sul campo da gioco, la coppa alzata nel tradizionale gesto di trionfo. Aveva avuto il mondo ai suoi piedi. Ripensandoci, aveva l'impressione che fosse un'altra persona quella che aveva tenuto in mano quel trofeo.

Sedette sul divano a bere il caffè. Suo padre, quel vecchio bastardo, le aveva rubato il televisore e così non poteva neppure guardare una stupida soap opera per distrarsi dalla propria infelicità. Si sarebbe abbuffata di cioccolata, se ne avesse avuta in casa. Pensò di ubriacarsi, ma poi decise che si sarebbe sentita ancora più depressa. Lo shopping? Probabilmente sarebbe scoppiata a piangere nel camerino di prova e comunque ora si trovava ancora più al verde di prima.

Verso le due squillò il telefono.

Jeannie lo ignorò.

Chiunque fosse, però, insistette e dopo un po' Jeannie si stufò di sentirlo squillare e si rassegnò a rispondere.

Era Steve. Dopo l'udienza era andato a Washington per incontrare il suo legale. «Sono nel suo studio» disse, «Siamo decisi a intraprendere un'azione legale contro la Jones Falls per costringerli a consegnarci l'elenco dell'Fbi. I miei genitori pagheranno tutte le spese. Ritengono che ne valga la pena se c'è la possibilità di trovare il terzo gemello.»

«Non me ne frega un accidente del terzo gemello.»

Ci fu una pausa, poi Steve disse: «Per me è importante».

Jeannie sospirò. "Con tutti i problemi che ho, devo anche preoccuparmi per Steve?" Ma poi si rimproverò: "Lui, però, si è preoccupato di me, no?". Si vergognò di se stessa. «Perdonami, Steve» disse. «Sono così depressa... ti aiuterò sicuramente. Che cosa devo fare?»

«Niente. L'avvocato intenterà causa, purché tu lo autorizzi.»

Jeannie cominciò a riflettere. «Non è un po' pericoloso? Voglio dire, immagino che occorrerà notificare la nostra richiesta alla JFU. A quel punto Berrington saprà dov'è la lista. E riuscirà a metterci le mani sopra prima di noi.»

«Accidenti, hai ragione. Aspetta che riferisco.»

Un attimo dopo, un'altra voce venne al telefono. «Dottoressa Ferrami, sono Russell Brewer. In questo momento siamo in teleconferenza con Steve. Dove si trovano esattamente quei dati?»

«Nel cassetto della mia scrivania, su un dischetto contrassegnato con l'etichetta LISTASPESA.»

«Possiamo chiedere il permesso di accedere al suo ufficio senza specificare che cosa stiamo cercando.»

«Potrebbero sempre togliere tutti i dati dal mio computer e portare via tutti i dischetti.»

«Non mi viene in mente un'idea migliore.»

«Abbiamo bisogno di un ladro» si intromise Steve.

«Oh, mio Dio!» esclamò Jeannie.

«Che cosa c'è?»

Papà.

«Che cosa c'è, dottoressa Ferrami?» domandò l'avvocato.

«Può aspettare qualche giorno prima di presentare l'istanza in tribunale?» chiese Jeannie.

«Sì. Non riusciremmo comunque a farla partire prima di lunedì. Perché?»

«Mi è venuta un'idea. Vediamo se funziona. In caso contrario, la prossima settimana passeremo alle vie legali. Steve?»

«Sono qua.»

«Chiamami più tardi.»

«Certo.»

Jeannie riattaccò.

Papà avrebbe potuto entrare nel suo ufficio.

Ora era a casa di Patty. Era al verde, quindi non poteva andare da nessuna parte. Inoltre le era debitore. E quanto!

Se avessero trovato il terzo gemello, Steve sarebbe stato scagionato. E se lei fosse riuscita a dimostrare al mondo ciò che Berrington e i suoi soci avevano fatto negli anni Settanta, forse avrebbe potuto riavere il suo lavoro.

Poteva chiedere una cosa simile a suo padre? Era illegale. Sarebbe potuto finire in prigione se qualcosa fosse andato storto. Certo, lui correva costantemente quel genere di rischi, ma questa volta sarebbe stata colpa di sua figlia.

Cercò di convincersi che non sarebbero stati scoperti.

Il campanello d'ingresso suonò. Jeannie sollevò il citofono. «Sì?»

«Jeannie?»

Era una voce familiare. «Sì, chi è?»

«Will Temple.»

«Will?!»

«Ti ho mandato due messaggi per posta elettronica, non li hai ricevuti?»

Cosa diavolo ci faceva lì, Will Temple? «Entra» disse, e premette il pulsante.

Salì per le scale. Indossava calzoni sportivi beige e una polo blu scura. I capelli erano più corti e la barba chiara e incolta che a lei piaceva tanto era diventata un pizzetto ben curato. L'ereditiera gli aveva dato una bella rassettata.

Jeannie non riuscì a costringersi a baciarlo sulle guance: l'aveva fatta soffrire troppo. Gli porse la mano. «Che sorpresa!» disse. «Negli ultimi giorni non ho potuto ritirare la posta elettronica.»

«Ero a Washington per una conferenza» disse lui, «così ho noleggiato una macchina e sono venuto a trovarti.»

«Vuoi un po' di caffè?»

«Certo.»

«Siediti» disse Jeannie e preparò dell'altro caffè.

Lui si guardò intorno. «Bell'appartamento.»

«Grazie.»

«Diverso.»

«Intendi dire diverso dalla nostra vecchia casa?» Il soggiorno della loro casa di Minneapolis era uno stanzone pieno di divani imbottiti, ruote di biciclette, racchette da tennis e chitarre. Quella stanza, al confronto, era l'ordine personificato. «Immagino sia una reazione a tutta quella confusione.»

«Allora sembrava piacerti.»

«È vero. Ma le cose cambiano.»

Lui annuì e cambiò argomento. «Ho letto sul "New York Times" quell'articolo che parla di te. Sono tutte stronzate.»

«Però per me è finita. Oggi mi hanno licenziata.»

«No!»

Jeannie versò il caffè, si sedette di fronte a lui e gli raccontò la vicenda dell'udienza. Quando ebbe finito, Will disse: «Questo Steve... è una cosa seria?».

«Non lo so. Aspetto di vedere che cosa succede.»

«Non esci con lui?»

«No, ma lui vorrebbe, e a me piace. E tu? Stai sempre con Georgina Tinkerton Ross?»

«No» rispose lui scuotendo la testa con aria triste. «Jeannie, il vero motivo per cui sono venuto qui è per dirti che rompere con te è stato il più grosso errore della mia vita.»

Jeannie si sentì toccata dalla sua espressione triste. Era lusingata che lui sentisse la sua mancanza, ma non per questo desiderava che fosse infelice.

«Sei stata la cosa migliore che mi sia mai capitata» proseguì lui. «Sei dura, ma anche buona. E sei molto intelligente. Io devo avere vicino una persona intelligente. Eravamo fatti l'uno per l'altra. Ci amavamo.»

«Sul momento ci ho sofferto molto» disse lei. «Ma poi mi è passata.»

«Io invece non lo so.»

Lei lo osservò. Era un uomo forte, non bello come Steve ma attraente, anche se in maniera più rude. Jeannie pungolò la propria libido, come un medico tocca una ferita, ma non vi fu

348

risposta; non vi era traccia del travolgente desiderio fisico che un tempo aveva provato per il prestante corpo di Will.

Era venuto a chiederle di tornare con lui, era chiaro. Ma lei non aveva dubbi al riguardo. Non lo voleva più. Era in ritardo di una settimana.

Sarebbe stato gentile evitargli l'umiliazione di chiedere ed essere respinto. Si alzò. «Will, ho una cosa molto importante da fare e devo proprio correre. Vorrei tanto aver ricevuto i tuoi messaggi, avremmo potuto passare più tempo insieme.»

Lui capì e parve assumere un'espressione ancora più contrita. «Peccato» disse, alzandosi a sua volta.

Lei gli porse la mano. «Grazie per essere venuto a trovarmi.»

Will l'attirò a sé per baciarla. Lei gli offrì la guancia. Lui la baciò piano e poi la lasciò andare. «Vorrei tanto poter riscrivere il nostro copione» disse. «Gli darei un lieto fine.»

«Addio, Will.»

«Addio, Jeannie.»

Lo guardò scendere le scale e uscire.

Squillò il telefono.

Jeannie andò a rispondere. «Pronto?»

«Essere licenziata non è la cosa peggiore che ti può capitare.»

Era la voce di un uomo, leggermente soffocata, come se parlasse attraverso qualcosa per non farsi riconoscere.

«Chi parla?» chiese Jeannie.

«Smettila di ficcare il naso in cose che non ti riguardano.»

Chi diavolo era quell'individuo? «Quali cose?»

«Quello che hai incontrato a Filadelfia avrebbe dovuto ucciderti.»

Jeannie smise di respirare. All'improvviso il terrore l'assalì.

«Si è lasciato trasportare e ha buttato tutto all'aria. Ma potrebbe venire a farti visita un'altra volta.»

«Oh, Dio...» sussurrò Jeannie.

Si sentì un clic e poi il suono della linea libera. Aveva riattaccato.

Jeannie posò la cornetta e rimase a fissare il telefono.

Nessuno l'aveva mai minacciata di morte. Era orribile sapere che qualcuno voleva mettere fine alla tua vita. Si sentiva come paralizzata. Che cosa doveva fare?

Si sedette sul divano e fece appello alla propria forza di volontà. Aveva voglia di lasciar perdere tutto. Era troppo ferita e abbattuta per continuare a lottare contro quei nemici potenti e invisibili. Erano troppo forti. Potevano farla licenziare, aggredirla, farle perquisire l'ufficio, rubarle la posta elettronica. Sembrava potessero fare qualsiasi cosa. Forse erano davvero capaci di ucciderla.

Era ingiusto Che diritto avevano? Era una buona scienziata, e loro le avevano rovinato la carriera. Erano disposti a mandare Steve in galera per lo stupro di Lisa. Minacciavano di ucciderla. Cominciò a provare rabbia. Chi credevano di essere? Non si sarebbe fatta rovinare la vita da quegli arroganti bastardi che pensavano di poter manovrare ogni cosa a proprio beneficio, fregandosene di tutti. Più ci pensava, più si arrabbiava. "Non permetterò loro di vincere" pensò. "Evidentemente io posso procurare loro seri danni, altrimenti non sentirebbero la necessità di minacciarmi di morte. Userò questo potere. Non mi interessa che cosa mi succederà purché possa rovinar loro la festa. Sono intelligente, sono decisa, sono Jeannie Ferrami. Attenti, luridi bastardi, ora tocca a me."

41

Il padre di Jeannie era seduto sul divano nel disordinato soggiorno di Patty, con una tazza di caffè in grembo; guardava *General Hospital* mangiando una fetta di torta alle carote.

Quando entrò e lo vide, Jeannie perse il controllo. «Come hai potuto fare una cosa simile?» urlò. «Come hai potuto derubare tua figlia?»

Lui schizzò in piedi, rovesciando il caffè e facendo cadere il dolce.

Patty seguì Jeannie in soggiorno. «Ti prego, non fare una scenata» le disse. «Zip sta per tornare a casa.»

«Mi dispiace, Jeannie. Me ne vergogno» disse suo padre.

Patty si inginocchiò e si mise a pulire il caffè con una manciata di Kleenex. Sullo schermo un bellissimo medico in camice da chirurgo stava baciando una donna fascinosa.

«Lo sai che sono al verde» urlò Jeannie. «Sai che sto cercando di mettere insieme i soldi per pagare una casa di riposo decente per la mamma... tua moglie! Eppure non hai esitato a rubarmi il fottutissimo televisore!»

«Non dovresti dire parolacce...»

«Gesù, dammi la forza.»

«Mi dispiace.»

«Io non capisco» disse Jeannie. «Io proprio non capisco.»

«Lascialo stare, Jeannie» disse Patty.

«Ma io devo capire. Come hai potuto fare una cosa simile?»

«Va bene. Te lo spiego» rispose suo padre con uno scatto improvviso che la sorprese. «Ti spiego perché l'ho fatto. L'ho fatto perché non ho più una briciola di sangue freddo.» Gli occhi gli si riempirono di lacrime. «Ho derubato mia figlia perché sono troppo vecchio e spaventato per derubare chiunque altro. Adesso sai la verità.»

Era così patetico che la rabbia di Jeannie svanì in un attimo. «Oh, papà, mi dispiace» disse. «Siediti. Vado a prendere l'aspirapolvere.»

Raccolse la tazza rovesciata e la portò in cucina. Ritornò con l'aspirapolvere e fece sparire le briciole. Patty finì di asciugare per terra.

«Io non vi merito, ragazze, lo so» disse il padre sedendosi di nuovo.

«Vado a prenderti un'altra tazza di caffè» esclamò Patty.

In televisione il chirurgo disse: «Andiamo via insieme, noi due soli, in qualche posto magnifico» e la donna rispose: «E tua moglie?», al che il medico assunse un'aria imbronciata. Jeannie spense il televisore e si sedette di fianco a suo padre.

«Che cosa vuol dire, che hai perso il sangue freddo?» gli chiese, curiosa. «Che cosa è successo?»

Lui emise un profondo sospiro. «Quando sono uscito di galera dovevo ripulire un edificio a Georgetown. Era la sede di una piccola società di architettura che aveva appena acquistato una ventina di nuovi computer e altre cose, stampanti e fax. Era stato il tizio che aveva fornito le macchine alla società a farmi la soffiata: le avrebbe ricomperate da me per poi rivenderle alla società una volta che questa avesse ricevuto il rimborso dell'assicurazione. Avrei dovuto ricavarne diecimila dollari.»

«Non voglio che i ragazzi sentano queste cose» intervenne Patty andando a controllare che non fossero in corridoio, poi chiuse la porta.

«Allora, che cosa è andato storto?» chiese Jeannie.

«Sono arrivato a marcia indietro col furgone fino all'edificio, ho disinnescato il sistema d'allarme e ho aperto la porta della piattaforma di carico. Poi ho cominciato a pensare che cosa sarebbe accaduto se fosse arrivato un poliziotto. Ai vecchi tempi non me n'era mai fregato niente, ma erano passati almeno dieci anni dall'ultima volta in cui avevo fatto qualcosa del genere. Insomma, ero così spaventato che ho cominciato a tremare. Sono entrato, ho staccato un computer e l'ho portato fuori, l'ho caricato sul furgone e me ne sono andato. Il giorno dopo sono venuto a casa tua.»

«E l'hai ripulita.»

«Io non volevo farlo, tesoro. Pensavo che mi avresti aiutato a rimettermi in piedi e a trovare un lavoro onesto. Poi, mentre tu eri fuori, mi ha preso quella vecchia sensazione. Guardavo lo stereo e pensavo che avrei potuto mettere insieme un paio di centoni, e magari uno per la televisione, e così l'ho fatto. Dopo averli venduti, avrei voluto uccidermi, lo giuro.»

«Però non ti sei ucciso.»

«Jeannie!» esclamò Patty.

«Ho bevuto qualcosa, mi sono messo a giocare a poker e la mattina seguente ero di nuovo senza un centesimo.»

«E allora sei venuto da Patty.»

«Non lo farò con te, Patty. Non lo farò più con nessuno. Questa volta righerò diritto.»

«Ci puoi scommettere!» ribatté Patty.

«Devo farlo, non ho altra scelta.»

«Non ancora.»

Si voltarono entrambi a guardarla. «Jeannie, che cosa stai dicendo?» chiese Patty preoccupata.

«Devi fare un ultimo colpo» disse Jeannie a suo padre. «Un furto. Per me. Stanotte.»

42

Quando entrarono nel campus della Jones Falls, si stava facendo buio. «Peccato che non abbiamo una macchina più anonima» disse il padre mentre Jeannie entrava con la Mercedes nel parcheggio riservato agli studenti. «Andrebbe bene una Ford Taunus, o una Buick Regal. Se ne vedono cinquanta in un giorno, nessuno ci fa caso.»

Scese dalla macchina portando una vecchia valigetta di pelle beige. Con la camicia a quadri, i calzoni sgualciti, l'aspetto disordinato e le scarpe consunte sembrava proprio un professore.

Jeannie si sentiva strana. Da anni sapeva che suo padre era un ladro, ma lei non aveva mai fatto nulla di illegale, a parte guidare a centodieci chilometri all'ora. Ora stava per introdursi furtivamente in un edificio. Le pareva un passo importante. Non stava facendo niente di male, ma l'opinione che aveva di sé ne usciva incrinata. Si era sempre ritenuta una cittadina onesta. I criminali, suo padre compreso, sembravano appartenere a un'altra specie. Ora stava per diventare una di loro.

La maggior parte dei frequentatori dell'ateneo se n'era andata, ma in giro c'era ancora qualcuno: professori che lavoravano fino a tardi, studenti che andavano a qualche riunione, bidelli che chiudevano le aule e agenti della vigilanza che facevano il loro giro. Jeannie sperava di non incontrare nessuno che la conoscesse.

Era tesa come una corda di violino, lì lì per saltare. Più che per se stessa temeva per suo padre. Se li avessero colti sul fatto per lei sarebbe stato terribilmente umiliante, ma sarebbe finita lì: i tribunali non ti mandano in galera per aver forzato la porta del tuo ufficio e aver rubato un dischetto. Ma papà, con i suoi precedenti, sarebbe finito dentro per anni. Sarebbe uscito vecchio.

I lampioni e le luci esterne degli edifici stavano cominciando ad accendersi. Jeannie e suo padre passarono davanti al campo da tennis, dove due ragazze stavano giocando alla luce dei riflettori. Jeannie ripensò alla domenica precedente, quando Steve le aveva rivolto la parola dopo la partita. Lo aveva respinto automaticamente per quella sua aria così sicura e compiaciuta. Come si era sbagliata nel giudicarlo.

Indicò l'Istituto di psicologia Ruth W. Acorn. «È quello» disse. «Tutti lo chiamano Pandemonio.»

«Continua a camminare con lo stesso passo» replicò lui. «Come si fa a entrare da quell'ingresso?»

«Con una tessera magnetica, come per il mio ufficio. Ma la mia non funziona più. Potrei farmene prestare una.»

«Non ce n'è bisogno. Odio i complici. Come si fa ad arrivare sul retro?»

«Ti faccio vedere.» C'era un vialetto che attraversava il prato e puntava oltre il Pandemonio in direzione del parcheggio. Jeannie vi si incamminò, poi svoltò in un cortile asfaltato sul retro dell'edificio. Suo padre esaminò con occhio professionale la facciata. «Cos'è quella porta?» chiese.

«Penso sia un'uscita di sicurezza.»

Lui annuì. «Probabilmente ha un maniglione orizzontale all'altezza della vita, del tipo che fa aprire la porta quando ti ci appoggi.»

«Credo di sì. Perché ce li mettono?»

«Se scoppia un incendio la gente si fa prendere dal panico. Diventano isterici, tossiscono e non riescono più a vedere nulla a causa del fumo. Una maniglia può essere troppo difficile da aprire. Con questo tipo di porta devono solo sbatterci contro per aprirla.»

«È da lì che entriamo?»

«Sì.»

Jeannie si ricordò di un cartello all'interno che diceva: QUE-STA PORTA È COLLEGATA AL SISTEMA D'ALLARME. «Farai scattare l'allarme» gli disse.

«È invece no» rispose lui, guardandosi attorno. «Ci viene molta gente qui dietro?»

«No, specialmente di notte.»

«Okay. Mettiamoci al lavoro.» Posò la valigetta a terra, l'aprì e tirò fuori una piccola scatola di plastica nera con un quadrante. Tenendo premuto un pulsante, passò la scatola tutto intorno all'intelaiatura, osservando il quadrante. L'ago scattò nell'angolo superiore destro. Suo padre emise un grugnito di soddisfazione.

Ripose la scatola nella valigetta, quindi tirò fuori uno strumento simile al primo e un rotolo di nastro elettrico. Fissò lo strumento con il nastro sull'angolo superiore destro della porta e girò un interruttore. Si sentì un ronzio. «Questo dovrebbe confondere il sistema d'allarme.»

Prese un lungo pezzo di fil di ferro che un tempo era stato un attaccapanni. Lo piegò con cura e poi inserì la parte a forma di uncino nella fessura della porta. La mosse per qualche secondo, poi tirò.

La porta si aprì.

L'allarme rimase muto.

Lui prese la valigetta ed entrò.

«Aspetta» disse Jeannie. «Non è giusto. Chiudi quella porta e andiamo a casa.»

«Su, vieni, non avere paura.»

«Non posso farti questo. Se ci prendono, tu resterai in galera fino a settant'anni.»

«Jeannie, io voglio farlo. Sono stato un pessimo padre per troppo tempo. Questa è la mia occasione per aiutarti. Su, vieni.»

Jeannie entrò.

«Fammi strada» disse il padre, chiudendo la porta.

Jeannie corse su per le scale antincendio fino al primo piano e infilò il corridoio che portava al suo ufficio. Il padre la seguì. Lei gli indicò la porta.

Lui prese dalla valigetta un altro aggeggio elettronico dotato di una placchetta di metallo grande quanto una carta di credito collegata con fili elettrici. «Quest'aggeggio tenta ogni possibile combinazione» le spiegò.

Jeannie era stupita dalla facilità con cui era entrato in un edificio protetto da sofisticati sistemi di sicurezza.

«Sai una cosa?» le disse il padre. «Non ho paura!»

«Io sì, eccome!»

«No, davvero, ho ritrovato il sangue freddo. Sarà perché tu sei qui con me.» La guardò con un gran sorriso. «Tu e io faremmo una bella squadra.»

«Scordatelo. Non riuscirei a sopportare la tensione» rispose lei, scuotendo la testa.

Le venne in mente che Berrington poteva essere venuto a prendersi il computer e tutti i dischetti. Sarebbe stato orribile correre un rischio così grosso per niente. «Quanto ci vorrà?» chiese con impazienza.

«Qualche secondo.»

Un attimo dopo la porta si aprì dolcemente.

«Signora, dopo di lei» disse suo padre gonfio d'orgoglio.

Jeannie entrò e accese la luce. Il computer era ancora sulla scrivania. Aprì il cassetto. La scatola di dischetti c'era. Vi frugò dentro con gesti frenetici. LISTASPESA era ancora lì, tra gli altri. Lo prese. «Signore, ti ringrazio!» esclamò.

Ora che aveva il dischetto non vedeva l'ora di leggerlo. Per quanto fosse impaziente di andarsene dall'istituto, moriva dalla voglia di dare subito un'occhiata al contenuto del dischetto. A casa non aveva il computer: papà lo aveva venduto. Per leggerlo, avrebbe dovuto farsene prestare uno. Ci sarebbe voluto troppo tempo e avrebbe dovuto dare troppe spiegazioni.

Decise di rischiare.

Accese il computer e attese che il sistema si avviasse.

«Che cosa stai facendo?» chiese suo padre.

«Voglio leggere il dischetto.»

«Ma non puoi farlo a casa?»

«Non ho più un computer a casa, papà. Me l'hanno rubato.»

Lui non colse l'ironia. «Allora fa' presto» disse, avvicinandosi alla finestra per guardare fuori.

Lo schermo lampeggiò e Jeannie entrò nel programma di videoscrittura. Infilò il dischetto nel drive e accese la stampante.

L'allarme partì.

Jeannie ebbe l'impressione che il cuore le si fosse fermato. Il rumore era assordante. «Che cosa è successo?» urlò.

Suo padre era bianco per la paura. «Quel maledetto generatore d'impulsi deve aver fatto cilecca, oppure qualcuno l'ha staccato dalla porta» gridò. «Siamo fritti, Jeannie. Corri!»

Jeannie voleva tirar fuori il dischetto e scappare, ma si costrinse a ragionare. Se l'avessero presa adesso e le avessero portato via il dischetto, avrebbe perso tutto. Doveva assolutamente esaminare il file finché poteva. Afferrò suo padre per il braccio. «Solo pochi secondi!»

«Accidenti, c'è un uomo della vigilanza!» esclamò lui guardando fuori della finestra.

«Devo solo stampare questo! Aspettami!»

Lui stava tremando. «Non posso, Jeannie! Non posso! Mi dispiace!» Afferrò la valigetta e scappò via.

Le faceva pena, ma non poteva fermarsi proprio adesso. Visualizzò il contenuto del dischetto, selezionò il file Fbi e lo inviò in stampa.

Non successe nulla. La stampante a getto d'inchiostro era ancora in fase d'avvio. Jeannie imprecò.

Andò alla finestra. Due agenti della vigilanza stavano entrando dall'ingresso principale.

Lei chiuse la porta dell'ufficio.

Fissò la stampante ed esclamò: «Su, su!».

Finalmente la macchina si avviò con un clic, emise un ronzio e si prese un foglio dal vassoio della carta.

Jeannie estrasse velocemente il dischetto dal drive e se lo mise nel taschino della camicia.

La stampante rigurgitò quattro fogli, poi si fermò.

Col cuore che batteva forte, Jeannie afferrò le pagine e scorse le righe.

C'erano trenta o quaranta coppie di gemelli, per la maggior parte di sesso maschile. Non fu affatto sorpresa: quasi tutti i crimini erano commessi da uomini. In alcuni casi l'indirizzo riportato a fianco al nome era quello di un penitenziario. La lista era esattamente quello che aveva sperato. Ma in quel momento lei cercava qualcosa di speciale. Cercava Steve Logan o Dennis Pinker.

C'erano tutti e due.

Ed erano collegati a un terzo: Wayne Stattner.

«Sì!» urlò Jeannie esultante.

C'era un indirizzo di New York e un numero di telefono che iniziava con il prefisso 212.

Rimase a fissare quel nome. Wayne Stattner. Quello era l'uomo che aveva violentato Lisa lì nella palestra dell'università e aveva aggredito lei a Filadelfia. «Bastardo» sussurrò con aria vendicativa. «Te la faremo pagare.»

Ora, però, doveva fuggire. Si infilò i fogli nel taschino, spense le luci e aprì la porta.

Nel corridoio c'era qualcuno che parlava forte per sovrastare la sirena dell'allarme. Troppo tardi. Senza far rumore richiuse la porta e vi si appoggiò, con le ginocchia che le tremavano, restando in ascolto.

Sentì un uomo urlare: «Sono sicuro che c'era una luce accesa in uno degli uffici a questo piano.»

Jeannie si guardò intorno alla debole luce dei lampioni che entrava dalla finestra. Non c'era un posto dove nascondersi.

Socchiuse appena la porta. Sembrava non esserci nessuno. Sporse la testa. Da una porta aperta in fondo al corridoio usciva della luce. Rimase a guardare che cosa stesse succedendo. Gli agenti uscirono, spensero la luce, chiusero la porta e passarono alla stanza seguente, il laboratorio. Avrebbero impiegato un minuto o due a perquisirlo. Sarebbe riuscita a sgattaiolare fuori e a raggiungere le scale senza che la vedessero?

Jeannie uscì dall'ufficio e si chiuse la porta alle spalle con mano tremante.

Si avviò lungo il corridoio. Con un enorme sforzo di volontà si costrinse a non correre.

Passando davanti alla porta del laboratorio non resistette alla tentazione di lanciare un'occhiata all'interno. Entrambi gli uomini davano le spalle alla porta: uno stava guardando dentro un ripostiglio per la cancelleria e l'altro osservava incuriosito una serie di pellicole di test di Dna fissate al luminoscopio. Non la videro.

Ce l'aveva quasi fatta.

Arrivò in fondo al corridoio e spinse la porta.

Stava per uscire quando una voce urlò: «Ehi! Ferma!».

Ogni suo nervo si tese nell'istintivo desiderio di fuga, ma Jeannie riuscì a controllarsi. Lasciò che la porta si richiudesse, si voltò e sorrise.

I due agenti corsero verso di lei. Erano entrambi sulla sessantina, probabilmente ex poliziotti in pensione.

Jeannie si sentiva la gola serrata e aveva difficoltà a respirare. «Buona sera» disse. «Posso esservi utile?» Il frastuono dell'allarme copriva il tremore della sua voce.

«È suonato l'allarme nell'edificio» disse uno dei due.

Era una cosa stupida da dire, ma Jeannie lasciò correre. «Pensate che ci sia un intruso?»

«Potrebbe essere. Ha visto o sentito qualcosa di insolito, professore?»

Le guardie davano per scontato che fosse un'insegnante. Ottimo. «A dire il vero, mi è parso di udire il rumore di un vetro che andava in frantumi. Sembrava provenire dal piano di sopra, ma non potrei dirlo con sicurezza.»

I due si guardarono. «Controlleremo» disse uno.

L'altro era meno malleabile. «Posso chiederle che cosa ha nel taschino?»

«Dei documenti.»

«Questo è ovvio. Posso vederli?»

Jeannie non intendeva consegnarli a nessuno: erano troppo importanti. Improvvisando, finse di acconsentire e poi di cambiare idea. «Certo» disse, tirandoli fuori. Poi li ripiegò e li rimise al loro posto. «Ripensandoci, però, no. Sono personali.»

«Sono costretto a insistere. Durante il corso di addestramento ci hanno insegnato che in un posto come questo le carte possono essere preziose come qualsiasi altra cosa.»

«Temo proprio che non le permetterò di leggere la mia corrispondenza privata solo perché nell'edificio è scattato l'allarme.»

«In questo caso devo chiederle di venire con me nell'ufficio della vigilanza per parlare col mio superiore.»

«Va bene» disse Jeannie. «Ci vediamo fuori.» Con un'agile mossa indietreggiò oltre la porta antincendio e si mise a correre giù per le scale.

Le guardie si precipitarono dietro di lei. «Aspetti!»

Lasciò che la raggiungessero nell'ingresso a pian terreno. Uno la prese per un braccio mentre l'altro apriva la porta. Uscirono.

«Non c'è bisogno che mi tenga» disse lei.

«Preferisco così» ribatté l'agente. Ansimava: la corsa giù per le scale lo aveva sfiancato.

Jeannie si era già trovata in quella situazione. Afferrò il polso della mano che la teneva e strinse forte. «Ah!» fece la guardia e mollò la presa.

Jeannie si mise a correre.

«Ehi! Brutta stronza! Fermati!» I due si lanciarono all'inseguimento.

Non avevano alcuna possibilità. Lei aveva venticinque anni di meno ed era in forma come un cavallo da corsa. Man mano che si allontanava dai due uomini anche la paura diminuiva. Corse via come il vento, ridendo. I due la rincorsero ancora per qualche metro, poi rinunciarono. Jeannie si voltò a guardare e li vide, fermi, ansanti, piegati in due per il fiatone.

Corse fino al parcheggio.

Suo padre l'aspettava accanto alla macchina. Jeannie l'aprì e salirono. Poi la Mercedes uscì a tutta velocità dal parcheggio a fari spenti.

«Mi dispiace, Jeannie» disse il padre. «Credevo che avrei potuto farlo per te, se non per me. Ma è inutile. Non ne ho più il coraggio. Non ruberò mai più.»

«Questa sì che è una buona notizia!» esclamò lei. «E ho pure quello che volevo!»

«Vorrei tanto essere un buon padre. Ma credo che ormai sia troppo tardi.»

Jeannie uscì dal campus, imboccò la strada principale e accese i fari. «Non è troppo tardi, papà. Davvero.»

«Forse. Però con te ci ho provato, no?»

«Ci hai provato e ci sei riuscito! Mi hai fatto entrare! Non avrei mai potuto farcela da sola.»

«Già. Forse hai ragione.»

Jeannie guidò verso casa a tutta velocità. Era impaziente di controllare il numero di telefono che compariva sulla stampata. Se il numero era vecchio, sarebbe stato un problema. Voleva sentire la voce di Wayne Stattner.

Non appena entrarono in casa, Jeannie andò al telefono e digitò il numero.

Rispose un uomo. «Pronto?»

Non le bastava una sola parola per capirlo. «Posso parlare con Wayne Stattner, per favore?»

«Sì, sono io. Chi parla?»

Sembrava proprio la voce di Steve. "Brutto figlio di puttana, perché mi hai strappato i collant?" Jeannie soffocò il proprio risentimento e disse: «Signor Stattner, lavoro per una ditta di ricerche di marketing che ha scelto lei per un'offerta speciale...».

«Va' a farti fottere» ribatté Wayne e riattaccò.

«È lui» disse Jeannie a suo padre. «Parla pure come Steve, solo che Steve è più educato.»

Aveva brevemente spiegato la situazione al padre. Lui aveva afferrato a grandi linee, anche se continuava a trovare la cosa stupefacente. «E adesso che cosa farai?»

«Chiamo la polizia.» Compose il numero della Sezione reati sessuali e chiese di parlare con il sergente Delaware.

Suo padre scosse la testa per lo stupore. «Non riesco proprio ad abituarmi all'idea di collaborare con la polizia. Spero proprio che questo sergente sia diverso da tutti quelli che ho conosciuto.»

«Io credo proprio di sì» rispose Jeannie.

Non si aspettava di trovare Mish in ufficio – erano le nove – e pensava di lasciarle un messaggio urgente. Ma fortuna volle che fosse ancora al lavoro. «Ero in arretrato con le scartoffie» disse. «Che cosa c'è?»

«Steve Logan e Dennis Parker non sono due gemelli.»

«Ma io credevo...»

«I gemelli sono tre.»

Ci fu una lunga pausa. Quando parlò, il tono di Mish era molto cauto. «Come fa a saperlo?»

«Ricorda che le ho spiegato come ho fatto a trovare Steve e Dennis, cercando sulle banche dati ortodontiche coppie simili?»

«Sì.»

«Questa settimana ho passato in rassegna l'archivio impronte digitali dell'Fbi alla ricerca di impronte simili. Il programma mi ha segnalato Steve, Dennis e un terzo uomo, tutti nello stesso gruppo.»

«Hanno le stesse impronte digitali?»

«Non proprio le stesse. Simili. Ma ho appena chiamato il terzo uomo. La sua voce è uguale a quella di Steve. Sono pronta a scommettere la testa che sono uno la copia dell'altro. Mish, lei deve credermi.»

«Ha il suo indirizzo?»

«Sì. Sta a New York.»

«Me lo dia.»

«A una condizione, però.»

«Jeannie, lei sta parlando con la polizia» disse Mish, irrigidendosi. «Non si pongono condizioni alla polizia, si risponde alle domande. E ora mi dia quel maledetto indirizzo.»

«Devo togliermi una soddisfazione. Voglio vederlo.»

«La questione al momento è se vuole o no finire in galera. Perché, se non vuole finire dentro, farà meglio a darmi quell'indirizzo.»

«Voglio che andiamo da lui, insieme. Domani.»

Ci fu una pausa. «Dovrei sbatterla dentro per favoreggiamento.»

«Potremmo prendere il primo volo del mattino per New York.»

«D'accordo.»

SABATO

43

Presero il volo USAir delle sei e quaranta per New York.

Jeannie era piena di speranza. Per Steve quella sarebbe potuta essere la fine di un incubo. Lo aveva chiamato la sera prima per metterlo al corrente degli sviluppi e lui era entusiasta. Avrebbe voluto andare a New York con loro, ma Jeannie sapeva che Mish non l'avrebbe permesso. Aveva promesso di chiamarlo non appena avesse appurato qualcosa di nuovo.

Mish manteneva un atteggiamento tra il tollerante e lo scettico. Trovava difficile credere alla storia di Jeannie, ma era comunque tenuta a controllare.

Dal momento che i dati di Jeannie non rivelavano perché l'Fbi avesse in archivio le impronte di Wayne Stattner, la notte precedente Mish aveva controllato e, mentre decollavano dal Baltimore-Washington International Airport, mise Jeannie al corrente. Quattro anni prima, una quattordicenne scomparsa da casa era stata ritrovata dai genitori sconvolti nell'appartamento di Stattner a New York. L'uomo era stato accusato di rapimento, ma aveva negato ogni addebito, dichiarando che la ragazza non aveva subito pressioni di alcun tipo. Lei stessa aveva affermato di essere innamorata di lui. Allora Wayne aveva solo diciannove anni, e alla fine l'accusa era caduta.

La vicenda lasciava supporre che Stattner avesse bisogno di dominare le donne, ma secondo Jeannie non presentava il profilo psicologico dello stupratore. Mish, però, sosteneva che non esistevano regole precise.

Jeannie non le aveva raccontato dell'aggressione subita a Filadelfia: sapeva che non le avrebbe creduto se avesse sostenuto che non si trattava di Steve. Mish avrebbe sicuramente voluto interrogarlo, e Steve non era nelle condizioni più adatte. Di conseguenza aveva dovuto tacere anche della minaccia di morte ricevuta per telefono il giorno prima. Non l'aveva raccontato a nessuno, neppure a Steve: non voleva dargli altre preoccupazioni.

Jeannie avrebbe voluto provare simpatia per Mish, ma tra loro c'era sempre una certa tensione. Mish, in quanto poliziotto, pretendeva che le persone facessero sempre quello che lei diceva, e questa era una cosa che Jeannie proprio non tollerava. Nel tentativo di entrare un po' più in confidenza, Jeannie le chiese come fosse diventata poliziotto.

«Facevo la segretaria e ho trovato un posto all'Fbi» rispose. «Sono stata là dieci anni. Ho cominciato a pensare che avrei potuto svolgere il lavoro meglio dell'agente per cui lavoravo. Così ho fatto domanda per entrare alla scuola di polizia. Ho frequentato l'accademia, poi sono diventata agente di pattuglia, quindi mi sono offerta volontaria per una missione segreta con la squadra narcotici. Era dura, ma io ho dimostrato di essere ancora più dura.»

Per un attimo Jeannie si sentì lontanissima dalla compagna di viaggio. Ogni tanto fumava un po' d'erba e non le piacevano le persone che avrebbero cercato di sbatterla dentro per questo.

«Poi sono passata alla Sezione abusi sui minori» proseguì Mish. «Lì non ho resistito molto, come tutti del resto. È un lavoro importante, ma dopo un po' uno non ne può più di vedere certe cose. C'è da impazzire. E così, sono finita alla Sezione reati sessuali.»

«Non mi sembra un gran passo avanti.»

«Se non altro le vittime sono adulti. Dopo un paio d'anni mi hanno promossa sergente e mi hanno messo a capo dell'unità.»

«Tutti i detective che indagano sugli stupri dovrebbero essere donne» disse Jeannie.

«Non sono d'accordo.»

Jeannie rimase sorpresa. «Non crede che le vittime parlino più facilmente con una donna?»

«Le vittime anziane, forse. Quelle sopra i settanta.»

Jeannie rabbrividì al pensiero di donne al di sopra dei settant'anni che subivano violenza.

«Ma francamente» proseguì Mish «la maggior parte delle donne racconterebbe la propria vicenda anche a un lampione.»

«Gli uomini pensano sempre che la donna se la sia andata a cercare.»

«La denuncia di stupro deve essere verificata, se si vuole arrivare a un processo giusto. E, quando si arriva a quel genere di domande, le donne sanno essere ancora più brutali degli uomini, specialmente con le altre donne.»

Jeannie trovava difficile crederlo e si chiese se Mish non stesse semplicemente difendendo i suoi colleghi maschi davanti a un estraneo.

Quando ebbero esaurito gli argomenti di conversazione, Jeannie si mise a fantasticare sul futuro. Non riusciva ad abituarsi all'idea che la sua carriera di scienziata fosse giunta al termine. Aveva sempre sognato di diventare una vecchia intrattabile, con i capelli grigi, famosa in tutto il mondo per i risultati del suo lavoro. Durante le lezioni, gli insegnanti avrebbero spiegato: "Non eravamo riusciti a capire il comportamento criminale fino a quando, nel Duemila, non venne pubblicato il rivoluzionario saggio della dottoressa Ferrami". Non sarebbe successo niente di tutto ciò. Le occorreva un nuovo sogno.

Arrivarono al La Guardia pochi minuti dopo le otto e salirono su uno scalcagnato taxi giallo che le portò in città. L'auto aveva gli ammortizzatori scarichi e procedette sobbalzando e sferragliando per tutto il tragitto attraverso il Queens e il Midtown Tunnel, fino a Manhattan. Ma Jeannie sarebbe stata scomoda anche su una Cadillac: stava per rivedere l'uomo che l'aveva aggredita sulla sua macchina e si sentiva lo stomaco come un calderone di acido bollente.

Wayne Stattner risultò abitare in un loft subito a sud di Houston Street. Era un soleggiato sabato mattina e le strade erano già affollate di giovani usciti a comperare ciambelle per la colazione, bere cappuccini seduti ai tavolini dei caffè o curiosare nelle gallerie d'arte.

Un detective del Primo Distretto era già lì ad aspettarle, a bordo di una Ford Escort con la portiera posteriore rincagnata da un colpo, parcheggiata in seconda fila davanti all'edificio. Strinse loro la mano e si presentò con aria burbera. Si chiamava Herb Reitz. Jeannie immaginò che fare da balia a un detective di fuori città fosse considerata una specie di punizione.

«Grazie per essere venuto a darci una mano di sabato mattina» gli disse Mish, con un sorriso cordiale e civettuolo.

L'uomo si ammorbidì un po'. «Figurati.»

«Se ti dovesse capitare di aver bisogno di aiuto a Baltimora, voglio che chiami me personalmente.»

«Lo farò.»

Jeannie aveva voglia di esclamare: "Oh, perdio, smettiamola!".

Entrarono nell'edificio e salirono su un lento montacarichi che li portò fino all'ultimo piano. «Un appartamento per piano» notò Herb. «Il nostro sospetto è uno ricco. Che cosa ha fatto?»

«Stupro» rispose Mish.

Il montacarichi si fermò. La porta dava direttamente su un'altra porta, cosicché non potevano uscire se questa non veniva aperta. Mish suonò il campanello. Ci fu solo un lungo silenzio. Herb tenne aperte le porte dell'ascensore. Jeannie pregò che Wayne non fosse andato fuori città per il fine settimana: non avrebbe sopportato la delusione. Mish suonò di nuovo, questa volta senza staccare il dito dal campanello.

Finalmente dall'interno si sentì una voce. «Chi cazzo è?»

Era lui. Jeannie rabbrividì.

«Polizia. Ecco chi cazzo è» rispose Herb. «E ora apra la porta.»

Il tono cambiò. «Per favore mettete il documento di identificazione davanti al pannello di vetro di fronte a voi.»

Herb appoggiò il documento al pannello.

«Okay, solo un minuto.»

"Ecco, ci siamo" pensò Jeannie. "Ora lo vedrò."

La porta venne aperta da un giovane a piedi nudi, con i capelli scarmigliati, vestito con un accappatoio di spugna nero sbiadito.

Jeannie lo fissò, disorientata.

Era il sosia di Steve... solo che aveva i capelli neri.

«Lei è Wayne Stattner?» disse Herb.

«Sì.»

Doveva esserseli tinti. Sì, doveva esserseli tinti il giorno precedente se non già giovedì sera.

«Detective Herb Reitz del Primo Distretto.»

«Sono sempre felice di collaborare con la polizia, Herb» disse Wayne e lanciò un'occhiata a Mish e a Jeannie. Non diede segno di riconoscerla. «Non volete venire dentro?»

Entrarono. Nell'ingresso, privo di finestre e tutto dipinto di nero, si aprivano tre porte rosse. In un angolo c'era uno scheletro umano identico a quelli che si usano nelle facoltà di medicina, solo che questo era imbavagliato con un foulard rosso e aveva i polsi ossuti imprigionati da manette d'acciaio.

Wayne fece strada attraverso una delle porte e li fece entrare in un enorme loft dai soffitti altissimi. Alle finestre c'erano tendoni di velluto nero completamente chiusi, e il locale era illuminato da lampade basse. Su una parete campeggiava un'enorme bandiera nazista. In un portaombrelli c'era una collezione di fruste illuminate da un faretto. Su un cavalletto era posato un grosso dipinto a olio che raffigurava la crocifissione: guardandolo più da vicino, Jeannie scoprì che la figura nuda sulla croce non era il Cristo ma una donna prosperosa dai lunghi capelli biondi. Rabbrividì disgustata.

Quella era la casa di un sadico: non sarebbe potuto essere più evidente neanche se avesse messo un'insegna fuori.

Herb si guardò intorno senza nascondere lo stupore. «Che lavoro fa, signor Stattner?»

«Sono proprietario di due night-club qui a New York. Francamente, questo è il motivo per cui sono così disponibile a collaborare con la polizia. Devo sempre avere le mani pulite, se voglio che i miei affari non ne risentano.»

Herb fece schioccare le dita. «Ma certo! Wayne Stattner. Ho letto un articolo su di lei sulla rivista "New York": *Il giovane milionario di New York*. Avrei dovuto ricordare il nome.»

«Non volete sedervi?»

Jeannie si diresse verso un sedile, poi si accorse che era una sedia elettrica del tipo usato per le esecuzioni. La guardò meglio, fece una smorfia e andò a mettersi altrove.

«Questo è il sergente Michelle Delaware della polizia di Baltimora» disse Herb.

«Baltimora?» ripeté Wayne, sorpreso. Jeannie osservava il suo volto, alla ricerca di un'espressione di paura, ma l'uomo sembrava un buon attore. «Ci sono criminali anche a Baltimora?» chiese con sarcasmo.

«Lei si tinge i capelli, vero?» intervenne Jeannie.

Mish le lanciò un'occhiata infastidita. Jeannie doveva solo stare a guardare, non interrogare il sospetto.

Wayne non si risentì per la domanda. «Brava, se n'è accorta.»

"Avevo visto giusto" pensò Jeannie esultante. "È lui." Gli guardò le mani e ripensò a quando le avevano strappato gli abiti.

«Quando se li è tinti?» gli chiese.

«Quando avevo quindici anni» rispose lui.

"Bugiardo."

«Il nero è sempre andato di moda, da che ricordo.»

"Li avevi chiari, giovedì, quando mi hai infilato quelle mani sotto la gonna, e anche domenica quando hai violentato la mia amica nella palestra dell'università."

Perché mentiva? Sapeva che sospettavano di un uomo con i capelli chiari?

«Tutto qui? Il colore dei miei capelli è una pista? Io adoro i gialli.»

«Non le faremo perdere molto tempo» disse Mish pronta. «Dobbiamo solo appurare dove si trovava la scorsa domenica alle otto di sera.»

Jeannie si chiese se avesse un alibi. Sarebbe stato facile per lui affermare di essere stato a giocare a carte con qualche piccolo delinquente, che dietro compenso avrebbe confermato qualunque cosa, oppure dire che si trovava a letto con una prostituta che non avrebbe esitato a giurare il falso per una dose.

Ma lui la sorprese con la sua risposta. «È facile» disse. «Ero in California.»

«Qualcuno può confermarlo?»

Lui scoppiò a ridere. «Direi circa cento milioni di persone.»

Jeannie cominciava ad avere un brutto presentimento. Non poteva avere un alibi. Era lui lo stupratore.

«Che cosa intende dire?» chiese Mish.

«Ero alla consegna degli Emmy.»

Jeannie ricordò la cena per la consegna degli Emmy Award che aveva visto alla televisione, nella camera d'ospedale di Lisa. Come aveva potuto Wayne trovarsi alla cerimonia? Nel tempo che Jeannie aveva impiegato per giungere all'ospedale, non sarebbe neppure riuscito ad arrivare all'aeroporto.

«Ovviamente io non ho vinto niente» si affrettò ad aggiungere. «Non lavoro in quel campo. Ma Salina Jones sì. È una vecchia amica.»

Si voltò verso il dipinto e Jeannie si rese conto che la donna crocifissa assomigliava all'attrice che faceva la parte di Babe, la figlia dello scorbutico Brian, nella sitcom *Too Many Cooks*. Doveva essere stata lei a posare come modella.

«Salina ha vinto il premio come migliore attrice comica» proseguì Wayne. «Io l'ho baciata sulle guance quando è scesa dal palco con il trofeo tra le mani. È stato un momento magnifico, immortalato dalle telecamere e trasmesso al mondo intero. Ce l'ho registrato su cassetta. La foto è su "People" di questa settimana.»

Indicò una rivista che giaceva a terra sulla moquette.

Jeannie la raccolse a malincuore. C'era Salina che reggeva la statuetta mentre Wayne, splendido nel suo smoking, la baciava.

E aveva i capelli neri.

IL NEWYORKESE WAYNE STATTNER, IMPRESARIO DI NIGHT-CLUB, SI CONGRATULA CON LA VECCHIA FIAMMA SALINA JONES PER L'EMMY VINTO CON *TOO MANY COOKS*, A HOLLYWOOD SABATO SERA, recitava la didascalia.

Un alibi di ferro.

Com'era possibile?

«Bene, signor Stattner, non le faremo perdere altro tempo» disse Mish.

«Che cosa pensavate avessi fatto?»

«Stiamo indagando su uno stupro avvenuto a Baltimora domenica sera.»

«Non sono stato io» disse lui.

Mish lanciò uno sguardo alla crocifissione e lui se ne accorse. «Le mie vittime sono tutte consenzienti» esclamò, e le lanciò una lunga occhiata allusiva.

Mish arrossì e distolse lo sguardo.

Jeannie era desolata. Tutte le sue speranze si erano infrante. Il suo cervello macinava febbrilmente e, quando si alzarono per andarsene, gli chiese: «Posso farle una domanda?».

«Certo» rispose Wayne, affabile.

«Lei ha qualche fratello o sorella?»

«Sono figlio unico.»

«Nel periodo in cui lei è nato, suo padre era nell'esercito, giusto?»

«Sì, era istruttore di piloti di elicottero a Fort Bragg. Come fa a saperlo?»

«Per caso le risulta che sua madre abbia avuto difficoltà a restare incinta?»

«Strana domanda per un poliziotto.»

«La dottoressa Ferrami è una scienziata e lavora alla Jones Falls University» si intromise Mish. «La sua ricerca è strettamente connessa al caso cui sto lavorando.»

«Sua madre le ha mai detto di aver fatto una cura contro l'infertilità?»

«No, a me no.»

«Le dispiacerebbe se lo chiedessi a lei?»

«È morta.»

«Mi dispiace. E suo padre?»

Lui si strinse nelle spalle. «Se vuole può chiamarlo.»

«Mi farebbe piacere.»

«Vive a Miami. Le do il numero.»

Jeannie gli porse una penna. Lui scrisse un numero sull'angolo di una pagina della rivista e lo strappò.

Si avviarono verso la porta. «Grazie per la collaborazione, signor Stattner» disse Herb.

«Di niente.»

Mentre scendevano con il montacarichi, Jeannie disse sconsolata: «Lei crede al suo alibi?».

«Lo verificherò» rispose Mish, «ma sembra solido.»

Jeannie scosse la testa. «Non riesco a credere che sia innocente.»

«È colpevole come l'inferno, mia cara... ma non di questo crimine.»

44

Seduto vicino al telefono, nella grande cucina della casa dei suoi genitori a Georgetown, Steve aspettava che Jeánnie chiamasse e intanto osservava sua madre che preparava un polpettone di carne. Chissà se Wayne Stattner era davvero il suo sosia, se Jeannie e il sergente Delaware lo avrebbero trovato al suo indirizzo di New York, se avrebbe confessato di aver violentato Lisa Hoxton.

La mamma stava tritando la cipolla. Quando aveva scoperto ciò che le era stato fatto alla Aventine Clinic nel dicembre del 1972 era rimasta sbalordita. In realtà non ci aveva creduto, ma aveva accettato il fatto provvisoriamente, per sostenere la causa, mentre parlavano con l'avvocato. La notte precedente, Steve era rimasto alzato fino a tardi a parlare con i genitori della strana vicenda. Allora sì che la mamma si era arrabbiata: l'idea che certi medici conducessero esperimenti sui pazienti senza il loro permesso era esattamente il genere di cose che la faceva infuriare. Nella sua rubrica parlava spesso del diritto delle donne a decidere del proprio corpo.

Sorprendentemente, papà era rimasto più calmo. Steve aveva immaginato che, essendo un uomo, avrebbe reagito con maggior violenza davanti alla pazzesca vicenda. Invece, era rimasto perfettamente lucido e razionale, analizzando la logica della teoria di Jeannie, riflettendo sulle altre possibili spiegazioni del fenomeno dei tre gemelli e giungendo alla conclusione che probabilmente aveva ragione lei. Reagire con calma, però, rientrava nel codice di comportamento di suo padre. Questo non corrispondeva necessariamente a ciò che provava.

Ora era in giardino, intento a bagnare un'aiuola, ma dentro di sé forse ribolliva di rabbia.

La mamma cominciò a far soffriggere le cipolle e il profumo fece venire a Steve l'acquolina in bocca. «Polpettone di carne con puré e ketchup» disse. «Uno dei miei piatti preferiti.»

«Quando avevi cinque anni volevi che te lo facessi ogni giorno» disse lei sorridendo.

«Me lo ricordo. In quel cucinino dell'appartamento alla Hoover Tower.»

«Te lo ricordi?»

«Vagamente. Mi ricordo quando abbiamo traslocato, e come mi sembrava strano avere una villetta invece di un appartamento.»

«È stato più o meno quando ho cominciato a guadagnare un po' di soldi con il mio primo libro *Consigli per le donne che non riescono ad avere figli*.» Trasse un profondo sospiro. «Se dovesse mai uscir fuori la verità su come sono rimasta incinta, quel libro apparirebbe molto stupido.»

«Spero che tutti quelli che lo hanno comperato non vogliano i soldi indietro.»

Lei mise la carne tritata nella padella insieme al soffritto e si pulì le mani. «Ho pensato a questa faccenda tutta la notte, e sai una cosa? Sono felice per quello che mi hanno fatto alla Aventine Clinic.»

«Ma come? Ieri sera eri furibonda.»

«In un certo senso lo sono ancora. Ma solo perché mi hanno usata come uno scimpanzé da laboratorio. Però mi sono resa conto di una cosa: se non avessero fatto l'esperimento su di me, tu non saresti nato. Non conta nient'altro.»

«Non ti importa che io non sia realmente tuo?»

Lei lo abbracciò. «Tu sei mio, Steve. Questa è una verità che nessuno può cambiare.»

Il telefono squillò e Steve rispose immediatamente. «Pronto?»

«Sono Jeannie.»

«Com'è andata?» chiese Steve impaziente. «C'era?»

«Sì, ed è la tua copia esatta, solo che ha i capelli neri.»

«Mio Dio... allora siamo davvero in tre.»

«Sì. La madre di Wayne è morta, ma ho parlato con suo padre, in Florida, e mi ha confermato che anche lei è stata in cura alla Aventine Clinic.»

Era una buona notizia, tuttavia Jeannie sembrava scoraggiata e Steve frenò la propria euforia. «Non mi sembri soddisfatta come dovresti.»

«Ha un alibi per domenica.»

«Merda!» Le speranze di Steve scemarono di nuovo. «Com'è possibile? Che tipo di alibi?»

«A prova di bomba. Era alla consegna degli Emmy a Los Angeles. Ci sono pure le foto.»

«È nell'industria del cinema?»

«È proprietario di due night-club, una celebrità di secondo piano.»

Ora Steve capiva perché Jeannie fosse così depressa. Scoprire Wayne era stata una mossa brillante, ma non li aveva fatti progredire di un passo. Steve si sentiva davvero confuso. «Ma allora chi ha violentato Lisa?»

«Ricordi che cosa dice Sherlock Holmes? Quando hai eliminato l'impossibile, ciò che rimane, per quanto improbabile, è la verità. O forse era Hercule Poirot, non mi ricordo.»

Steve si sentì gelare. Di certo Jeannie non pensava che fosse stato lui a violentare Lisa. «Qual è la verità?»

«Ci sono quattro gemelli.»

«Quattro gemelli? Jeannie... è pazzesco.»

«Non gemelli. Non posso credere che questo embrione si sia diviso in quattro per puro caso. Deve essere stata una cosa deliberata, la parte cruciale dell'esperimento.»

«Ma è possibile?»

«Al giorno d'oggi sì. Hai sentito parlare della clonazione, vero? Negli anni Settanta era solo una teoria. La Genetico però doveva essere avanti di anni rispetto a tutti gli altri, forse proprio perché il loro lavoro era coperto dal segreto e quindi potevano fare esperimenti sugli esseri umani.»

«Stai dicendo che sono un clone.»

«Deve essere così. Mi dispiace, Steve. Continuo a darti notizie sconvolgenti. Per fortuna hai dei genitori fantastici.»

«Già. Che tipo è, questo Wayne?»

«Uno che fa venire i brividi. Figurati che ha un dipinto di

Salina Jones nuda e crocifissa. Non vedevo l'ora di andarmene dal suo appartamento.»

Steve rimase in silenzio. "Uno dei miei cloni è un assassino, un altro un sadico, un ipotetico quarto è uno stupratore. E io, che cosa sono?"

«La teoria dei cloni spiega anche perché avete tutti una data di nascita differente. Gli embrioni venivano conservati in laboratorio e impiantati nell'utero delle donne in momenti diversi.»

"Perché è successo proprio a me?"

«Stanno chiamando per l'imbarco, devo andare.»

«Voglio vederti. Vengo a Baltimora.»

«Okay. Ciao.»

Steve riattaccò. «Hai capito, vero?» chiese a sua madre.

«Sì. È uguale a te, ma ha un alibi, quindi lei pensa che dobbiate essere quattro, quattro cloni.»

«Se siamo cloni, io devo essere uguale a loro.»

«No, tu sei diverso, perché sei mio.»

«Ma non lo sono» disse Steve. Vide l'espressione addolorata sul volto della madre, ma anche lui soffriva. «Sono figlio di due completi estranei scelti dai ricercatori della Genetico. Ecco di chi sono.»

«Tu devi essere diverso dagli altri. Ti comporti in modo diverso.»

«Ma questo è sufficiente a provare che la mia natura è differente dalla loro? Forse ho semplicemente imparato a nasconderla, come un animale addomesticato. Sei stata tu a farmi diventare come sono? O è stata la Genetico?»

«Non lo so, figliolo. Proprio non lo so.»

45

Jeannie fece una doccia e si lavò i capelli, poi si truccò gli occhi con cura. Decise di non mettersi né rossetto né fard. Indossò un maglione viola con lo scollo a V e fuseaux grigi, senza biancheria intima e senza scarpe. Quindi si applicò alla narice il gioiello preferito, un piccolo zaffiro montato in argento. Si guardò allo specchio: era molto sexy. «Pronta per andare in chiesa, signorina?» disse alla propria immagine, poi le strizzò l'occhio e andò in soggiorno.

Suo padre se n'era andato. Preferiva stare da Patty dove aveva i tre nipotini a tenergli compagnia. Patty era venuta a prenderlo mentre Jeannie era a New York.

Non le restava altro da fare che aspettare Steve. Cercò di non pensare alla delusione di quella mattina. Si accorse di avere una gran fame: era andata avanti a caffè per tutto il giorno. Non sapeva se mangiare qualcosa oppure aspettare che arrivasse Steve. Sorrise al ricordo delle otto ciambelle alla cannella che si era divorato a colazione. Era solo il giorno prima? Sembrava fosse passata una settimana.

Improvvisamente si rese conto di non avere niente in frigorifero. Sarebbe stato orribile se lui fosse arrivato affamato e lei non avesse avuto niente da offrirgli! Si infilò in fretta un paio di Doc Marten e corse fuori. Prese la macchina e andò al 7-Eleven sull'angolo tra la Falls Road e la Trentaseiesima. Comperò uova, pancetta canadese, una forma di pane integrale, insalata già lavata, birra Dos Equis, gelato Ben & Jerry Tropicale-Croccante e altre quattro confezioni di ciambelle alla cannella surgelate.

Mentre aspettava davanti alla cassa, pensò che Steve sarebbe potuto arrivare mentre lei era fuori. Avrebbe potuto andarsene! Corse fuori dal negozio con le braccia piene di roba e tornò a casa guidando come una pazza. Se lo vedeva già fermo sulla soglia che l'aspettava impaziente.

Ma davanti a casa non c'era nessuno, e non c'era traccia della vecchia Datsun. Jeannie entrò e ripose il cibo nel frigorifero. Tirò fuori le uova dal contenitore e le sistemò nell'apposita vaschetta, tolse le bottiglie di birra dal cartone e le mise in frigo, preparò la caffettiera. E poi si trovò nuovamente senza niente da fare.

Si stava comportando in un modo che non era da lei. Non si era mai preoccupata che un uomo potesse aver fame. Il suo atteggiamento normale, anche con Will Temple, era stato del tipo: se ha fame si preparerà qualcosa da mangiare, e se il frigo è vuoto uscirà a comperare qualcosa, e se il negozio è chiuso andrà al ristorante. Ma ora soffriva di un attacco di sindrome della casalinga. Benché lo conoscesse solo da pochi giorni, Steve aveva su di lei un effetto decisamente più forte di qualsiasi altro uomo...

Lo squillo del campanello la fece sussultare quasi fosse stata un'esplosione.

Jeannie schizzò in piedi, col cuore che batteva forte, e andò al citofono. «Sì?»

«Jeannie? Sono Steve.»

Lei premette il pulsante apriporta. Rimase immobile per un momento, sentendosi una sciocca. Si stava comportando come un'adolescente. Guardò Steve che saliva. Indossava una T-shirt grigia e jeans di taglio morbido. Sul suo volto erano dipinte l'angoscia e le delusioni delle ultime ventiquattr'ore. Gli gettò le braccia al collo e lo strinse forte, avvertendo la tensione e la fatica del suo corpo.

Lo condusse in soggiorno. Steve si sedette sul divano e lei andò a mettere la caffettiera sul fuoco. Si sentiva molto vicina a lui. Non avevano fatto le solite cose – andare a cena o vedere un film assieme – tanto comuni agli esordi di una nuova amicizia. Invece avevano combattuto fianco a fianco, fra misteri insolubili e invisibili nemici. Questo aveva accelerato la nascita di un forte legame tra loro.

«Vuoi un po' di caffè?»

Steve scosse la testa. «Preferisco stare qui seduto e tenerti la mano.»

Jeannie si sedette al suo fianco sul divano e gli prese la mano. Lui si sporse verso di lei. Jeannie sollevò il viso e Steve la baciò. Era il primo vero bacio. Lei gli strinse forte la mano e schiuse le labbra. Il sapore della bocca di lui faceva pensare al fumo di legna. L'empito di passione si raffreddò un attimo quando Jeannie si chiese se si era lavata i denti, poi ricordò di averlo fatto e si rilassò nuovamente. Lui le accarezzò il seno attraverso la lana morbida, e le sue grandi mani furono sorprendentemente delicate. Lei fece lo stesso, accarezzandogli il petto con il palmo.

Tutto assunse subito un aspetto molto serio.

Steve si scostò un po' per guardarla. Fissò il suo volto come se volesse imprimerlo a fuoco nella memoria. Con la punta delle dita le sfiorò le sopracciglia, gli zigomi, la punta del naso e le labbra, con estrema delicatezza, quasi avesse paura di rompere qualcosa. Scosse appena la testa, come incredulo.

Nel suo sguardo Jeannie vide un profondo desiderio. Quell'uomo la desiderava con tutto se stesso. Questo la eccitò. La passione si accese all'improvviso come un vento del sud, caldo e impetuoso. Jeannie avvertì quella sensazione di struggimento che non provava più da un anno e mezzo. Voleva tutto, subito, il corpo di Steve sopra il suo, la lingua di Steve nella sua bocca, le mani di Steve ovunque.

Gli prese la testa tra le mani, l'attirò a sé e lo baciò di nuovo, questa volta con le labbra dischiuse. Si lasciò andare all'indietro sul divano finché lui non fu sdraiato su di lei, sul suo petto. Jeannie non poteva più attendere e disse ansante: «Sul letto».

Si sciolse da lui e lo precedette in camera. Si tolse il maglione e lo gettò a terra. Steve entrò e chiuse la porta con il tacco della scarpa. Vedendo che Jeannie si stava spogliando, si tolse la maglietta con un movimento fluido.

"Fanno tutti così" pensò Jeannie. "Chiudono tutti la porta in quel modo."

Steve si tolse le scarpe, si slacciò la cintura e si sfilò i jeans. Il suo corpo era perfetto: spalle larghe, torace muscoloso, fianchi stretti nascosti dai boxer bianchi.

"Ma questo qual è dei quattro?"

Steve andò verso di lei, ma Jeannie fece due passi indietro.

L'uomo al telefono aveva detto: "Potrebbe venire a farti visita un'altra volta".

«Che cosa c'è?» chiese Steve, perplesso.

Improvvisamente Jeannie ebbe paura. «Non posso farlo» disse.

Lui emise un profondo sospiro. «Accidenti!» disse, distogliendo lo sguardo. «Accidenti.»

Jeannie incrociò le braccia sul petto per coprirsi il seno. «Non so chi sei.»

Allora lui capì. «Mio Dio!» Si sedette sul letto, con la schiena rivolta verso di lei, le spalle abbassate per la delusione. Jeannie pensò che sarebbe anche potuta essere una finta. «Ritieni che io sia quello che hai incontrato a Filadelfia.»

«Credevo che lui fosse te.»

«Ma perché dovrebbe fingere di essere me?»

«Non ha importanza.»

«Non lo farebbe certo al solo scopo di portarti a letto con l'inganno. I miei sosia si eccitano in maniere molto particolari, ma non credo questa rientri nel repertorio. Se avesse voluto scoparti ti avrebbe minacciata con un coltello, o ti avrebbe strappato i collant, oppure avrebbe dato fuoco alla casa, non credi?»

«Ho ricevuto una telefonata» disse Jeannie. «Una telefonata anonima. L'uomo ha detto: "Quello che hai incontrato a Filadelfia doveva ucciderti. Si è lasciato prendere la mano e ha buttato tutto all'aria. Ma potrebbe tornare a farti visita". È per questo che devi andartene, adesso.» Jeannie raccolse la maglia da terra e se la infilò rapidamente. Ma non si sentì più sicura.

«Povera Jeannie» disse lui, guardandola con tenerezza. «Quei bastardi ti hanno proprio spaventata. Mi dispiace.» Si alzò e si rimise i jeans.

All'improvviso Jeannie capì di essersi sbagliata. Il clone di Filadelfia, lo stupratore, non si sarebbe mai rivestito in una situazione come quella. L'avrebbe gettata sul letto, le avrebbe strappato i vestiti di dosso e avrebbe cercato di prenderla con la forza. Quest'uomo era diverso. Questo era Steve. Provò un desiderio irresistibile di gettargli le braccia al collo e di fare l'amore con lui. «Steve...»

«Sono io» disse lui con un sorriso.

O forse era proprio questo lo scopo della farsa. Una volta conquistata la sua fiducia, quando fossero stati nudi, a letto, e se la fosse ritrovata sotto, sarebbe cambiato, avrebbe rivelato la sua vera natura, la natura di un uomo che amava vedere le donne tremare di paura? Rabbrividì per l'orrore.

No, così non andava. Distolse lo sguardo. «Sarà meglio che tu vada» disse.

«Potresti farmi delle domande» disse lui.

«Va bene. Dove ho incontrato Steve la prima volta?»

«Al campo da tennis.»

Era la risposta giusta. «Ma quel giorno sia Steve sia lo stupratore si trovavano al campus.»

«Chiedimi qualcos'altro.»

«Quante ciambelle ha mangiato Steve venerdì mattina?»

Lui rise. «Otto, e me ne vergogno.»

Lei scosse la testa, disperata. «Questo posto potrebbe essere controllato. Hanno perquisito il mio ufficio, hanno scaricato la mia posta elettronica, potrebbero ascoltarci anche in questo momento. Non serve. Non conosco Steve Logan da molto, e quello che so io potrebbero saperlo anche altri.»

«Immagino tu abbia ragione» convenne lui, infilandosi la maglietta.

Si sedette sul letto e si mise le scarpe. Jeannie andò in soggiorno. Non voleva restare in camera da letto a guardarlo mentre si vestiva. Era un terribile errore? O era la mossa più furba che avesse mai fatto? Provò un doloroso senso di privazione: aveva desiderato con tutte le sue forze fare l'amore con Steve, ma il pensiero di potersi trovare a letto con un individuo come Wayne Stattner la faceva tremare di paura.

Lui entrò in soggiorno, completamente vestito. Jeannie lo guardò negli occhi, alla ricerca di qualcosa, di un segnale che placasse i suoi dubbi, ma non lo trovò. "Non so chi sei, non lo so proprio!"

Steve lesse nella sua mente. «È inutile, lo capisco. La fiducia è la fiducia, e quando è andata è andata.» Per un attimo lasciò trapelare il suo risentimento. «Che situazione del cazzo!»

La sua collera spaventò Jeannie. Lei era forte, ma quell'uomo lo era ancora di più. Voleva che se ne andasse dal suo appartamento, e subito.

Lui comprese la sua fretta. «D'accordo, me ne vado» disse, avviandosi verso la porta. Poi aggiunse: «Ti rendi conto che lui non l'avrebbe fatto, vero?».

Jeannie annuì.

Fu Steve a esprimere a parole ciò che lei pensava. «Ma finché non me ne sono andato davvero, non puoi essere sicura. E se me ne vado e ritorno, non conta. Perché tu sia sicura che si tratta di me, devo davvero andarmene.»

«Sì.» Ora era certa che quello era Steve, ma se non se ne fosse andato il dubbio l'avrebbe nuovamente assalita.

«Dobbiamo inventare un codice segreto, così saprai che sono io.»

«Okay.»

«Penserò a qualcosa.»

«Okay.»

«Addio» disse lui. «Non cercherò di baciarti.»

Scese le scale. «Telefonami» gridò.

Lei rimase lì, immobile, come inchiodata, finché non udì sbattere il portone.

Si morse il labbro. Aveva una gran voglia di piangere. Andò al bancone della cucina e si versò una tazza di caffè. Si portò la tazza alle labbra, ma questa le sfuggì di mano e cadde a terra andando in frantumi. «'fanculo» disse.

Si accorse di avere le gambe deboli e si lasciò cadere sul divano. Si era sentita terribilmente in pericolo. Ora sapeva che quel pericolo era immaginario, e tuttavia era felice che fosse passato. Il suo corpo era come gonfio di desiderio insoddisfatto. Si portò una mano all'inguine. I fuseaux erano bagnati. «Ti voglio» sussurrò. «Ti voglio.» Pensò a come sarebbe stato la prossima volta che si fossero incontrati, pensò a come l'avrebbe abbracciato e baciato, si sarebbe scusata, e lui, tenero, l'avrebbe perdonata; mentre pensava a tutto questo si accarezzò con la punta delle dita e dopo qualche attimo uno spasimo di piacere percorse il suo corpo.

Poi si addormentò.

46

Quello che dava veramente fastidio a Berrington era l'umiliazione.

Continuava ad avere la meglio su Jeannie Ferrami, ma non riusciva a sentirsi minimamente soddisfatto. Lei lo aveva costretto a comportarsi come un piccolo criminale. Aveva passato clandestinamente una notizia a un giornale, si era introdotto nel suo studio e aveva frugato nei suoi cassetti. Ora era costretto a sorvegliare la sua casa. Non aveva scelta: il mondo minacciava di crollargli intorno. Era disperato.

Non aveva mai immaginato di dover fare una cosa simile a poche settimane dal suo sessantesimo compleanno: seduto in macchina accanto a un marciapiede, sorvegliare una porta d'ingresso, come un laido investigatore privato. Che cosa avrebbe pensato sua madre? Era ancora viva, una bella signora snella e ben vestita di ottantaquattro anni, che viveva in una cittadina del Maine, scriveva lettere argute al quotidiano locale e non intendeva rinunciare per nulla al mondo all'incarico di responsabile delle composizioni floreali della chiesa episcopale. Sarebbe rabbrividita per la vergogna nel sapere che cosa suo figlio si era ridotto a fare.

E se lo avesse visto qualcuno di sua conoscenza? Stava bene attento a non incrociare gli sguardi dei passanti. Purtroppo la sua auto si faceva notare. Lui la considerava una vettura elegante e discreta, ma non c'erano molte Lincoln parcheggiate su quella strada: le auto preferite dagli abitanti della zona erano o giapponesi monovolume un po' vecchiotte o Pontiac Firebird tenute religiosamente. Berrington stesso non era tipo da passare inosservato, con la sua bella capigliatura brizzolata. Per un po' si era dato un contegno tenendo una cartina aperta appoggiata al volante, ma quello era un quartiere pieno di gente cortese e due persone avevano bussato al finestrino offrendosi di dargli indicazioni, così era stato costretto a metterla via. Si consolò pensando che chiunque vivesse in una zona con gli affitti così contenuti non poteva essere una persona importante.

Non aveva idea delle intenzioni di Jeannie. L'Fbi non era riuscita a trovare l'elenco nel suo appartamento. Berrington doveva pensare al peggio: quei dati l'avevano portata a un altro clone. Se era così, il disastro era incombente. Li attendeva una pubblica denuncia, il disonore, la rovina.

Era stato Jim a suggerire che Berrington sorvegliasse la casa di Jeannie. «Dobbiamo scoprire che cos'ha in mente, chi entra e chi esce da casa sua» aveva detto, e Berrington aveva accettato, sia pure a malincuore. Era arrivato la mattina presto e non era successo niente fino a mezzogiorno, quando Jeannie era stata accompagnata a casa da una donna di colore che lui riconobbe come uno dei detective incaricati del caso di stupro. La donna l'aveva sottoposto a un breve interrogatorio, di lunedì. L'aveva trovata attraente. E ne ricordava pure il nome: sergente Delaware.

Aveva chiamato Proust dal telefono del McDonald's all'angolo, e questi gli aveva promesso di convincere il suo amico dell'Fbi a scoprire chi le due fossero andate a trovare. Berrington aveva immaginato l'uomo dell'Fbi che diceva: "Il sergente Delaware oggi ha preso contatto con un sospetto che teniamo sotto sorveglianza, per motivi di sicurezza non possiamo dire altro, ma sarebbe utile per noi sapere esattamente che cosa ha fatto questa mattina e a quale caso sta lavorando".

Un'ora dopo Jeannie era uscita di corsa, incredibilmente sexy con quel suo maglione viola. Berrington non aveva seguito la macchina: nonostante la disperazione, non era riuscito a fare una cosa così poco dignitosa. In ogni caso era tornata dopo pochi minuti con due sacchetti di carta marrone della spesa. Poi era arrivato uno dei cloni, presumibilmente Steve Logan.

Non era rimasto a lungo. Berrington rifletté che se fosse stato nei suoi panni, con Jeannie vestita in quel modo, sarebbe rimasto lì tutta la notte e tutta la domenica,

Guardò l'orologio della macchina per la ventesima volta e decise di chiamare nuovamente Jim. Forse a quell'ora aveva saputo qualcosa dall'Fbi.

Scese dalla macchina e andò verso l'angolo. L'odore di patatine fritte gli fece venire fame ma a lui non piaceva mangiare hamburger in vassoietti di polistirolo. Prese una tazza di caffè nero e andò al telefono.

«Sono state a New York» gli disse Jim.

Proprio come temeva. «Wayne Stattner» disse.

«Sissignore.»

«Merda. Che cosa hanno fatto?»

«Gli hanno chiesto dove si trovava domenica scorsa e cose del genere. Lui era alla cerimonia degli Emmy. C'era pure la sua foto su "People". Fine della storia.»

«Qualche indicazione su che cosa abbia intenzione di fare Jeannie?»

«No. Com'è la situazione, lì?»

«Tutto calmo. Da qui vedo il suo portone. Ha fatto un po' di spesa. Steve Logan è arrivato e poi se n'è andato. Niente. Forse sono a corto di idee.»

«O forse no. Sappiamo solo che la tua idea di licenziarla non è stata sufficiente a chiuderle la bocca.»

«Va bene, Jim, non infierire. Aspetta... sta uscendo.» Si era cambiata: ora indossava jeans bianchi e una camicetta blu scuro senza maniche che metteva in mostra le braccia muscolose.

«Seguila» disse Jim.

«Diavolo, sta salendo in macchina.»

«Berry, dobbiamo sapere dove va.»

«Io non sono un poliziotto, maledizione!»

Una bambina che stava andando alla toilette accompagnata dalla madre disse: «Mamma, quell'uomo ha gridato».

«Zitta, tesoro» ribatté la madre.

«Sta partendo» disse Berrington abbassando la voce.

«Salta in macchina!»

«Va' a farti fottere, Jim.»

«Seguila!» ordinò Jim prima di interrompere la comunicazione.

Berrington riagganciò.

La Mercedes rossa di Jeannie gli passò davanti e girò sulla Falls Road in direzione sud.

Berrington corse alla macchina.

47

Jeannie osservò il padre di Steve. Charles aveva i capelli neri e l'alone scuro della barba sulle guance. La sua espressione era severa e i suoi modi secchi e decisi. Benché fosse sabato e stesse lavorando in giardino, indossava un paio di calzoni scuri accuratamente stirati e una camicia con le maniche corte. Non assomigliava per niente a Steve. L'unica cosa che Steve poteva aver preso da lui era il gusto per il vestire classico. La maggior parte degli studenti di Jeannie indossava jeans stracciati e giubbotti di pelle nera, mentre Steve preferiva calzoni color kaki e camicie sportive.

Steve non era ancora arrivato a casa e Charles aveva detto che probabilmente si era fermato nella biblioteca della facoltà di legge per documentarsi sui processi per stupro. La madre di Steve era andata a fare un riposino. Charles preparò della limonata fresca e si sedettero sulle sdraio sistemate nel patio.

Jeannie si era svegliata dal suo sonnellino con un'idea folgorante. Le era venuto in mente un modo per scoprire il quarto clone. Ma avrebbe avuto bisogno dell'aiuto di Charles. E non sapeva se lui sarebbe stato disponibile.

Charles le passò un bicchiere alto e ghiacciato, ne prese uno per sé e si sedette. «Posso chiamarla Jeannie e darle del tu?» chiese.

«Ma certo.»

«Spero che anche tu vorrai chiamarmi per nome.»

«Sicuro.»

Sorseggiarono la limonata, poi lui disse: «Jeannie... che cos'è tutta questa faccenda?».

Lei posò il bicchiere. «Credo che si tratti di un esperimento» rispose. «Berrington e Proust erano nell'esercito prima di fondare la Genetico. Ho il sospetto che la società servisse in origine da copertura per un progetto militare.»

«Sono stato un militare per tutta la vita e non ho difficoltà a credere a qualsiasi storia pazzesca riguardante l'esercito. Ma perché mai interessarsi alla fertilità delle donne?»

«Rifletti. Steve e i suoi sosia sono alti, sani, forti e belli. Sono anche molto intelligenti, anche se la loro propensione alla violenza è un grave limite. Steve e Dennis hanno un QI molto superiore alla media, e ho il sospetto che anche gli altri due siano come loro: Wayne è già milionario a ventidue anni, e il quarto è stato tanto furbo da evitare finora di essere individuato.»

«E questo a che cosa ti fa pensare?»

«Non lo so. Mi chiedo se l'esercito non stesse per caso tentando di creare il soldato perfetto.»

Era solo una congettura, e lei l'aveva espressa con noncuranza, ma Charles ne fu elettrizzato. «Oh, mio Dio!» esclamò, mentre il suo volto assumeva un'espressione scioccata. «Credo di averne sentito parlare.»

«Che cosa intendi dire?»

«Negli anni Settanta circolavano voci del genere nell'ambiente militare. Si diceva che i russi avessero un programma per creare individui perfetti: soldati, atleti, giocatori di scacchi, tutti perfetti. Alcuni dicevano che avremmo dovuto fare lo stesso, altri sostenevano che lo stavamo già facendo.»

«Dunque è così!» Finalmente Jeannie stava cominciando a capire. «Hanno preso una donna e un uomo sani, aggressivi, intelligenti, con i capelli biondi e li hanno convinti a donare lo sperma e l'ovulo da cui poi ha avuto origine l'embrione. Ma ciò che li interessava davvero era la possibilità di duplicare questo essere perfetto, dopo averlo creato. La parte cruciale dell'esperimento era la divisione multipla dell'embrione e l'impianto nelle madri ospiti. E ha funzionato.» Jeannie si interruppe e sul suo volto apparve un'espressione perplessa. «Chissà che cosa è successo dopo.»

«Credo di potertelo dire io» ribatté Charles. «Il Watergate.

Dopo lo scandalo tutti quei folli progetti segreti sono stati cancellati.»

«Ma la Genetico ha cominciato ad agire nell'ombra, come la Mafia. Avevano scoperto un metodo per produrre bambini in provetta e questo ha reso la società estremamente redditizia. Quei profitti hanno finanziato le ricerche di ingegneria genetica condotte successivamente. Temo che anche il mio progetto rientri nel loro grande disegno.»

«Che sarebbe?»

«La creazione di americani perfetti: intelligenti, aggressivi, biondi. Una razza superiore.» Si strinse nelle spalle. «L'idea è vecchia, ma ora, grazie ai progressi della genetica, è realizzabile.»

«E allora perché vendere la società? Non ha senso.»

«Forse sì» rispose Jeannie, pensierosa. «Quando hanno ricevuto l'offerta della Landsmann, hanno intravisto la possibilità di puntare più in alto. Quel denaro servirà a finanziare la corsa di Proust alla presidenza. Se arrivano alla Casa Bianca possono fare tutta la ricerca che vogliono... e metterla in pratica.»

Charles annuì. «C'è un articolo sulle teorie di Proust sul "Washington Post" di oggi. Non credo di voler vivere nel mondo che lui intende costruire. Se fossimo tutti soldati aggressivi e obbedienti, chi scriverebbe più le poesie, chi suonerebbe il blues, chi andrebbe alle marce pacifiste?»

Jeannie inarcò le sopracciglia. Era una riflessione sorprendente, fatta da un militare di carriera. «Ci sono aspetti ancora peggiori» disse. «La varietà dei tipi umani ha un suo scopo. C'è un motivo per cui nasciamo diversi dai nostri genitori. L'evoluzione procede per tentativi. Non si possono prevenire i fallimenti della natura senza pregiudicarne i successi.»

Charles sospirò. «Tutto questo significa che io non sono il padre di Steve.»

«Non dire così.»

Lui aprì il portafoglio e tirò fuori una foto. «Voglio confessarti una cosa, Jeannie. Io non ho mai sospettato niente di questa faccenda dei cloni, ma spesso guardavo Steve e mi chiedevo se in lui ci fosse qualcosa di mio.»

«Come fai a non vederla?» disse lei.

«Una somiglianza?»

«No, non una somiglianza fisica. Steve ha un profondo senso del dovere, mentre gli altri cloni ne sono totalmente sprovvisti. Steve l'ha preso da te!»

Charles aveva l'aria torva. «Ma in lui c'è un lato oscuro. Lo so.»

Jeannie gli sfiorò il braccio. «Ascoltami. Steve era quello che io chiamo un bambino difficile... disubbidiente, impulsivo, cocciuto, pieno di energia, non è così?»

«È vero» ammise Charles con un sorriso triste.

«Anche Dennis Pinker e Wayne Stattner erano come lui. Questi bambini sono quasi impossibili da tirare su bene. Ecco perché Dennis è un assassino e Wayne un sadico. Ma Steve non è come loro... e questo dipende da te. Solo i genitori più pazienti, comprensivi e impegnati riescono a trasformare bambini del genere in normali esseri umani. E Steve è normale.»

«Spero tanto che tu abbia ragione.» Charles riaprì il portafoglio per rimettere a posto la foto.

Jeannie lo fermò. «Posso vederla?»

«Certo.»

Lei osservò la foto. Era stata scattata abbastanza di recente. Steve indossava una camicia a quadri blu e aveva i capelli un po' troppo lunghi. Sorrideva impacciato all'obiettivo. «Non ho una sua foto» disse Jeannie con rammarico, restituendogliela.

«Prendi questa.»

«Non potrei mai. Tu la tieni sul tuo cuore.»

«Ho mille foto di Steve. Ne metterò un'altra nel portafoglio.»

«Grazie, grazie davvero.»

«Sembri molto affezionata a lui.»

«Lo amo, Charles.»

«Davvero?»

Jeannie annuì. «Quando penso che potrebbe finire in galera, vorrei offrirmi di andare io al suo posto.»

«Anch'io» disse Charles con un sorriso mesto.

«Questo è amore, no?»

«Certo.»

Jeannie si sentiva in imbarazzo. Non aveva avuto intenzione di confidarsi con il padre di Steve. Fino a quel momento non lo aveva confessato neanche a se stessa: era venuto fuori, così, ma ora si rendeva conto che era vero.

«Cosa prova Steve per te?»

Lei sorrise. «Se devo essere modesta...»

«Non è il caso.»

«È pazzo di me.»

«Questo non mi sorprende. Perché non solo sei bella, sei anche forte: si vede. E lui ha bisogno di una persona forte, specialmente con questa accusa che gli pende sulla testa.»

Jeannie gli rivolse un'occhiata cauta. Era venuto il momento di chiederglielo. «Sai, c'è una cosa che tu potresti fare.»

«Dimmi.»

Jeannie si era preparata il discorso durante il tragitto. «Se io potessi condurre una ricerca su un'altra banca dati, potrei trovare il vero stupratore. Ma dopo la pubblicità sul "New York Times", nessun ente governativo o compagnia di assicurazioni correrà il rischio di lavorare con me. A meno che...»

«Cosa?»

Jeannie si sporse in avanti sulla sedia. «La Genetico ha condotto esperimenti su mogli di soldati che venivano loro inviate dagli ospedali dell'esercito. Quindi la maggior parte dei cloni, se non tutti, sono probabilmente nati in ospedali dell'esercito.»

Lui annuì lentamente.

«L'esercito doveva avere le cartelle cliniche di questi bambini nati ventidue anni fa. E forse quelle cartelle esistono ancora.»

«Sono sicuro di sì. L'esercito non butta mai via niente.»

Le speranze di Jeannie aumentarono un po'. C'era un ultimo problema. «Poiché parliamo di tanti anni fa, le cartelle dovevano essere su supporto cartaceo. È possibile che siano state trasferite su computer?»

«Sono sicuro di sì. È l'unico modo per archiviare tutto.»

«Allora si può fare» esclamò Jeannie cercando di controllare il proprio entusiasmo.

Lui sembrava pensieroso.

Jeannie lo guardò decisa. «Charles, puoi farmi entrare in quell'archivio?»

«Che cosa devi fare, esattamente?»

«Devo caricare il mio programma sul computer e analizzare i file.»

«Quanto tempo ci vuole?»

«Non ho modo di saperlo. Dipende dalle dimensioni della banca dati e dalla potenza del computer.»

«Il tuo programma interferisce con le normali funzioni?»

«Potrebbe rallentarle.»

Charles aggrottò la fronte.

«Mi aiuterai?» chiese Jeannie impaziente.

«Se ci scoprono, è la fine della mia carriera.»

«Lo farai?»

«Diavolo, certo che lo farò!»

48

Steve fu felicissimo di trovare Jeannie che beveva limonata e chiacchierava affabilmente con suo padre, seduti nel patio quasi fossero vecchi amici. "È questo ciò che voglio" pensò. "Voglio Jeannie nella mia vita. Con lei accanto posso affrontare qualsiasi cosa."

Attraversò il prato, sorridendo, e le diede un piccolo bacio sulla bocca. «Sembrate due cospiratori» disse.

Jeannie gli spiegò quali fossero i loro piani e Steve sentì rinascere la speranza.

«Io non so usare il computer» disse il padre di Steve. «Avrò bisogno del tuo aiuto, Jeannie, per caricare il programma.»

«Verrò con te.»

«Ma scommetto che non hai con te il passaporto.»

«No, certo.»

«Non posso farti entrare nel Centro dati senza un documento di identificazione.»

«Potrei andare a casa a prenderlo.»

«Vengo io con te» disse Steve. «Il mio passaporto è di sopra. Sono sicuro di essere in grado di caricare il programma.»

Charles guardò Jeannie con aria interrogativa.

Lei annuì. «Il procedimento è semplice. Se si dovesse bloccare basterà che mi chiamiate e io vi spiegherò come ripartire.»

«Okay.»

Charles entrò in cucina e prese il telefono. Compose un numero. «Don, sono Charlie. Chi ha vinto a golf?... sapevo che ce l'avresti fatta. Guarda, però, che la settimana prossima ti batterò. Senti, ho bisogno di un favore. Ti sembrerà insolito... voglio controllare i vecchi dati sanitari di mio figlio dal... sì, soffre di una malattia rara, non letale ma piuttosto grave, e potrebbe esserci qualche elemento utile nella storia clinica dei suoi primi anni di vita. Potresti farmi avere un pass per entrare nel Centro dati del Comando?»

Ci fu una lunga pausa. Steve non riusciva a decifrare l'espressione di suo padre che, alla fine, disse: «Grazie, Don. Ti ringrazio molto».

«Sì!» esclamò Steve sferrando un pugno in aria, esultante.

Charles si portò un dito davanti alle labbra, continuando a parlare al telefono. «Steve verrà con me. Saremo lì fra quindici, venti minuti, se per te va bene... grazie ancora.» Riattaccò.

Steve corse in camera sua e tornò dopo un attimo con il passaporto.

Jeannie aveva i dischetti in una piccola scatola di plastica. Li porse a Steve. «Inserisci nel drive quello segnato con il numero uno e sullo schermo compariranno le istruzioni.»

«Sei pronto?» disse Steve, guardando suo padre.

«Andiamo.»

«Buona fortuna» augurò Jeannie.

Salirono sulla Lincoln e, arrivati al Pentagono, lasciarono l'auto in quello che era il parcheggio più grande del mondo. Salirono una gradinata fino all'ingresso del primo piano.

All'età di tredici anni Steve aveva fatto una visita guidata del Pentagono accompagnato da un giovane con i capelli tagliati cortissimi. L'edificio era formato da cinque anelli concentrici collegati da dieci corridoi disposti come i raggi di una ruota. C'erano cinque piani, e niente ascensori. Aveva subito perso il senso dell'orientamento. La cosa che gli era rimasta più impressa era che in mezzo al cortile centrale c'era una costruzione chiamata Ground Zero con una bancarella che vendeva hot-dog.

Suo padre faceva strada. Oltrepassarono un negozio di barbiere chiuso, un ristorante e un ingresso della metropolitana e si ritrovarono davanti a un controllo della sicurezza. Steve mostrò il passaporto, venne registrato come visitatore e gli fu consegnato un lasciapassare da applicare bene in vista sulla camicia.

Era sabato pomeriggio, c'erano poche persone e nei corridoi semideserti si aggiravano soltanto alcuni ritardatari, per la maggior parte in uniforme, e una o due vetturette elettriche, di quelle usate sui campi da golf, destinate a trasportare carichi pesanti o personaggi illustri. Nella precedente sua visita Steve si era sentito rassicurato dalla potenza monolitica dell'edificio: era lì per proteggere anche lui. Ora provava una sensazione diversa. Da qualche parte, in quel labirinto di anelli e corridoi, era stato ordito un complotto, il complotto che aveva partorito lui e i suoi "doppi". Quel dedalo burocratico serviva a nascondere la verità che lui cercava e quegli uomini e quelle donne in uniforme rappresentavano il nemico.

Percorsero un lungo corridoio e arrivarono a una scalinata che portava a un altro punto di controllo. Questa volta ci volle più tempo. Il nome e l'indirizzo di Steve vennero inseriti in un computer che impiegò un paio di minuti per dare l'okay. Per la prima volta in vita sua Steve ebbe la netta sensazione che quel controllo di sicurezza riguardasse proprio lui, che fosse lui quello che stavano cercando. I criminali dovevano sentirsi sempre in quel modo, pensò, come le spie, i contrabbandieri e i mariti infedeli.

Proseguirono e, dopo parecchie svolte, giunsero dinanzi a una doppia porta a vetri. Dall'altra parte, una decina di giovani soldati erano seduti davanti ai computer, intenti a inserire dati o a passare documenti sotto i lettori ottici. Una guardia fuori della porta controllò ancora una volta il passaporto di Steve, dopodiché poterono entrare.

La stanza aveva la moquette sul pavimento, era silenziosa, senza finestre e illuminata da una luce soffusa; l'aria condizionata contribuiva a rendere l'atmosfera neutra e asettica. Il reparto era diretto da un colonnello dai capelli brizzolati e un paio di baffetti sottilissimi. Costui li indirizzò con modi spicci al terminal loro destinato: forse considerava quella visita una seccatura.

«Dobbiamo cercare cartelle cliniche di bambini nati negli ospedali militari più o meno ventidue anni fa.»

«Quei dati non sono conservati qui.»

Steve provò una fortissima delusione. Non poteva finire così.

«Dove si trovano?»

«A St Louis.»

«Non vi si può accedere da qui?»

«Occorre un'autorizzazione di livello superiore per accedere al collegamento. E lei non ne è in possesso.»

«Non avevo previsto questo contrattempo, colonnello» disse il padre di Steve stizzito. «Vuole che chiami nuovamente il generale Krohner? Potrebbe non gradire che lo disturbiamo inutilmente di sabato, ma se insiste lo farò.»

Il colonnello valutò la piccola violazione del regolamento a fronte del rischio di far innervosire un generale. «Immagino si possa fare. La linea non è stata usata da tempo e avremmo dovuto comunque controllarla questo fine settimana.»

«Grazie.»

Il colonnello chiamò una donna in uniforme da tenente e la presentò come Caroline Gambol. Era sulla cinquantina, sovrappeso e strizzata in un busto; aveva i modi di una preside. Il padre di Steve le ripeté ciò che aveva detto al colonnello.

«È consapevole, signore, che questi dati sono coperti dalla legge sulla protezione delle informazioni personali?» chiese il tenente Gambol.

«Certo, abbiamo l'autorizzazione.»

La donna si sedette al terminale e batté sulla tastiera. Dopo qualche minuto disse: «Che tipo di ricerca devo richiamare?»

«Abbiamo un nostro programma.»

«Bene, signore. Sarò felice di caricarlo per lei.»

Steve e suo padre si guardarono. Steve si strinse nelle spalle e porse i dischetti alla donna.

Mentre caricava il programma, il tenente Gambol si volse incuriosito verso Steve. «Chi lo ha ideato?»

«Un professore della Jones Falls.»

«È un programma molto intelligente» disse lei. «Non ho mai visto niente del genere.» Poi guardò verso il colonnello che stava osservando da dietro le sue spalle. «E lei, signore?»

Lui si limitò a scuotere la testa.

«È caricato. Devo far partire la ricerca?»

«Proceda.»

Il tenente Gambol premette il tasto di invio.

49

Era stato un presentimento a spingere Berrington a seguire la Lincoln nera del colonnello Logan quando l'aveva vista uscire dal vialetto della casa a Georgetown. Non era sicuro che Jeannie si trovasse a bordo dell'auto: si vedevano solo il colonnello e Steve seduti davanti, ma era un coupé, ed era possibile che Jeannie fosse seduta dietro.

Era contento di avere qualcosa da fare. L'inattività e l'ansia crescente lo stavano logorando. Gli faceva male la schiena e aveva le gambe indolenzite. Desiderava lasciar perdere tutto e andarsene. Avrebbe voluto trovarsi in un ristorante con una bella bottiglia di vino davanti, oppure a casa ad ascoltare il CD della *Nona Sinfonia* di Mahler, o a svestire Pippa Harpenden. Ma poi pensava ai frutti che l'acquisizione avrebbe comportato. In primo luogo il denaro – sessanta milioni di dollari tutti per lui – poi la possibilità di accedere al potere politico, con Jim Proust alla Casa Bianca e lui insignito della carica di ministro della Sanità. Infine, se avessero avuto successo, un'America diversa per il ventunesimo secolo, un'America come quella di una volta, forte, coraggiosa e pura. Così stringeva i denti e proseguiva nel suo sporco lavoro di spia.

Per un po' fu relativamente facile seguire Logan attraverso il lento traffico di Washington. Si teneva a due macchine di distanza, come aveva visto fare alla polizia nei film d'azione. La Mark VIII era proprio elegante, pensò oziosamente. Forse avrebbe dovuto dare indietro la sua Town Car. La berlina aveva classe, ma era più da gente di mezza età. Il coupé era più scattante. Si chiese quanto avrebbe realizzato dando indietro la Town Car. Poi si ricordò che da lunedì sera sarebbe stato ricco. Se voleva proprio apparire giovanile poteva comperarsi una Ferrari.

All'improvviso la Mark VIII svoltò, oltrepassò un incrocio e girò l'angolo. Il semaforo divenne rosso. La vettura davanti a Berrington si fermò e lui perse di vista Logan. Imprecò e si attaccò al clacson. Era stato sbadato. Scosse la testa per schiarirsi le idee. La noia della sorveglianza lo aveva deconcentrato. Quando venne il verde partì facendo fischiare le gomme, svoltò l'angolo e accelerò al massimo.

Pochi istanti dopo scorse il coupé nero fermo a un semaforo e si calmò.

Girarono intorno al Lincoln Memorial, attraversarono il Potomac sull'Arlington Bridge. Che fossero diretti all'aeroporto? Poi presero il Washington Boulevard e fu allora che Berrington si rese conto che erano diretti al Pentagono.

Li seguì lungo la rampa che portava all'immenso parcheggio. Trovò un posto in una fila vicina, spense il motore e attese. Steve e suo padre scesero dalla macchina e si diressero verso l'edificio.

Berrington controllò la loro auto: dentro non c'era nessuno. Jeannie doveva essere rimasta a casa loro, a Georgetown. Che cosa stavano combinando Steve e suo padre? E Jeannie?

Li seguì a una trentina di metri. Odiava farlo. Temeva di essere scoperto. Che cosa avrebbe detto se gli avessero chiesto spiegazioni? Sarebbe stata un'umiliazione insopportabile.

Grazie al cielo, nessuno dei due si voltò. Salirono la scalinata ed entrarono nell'edificio. Li seguì finché non passarono un controllo della sicurezza e lì fu costretto a tornare indietro.

Trovò un telefono pubblico e chiamò Jim Proust. «Sono al Pentagono. Ho seguito Jeannie fino a casa dei Logan, e da lì ho seguito Steve e suo padre fin qui. Sono preoccupato, Jim.»

«Il colonnello lavora al Pentagono, vero?»

«Sì.»

«Potrebbe essere una visita innocente.»

«Ma perché dovrebbe andare in ufficio di sabato sera?»

«Per una partita a poker nell'ufficio del generale, se ricordo bene i miei giorni passati nell'esercito.»

«Uno non si porta dietro il figlio a una partita di poker, per quanto sia cresciuto.»

«Che cosa c'è al Pentagono che potrebbe danneggiarci?»

«Dati.»

«No» disse Jim. «L'esercito non ha alcuna documentazione su ciò che abbiamo fatto. Ne sono sicuro.»

«Dobbiamo assolutamente sapere che cosa stanno combinando. Non hai la possibilità di scoprirlo?»

«Forse. Figurati se non ho amici al Pentagono. Farò qualche telefonata. Teniamoci in contatto.»

Berrington riattaccò e rimase a fissare il telefono. Gli sembrava di impazzire. Tutto quello per cui aveva lavorato una vita intera era in pericolo, e lui che cosa stava facendo? Seguiva le persone in giro per Washington come un investigatore privato da strapazzo. D'altronde, non c'era nient'altro da fare. Fremente d'impazienza, girò sui tacchi e tornò ad aspettare in macchina.

50

Steve attendeva impaziente. Se tutto fosse andato per il meglio, avrebbero scoperto lo stupratore di Lisa Hoxton e lui avrebbe potuto provare la propria innocenza. Ma se le cose fossero andate storte? La ricerca poteva anche non dare alcun esito, gli archivi medici potevano essere andati perduti, o magari essere stati cancellati dalla banca dati. I computer davano sempre stupidi messaggi del tipo "Settore non trovato", "Memoria insufficiente" oppure "Errore di protezione".

Il terminale emise uno scampanellio. La ricerca era terminata. Sullo schermo era comparso un elenco di nomi e indirizzi uniti a coppie. Il programma di Jeannie aveva funzionato. Ma i cloni erano compresi nell'elenco?

Steve tenne a freno la propria impazienza. Prima di tutto bisognava fare una copia.

In un cassetto trovò una scatola di dischetti vergini e ne infilò uno nel drive. Copiò l'elenco sul dischetto, lo fece uscire e lo mise nella tasca posteriore dei jeans.

Solo allora iniziò a esaminare i nominativi.

Non ne riconobbe nessuno. Li fece scorrere: sembrava ce ne fossero parecchie pagine. Sarebbe stato più facile leggerli su carta. Chiamò il tenente Gambol. «Posso stampare da questo terminale?»

«Certo» rispose lei. «Può usare quella stampante laser.» Si avvicinò e gli mostrò come funzionava.

Steve rimase in piedi davanti alla stampante, osservando con avidità le pagine che uscivano. Sperava di vedere il proprio nome insieme a quello degli altri tre: Dennis Pinker, Wayne Stattner e l'uomo che aveva violentato Lisa Hoxton. Suo padre guardava da dietro le sue spalle.

La prima pagina conteneva solo coppie.

Il nome Steven Logan compariva a metà della seconda. Charles e Steve lo videro contemporaneamente. «Eccoti lì» disse Charles, contenendo l'eccitazione.

Ma c'era qualcosa che non andava. Erano troppi i nomi raggruppati assieme: Steven Logan, Dennis Pinker e Wayne Stattner, e poi Henry King, Per Ericson, Murray Claud, Harvey Jones e George Dassault. L'esultanza di Steve si tramutò in sconcerto.

«Chi sono tutti questi?» chiese suo padre, perplesso.

«Ci sono otto nomi» disse Steve.

«Otto?» ripeté suo padre. «Otto?»

Poi Steve capì. «Ecco in quanti esemplari ci ha prodotto la Genetico» disse. «Siamo in otto.»

«Otto cloni!» esclamò suo padre stupito. «Cosa diavolo credevano di fare?»

«Chissà come ha fatto il programma a trovarci» disse Steve. Guardò l'ultima pagina uscita dalla stampante. In fondo c'era scritto: "Caratteristica comune: Elettrocardiogramma".

«Già, ora ricordo» disse suo padre. «Ti hanno sottoposto a un elettrocardiogramma quando avevi solo una settimana. Non ho mai saputo perché.»

«L'hanno fatto a tutti. I gemelli omozigoti hanno caratteristiche cardiache simili.»

«Non riesco ancora a crederci» disse suo padre. «Al mondo ci sono altri sette ragazzi esattamente uguali a te.»

«Guarda gli indirizzi» disse Steve. «Sono tutte basi dell'esercito.»

«La maggior parte di loro ormai non abiterà più lì. Il programma non fornisce nessun'altra informazione?»

«No. È per questo che non viola la privacy delle persone.»

«E allora come fa Jeannie a rintracciarle?»

«Gliel'ho chiesto. All'università hanno tutti gli elenchi telefonici su CD-rom. Se non trovano lì, usano i registri della motorizzazione, agenzie di informazioni sui crediti e altre fonti.»

«Al diavolo la privacy» esclamò il padre. «Voglio tirar fuori tutti i dati medici di questa gente per vedere se troviamo qualche indizio.»

«Avrei voglia di un caffè» disse Steve. «Sai dove posso trovarlo?»

«Nel Centro dati non è permesso introdurre bevande. C'è il rischio che i liquidi si rovescino guastando i computer. Però c'è un piccolo locale apposito con una macchina per il caffè e un distributore di Coca-Cola, appena girato l'angolo.»

«Torno subito.» Steve uscì dal Centro dati facendo un cenno col capo al militare di guardia. Nel locale adibito a bar c'erano un paio di tavoli, qualche sedia e alcuni distributori di bibite e snack. Steve mangiò due barrette dolci e bevve una tazza di caffè, quindi fece per rientrare nel Centro dati.

Si fermò davanti alle porte a vetri. All'interno c'erano molte più persone di prima, fra cui un generale e due uomini della polizia militare, armati. Il generale stava discutendo con suo padre, mentre il colonnello con i baffetti sottili sembrava volersi intromettere tra i due. Il loro atteggiamento allarmò Steve. Stava succedendo qualcosa di brutto. Entrò nella sala e rimase vicino alla porta. L'istinto gli diceva di non attirare l'attenzione su di sé.

Udì il generale che diceva: «Ho ricevuto degli ordini, colonnello Logan: lei è in arresto».

Steve si sentì gelare.

Che cosa stava succedendo? Non poteva dipendere dal fatto che suo padre era stato scoperto a curiosare negli archivi medici. In effetti era stata una scorrettezza, ma non era certo un reato così grave da comportare l'arresto. Ci doveva essere dell'altro. Doveva esserci sotto lo zampino della Genetico.

Che cosa doveva fare?

«Non ne avete il diritto!» stava dicendo suo padre, furibondo.

Il generale gli rispose, urlando: «Non mi venga a insegnare quali sono i miei diritti, colonnello!».

Era inutile che Steve si unisse alla discussione. Aveva in tasca il dischetto con l'elenco dei nomi. Suo padre era nei guai, ma avrebbe saputo cavarsela da solo. La cosa migliore che lui poteva fare era andarsene da lì al più presto.

Si voltò e varcò la porta a vetri.

Camminava a passo veloce, cercando di dare l'impressione di uno che sa dove sta andando. Si sforzò di ricordare come fosse arrivato fin lì, attraverso quel labirinto. Svoltò un paio di angoli e attraversò un punto di controllo.

«Aspetti un minuto, signore!» disse la guardia.

Steve si fermò e si voltò, col cuore in gola. «Sì?» replicò, cercando di sembrare una persona molto occupata e impaziente di proseguire il proprio lavoro.

«Devo scaricarla dal computer. Posso vedere il suo documento d'identificazione?»

«Certo.» Steve gli porse il passaporto.

La guardia controllò la foto e batté il suo nome. «Grazie, signore» disse, restituendogli il documento.

Steve proseguì lungo il corridoio. Un altro controllo e sarebbe stato fuori.

All'improvviso udì dietro di sé la voce di Caroline Gambol che diceva: «Signor Logan! Un momento, per favore!».

Steve si lanciò un'occhiata alle spalle. La donna stava arrivando di corsa lungo il corridoio, ansante e col volto rosso per lo sforzo.

Lui girò in tutta fretta un angolo e trovò una scalinata. Corse giù per i gradini fino al piano inferiore. Aveva i nomi che lo avrebbero scagionato dall'accusa di violenza: non intendeva permettere a chicchessia di fermarlo, fosse pure l'esercito degli Stati Uniti.

Per uscire dall'edificio doveva arrivare all'anello E, quello più esterno. Si gettò lungo un corridoio trasversale, oltrepassando l'anello C. Incrociò un carrello da golf carico di materiale per le pulizie che andava nella direzione opposta. Quando fu a metà strada verso l'anello D sentì nuovamente la voce del tenente Gambol. «Signor Logan!» L'aveva ancora alle calcagna. La donna urlò attraverso il corridoio: «Il generale desidera parlarle!». Un uomo con l'uniforme dell'aeronautica gli lanciò un'occhiata incuriosita dall'interno di un ufficio. Per sua fortuna c'era relativamente poca gente in giro. Steve trovò una scala e salì. Questo avrebbe dovuto rallentare il tenente grassottello.

Giunto al piano seguente corse per tutto il corridoio fino all'anello D, proseguì per due segmenti, quindi ridiscese. Il sergente Gambol sembrava scomparso. Pensò con sollievo di essere riuscito a far perdere le proprie tracce.

Era quasi sicuro di trovarsi a livello dell'uscita. Proseguì in senso orario lungo l'anello D finché non trovò un altro corridoio. Gli parve di riconoscerlo: era da lì che era entrato. Seguì il corridoio verso l'esterno e arrivò al controllo di sicurezza dell'ingresso principale. Era quasi libero.

Fu allora che vide il tenente Gambol.

Era ferma al punto di controllo, rossa in viso e senza fiato, e parlava con la guardia.

Steve imprecò. Non era riuscito affatto a seminarla. Lei si era semplicemente diretta verso l'uscita prima di lui.

Decise di ricorrere a tutta la sua faccia tosta.

Si avvicinò alla guardia e si tolse il lasciapassare da visitatore.

«Può tenerlo» disse il tenente Gambol. «Il generale desidera parlarle.»

Steve posò la tessera sul bancone. Celando la propria paura sotto una parvenza di sicurezza, ribatté: «Temo proprio di non avere tempo. Addio, tenente, e grazie per la collaborazione».

«Sono costretta a insistere» disse lei.

Steve finse di essere impaziente. «Lei non è nella condizione di poter insistere» osservò. «Io sono un civile: non può darmi ordini. Non ho fatto niente di male, quindi non può arrestarmi. E, come può vedere, non ho con me nessuna proprietà del governo.» Sperava che il dischetto nella tasca dei calzoni non si vedesse. «Sarebbe illegale se lei cercasse di trattenermi.»

La donna si rivolse alla guardia, un uomo sulla trentina più basso di Steve di una decina di centimetri. «Non lo lasci andar via» ordinò.

Steve sorrise alla guardia. «Se lei mi tocca, soldato, sarà un'aggressione. Allora sarei giustificato se le dessi un pugno e, mi creda, intendo farlo.»

Il tenente Gambol si guardò intorno in cerca di rinforzi, ma le uniche persone in vista erano due addetti alle pulizie e un elettricista che lavorava a una lampada.

Steve si avviò verso l'uscita.

«Lo fermi!» gridò il tenente Gambol.

Dietro di sé Steve udì la guardia che urlava: «Fermo o sparo!».

Steve si voltò. La guardia aveva estratto la pistola e gliela stava puntando contro.

Gli uomini delle pulizie e l'elettricista si immobilizzarono, osservando la scena.

Le mani della guardia tremavano mentre teneva la pistola puntata contro Steve.

Steve sentì i muscoli irrigidirsi mentre fissava la canna della pistola. Con uno sforzo si scosse da quella specie di paralisi. Una guardia del Pentagono non avrebbe sparato a un civile disarmato, ne era sicuro. «Non mi sparerà» disse. «Sarebbe un omicidio.»

Si voltò e proseguì verso la porta.

Fu il percorso più lungo della sua vita. Erano solo tre o quattro metri, ma gli parve ci volessero anni a percorrerli. Gli pareva già di sentire il bruciore nella schiena.

Non appena mise la mano sulla porta udì uno sparo.

Qualcuno gridò.

"Mi ha sparato sopra la testa." Il pensiero passò come un lampo nella sua mente, ma lui non si voltò a guardare. Si gettò oltre la porta e corse giù per la lunga scalinata. Era calata la notte e il parcheggio era illuminato dai lampioni. Sentì delle urla alle sue spalle, poi un altro sparo. Arrivò in fondo alle scale e lasciò il viottolo per infilarsi tra i cespugli.

Sbucò in una strada e continuò a correre fino alla fermata degli autobus. Lì prese a camminare a passo normale. Un autobus si stava fermando. Ne scesero due soldati e una donna in abiti civili si accinse a salire. Steve montò dopo di lei.

L'autobus ripartì, uscì dal parcheggio e imboccò la tangenziale, lasciandosi alle spalle il Pentagono.

51

Nel giro di due ore Jeannie aveva imparato ad apprezzare enormemente Lorraine Logan.

Era molto più rotondetta di quanto non sembrasse dalle foto pubblicate in testa alle sue varie rubriche per cuori solitari. Sorrideva spesso, increspando il volto paffuto. Per distrarre Jeannie (e probabilmente anche se stessa) da preoccupanti congetture le aveva parlato dei problemi di cui la gente le scriveva: suocere tracotanti, mariti maneschi, fidanzati impotenti, principali che non riuscivano a tenere le mani a posto, figlie che si drogavano. Qualunque fosse l'argomento, Lorraine riusciva sempre a dire qualcosa che induceva Jeannie a pensare: "Ma certo... perché non ho mai considerato la cosa sotto questo aspetto?".

Erano sedute sul patio, mentre l'aria si andava rinfrescando, e aspettavano con ansia il ritorno di Steve e di suo padre. Jeannie raccontò a Lorraine della violenza subita da Lisa.

«Cercherà fin che può di comportarsi come se non fosse successo» disse Lorraine.

«Sì, è esattamente quello che sta facendo.»

«È una fase che può durare anche molti mesi. Ma prima o poi capirà che deve smetterla di negare l'accaduto e scendere a patti con la realtà. Questo stadio spesso comincia quando la donna cerca di riprendere una normale vita sessuale e scopre di non essere più la stessa. È allora che le donne mi scrivono.»

«E lei che cosa consiglia?»

«Di parlarne con uno psicologo. Non esiste una soluzione

facile. Lo stupro ferisce l'anima, e c'è bisogno di tempo per guarirla.»

«È quello che ha consigliato il detective.»

Lorraine inarcò le sopracciglia. «È un poliziotto molto intelligente.»

«Una poliziotta» la corresse Jeannie.

Lorraine rise. «E poi rimproveriamo gli uomini perché parlano di differenze sessuali! La prego, non racconti a nessuno quello che ho detto.»

«Lo prometto.»

Ci fu un attimo di silenzio, poi Lorraine esclamò: «Steve la ama».

«Sì, credo proprio di sì» assentì Jeannie.

«Una madre certe cose le capisce.»

«Allora è già stato innamorato, prima d'ora.»

«Non le sfugge niente, eh?» osservò Lorraine con un sorriso. «Sì, ma solo una volta.»

«Mi racconti di lei... se non le dispiace.»

«D'accordo. Si chiamava Fanny Gallaher. Aveva gli occhi verdi e i capelli ricci, di un rosso molto scuro. Era vivace e spensierata, l'unica ragazza della scuola che sembrasse ignorarlo. Steve l'ha corteggiata e lei gli ha resistito, per mesi. Ma alla fine ha vinto lui. Sono usciti insieme per circa un anno.»

«Ritiene che abbiano fatto all'amore?»

«Lo so per certo. Ogni tanto passavano la notte insieme, qui a casa. Io non sono dell'idea che i ragazzi debbano essere costretti ad amoreggiare nei parcheggi.»

«E i genitori di lei?»

«Ne parlai con la madre di Fanny. La pensava allo stesso modo.»

«Io ho perso la verginità a quattordici anni in un vicolo dietro un club dove si suonava musica punk. È stata un'esperienza così deprimente che non ho più avuto rapporti sessuali fino a ventun anni. Vorrei tanto che mia madre fosse stata come lei.»

«Non credo che abbia molta importanza se i genitori sono severi o di manica larga, purché siano coerenti. I ragazzi possono sopportare qualsiasi imposizione sempre che sappiano esattamente quali sono le regole. È la severità dispotica e arbitraria che li confonde.»

«Come mai Steve e Fanny hanno rotto?»

«Steve è stato coinvolto in un fatto increscioso... probabilmente gliene parlerà lui stesso, prima o poi.»

«Si riferisce alla rissa con Tip Fredricks?»

Lorraine inarcò le sopracciglia. «Glielo ha già raccontato? Mio Dio, allora si fida veramente di lei.»

Sentirono una macchina che si fermava in strada. Lorraine si alzò e fece il giro della casa per andare a vedere. «Steve è tornato in taxi» annunciò, perplessa.

«Come le sembra?» chiese Jeannie, alzandosi.

Prima che Lorraine potesse rispondere, Steve arrivò nel patio. «Dov'è tuo padre?» chiese Lorraine.

«Papà è stato arrestato.»

«Oh, mio Dio! E perché?» esclamò Jeannie.

«Non lo so di sicuro. Credo che quelli della Genetico abbiano scoperto, o forse anche solo immaginato, quello che stavamo facendo e si siano dati da fare. Hanno mandato due della polizia militare ad arrestarlo. Ma io sono riuscito a scappare.»

«Steve, c'è qualcosa che non mi hai detto?» chiese Lorraine con aria sospettosa.

«Una guardia ha esploso due colpi.»

Lorraine non riuscì a trattenere un gemito.

«Credo che abbia mirato sopra la mia testa. E comunque sto bene.»

Jeannie si sentì un groppo in gola. Il pensiero che qualcuno avesse sparato a Steve la faceva star male. Sarebbe potuto restare ucciso!

«Però la ricerca ha funzionato» proseguì Steve, tirando fuori il dischetto dalla tasca. «Ecco l'elenco. E non sai ancora che cosa c'è dentro...»

Jeannie deglutì a fatica. «Cosa?»

«Non ci sono quattro cloni.»

«Come?»

«Ce ne sono otto.»

Jeannie rimase a bocca aperta. «Siete in otto?»

«Abbiamo scoperto otto elettrocardiogrammi identici.»

La Genetico aveva diviso l'embrione sette volte, e impiantato a otto donne ignare il figlio di estranei. Una prevaricazione incredibile.

I sospetti di Jeannie trovavano conferma. Era questo che Berrington cercava disperatamente di nascondere. Quando la notizia fosse stata resa pubblica, il nome della Genetico sarebbe stato infangato e quello di Jeannie riabilitato.

E Steve sarebbe stato prosciolto.

«Ce l'hai fatta!» esclamò, abbracciandolo. Ma poi fu colpita da un pensiero improvviso. «Ma quale di questi otto è lo stupratore?»

«Dovremo scoprirlo» rispose Steve «e non sarà facile. Gli indirizzi che abbiamo si riferiscono al luogo in cui vivevano i genitori quando sono nati i bambini. Il che significa che quasi sicuramente non coincidono più.»

«Possiamo tentare di rintracciarli. È la specialità di Lisa.» Jeannie si alzò. «Sarà meglio che torni subito a Baltimora. Ci vorrà quasi tutta la notte.»

«Vengo con te.»

«E tuo padre? Devi tirarlo fuori dalle grinfie della polizia militare.»

«C'è bisogno di te, qui, Steve» disse Lorraine. «Chiamo subito l'avvocato, ho il suo numero di casa. Poi tu gli spiegherai che cosa è successo.»

«Va bene» acconsentì lui con una certa riluttanza.

«Prima di andare sarà meglio che chiami Lisa, in modo da trovarla già pronta» disse Jeannie. «Posso?» chiese, indicando il telefono posato sul tavolino del patio.

«Certo.»

Compose il numero di Lisa. Il telefono squillò quattro volte, poi ci fu la caratteristica pausa della segreteria telefonica che scatta. «Accidenti!» esclamò Jeannie, ascoltando il messaggio registrato di Lisa. Quando questo arrivò alla fine, disse: «Lisa, chiamami per favore. Sto venendo via da Washington in questo momento. Sarò a casa verso le dieci. È accaduta una cosa molto importante».

«Ti accompagno alla macchina» disse Steve.

Jeannie salutò Lorraine, che l'abbracciò con calore.

Fuori, Steve le consegnò il dischetto. «Abbine cura» disse.

«Non ne esiste un'altra copia e non avremo un'altra possibilità.»

Jeannie lo mise nella borsa. «Non ti preoccupare. Anche il mio futuro dipende da questo.» Lo baciò appassionatamente.

«Accidenti!» esclamò Steve. «Potremmo rifarlo? Presto?»

«Sì. Ma non cacciarti nei guai, nel frattempo. Non voglio perderti. Sta' attento.»

Lui sorrise. «Mi piace che tu ti preoccupi per me. Quasi quasi è valsa la pena di correre tanti rischi.»

Jeannie lo baciò di nuovo, questa volta con dolcezza. «Ti telefono al più presto.»

Salì in macchina e partì.

Guidando veloce arrivò a casa in un'ora.

Rimase delusa nel vedere che non c'erano messaggi di Lisa sulla segreteria telefonica. Forse si era addormentata guardando la televisione e non aveva sentito il messaggio. "Non farti prendere dal panico" pensò. Corse fuori e andò a casa di Lisa, un condominio a Charles Village. Suonò il campanello del citofono, ma non rispose nessuno. Dove diavolo era finita Lisa? Non aveva un ragazzo che la portasse fuori il sabato sera. "Dio, fa' che non sia andata da sua madre a Pittsburgh!"

Lisa viveva nell'appartamento 12B. Jeannie suonò il campanello del 12A. Nessuna risposta. Forse i campanelli non funzionavano. Impaziente, tentò col 12C.

«Chi diavolo è?» rispose una burbera voce maschile.

«Mi dispiace disturbarla, ma sono un'amica di Lisa Hoxton, la ragazza che vive di fianco a lei e ho bisogno di rintracciarla immediatamente. Per caso lei sa dove è andata?»

«Dove crede di essere, signora, a Hicksville?» rispose la voce. «Non so neppure che faccia abbia la mia vicina!» Fine della comunicazione.

«E tu di dove sei, di New York?» ribatté Jeannie arrabbiata e inascoltata al microfono.

Tornò a casa, guidando come una pazza, e chiamò nuovamente Lisa. «Lisa, ti prego, chiamami appena arrivi a casa. Immediatamente. A qualsiasi ora della notte. Ti aspetto alzata.»

Non aveva più niente da fare. Senza Lisa non poteva neppure entrare al Pandemonio.

Fece una doccia e indossò l'accappatoio rosa. Aveva fame e

si scongelò una ciambella nel microonde, ma i primi bocconi la nausearono, così la gettò via e bevve un po' di caffè col latte. Se almeno avesse avuto un televisore per distrarsi.

Tirò fuori la fotografia di Steve regalatale da Charles. Ci voleva una cornice. Per il momento l'attaccò allo sportello del frigorifero con un magnete.

Le venne voglia di guardare l'album delle fotografie. Sorrise nel vedere suo padre con l'abito marrone gessato, i risvolti esageratamente pronunciati e i pantaloni a zampa d'elefante, in piedi accanto alla Thunderbird turchese. C'erano parecchie foto di Jeannie in tenuta da tennis, che reggeva trionfalmente tra le mani una serie di coppe e targhe d'argento. Poi c'era la mamma che spingeva un vecchio passeggino con Patty, e c'era Will Temple che faceva il diavolo a quattro con un cappello da cowboy in testa, e Jeannie che rideva...

Il telefono squillò.

Jeannie si alzò di scatto, facendo cadere l'album per terra, e afferrò la cornetta. «Lisa?»

«Ciao, Jeannie! Cos'è tutta questa urgenza?»

Jeannie si lasciò cadere sul divano, con un sospiro di sollievo. «Grazie al cielo! Sono ore che ti cerco, dove sei stata?»

«Sono andata al cinema con Catherine e Bill. È un reato?»

«Scusami, non ho alcun diritto di farti il terzo grado...»

«Non c'è problema. Sono una tua amica. Puoi pure fare la suocera con me. Un giorno o l'altro lo farò anch'io e saremo pari.»

Jeannie scoppiò a ridere. «Grazie. Senti, Lisa, ho una lista di cinque nomi di persone che potrebbero essere il sosia di Steve.» Stava deliberatamente sminuendo la situazione: la verità era troppo sconvolgente perché Lisa potesse assimilarla in un colpo solo. «Ho bisogno di rintracciarle questa notte. Vuoi aiutarmi?»

All'altro capo del filo ci fu un attimo di silenzio. «Jeannie, per aver cercato di entrare nel tuo ufficio ho passato guai seri. Stavo per essere licenziata, e così pure l'agente della sorveglianza. Io voglio aiutarti, ma ho bisogno di questo lavoro.»

Jeannie provò un'angoscia mortale. "No. Non puoi mollarmi proprio adesso, non quando sono a un passo dalla meta." «Ti prego» disse.

«Ho paura.»

In Jeannie la determinazione prese il posto dell'angoscia. "No, questa non te la lascio passare" pensò, e disse: «Lisa, è quasi domenica». "Non mi piace farti questo, ma ci sono costretta." «Una settimana fa sono entrata in un edificio in fiamme per cercarti.»

«Lo so, lo so.»

«Anch'io avevo paura, allora.»

Ci fu un lungo silenzio. «Hai ragione» disse Lisa alla fine. «Okay, lo farò.»

Jeannie soffocò un urlo di trionfo. «In quanto tempo puoi essere all'università?»

«Quindici minuti.»

«Ci vediamo fuori.»

Jeannie riattaccò. Corse in camera da letto, gettò a terra l'accappatoio, si infilò i jeans neri, una maglietta turchese, un giubbotto nero della Levi's e si precipitò fuori.

Mentre usciva di casa scattò la mezzanotte.

DOMENICA

52

Jeannie arrivò all'università prima di Lisa. Scelse il parcheggio dei visitatori poiché non voleva che qualcuno notasse la sua inconfondibile macchina fuori del Pandemonio, quindi attraversò il campus buio e deserto. Mentre aspettava impaziente davanti all'ingresso dell'edificio, rimpianse di non essersi fermata a comperare qualcosa da mangiare. Non aveva mandato giù niente in tutto il giorno. Pensò con bramosia a un cheeseburger con patatine fritte, a una fetta di pizza col salame piccante, a una torta di mele col gelato di vaniglia, persino a un'insalata condita con l'aïoli. Finalmente arrivò Lisa a bordo della piccola Honda bianca.

Scese dalla macchina e prese Jeannie per le mani. «Mi vergogno» le disse. «Non toccava a te ricordarmi che amica sei stata per me.»

«Però ti capisco» rispose Jeannie.

«Mi dispiace.»

Jeannie l'abbracciò.

Entrarono in laboratorio e accesero le luci. Jeannie preparò la caffettiera mentre Lisa avviava il computer. Era strano trovarsi in laboratorio nel cuore della notte. L'asettico arredamento bianco, le luci accecanti e i macchinari silenziosi facevano venire in mente un obitorio.

Jeannie pensò che prima o poi avrebbero ricevuto la visita della sorveglianza. Dopo la sua effrazione tenevano sicuramente d'occhio il Pandemonio e avrebbero visto le luci accese. Del resto non era insolito che gli scienziati lavorassero in laboratorio nelle ore più strane, e non ci sarebbero stati problemi, a meno che la guardia non la riconoscesse. «Se arriva un agente della vigilanza, io mi nascondo nell'armadio della cancelleria» disse a Lisa. «Nel caso sapesse che non dovrei trovarmi qui.»

«Spero proprio di sentirli arrivare» replicò Lisa, nervosamente.

«Dovremmo escogitare un qualche tipo di allarme.» Jeannie era ansiosa di procedere alla ricerca dei cloni, ma trattenne la propria impazienza: qualche precauzione era necessaria. Si guardò attorno pensierosa e l'occhio le cadde su una piccola composizione floreale posata sulla scrivania di Lisa. «Ci tieni molto a questo vaso di vetro?» le chiese.

Lisa si strinse nelle spalle. «L'ho comperato da K-mart. Posso acquistarne un altro.»

Jeannie gettò i fiori nel cestino e vuotò l'acqua in un lavandino. Prese dalla libreria una copia di *Gemelli monovulari allevati separatamente* di Susan L. Farber e andò in fondo al corridoio, dove una porta antincendio a due battenti si apriva sulla scala. Tirò a sé le porte di qualche centimetro e le bloccò usando il libro come cuneo, quindi posò il vaso in equilibrio sugli spigoli superiori. Non c'era modo che qualcuno aprisse le porte senza far cadere il vaso.

«Che cosa devo dire se mi domandano perché l'ho fatto?» chiese Lisa osservando la manovra.

«Di' che non volevi che qualcuno arrivasse senza che tu te ne accorgessi.»

Lisa annuì, convinta. «Dio solo sa se ho motivo di essere paranoica.»

«Su, mettiamoci al lavoro» disse Jeannie.

Tornarono in laboratorio, lasciando la porta aperta in modo da poter sentire un'eventuale caduta a terra del vaso. Jeannie inserì il prezioso dischetto nel computer di Lisa e stampò i risultati della ricerca condotta al Pentagono. C'erano i nomi di otto bambini i cui elettrocardiogrammi erano così simili da sembrare della stessa persona. Otto minuscoli cuoricini che battevano esattamente allo stesso ritmo. Berrington era riuscito a fare in modo che gli ospedali militari sottoponessero i bambini a quell'esame. Senza dubbio alcune copie del risultato erano state inviate alla Aventine Clinic, dove erano rimaste fino al venerdì precedente, giorno in cui erano state distrutte. Ma Berrington aveva dimenticato, o forse non se n'era mai reso conto, che l'esercito aveva conservato il tracciato originale.

«Cominciamo con Henry King» suggerì. «Nome completo Henry Irwin King.»

Sulla scrivania Lisa aveva due drive esterni per CD-rom, uno sopra l'altro. Prese due CD dal cassetto e ne inserì uno in ogni drive. «Su questi due dischi abbiamo tutti i numeri delle utenze private degli Stati Uniti» disse «e abbiamo un programma che ci permette di cercare su entrambi i dischi contemporaneamente.»

Sul monitor comparve la schermata iniziale di Windows. «Sfortunatamente non sempre le persone mettono il nome completo sull'elenco del telefono. Vediamo quanti H. King ci sono negli Stati Uniti» disse e batté:

H* KING

quindi cliccò su "Conta". Dopo un attimo apparve una finestra con il numero 1129.

Jeannie si scoraggiò. «Ci vorrà tutta la notte per chiamare tanti numeri!»

«Aspetta, forse possiamo fare qualcosa di meglio» rispose Lisa e batté

HENRY I. KING O HENRY IRWIN KING

e cliccò sull'icona "Recupera", raffigurata dall'immagine di un cagnolino. Un attimo dopo sullo schermo comparve un elenco. «Abbiamo tre Henry Irwin King e diciassette Henry I. King. Qual è il suo ultimo indirizzo conosciuto?»

Jeannie consultò la stampata. «Fort Devens, Massachusetts.»

«Okay, abbiamo un Henry Irwin King a Amherst e quattro Henry I. King a Boston.»

«Chiamiamoli.»

«Ti rendi conto che è l'una del mattino?»

«Non posso aspettare fino a domani.»

«La gente non accetterà di parlarti a quest'ora della notte.»

«Certo che sì» disse Jeannie. Era spavalderia bell'e buona.

Sapeva bene che avrebbe incontrato parecchie difficoltà. Ma non era disposta ad aspettare fino all'indomani mattina. Era troppo importante. «Dirò che sono della polizia, e che sto ricercando un serial killer.»

«Credo che sia illegale.»

«Dammi il numero di Amherst.»

Lisa evidenziò un nome sull'elenco e premette F2. Si udì una rapida sequenza di bip dal modem. Jeannie sollevò il ricevitore.

Contò sette squilli, poi una voce assonnata rispose: «Pronto?».

«Parla il detective Susan Farber del Dipartimento di polizia di Amherst» disse. Era quasi sicura che l'uomo le rispondesse "Va' al diavolo!", invece non disse niente e lei proseguì. «Ci dispiace disturbarla nel cuore della notte, ma si tratta di una questione urgente. Parlo con Henry Irwin King?»

«Sì... che cosa è successo?»

Sembrava la voce di un uomo di mezza età, ma Jeannie insistette per essere sicura. «È un'indagine di routine» disse, e subito capì di aver fatto un errore.

«Routine?» ripeté l'uomo stizzito. «A quest'ora della notte?»

Improvvisando, Jeannie si affrettò ad aggiungere: «Stiamo facendo indagini su un grave crimine e dobbiamo eliminarla dalla lista dei sospetti. Potrebbe dirmi la sua data e il luogo di nascita?».

«Sono nato a Greenfield, nel Massachusetts, il quattro maggio millenovecentoquarantacinque. Va bene?»

«E non ha per caso un figlio che porta il suo stesso nome?»

«No, ho tre figlie femmine. E ora posso tornare a dormire?»

«Non ci serve altro, signore. Grazie per aver collaborato con la polizia, e dorma bene.» Riattaccò e guardò Lisa con aria trionfante. «Visto? Mi ha parlato. Non era contento, però l'ha fatto.»

Lisa scoppiò a ridere. «Dottoressa Ferrami, lei è una maestra nell'arte dell'inganno.»

Jeannie le fece un gran sorriso. «Ci vuole solo un bel po' di faccia tosta. Controlliamo gli Henry I. King. Io chiamo i primi due, tu occupati degli altri.»

Solo una poteva usare la funzione di composizione automatica del numero. Jeannie trovò un taccuino e una penna e annotò i due numeri, poi prese un telefono e compose il primo manualmente. Rispose una voce maschile e lei partì con il suo discorsetto: «Parla il detective Susan Farber della polizia di Boston...».

«Per quale fottuto motivo mi telefona a quest'ora della notte?» sbottò l'uomo. «Non sa chi sono?»

«Immagino lei sia Henry King...»

«Immagini pure di aver appena perso il suo fottuto posto di lavoro, stupida puttanella» continuò inviperito. «Come ha detto che si chiama? Susan cosa...?»

«Ho solo bisogno di controllare la sua data di nascita, signor King...»

«Mi passi subito il tenente.»

«Signor King...»

«Obbedisca!»

«Stupido bestione» scattò Jeannie e mise giù. Si sentiva piuttosto scossa. «Spero tanto che non siano tutti come questo.»

Lisa aveva già riattaccato. «Il mio era giamaicano e l'accento lo confermava» la informò. «Mi sembra di aver capito che il tuo non fosse tanto gentile.»

«Per niente.»

«Potremmo smettere per adesso, e proseguire domani mattina.»

Jeannie non intendeva darsi per vinta solo perché aveva trovato un cafone. «No» disse. «Qualche insulto non mi spaventa.»

«Come vuoi.»

«Sembrava molto più vecchio, quindi possiamo anche toglierlo dalla lista. Proviamo gli altri due.»

Facendosi coraggio, compose l'altro numero.

Il terzo Henry King contattato da Jeannie non era ancora andato a letto: si sentivano musica e voci in sottofondo. «Sì, chi parla?» disse.

Sembrava dell'età giusta e Jeannie cominciò a nutrire qualche speranza. Giocò di nuovo la sua parte da poliziotto, ma l'uomo era sospettoso. «Come faccio a sapere che lei è della polizia?»

Sembrava proprio la voce di Steve, e Jeannie sentì un tuffo al cuore. Poteva essere uno dei cloni. Doveva accertarlo, ma come? Decise di usare la propria faccia tosta. «Preferisce richiamarmi alla centrale?» propose, spudoratamente.

«No, lasci perdere» rispose lui dopo aver riflettuto un attimo.

Jeannie riprese a respirare normalmente.

«Sono Henry King» disse. «Tutti mi chiamano Hank. Cosa vuole da me?»

«Potrei prima controllare la sua data e luogo di nascita?»

«Sono nato a Fort Devens esattamente ventidue anni fa. A dire il vero oggi è il mio compleanno, anzi lo era ieri, sabato.»

Era lui! Jeannie aveva già trovato un clone. La prossima mossa era stabilire se si fosse trovato a Baltimora la domenica precedente. Cercò di nascondere la propria eccitazione e chiese: «Potrebbe dirmi quando è stata l'ultima volta che è uscito dallo Stato?».

«Mi faccia pensare... in agosto, sono andato a New York.»

Il suo istinto le suggeriva che stava dicendo la verità, ma proseguì con le domande. «Che cosa ha fatto domenica scorsa?»

«Ho lavorato.»

«Che lavoro fa?»

«Be', sono laureando al MIT, ma di domenica faccio il cameriere al Blu Note Café a Cambridge.»

Jeannie prese nota. «Ed è lì che si trovava domenica scorsa?»

«Sì. Ho servito almeno cento persone.»

«Grazie, signor King.» Se era vero, non era lui quello che aveva violentato Lisa. «Le dispiacerebbe darmi il numero di telefono del locale, in modo che io possa verificare il suo alibi?»

«Il numero non me lo ricordo, ma è sull'elenco. Che cosa dovrei aver fatto?»

«Stiamo facendo indagini su un caso di incendio doloso.»

«Mi fa piacere avere un alibi.»

La turbava udire la voce di Steve e sapere che stava parlando con uno sconosciuto. Avrebbe voluto vedere questo Henry King per controllare se gli somigliava. Riluttante, concluse la conversazione. «Grazie ancora, signore. Buona notte.» Riattaccò sbuffando, logorata dallo sforzo di fingere.

Lisa aveva ascoltato. «L'hai trovato?»

«Sì. È nato a Fort Devens e oggi compie ventidue anni. E lui l'Henry King che cerchiamo, ne sono sicura.»

«Bel lavoro!»

«Ma pare che abbia un alibi. Dice che stava lavorando in un bar a Cambridge.» Consultò il taccuino. «Il Blue Note.»

«Cosa dici, controlliamo?» Il suo istinto di cacciatrice era stato stuzzicato e ora era impaziente.

Jeannie annuì. «È tardi, ma penso che un bar dovrebbe essere ancora aperto, specialmente di sabato sera. Puoi trovare il numero con il tuo CD-rom?»

«Abbiamo solo numeri di privati. Gli esercizi commerciali sono su un altro set di dischi.»

Jeannie chiamò il servizio informazioni, si fece dare il numero e lo compose. Risposero subito.

«Qui è il detective Susan Farber della polizia di Boston. Vorrei parlare con il direttore del locale, per favore.»

«Sono io, che cosa c'è?» L'uomo aveva un accento ispanico e sembrava preoccupato.

«Ha un dipendente di nome Henry King?»

«Sì, Hank... che cos'ha fatto questa volta?»

Sembrava che Henry King avesse già avuto guai con la legge. «Forse niente. Quando l'ha visto l'ultima volta?»

«Oggi. Voglio dire, ieri, sabato. Ha fatto il turno di giorno.»

«E prima?»

«Dunque, vediamo... domenica. Ha lavorato dalle quattro a mezzanotte.»

«Sarebbe pronto a giurarlo, se necessario?»

«Certo, perché no? Chiunque sia stato ucciso, non è stato Hank.»

«Grazie per la collaborazione, signore.»

«Nessun problema.» Il direttore sembrava sollevato che la cosa finisse lì. "Se fossi un poliziotto" pensò Jeannie, "direi che quest'uomo ha la coscienza sporca." «Chiami pure quando vuole» concluse, e riattaccò.

«L'alibi regge» annunciò Jeannie delusa.

«Non scoraggiarti» disse Lisa. «Abbiamo fatto un buon lavoro... tanto più che ha un nome così comune. Proviamo Per Ericson. Non ce ne possono essere tanti.»

La lista del Pentagono diceva che Per Ericson era nato a Fort Rucker, ma ventidue anni dopo non c'era più alcun Per Ericson in tutta l'Alabama. Lisa tentò:

P* ERICS?ON

caso mai fosse stato scritto con una doppia S, e poi provò:

P* ERICS$N

per comprendere anche le varianti Ericsen e Ericsan, ma il computer non trovò nulla.

«Prova Filadelfia» suggerì Jeannie. «È lì che mi ha aggredita.»

A Filadelfia ce n'erano ben tre. Il primo risultò essere un Peder, il secondo una fragile voce di anziano su una segreteria telefonica, il terzo una donna, Petra. Jeannie e Lisa cominciarono a passare al setaccio tutti i P. Ericson degli Stati Uniti, trentatré in totale.

Il secondo P. Ericson di Lisa era un tipo collerico e scurrile e quando riattaccò la ragazza era pallida per la tensione. Ma dopo una tazza di caffè proseguì con determinazione.

Ogni telefonata era un piccolo dramma. Ogni volta Jeannie doveva trovare abbastanza sangue freddo da fingersi un poliziotto. Era una tortura pensare che avrebbe potuto risponderle l'uomo che le aveva detto: «O mi fai una sega o ti riempio di botte». E poi c'era lo sforzo di continuare a fare la parte del detective contro lo scetticismo o la maleducazione delle persone che rispondevano al telefono. La maggior parte delle telefonate si rivelava una delusione.

Jeannie stava concludendo la sesta infruttuosa intervista quando sentì Lisa che diceva: «Oh, sono terribilmente spiacente. Le nostre informazioni devono essere superate. La prego di scusarmi per l'intrusione, signora Ericson». Riattaccò. Aveva l'aria stravolta. «È lui» annunciò con aria solenne. «Ma

424

è morto lo scorso inverno. Questa era la madre. Quando le ho chiesto del figlio è scoppiata in lacrime.»

Jeannie si chiese per un attimo che tipo fosse stato Per Ericson, uno psicopatico come Dennis o un bravo ragazzo come Steve? «Com'è morto?»

«Era un campione di sci e si è rotto l'osso del collo tentando qualcosa di rischioso.»

Un temerario, uno che non conosceva la paura. «Sembra proprio il nostro uomo.»

Jeannie non aveva pensato che alcuni cloni potevano essere morti. Capì all'improvviso che gli embrioni impiantati dovevano essere stati ben più di otto. Infatti anche negli ultimi tempi, benché la tecnica fosse più che collaudata, non tutti gli embrioni attecchivano. Inoltre qualcuna delle madri poteva aver abortito. La Genetico doveva aver coinvolto nell'esperimento almeno quindici o venti donne.

«È dura fare queste telefonate» disse Lisa.

«Vuoi staccare un attimo?»

«No.» Lisa si riprese. «Ce la stiamo cavando bene. Abbiamo eliminato due dei cinque nomi, e non sono neppure le tre di notte. Chi è il prossimo?»

«George Dassault.»

Jeannie cominciava a pensare che avrebbero trovato lo stupratore, anche se con quel nominativo non ebbero fortuna. C'erano solo sette George Dassault in tutti gli Stati Uniti, ma tre di loro non risposero al telefono. Nessuno aveva a che fare con Baltimora o Filadelfia – uno era di Buffalo, uno di Sacramento e uno di Houston – ma questo non provava nulla. Non c'era più niente che potessero fare per il momento. Lisa stampò la lista dei numeri di telefono in modo da poter provare più tardi.

C'era anche un'altra difficoltà. «Non è detto che l'uomo che stiamo cercando sia sul CD-rom» osservò Jeannie.

«È vero. Potrebbe non avere il telefono. Oppure il suo nome potrebbe non risultare sull'elenco.»

«Oppure potrebbe essere registrato con un soprannome, che so, Spike Dassault o Flip Jones.»

Lisa ridacchiò. «Potrebbe essere diventato un cantante rap e aver cambiato il suo nome in Icey Creamo Creamy.»

«O magari essere un lottatore che si fa chiamare Iron Billy.»

«Potrebbe scrivere western sotto lo pseudonimo di Buck Remington.»

«O libri pornografici col nome d'arte di Heidi Whiplash.»

«Dick Sveltina.»

«Henrietta Fichetta.»

Le loro risate vennero bruscamente interrotte dal rumore del vaso di vetro che andava in frantumi. Jeannie si alzò di scatto dallo sgabello e schizzò a nascondersi nell'armadio della cancelleria. Chiuse l'anta e rimase lì al buio, in ascolto.

Sentì Lisa che chiedeva con voce nervosa: «Chi è?».

«Vigilanza» rispose una voce d'uomo. «È stata lei a mettere lì quel vaso?»

«Sì.»

«Posso chiederle perché?»

«Perché nessuno potesse entrare di nascosto. Non sono tranquilla a lavorare qui fino a tardi.»

«Be', io non intendo tirare su i cocci. Non sono delle pulizie, io.»

«Okay, li lasci pure lì.»

«È sola, signorina?»

«Sì.»

«Devo dare un'occhiata in giro.»

«Faccia pure.»

Jeannie afferrò la maniglia con entrambe le mani. Se l'uomo avesse cercato di aprire, glielo avrebbe impedito.

Lo sentì camminare per il laboratorio. «Che tipo di lavoro sta facendo?» La voce dell'uomo era molto vicina.

Quella di Lisa era lontana. «Mi piacerebbe parlarne, ma proprio non ho tempo. Sono davvero molto occupata.»

"Se non fosse occupata, rompiballe, non sarebbe qui nel cuore della notte, quindi perché non sparisci e la lasci in pace?"

«Okay, non c'è problema.» A giudicare dalla voce doveva essere proprio davanti all'anta. «Cosa c'è qui dentro?»

Jeannie afferrò saldamente la maniglia, pronta a fare resistenza.

«Lì dentro teniamo i cromosomi virali radioattivi» rispose

Lisa. «Dovrebbe essere abbastanza sicuro, può aprire se non è chiuso a chiave.»

Jeannie soffocò una risata isterica. Chissà come aveva fatto a inventarsi i cromosomi virali radioattivi.

«Credo che lascerò perdere» disse l'agente. Jeannie stava per mollare la presa sulla maniglia quando sentì un'improvvisa pressione. Tirò verso l'alto con tutte le sue forze. «E comunque è chiuso» disse l'uomo.

Ci fu una pausa. Quando parlò di nuovo, l'uomo era lontano e Jeannie si rilassò. «Se si sente sola, venga alla guardiola. Le offrirò una tazza di caffè.»

«Grazie» rispose Lisa.

La tensione di Jeannie cominciò ad allentarsi, ma lei rimase prudentemente al suo posto aspettando il segnale di via libera. Dopo un paio di minuti Lisa aprì l'anta. «Ha lasciato l'edificio» le disse.

Si rimisero al telefono.

Murray Claud era un altro nome insolito, e lo rintracciarono alla svelta. Fu Jeannie a fare la telefonata. Murray Claud padre le comunicò, con voce piena di amarezza, che suo figlio era stato incarcerato ad Athens tre anni prima, in seguito a una rissa a coltellate in una taverna, e non sarebbe stato rilasciato prima di gennaio. «Quel ragazzo avrebbe i numeri per diventare qualcuno» disse, «un astronauta, un premio Nobel, un attore, il presidente degli Stati Uniti. È intelligente, bello, simpatico. E si è buttato via. Si è proprio buttato via.»

Jeannie comprendeva il dolore di quel padre. Credeva di essere lui il responsabile. Fu seriamente tentata di dirgli la verità, ma non era preparata, e comunque non c'era tempo. Promise a se stessa che un giorno l'avrebbe richiamato e avrebbe fatto del suo meglio per consolarlo.

Avevano lasciato Harvey Jones per ultimo perché sapevano che sarebbe stato il più difficile.

Jeannie si scoraggiò nello scoprire che c'erano quasi un milione di Jones in America, e la H era un'iniziale molto comune. Di secondo nome faceva John. Era nato al Walter Reed Hospital di Washington, quindi Jeannie e Lisa cominciarono col chiamare tutti gli Harvey Jones, H.J. Jones e H. Jones dell'elenco telefonico di Washington. Non riuscirono a trovare nessuno che fosse nato all'incirca ventidue anni prima al Walter Reed e, peggio ancora, accumularono un lungo elenco di casi dubbi: persone che non avevano risposto al telefono.

Jeannie fu assalita dallo sconforto. Avevano tre George Dassault irrisolti e ora anche venti o trenta H. Jones. Il suo approccio era teoricamente valido, ma solo se le persone rispondevano al telefono. Cominciavano a farle male gli occhi e si sentiva irritabile per il sonno e il troppo caffè.

Alle quattro del mattino attaccarono i Jones di Filadelfia.

Alle quattro e mezzo Jeannie lo trovò.

Lì per lì aveva pensato che sarebbe stato un altro punto interrogativo. Il telefono squillò quattro volte, poi si udì la caratteristica pausa e il clic di una segreteria. Ma la voce registrata era lugubremente familiare. «Questa è l'abitazione di Harvey Jones» disse la voce, e a Jeannie venne la pelle d'oca. Era come ascoltare Steve: il tono, la pronuncia, l'espressione erano proprio i suoi. «Non posso rispondere al telefono in questo momento, quindi per favore lasciate un messaggio dopo il segnale acustico.»

Jeannie riattaccò e controllò l'indirizzo. Corrispondeva a un appartamento in Spruce Street, alla Città universitaria, non lontano dalla Aventine Clinic. Si accorse che le tremavano le mani. Era perché avrebbe voluto strozzarlo.

«L'ho trovato» disse a Lisa.

«Oh, mio Dio!»

«C'era la segreteria, ma la voce è la sua, e vive a Filadelfia, vicino al luogo in cui sono stata aggredita.»

«Fammelo sentire.» Lisa compose il numero. Come sentì il messaggio sbiancò in volto. «È lui» disse e riattaccò. «Mi sembra ancora di sentirlo. "Togliti quelle belle mutandine" mi ha detto. Oh, mio Dio...»

Jeannie alzò la cornetta e chiamò la polizia.

428

53

Sabato notte Berrington Jones non dormì.

Fino a mezzanotte rimase nel parcheggio del Pentagono a sorvegliare la Lincoln nera del colonnello Logan, poi chiamò Proust e apprese che Logan era stato arrestato, ma Steve era fuggito, presumibilmente con la metropolitana o con l'autobus, visto che non aveva preso la macchina del padre.

«Che cosa facevano al Pentagono?» chiese a Jim.

«Erano al Centro dati del Comando. Sto cercando di appurare esattamente che cosa avessero in mente. Vedi un po' se riesci a rintracciare il ragazzo o la Ferrami.»

Berrington non protestava più. La situazione era disperata. Non era il momento di pensare alla propria dignità: se non fosse riuscito a fermare Jeannie, non gliene sarebbe rimasta affatto.

Quando tornò dai Logan, la casa era buia e deserta. La Mercedes rossa di Jeannie era sparita. Aspettò per un'ora, ma non arrivò nessuno. Immaginando che la ragazza fosse andata a casa, tornò a Baltimora e passò più volte davanti alla sua abitazione, ma la macchina non era neppure là.

Stava ormai albeggiando quando arrivò finalmente a casa, a Roland Park. Entrò e chiamò Jim, ma non lo trovò né a casa né in ufficio. Allora si sdraiò sul letto, vestito, e chiuse gli occhi, ma, pur essendo esausto, rimase sveglio a rimuginare.

Alle sette si alzò e provò nuovamente a chiamare Jim, ma senza risultato. Fece una doccia, si rasò, indossò un paio di calzoni di cotone neri e una polo a righe. Si preparò un'abbondante spremuta d'arancia e la bevve in piedi in cucina. Diede un'occhiata all'edizione domenicale del "Sun" di Baltimora, ma tra i titoli non c'era nulla che gli dicesse qualcosa: era come se fossero scritti in finnico.

Proust chiamò alle otto.

Aveva passato la notte al Pentagono in compagnia di un amico generale, a interrogare il personale del Centro dati con il pretesto di un'indagine su una fuga di notizie. Il generale, con cui Jim aveva condiviso i giorni alla Cia, sapeva solo che Logan stava cercando di smascherare un'operazione segreta degli anni Settanta e che Jim voleva impedirglielo.

Il colonnello Logan, che era ancora in stato di fermo, si rifiutava di parlare se non per dire: "Esigo un avvocato". Ma i risultati della ricerca di Jeannie erano rimasti sul terminale usato da Steve, quindi Jim era riuscito a sapere che cosa avevano scoperto. «Così faceste fare un elettrocardiogramma a tutti i bambini» disse Jim.

Berrington se l'era dimenticato, ma ora gli tornò in mente. «Sì, esatto.»

«Logan li ha trovati.»

«Tutti?»

«Tutti e otto.»

Era la notizia peggiore che Jim potesse dargli. Quegli elettrocardiogrammi erano quasi identici, come se fossero stati fatti alla stessa persona in giorni diversi. Steve, suo padre, e presumibilmente anche Jeannie, ora sapevano che Steve era uno degli otto cloni. «Accidenti!» esclamò Berrington. «Siamo riusciti a tenerlo segreto per ventidue anni e adesso questa maledetta ragazza l'ha scoperto.»

«Te l'avevo detto che dovevamo farla sparire.»

Quando era sotto pressione Jim diventava ancora più insolente. Dopo una notte insonne, però, Berrington non aveva la pazienza di sopportarlo. «Se fai tanto di aggiungere "Io te l'avevo detto" giuro su Dio che ti faccio saltare le cervella.»

«Va bene, va bene!»

«Preston lo sa?»

«Sì. Continua a sostenere che siamo finiti, ma lui lo dice sempre.»

«Questa volta potrebbe avere ragione.»

Jim assunse un tono da discorso ufficiale. «Tu puoi anche

essere disposto a ritirarti, Berry, ma io non ne ho la minima intenzione» gracchiò. «Dobbiamo solo tenere tutto nascosto fino alla conferenza stampa di domani. Se ci riusciamo l'acquisizione è cosa fatta.»

«E dopo?»

«Dopo avremo centottanta milioni di dollari e con quei soldi puoi mettere a tacere un mucchio di gente.»

Berrington voleva tanto credergli. «Visto che sei così furbo, secondo te che cosa dovremmo fare?»

«Dobbiamo scoprire quali elementi hanno esattamente in mano. Nessuno sa se Steven Logan aveva in tasca una copia di quella lista di nomi quando è scappato. La donna che era al Centro dati giura di no, ma non so se ci possiamo fidare. In ogni caso quegli indirizzi sono vecchi di vent'anni: quello che voglio sapere è se Jeannie Ferrami è in grado di rintracciarli conoscendo solo i nomi.»

«La risposta è sì» disse Berrington. «All'Istituto di psicologia siamo bravissimi in questo. Lo facciamo abitualmente, per trovare gemelli monovulari. Se ieri sera la ragazza ha messo le mani su quella lista, a quest'ora può averne già scoperti alcuni.»

«Lo temevo. C'è modo di controllare?»

«Potrei chiamarli e chiedere se l'hanno sentita.»

«Dovrai essere molto discreto.»

«Jim, ora stai davvero diventando fastidioso. A volte ti comporti come se fossi l'unico ad avere mezzo fottutissimo cervello in America. Ovvio che sarò discreto. Ti richiamo io» concluse buttando giù la cornetta.

I nomi dei cloni e i loro numeri di telefono, annotati con un codice molto semplice, si trovavano nella sua agenda elettronica. La prese dal cassetto della scrivania e l'accese.

In tutti quegli anni non li aveva mai persi di vista. Si sentiva più paterno di Preston o di Jim nei loro confronti. Nei primi tempi aveva addirittura mandato qualche lettera dalla Aventine Clinic, chiedendo informazioni su di loro col pretesto di studi di approfondimento sui trattamenti ormonali. In seguito, quando questo non era più stato credibile, aveva usato una serie di sotterfugi: si era finto agente immobiliare e aveva chiesto ai genitori se intendevano vendere la casa, oppure funzionario dell'esercito che voleva sapere se erano interessati a ricevere una pubblicazione che elencava le borse di studio destinate ai figli dei militari. Aveva osservato con crescente sgomento la trasformazione di molti di loro da bambini intelligenti ma ribelli ad adolescenti coraggiosi ma con tendenze criminali ad adulti brillanti ma instabili. Erano lo sfortunato prodotto di un esperimento di portata storica. Berrington non si era mai pentito di averlo fatto, ma si sentiva in colpa nei confronti di quei ragazzi. Quando Per Ericson si era ucciso tentando un salto mortale con gli sci su una pista di Vail, aveva pianto.

Osservò la lista, cercando di inventarsi l'ennesimo pretesto. Poi prese in mano il telefono e chiamò il padre di Murray Claud. Il telefono squillò parecchie volte ma non rispose nessuno. Alla fine Berrington intuì che quello doveva essere il giorno in cui andava a fare visita al figlio in galera.

Allora chiamò George Dassault. Questa volta ebbe maggior fortuna. Rispose una giovane voce familiare. «Sì, chi parla?»

«Qui è la Bell Telephone. Stiamo facendo un controllo su alcune telefonate illegali. Ha ricevuto qualche telefonata strana o insolita nelle ultime ventiquattr'ore?»

«No, direi di no. Ma sono stato fuori casa da venerdì, quindi non saprei.»

«Grazie per aver collaborato alla nostra indagine, signore. Arrivederci.»

Poi Berrington provò Hank King a Boston.

«Sì, chi parla?»

Era incredibile, rifletté Berrington, rispondevano tutti al telefono con la stessa mancanza di riguardo. Non poteva esserci un gene responsabile dell'educazione telefonica. Del resto le ricerche sui gemelli erano piene di fenomeni simili. «Qui è la AT&T» disse Berrington. «Stiamo conducendo un'indagine sull'uso fraudolento del telefono e vorremmo sapere se nelle ultime ventiquattr'ore ha ricevuto qualche telefonata strana o sospetta.»

La pronuncia di Hank era impastata. «Gesù, abbiamo fatto tanti bagordi che non me lo ricordo.» Berrington alzò gli occhi al cielo. Ma certo! Il giorno precedente era il compleanno di Hank. Di sicuro era ubriaco o drogato, se non tutt'e due. «No, aspetti un minuto! Ora che mi ricordo ce n'è stata una... era nel cuore della notte. La donna ha detto che era della polizia di Boston.»

«Era una donna?» Poteva trattarsi di Jeannie, pensò Berrington colto da un brutto presentimento.

«Sì, una donna.»

«Ha detto come si chiamava? Questo potrebbe permetterci di controllare la sua buona fede.»

«Certo che l'ha detto, ma non me lo ricordo. Sarah, o Carol, forse Margaret... no, Susan, ecco, si chiamava detective Susan Farber.»

Questo eliminava ogni dubbio. Susan Farber era l'autrice di *Gemelli monovulari allevati separatamente*, l'unico libro pubblicato sull'argomento. Dunque anche lei aveva la lista di nomi. Berrington era sgomento. Proseguì con le domande. «Che cosa le ha detto, signore?»

«Mi ha chiesto la data e il luogo di nascita.»

Certo, per stabilire se stava parlando con il giusto Henry King.

«Ho pensato che fosse... un po' strano» continuò Hank. «Cos'era, una specie di truffa?»

Berrington si inventò qualcosa sul momento. «Stava cercando possibili clienti per una compagnia di assicurazioni. È illegale, ma lo fanno. La AT&T è spiacente che lei sia stato disturbato, signor King, e la ringrazia per la collaborazione.»

«Di niente.»

Berrington riattaccò, in preda all'angoscia. Jeannie aveva i nomi. Era solo questione di tempo prima che riuscisse a rintracciarli tutti.

Quello era il guaio più grosso che gli fosse mai capitato.

54

Mish Delaware si rifiutò categoricamente di andare a Filadelfia a interrogare Harvey Jones. «L'abbiamo già fatto ieri, cara» disse, quando Jeannie riuscì finalmente a raggiungerla al telefono alle sette di mattina. «Oggi è il primo compleanno della mia nipotina. Anch'io ho una vita privata, capisce?»

«Ma lei sa che ho ragione!» insistette Jeannie. «Avevo visto giusto con Wayne Stattner... era effettivamente il sosia di Steve.»

«A parte i capelli. Inoltre ha un alibi.»

«E allora che cosa intende fare?»

«Chiamerò la polizia di Filadelfia e chiederò di parlare con qualcuno della Sezione reati sessuali. Saranno loro a controllare. Manderò una copia dell'identikit via fax. Verificheranno se Harvey Jones gli assomiglia e gli chiederanno se è in grado di dimostrare dove si trovava domenica scorsa. Se le risposte sono "sì" e "no", allora abbiamo un sospetto.»

Jeannie buttò giù il telefono infuriata. Dopo tutto quello che aveva passato! Dopo che era rimasta alzata tutta la notte a rintracciare i cloni!

Sicuramente non se ne sarebbe stata lì ad aspettare che la polizia facesse qualcosa. Decise che sarebbe andata a Filadelfia e avrebbe controllato di persona. Non si sarebbe avvicinata a Harvey, né gli avrebbe rivolto la parola, ma poteva parcheggiare davanti a casa sua e attendere che uscisse. Se non fosse riuscita a vederlo, avrebbe parlato con i vicini di casa e avrebbe mostrato loro la foto di Steve che Charles le aveva dato. In un modo o nell'altro sarebbe riuscita ad appurare che era il sosia di Steve.

Arrivò a Filadelfia intorno alle dieci e mezzo. La Città universitaria era affollata di famigliole di colore vestite a festa, che si ritrovavano davanti alle chiese metodiste, e di adolescenti oziosi che fumavano sui gradini delle vecchie case; gli studenti, però, erano ancora a letto, come dimostravano le Toyota arrugginite e le Chevrolet sfondate coperte di autoadesivi inneggianti alle varie squadre dell'università e alle radio locali.

Harvey Jones viveva in un enorme e fatiscente caseggiato vittoriano diviso in appartamenti. Jeannie trovò un parcheggio sull'altro lato della strada e per un po' rimase a controllare l'ingresso.

Alle undici decise di entrare.

L'edificio tentava pateticamente di mantenere una parvenza di rispettabilità. Una consunta passatoia saliva stancamente le scale e sulle rientranze delle finestre erano sistemati vasi dozzinali da cui spuntavano polverosi fiori di plastica. Ordinati bigliettini scritti a mano con la grafia rotonda di una signora anziana chiedevano agli inquilini di chiudere piano la porta, depositare la spazzatura in strada in sacchetti di plastica ben chiusi e non lasciar giocare i bambini sui pianerottoli.

"Lui vive qui" pensò Jeannie, e si sentì accapponare la pelle. "Chissà se è in casa."

L'appartamento di Harvey era il 5B: doveva essere all'ultimo piano. Bussò alla prima porta del pianterreno. Un uomo dallo sguardo annebbiato, con i capelli lunghi e la barba arruffata, venne ad aprire a piedi nudi. Jeannie gli mostrò la foto. Lui scosse la testa e le sbatté la porta in faccia. A Jeannie tornò in mente quello che aveva detto il vicino di casa di Lisa: "Dove crede di essere, signora... a Hicksville? Non so neppure che faccia abbia la mia vicina!".

Stringendo i denti, salì le quattro rampe di scale fino all'ultimo piano. Nella piccola cornice di metallo attaccata alla porta del 5B c'era un cartoncino che diceva semplicemente JONES. Per il resto la porta era uguale alle altre.

Jeannie rimase lì, immobile, in ascolto, ma sentì solo il battito spaventato del proprio cuore. Dall'interno non proveniva alcun rumore. Probabilmente Harvey non era in casa.

Bussò alla porta del 5A. Un attimo dopo questa si aprì e uscì un uomo anziano. Indossava un abito grigio scuro a righine sottili che un tempo doveva essere stato molto elegante. I capelli erano così arancioni che non potevano non essere tinti. Sembrava un tipo cordiale. «Salve» disse.

«Salve. È in casa il suo vicino?»

«No.»

Jeannie si sentì sollevata e delusa allo stesso tempo. Tirò fuori la foto di Steve. «Assomiglia a questo ragazzo?»

L'uomo prese la foto e la studiò stringendo gli occhi. «Sì, è lui» disse.

"Avevo ragione! Ce l'ho fatta di nuovo! Il mio programma funziona."

Il tipo dopo un attimo aggiunse: «Gran bel ragazzo, vero?».

Jeannie pensò che il vicino doveva essere gay. Un anziano gay elegante. Gli sorrise. «Sì, lo penso anch'io. Ha idea di dove potrebbe essere andato?»

«Va via quasi tutte le domeniche. Se ne va verso le dieci e torna dopo cena.»

«È uscito anche domenica scorsa?»

«Sì, signorina, credo di sì.»

"È lui. Deve essere lui."

«Lei sa dove va?»

«No.»

"Lo so io. Va a Baltimora."

«Non parla molto» proseguì l'uomo. «Anzi, a dire il vero, non parla proprio per niente. Lei è un detective?»

«No, anche se a volte mi sembra di esserlo.»

«Che cosa ha fatto?»

Jeannie esitò, poi pensò: "Perché non dirgli la verità?". «Credo sia uno stupratore» rispose.

L'uomo non parve sorpreso. «Non faccio fatica a crederlo. È un tipo strano. Ho visto delle ragazze andare via di qua piangendo. È già successo due volte.»

«Vorrei tanto dare un'occhiata al suo appartamento.» Jeannie sperava di trovare qualche elemento che lo collegasse allo stupro.

436

L'uomo le rivolse un'occhiata maliziosa. «Io ho la chiave.»

«Davvero?»

«Me l'ha data l'inquilino precedente. Eravamo amici. Dopo che se n'è andato non l'ho più restituita. Questo tizio non ha cambiato la serratura quando è arrivato. Probabilmente pensa di essere troppo grosso e forte perché qualcuno tenti di derubarlo.»

«Sarebbe disposto a farmi entrare?»

L'uomo esitò. «Sarei curioso di dare un'occhiata anch'io. Ma se tornasse mentre siamo dentro? È grande e grosso... non vorrei mai che si arrabbiasse con me.»

Il pensiero spaventava anche Jeannie, ma la curiosità era più forte della paura. «Se vuol venire, io sono disposta a rischiare» disse alla fine.

«Aspetti. Torno subito.»

Che cosa avrebbe trovato là dentro? Un tempio del sadismo come la casa di Wayne Stattner? Un orribile tugurio pieno di avanzi di cibi precotti e biancheria sporca? Oppure l'ordine maniacale tipico di una personalità ossessiva?

Il vicino di casa ricomparve. «A proposito, io sono Maldwyn.»

«E io sono Jeannie.»

«In realtà, il mio vero nome è Bert, ma è così poco affascinante, non crede? Mi sono sempre fatto chiamare Maldwyn.» Introdusse la chiave nella toppa del 5B ed entrò.

Jeannie lo seguì.

Era un tipico appartamento da studenti, composto da un soggiorno con divano letto e angolo cottura più un piccolo bagno; era arredato con un assortimento di mobili sgangherati: un cassettone in legno di pino, un tavolo pitturato con tre sedie scompagnate, un divano sfondato e un vecchio televisore. Non veniva pulito da tempo e il letto era sfatto. Tanto tipico da risultare deludente.

Jeannie chiuse la porta.

«Non tocchi niente» l'ammonì Maldwyn, «si limiti a guardare: non voglio che sospetti che sono stato qui.»

Jeannie si chiese che cosa si era aspettata di trovare. Una cartina della palestra con una crocetta sul locale caldaie e le parole STUPRARE QUI? Non si era neanche portato via la biancheria intima di Lisa come souvenir. Forse, però, l'aveva seguita per settimane e magari l'aveva anche fotografata prima di colpire. Avrebbe potuto avere una collezione di oggetti rubacchiati: un rossetto, il conto di un ristorante, la carta di una barretta dolce, della posta con sopra il suo indirizzo.

Guardandosi intorno ebbe modo di capire la personalità di Harvey. Su una parete c'era il paginone centrale di una rivista per soli uomini, che raffigurava una donna nuda con il pube rasato e un anello infilato nelle grandi labbra. Jeannie rabbrividì.

Osservò lo scaffale dei libri.. Vide *Le centoventi giornate di Sodoma* del Marchese de Sade e una serie di videotape a luci rosse con titoli del tipo *Dolore* e *Sesso estremo*. C'erano anche libri di testo di economia e commercio. Evidentemente stava studiando per un MBA.

«Posso guardare i suoi vestiti?» chiese. Non voleva irritare Maldwyn.

«Certo. Perché no?»

Aprì armadi e cassetti. I vestiti di Harvey erano proprio come quelli di Steve, un po' troppo classici per la sua età: calzoni di tela sportivi e polo, giacche di tweed e camicie classiche, mocassini Oxford. Il frigorifero era vuoto, a parte due cartoni da sei di birra e una bottiglia di latte: Harvey mangiava fuori. Sotto il letto c'era una sacca da ginnastica con una racchetta da squash e un asciugamano sporco.

Jeannie era delusa. La casa del mostro non era un antro di perversione, solo una stanza sudicia con tracce di squallida pornografia.

«Io ho finito» disse a Maldwyn. «Non so esattamente che cosa stavo cercando, e comunque non l'ho trovato.»

Ma poi lo vide.

Appeso a un gancio dietro la porta d'ingresso, c'era un berretto da baseball rosso.

L'umore di Jeannie si risollevò immediatamente. "Avevo ragione! Ecco la prova!" Guardò meglio. Stampata in bianco sul davanti c'era la parola SECURITY. Non riuscì a trattenersi e si mise a saltellare dalla gioia.

«Trovato qualcosa, eh?»

«Quello schifoso indossava proprio quel berretto quando ha violentato la mia amica. Andiamo via di qui.»

Uscirono dall'appartamento e chiusero la porta. Jeannie strinse la mano a Maldwyn. «Non potrò mai ringraziarla abbastanza.»

«Che cosa farà adesso?» le chiese lui.

«Tornerò a Baltimora e chiamerò la polizia.»

Diretta verso casa sulla I-95, pensava a Harvey Jones. Perché andava a Baltimora tutte le domeniche? Per vedere una ragazza? Forse. Ma la spiegazione più probabile era che i suoi genitori vivessero là. Un sacco di studenti nel fine settimana portava a casa la biancheria da lavare. Probabilmente ora era proprio là, a rimpinzarsi di brasato della mamma o a guardare la partita di football alla televisione insieme a suo padre. E sulla via di casa magari avrebbe aggredito un'altra ragazza...

Quanti Jones vivevano a Baltimora? Un migliaio? Uno lo conosceva: il suo ex principale, il professor Berrington Jones...

Mio Dio... Jones!

Rimase così scioccata che dovette fermarsi sul bordo della strada.

Harvey Jones poteva essere il figlio di Berrington.

Di colpo le tornò in mente quel piccolo gesto che Harvey aveva fatto, nella caffetteria di Filadelfia. Si era lisciato le sopracciglia con la punta dell'indice. Allora la cosa aveva suscitato in lei un vago senso di disagio perché sapeva di averlo già visto fare da qualcuno. Non ricordava da chi, e aveva concluso che si doveva trattare di Steve o di Dennis, poiché i cloni avevano una gestualità identica. Ma ora ricordava esattamente. Era Berrington. Berrington si lisciava le sopracciglia con la punta dell'indice. C'era qualcosa in quel gesto che turbava Jeannie, un compiacimento irritante e vanitoso. Non era un gesto che tutti i cloni avevano in comune, come l'abitudine di chiudere la porta col tacco della scarpa quando entravano in una stanza. Quel cenno pieno di boria Harvey l'aveva preso da suo padre.

E forse, in quel momento, Harvey si trovava proprio a casa di Berrington.

55

Preston Barck e Jim Proust arrivarono a casa di Berrington intorno a mezzogiorno e si sedettero nello studiolo a bere birra. Nessuno di loro aveva dormito molto e avevano tutti l'aria esausta. Marianne, la governante, stava preparando il pranzo domenicale e il profumo dei suoi piatti si spandeva dalla cucina, ma niente avrebbe potuto risollevare l'umore dei tre soci.

«Jeannie ha parlato con Hank King e con la madre di Per Ericson» disse Berrington, avvilito. «Non sono riuscito a controllare gli altri, ma sono sicuro che entro breve li rintraccerà tutti.»

«Siamo realistici» disse Jim. «Che cosa può fare prima di domani a quest'ora?»

Preston Barck finiva per ispirare propositi suicidi, come al solito. «Ti dico io che cosa farei se fossi al suo posto» disse. «Cercherei di dimostrare nella maniera più eclatante quello che ho scoperto, quindi prenderei due o tre dei ragazzi, li porterei a New York e andrei a *Good Morning America*. La televisione va pazza per i gemelli.»

«Dio ce ne scampi» esclamò Berrington.

Un'auto si fermò davanti a casa. Jim guardò fuori della finestra e disse: «È una vecchia Datsun tutta arrugginita».

«Comincia a piacermi l'idea originaria di Jim» osservò Preston. «Farli scomparire tutti.»

«Non vi permetterò di ucciderli!» urlò Berrington.

«Non gridare, Berry» ribatté Jim con sorprendente mitezza. «A dire la verità forse mi stavo solo vantando quando ho parlato di farli scomparire. C'è stato un tempo in cui avevo il potere di farlo, ma le cose sono cambiate. In questi ultimi giorni ho chiesto favori a vecchi amici e, anche se me li hanno fatti, mi sono reso conto che ci sono dei limiti.»

Grazie al cielo, pensò Berrington.

«Ma ho un'altra idea» aggiunse Jim.

Gli altri due lo guardarono.

«Contattiamo le otto famiglie con discrezione. Confessiamo che tanti anni fa alla clinica sono stati commessi alcuni errori. Diciamo che non è stato fatto alcun male, ma che desideriamo evitare lo scandalo. Offriamo un indennizzo di un milione di dollari, pagabile in dieci anni. Mettiamo in chiaro che i pagamenti si interromperebbero di colpo se loro dovessero parlare... con la stampa, con Jeannie Ferrami, con studiosi, con chiunque.»

Berrington annuiva lentamente. «Mio Dio, potrebbe anche funzionare. Chi direbbe di no a un milione di dollari?»

«Lorraine Logan» rispose Preston. «Lei vuole dimostrare che suo figlio è innocente.»

«Hai ragione. Non starebbe zitta neanche per dieci milioni.»

«Ognuno ha il suo prezzo» affermò Jim, recuperando parte della sua abituale spavalderia. «E comunque, non può fare molto senza la collaborazione di uno o due degli altri.»

Preston pareva d'accordo. Anche Berrington pensava che ci fosse qualche speranza. Potevano anche trovare un modo per mettere a tacere i Logan, ma rimaneva una minaccia ben più seria. «E se Jeannie ci denuncia pubblicamente nelle prossime ventiquattr'ore?» disse. «La Landsmann potrebbe rimandare l'acquisizione in attesa di verificare le accuse. E allora non avremo tutti quei milioni di dollari da distribuire in giro.»

«Dobbiamo assolutamente sapere quali intenzioni ha: che cosa ha scoperto e che cosa pensa di fare» affermò Jim.

«Non vedo in che modo potremmo riuscirci» obiettò Berrington.

«Lo so io» disse Jim. «Conosciamo una persona che potrebbe facilmente conquistare la sua fiducia e scoprire che cosa ha in mente di preciso.»

«So che cosa stai pensando...» esclamò Berrington sentendo la rabbia crescere dentro di sé.

«Eccolo che arriva» disse Jim.

Si sentì un rumore di passi in corridoio e subito dopo il figlio di Berrington fece il suo ingresso.

«Ciao, papà! Ehi, zio Jim, zio Preston, come va?»

Berrington lo guardò con un misto di orgoglio e pena. Il ragazzo era adorabile, con quei calzoni di velluto a coste blu scuro e il maglione di cotone azzurro. "Ha imparato a vestirsi da me" pensò Berrington. «Harvey, dobbiamo parlare.»

Jim si alzò. «Vuoi una birra, ragazzo?»

«Certo» rispose lui.

Jim aveva la fastidiosa tendenza a incoraggiare le brutte abitudini di Harvey. «Lascia perdere la birra» intervenne seccamente Berrington. «Jim, perché tu e Preston non andate in soggiorno e non ci lasciate soli un momento?» Il soggiorno era una stanza fredda e anonima che Berrington non usava mai.

Preston e Jim uscirono. Berrington si alzò e abbracciò il ragazzo. «Ti voglio bene, figliolo» disse «anche se sei malvagio.»

«Io malvagio?»

«Ciò che hai fatto a quella povera ragazza nel seminterrato della palestra è stata la cosa più brutta che un uomo possa fare.»

Harvey si strinse nelle spalle.

"Buon Dio, non sono stato capace di instillare in lui alcun senso del bene e del male" pensò Berrington. Ma ormai era troppo tardi per i rimpianti. «Siedi e ascoltami.»

Harvey obbedì.

«Tua madre e io abbiamo cercato per anni di avere un bambino, ma c'erano dei problemi» attaccò. «A quel tempo, Preston stava studiando la fecondazione in vitro, in cui lo spermatozoo e l'ovulo vengono uniti in laboratorio e la cellula fecondata che ne deriva viene impiantata nell'utero.»

«Stai dicendo che sono un figlio della provetta?»

«Quello che sto per dirti è un segreto. Non dovrai raccontarlo a nessuno, mai, neppure a tua madre.»

«Non lo sa?» chiese Harvey meravigliato.

«C'è dell'altro. Preston prese un embrione e lo divise, dando origine a dei gemelli.»

«Stai parlando del tizio che è stato arrestato per lo stupro?»

«L'ha diviso più di una volta.»

Harvey annuì. Avevano tutti un'intelligenza molto pronta. «Quante volte?» chiese.

«Otto.»

«Accidenti! E immagino che lo sperma non fosse il tuo.»

«No.»

«Di chi era, allora?»

«Di un tenente dell'esercito di stanza a Fort Bragg: alto, forte, sano, intelligente, aggressivo, bello.»

«E la madre?»

«Una dattilografa di West Point, con le stesse caratteristiche.»

Una smorfia di dolore increspò il bel volto del ragazzo. «I miei veri genitori.»

Berrington trasalì. «No, non è così» disse. «Tu sei cresciuto nel grembo di tua madre. Lei ti ha partorito e, credimi, è stato doloroso. Ti abbiamo osservato muovere i primi timidi passi, lottare per infilarti una cucchiaiata di purè in bocca, pronunciare le tue prime parole.»

Guardando il suo volto, Berrington non riusciva a capire se Harvey gli credesse o no.

«Ti abbiamo voluto sempre bene anche se diventava sempre più difficile. Ogni anno lo stesso maledetto giudizio scolastico: "Estremamente aggressivo, non ha imparato a socializzare, picchia gli altri bambini, ha difficoltà a partecipare a giochi di squadra, disgrega la classe, deve imparare a rispettare i membri dell'altro sesso". Ogni volta che venivi espulso da una scuola facevamo il giro delle altre, pregando e implorando che ti accettassero. Ti abbiamo affidato alle cure di tre diversi psichiatri infantili. Ci hai reso la vita un inferno.»

«Stai dicendo che vi ho rovinato il matrimonio?»

«No, figliolo, quella è stata solo opera mia. Sto solo cercando di dirti che ti voglio bene indipendentemente da ciò che fai, proprio come qualsiasi altro genitore.»

Harvey era ancora turbato. «Perché me lo stai rivelando proprio adesso?»

«Steve Logan, uno dei tuoi doppi, è stato oggetto di studi nel mio istituto. Puoi immaginare che cosa ho provato quando me lo sono ritrovato di fronte. Poi la polizia lo ha arrestato per lo stupro di Lisa Hoxton, ma uno dei professori, Jeannie Ferrami, ha cominciato a nutrire qualche sospetto. Per farla breve, ti ha rintracciato e vuole dimostrare l'innocenza di Steve Logan. E probabilmente vuole rendere pubblica la vicenda dei cloni e rovinarmi.»

«È la donna che ho incontrato a Filadelfia.»

«Tu l'hai incontrata?» Berrington era confuso.

«Lo zio Jim mi ha chiamato e mi ha detto di spaventarla.»

Berrington era furioso. «Quel figlio di puttana! Gli stacco la testa...»

«Calmati, papà, non è successo niente. Sono solo andato a fare un giro in macchina con lei. È pure bella, a modo suo.»

Berrington si controllò a fatica. «Lo zio Jim si è sempre comportato come un irresponsabile nei tuoi confronti. A lui piace la tua sregolatezza, forse perché lui è così conformista.»

«A me è simpatico.»

«Parliamo di quello che dobbiamo fare, piuttosto. Dobbiamo scoprire le intenzioni di Jeannie Ferrami, in special modo per quel che riguarda le prossime ventiquattr'ore. Dobbiamo sapere se ha qualche prova che ti colleghi a Lisa Hoxton. E c'è un solo modo per riuscirci.»

Harvey annuì. «Volete che io parli con lei facendo finta di essere Steve Logan.»

«Sì.»

Harvey sorrise. «Sembra divertente.»

Berrington si lasciò sfuggire un sospiro. «Non fare niente di stupido, per favore. Limitati a parlarle.»

«Vuoi che vada subito?»

«Sì. Mi dispiace chiedertelo... ma è per il tuo bene, oltre che per il mio.»

«Rilassati, papà..., che cosa vuoi che succeda?»

«Forse mi preoccupo troppo. In fondo non corri grandi rischi ad andare nell'appartamento di una ragazza.»

«E se il vero Steve è là?»

«Controlla le macchine in strada, prima di salire. Ha una Datsun come la tua. Questo è un altro motivo per cui la polizia era così sicura che fosse lui il colpevole.»

«Stai scherzando!»

«Siete gemelli omozigoti: fate le stesse scelte. Se vedi la sua

444

macchina non salire. Telefonami e penseremo a un modo per farlo allontanare.»

«E se ci fosse andato a piedi?»

«Vive a Washington.»

«Okay.» Harvey si alzò. «Qual è l'indirizzo della ragazza?»

«Vive a Hampden.» Berrington scrisse la via su un cartoncino e glielo porse. «Sta' attento, hai capito?»

«Certo. Mi farò vivo prontamente, mio tenente.»

Berrington si sforzò di sorridere. «Grazie tanto, sei uno schianto.»

56

Harvey perlustrò attentamente la strada di Jeannie alla ricerca di una macchina uguale alla sua. C'erano molte auto vecchiotte, ma nessuna Datsun chiara. Steve Logan non era nei paraggi.

Parcheggiò vicino alla casa della ragazza, spense il motore e rimase per un momento seduto a riflettere. Avrebbe avuto bisogno di tutta la sua prontezza di spirito. Aveva fatto bene a non bere la birra che gli aveva offerto lo zio Jim.

Sapeva che lei lo avrebbe preso per Steve, perché era già successo una volta, a Filadelfia. Loro due erano perfettamente identici nell'aspetto, ma il problema sarebbe stata la conversazione. Lei avrebbe fatto riferimento a un sacco di cose che lui non conosceva, quindi avrebbe dovuto rispondere senza sbilanciarsi. Doveva mantenere il sangue freddo abbastanza a lungo da scoprire quali prove la ragazza avesse contro di lui e che cosa intendesse fare. Sarebbe bastato un attimo per fare un errore e tradirsi.

Pur essendo consapevole della difficoltà dell'impresa era estremamente eccitato al pensiero di rivederla. Quello in macchina con lei era stato l'incontro sessuale più eccitante che avesse mai avuto. Era persino meglio che trovarsi in uno spogliatoio pieno di donne terrorizzate. Aveva un'erezione ogni volta che pensava a quando le aveva strappato i vestiti mentre la macchina sbandava per tutta l'autostrada.

Sapeva che ora doveva concentrarsi sulla sua missione. Non doveva pensare alla faccia di lei stravolta dalla paura o alle sue gambe forti che si contorcevano. Doveva soltanto procurarsi l'informazione e andarsene. Ma non era mai riuscito a fare una cosa assennata in tutta la sua vita.

Appena arrivata a casa, Jeannie chiamò la centrale di polizia. Sapeva che Mish non c'era, ma lasciò un messaggio in cui chiedeva di essere richiamata con urgenza. «Non ha già lasciato un messaggio urgente per lei, questa mattina?» le fu chiesto.

«Sì, ma questo è un altro. Altrettanto importante.»

«Farò del mio meglio perché lo riceva» rispose la voce, scettica.

Poi chiamò a casa di Steve, ma non ebbe alcuna risposta. Immaginò che lui e Lorraine fossero andati dall'avvocato, per far rilasciare Charles, e che lui l'avrebbe chiamata appena avesse potuto.

Era un po' delusa: avrebbe voluto raccontare a qualcuno la buona notizia.

Pian piano l'eccitazione per aver scoperto l'appartamento di Harvey svanì e lasciò il posto alla depressione. Jeannie ripensò all'eventualità di un futuro senza soldi, senza lavoro e senza la possibilità di aiutare sua madre.

Per tirarsi un po' su, si preparò qualcosa da mangiare: tre uova strapazzate e la pancetta che aveva comperato il giorno prima per Steve, con pane tostato e caffè. Mentre sistemava i piatti nella lavastoviglie squillò il campanello.

Andò a rispondere. «Chi è?»

«Jeannie? Sono Steve.»

«Sali!» rispose lei tutta contenta.

Indossava un maglione di cotone del colore dei suoi occhi, ed era bello da mangiare. Lo baciò e lo abbracciò con trasporto, premendo i seni contro il suo petto. Lui le fece scivolare una mano lungo la schiena fin sul sedere e la strinse a sé. Oggi aveva ancora un altro odore: aveva usato un dopobarba che ricordava un misto di erbe. Aveva anche un altro sapore, come se avesse appena bevuto del tè.

Dopo un attimo si staccò da lui. «Non corriamo troppo» disse, ansimando. Voleva assaporarla, quella cosa. «Vieni dentro, siediti. Ho così tante cose da raccontarti!»

Lui si sedette sul divano e lei aprì il frigo. «Vino, birra o caffè?»

«Vada per il vino.»

«Sarà ancora buono?»

Cosa diavolo intendeva dire? Sarà ancora buono? «Non lo so» rispose.

«Quand'è che l'abbiamo aperto?»

Ah, avevano aperto una bottiglia insieme, ma non l'avevano finita, quindi lei l'aveva tappata e rimessa in frigo, e ora si chiedeva se il vino non fosse andato in aceto. Ma vuole che sia io a decidere. «Dunque... che giorno era?»

«Mercoledì. Sono quattro giorni.»

Non riusciva neppure a scorgere se fosse rosso o bianco. Merda! «Be', versane un bicchiere e vediamo.»

«Ottima idea.» Jeannie versò un po' di vino in un bicchiere e glielo porse. Lui lo assaggiò. «È bevibile.»

Lei si sporse sopra la spalliera del divano. «Fammi assaggiare» disse e lo baciò sulle labbra. Lui rise e seguì le istruzioni della donna. Jeannie gli infilò la punta della lingua in bocca. "Mio Dio, questa donna è proprio sexy!" «Hai ragione» disse lei, «è bevibile.» Ridendo, gli riempì il bicchiere e poi ne versò un po' anche per sé.

Lui stava cominciando a divertirsi. «Metti su un po' di musica» suggerì.

«Su che cosa?»

Non aveva proprio idea di che cosa stesse dicendo. "Oh, Cristo! Ho fatto un errore." Si guardò intorno: niente stereo. "Stupido!"

«Ti sei già dimenticato che papà mi ha rubato lo stereo?» chiese lei. «Non ho niente su cui sentire un po' di musica. Però... aspetta un minuto, forse ce l'ho.» Andò nell'altra stanza – presumibilmente la camera da letto – e tornò con una di quelle radioline impermeabili da appendere nella doccia. «È una cosa ridicola, me l'ha regalata la mamma qualche Natale fa, prima di cominciare a dare i numeri.»

Il padre le ha rubato lo stereo, la madre dà i numeri... che bella famiglia!

«La qualità del suono è terribile, ma non ho altro» proseguì e l'accese. «Io la tengo sintonizzata su 92Q.»

«Venti successi tutti di seguito» aggiunse lui, automaticamente.

«Come fai a saperlo?»

Oh, merda! Steve non poteva conoscere le stazioni radio di Baltimora. «L'ho captata venendo qui in macchina.»

«Che musica ti piace?»

Che musica piace a Steve? Evidentemente non lo sa neppure lei, quindi tanto vale dire la verità. «Mi piace il gangsta rap, Snoopo Doggy Dog, Ice Cube, quel genere di cose.»

«Accidenti, mi fai sentire quasi vecchia.»

«E a te che cosa piace?»

«I Ramones, i Sex Pistols, i Damned. Quando ero giovane, da ragazzina intendo dire, andava di moda il punk. Mia madre ascoltava quella musica melodica degli anni Sessanta che a me non è mai piaciuta e poi, un giorno, sugli undici anni, all'improvviso: bang! I Talking Heads. Ricordi *Psycho Killer*?»

«Proprio no.»

«Okay, tua madre aveva ragione. Sono troppo vecchia per te.» Si sedette di fianco a lui. Gli posò la testa sulla spalla e gli fece scivolare la mano sotto il maglione. Gli accarezzò il petto, sfiorandogli i capezzoli con la punta delle dita. Gli piaceva. «Sono così felice che tu sia venuto» sussurrò.

Anche lui avrebbe voluto toccarle i capezzoli, ma aveva cose più importanti da fare. Con un enorme sforzo di volontà disse: «Dobbiamo parlare».

«Hai ragione.» Jeannie si tirò su a sedere e bevve un sorso di vino. «Prima tu. Tuo padre è ancora agli arresti?»

"Cristo! E ora che cosa le rispondo?" «No, comincia prima tu» rispose. «Hai detto che avevi tante cose da comunicarmi.»

«D'accordo. Primo: so chi ha violentato Lisa. Si chiama Harvey Jones e vive a Filadelfia.»

Cristo santo! Harvey si sforzò di restare impassibile. "Grazie al cielo sono venuto qua." «C'è qualche prova che sia stato lui?»

«Sono entrata nel suo appartamento. Mi ha fatto entrare il vicino che aveva un duplicato della chiave.»

"Quella vecchia checca! Gli spezzo il collo."

«Ho trovato il berretto da baseball che indossava domenica. Era appeso a un gancio dietro la porta.»

"Cristo! Avrei dovuto gettarlo via. Ma non mi è mai passato per la mente che qualcuno potesse rintracciarmi!" «Hai fatto un ottimo lavoro» disse. Steve sarebbe stato entusiasta di queste notizie, perché lo toglievano dai guai. «Non so proprio come ringraziarti.»

«Penserò io a un modo» disse Jeannie con un sorriso sexy.

"Riesco a tornare a Filadelfia in tempo per sbarazzarmi del berretto prima che arrivi la polizia?" «L'hai raccontato alla polizia?»

«No. Ho lasciato un messaggio a Mish, ma non mi ha ancora richiamato.»

Alleluia! C'era ancora una possibilità!

«Non ti preoccupare» proseguì Jeannie. «Lui non sa che gli stiamo addosso. Ma non ti ho ancora raccontato la parte migliore. Chi altri conosciamo che si chiama Jones?»

"Devo dire Berrington? Steve ci arriverebbe?" «È un cognome molto comune...»

«Berrington! Credo che Harvey sia stato allevato da Berrington!»

"Dovrei sembrare stupito." «Incredibile!» esclamò. "E ora cosa diavolo faccio? Forse papà potrebbe darmi qualche idea. Devo assolutamente riferirglielo, devo trovare una scusa per fare una telefonata."

Lei gli prese la mano. «Ehi, guarda le tue unghie!»

Oh, merda! Che cosa c'era ancora? «Cosa?»

«Crescono in fretta. Quando sei uscito di prigione erano tutte rotte e spaccate, e ora sono bellissime!»

«Sono sempre guarito molto in fretta.»

Lei voltò la mano e gli leccò il palmo.

«Sei focosa oggi.»

«Oh, Dio, sto andando troppo in fretta, vero?» Glielo avevano detto anche altri uomini. Da quando era arrivato, Steve le era parso un po' reticente, e ora capiva perché. «So che cosa stai pensando. Per tutta la settimana non ho fatto altro che respingerti e ora hai l'impressione che voglia mangiarti per cena.»

«Be', quasi...» ammise lui, annuendo.

«È che sono fatta così. Quando decido per un ragazzo, è quello.» Si alzò di scatto dal divano. «Okay, faccio marcia indietro.» Andò all'angolo cottura e tirò fuori una padella per le omelette. Era così pesante che doveva reggerla con due mani. «Ieri ho comprato qualcosa da mangiare per te. Hai fame?» La padella era un po' impolverata – non cucinava spesso – e lei la pulì con uno straccio per i piatti. «Vuoi delle uova?»

«No, grazie. Raccontami. Così sei stata una punk?»

Jeannie posò la padella. «Sì, per un breve periodo... abiti strappati, capelli verdi.»

«Droga?»

«Un po' di anfetamina, a scuola, quando avevo i soldi.»

«Che parte del corpo ti sei fatta bucare?»

All'improvviso a Jeannie tornò in mente il paginone centrale appeso al muro in casa di Harvey Jones, quello con la donna col pube rasato e l'anello confitto nelle grandi labbra. Rabbrividì. «Solo il naso» rispose. «A quindici anni ho lasciato perdere la filosofia punk a favore del tennis.»

«Conoscevo una ragazza che aveva un anello al capezzolo.»

Jeannie provò una fitta di gelosia. «Ci sei andato a letto?»

«Certo.»

«Bastardo.»

«Ehi, cosa credevi, che fossi vergine?»

«Non chiedermi di essere razionale!»

Lui alzò le mani in un gesto di difesa. «Okay, non lo farò.»

«Non mi hai ancora detto che cosa è successo a tuo padre. Siete riusciti a farlo rilasciare?»

«Potrei telefonare a casa e farmi raccontare gli ultimi sviluppi.»

Se lo avesse sentito comporre un numero di sette cifre, avrebbe capito che stava facendo una telefonata urbana. Suo padre gli aveva detto che Steve Logan viveva a Washington. Tenne la forcella abbassata con un dito e premette altri tre tasti a caso, per simulare il prefisso, poi la lasciò andare e compose il numero di casa di suo padre.

Berrington rispose subito e Harvey disse: «Ciao, mamma.» Strinse forte la cornetta, sperando che suo padre non replicasse: "Mi dispiace, ha sbagliato numero".

Ma lui capì immediatamente. «Sei da Jeannie?»

"Bravo, papà." «Sì, ho chiamato per sapere se papà è uscito dal carcere.»

«Il colonnello Logan è ancora agli arresti, ma non è in carcere. È nelle mani della polizia militare.»

«Peccato, speravo tanto che lo avessero già rilasciato.»

«Puoi dirmi qualcosa?» gli chiese suo padre con esitazione.

Harvey era tentato di voltarsi a guardare verso Jeannie per accertarsi che ci fosse cascata. Ma sapeva che avrebbe avuto un'aria sospetta e così si costrinse a fissare il muro. «Jeannie ha fatto miracoli, mamma. Ha scoperto il vero stupratore.» Cercò a ogni costo di dare un tono compiaciuto alla propria voce. «Si chiama Harvey Jones. Stiamo aspettando che il detective richiami Jeannie per dargli la notizia.»

«Gesù! È terribile!»

«Sì, non è fantastico?» "Non fare dell'ironia, scemo!"

«Se non altro siamo avvertiti. Puoi impedirle di parlare con la polizia?»

«Penso proprio che dovrò farlo.»

«E la Genetico? Ha intenzione di rendere pubblico quello che ha scoperto sul nostro conto?»

«Non lo so ancora.» "Lasciami andare prima che dica qualcosa di sbagliato e mi tradisca."

«Cerca di scoprirlo. Anche quello è importante.»

E va bene! «Okay. Bene, spero proprio che papà esca presto. Chiamami se hai qualche novità, d'accordo?»

«Non è pericoloso?»

«Basta che tu chieda di Steve» disse e scoppiò a ridere come se avesse fatto una battuta.

«Jeannie riconoscerebbe la mia voce, semmai farò chiamare da Preston.»

«Esattamente.»

«Okay.»

«Ciao.» Harvey riattaccò.

«Farei meglio a richiamare la centrale. Forse non hanno capito quanto sia urgente» disse Jeannie sollevando la cornetta.

Harvey si rese conto che avrebbe dovuto ucciderla.

«Prima dammi un bacio» le disse.

Lei scivolò tra le sue braccia, appoggiata con la schiena al bancone della cucina. Schiuse la bocca al suo bacio. Lui le accarezzò la schiena. «Che bella maglia» mormorò e le afferrò un seno.

Jeannie sentì i capezzoli indurirsi, ma per qualche motivo non era piacevole come si era aspettata. Cercò di rilassarsi e di godersi un momento che aspettava da tanto. Lui le fece scivolare la mano sotto la maglia e lei inarcò leggermente la schiena mentre le mani maschili le afferravano entrambi i seni. Come al solito ebbe un momento di imbarazzo, timorosa che restasse deluso. Tutti gli uomini con cui era stata a letto avevano apprezzato i suoi seni, ma Jeannie continuava a pensare che fossero troppo piccoli. Come gli altri, Steve non diede alcun segno di delusione. Sollevò la maglia, chinò la testa e cominciò a succhiarle i capezzoli.

Lei abbassò lo sguardo su di lui. La prima volta che un ragazzo le aveva fatto quello, Jeannie aveva pensato che fosse assurdo, un ritorno all'infanzia. Ma presto si era accorta che le piaceva e spesso si divertiva a farlo al suo partner. Ora, però, non funzionava. Il suo corpo reagiva, ma nei recessi della sua mente un dubbio la tormentava, e lei non riusciva a concentrarsi sul piacere. Era seccata con se stessa. "Ieri hai rovinato tutto con la tua paranoia. Non rifare lo stesso errore."

Lui percepì il suo disagio. Sollevò la testa e disse: «Non stai comoda. Vieni, andiamo a sederci sul divano». Dando per scontato il suo consenso, si sedette. Lei lo seguì. Lui si lisciò le sopracciglia con la punta dell'indice e allungò una mano verso di lei.

Jeannie si ritrasse di scatto.

«Che cosa c'è?» fece lui.

"No! Non può essere!"

«Tu... tu... hai fatto quel gesto con il dito.»

«Quale gesto?»

Jeannie schizzò in piedi. «Brutto schifoso!» urlò. «Come osi?!»

«Che diavolo sta succedendo?» protestò lui, in modo poco convinto: dalla sua espressione Jeannie capì che sapeva benissimo che cosa stava succedendo.

«Esci subito da casa mia!» urlò.

Lui finse di essere stupito. «Prima mi salti addosso, poi ti metti a fare tutte queste scene!»

«So chi sei, brutto bastardo! Tu sei Harvey!»

A questo punto lui smise di recitare. «Come hai fatto a capirlo?»

«Ti sei toccato il sopracciglio con la punta del dito, proprio come Berrington.»

«Be', che male c'è?» disse lui, alzandosi. «Visto che siamo così uguali, potresti fingere che io sia Steve.»

«Fuori di qui!»

Lui si toccò il davanti dei pantaloni, indicando la sua erezione. «Ora che siamo arrivati a questo punto, non me ne vado certo con le palle che scoppiano.»

"Oh, Cristo, sono proprio nei guai! Questo è un animale!" «Stammi lontano!»

Lui fece un passo verso di lei, sorridendo. «Ora ti toglierò quei bei jeans stretti per vedere cosa c'è sotto.»

Jeannie ricordò quanto le aveva detto Mish: il terrore della vittima eccitava ancora di più lo stupratore. «Io non ho paura di te» disse, cercando di mantenere calma la voce. «Ma, se mi tocchi, giuro che ti ammazzo.»

Lui si mosse con velocità spaventosa. In un lampo la afferrò, la sollevò e poi la gettò a terra.

Il telefono si mise a squillare.

«Aiuto! Signor Oliver! Aiuto!»

Harvey afferrò lo straccio dei piatti posato sul bancone e glielo cacciò in bocca con violenza, ferendole le labbra. Jeannie ebbe un conato di vomito e cominciò a tossire. Lui le bloccò i polsi in modo che non potesse togliersi lo strofinaccio di bocca. Jeannie cercò di spingerlo fuori con la lingua ma non ci riuscì: era troppo grosso. Il signor Oliver l'aveva sentita urlare? Era anziano e teneva il volume della televisione molto alto.

Il telefono continuava a suonare.

Harvey l'afferrò per la cintura dei jeans. Lei si divincolò per sfuggirgli. Allora lui le diede uno schiaffo così forte da farle vedere le stelle. Mentre era ancora stordita, lui le lasciò andare i polsi per tirarle giù i jeans e le mutandine. «Uau! Che bella selva!» esclamò.

Jeannie si strappò via lo straccio dalla bocca e urlò: «Aiuto! Aiuto!».

Harvey le tappò la bocca con la mano, soffocando le sue urla, e si gettò su di lei facendole mancare il fiato. Per un attimo Jeannie non riuscì a reagire, incapace di respirare. Mentre armeggiava con una mano sola per aprirsi i pantaloni, lui le premette violentemente le nocche sulle cosce. Poi le fu sopra, spingendo e cercando il modo di entrare dentro di lei. Lei si divincolò disperatamente, tentando di toglierselo di dosso, ma era troppo pesante.

Il telefono continuava a squillare.

Suonarono alla porta.

Harvey non si fermò.

Jeannie aprì la bocca. Le dita di Harvey scivolarono dentro. Lei lo morse con quanta forza poté, rischiando di rompersi i denti contro un osso. Il sangue caldo le zampillò in bocca e sentì Harvey urlare per il dolore mentre ritirava la mano.

Il campanello suonò ancora, a lungo, con insistenza.

Jeannie sputò via il sangue e urlò di nuovo. «Aiuto! Aiuto!»

Dal piano terra provenne un forte colpo, poi un altro, e poi uno schianto, e il rumore del legno che andava in frantumi.

Harvey balzò in piedi, tenendosi la mano ferita.

Jeannie rotolò di lato, si tirò su e si allontanò da lui.

La porta si spalancò di colpo. Harvey si voltò, dando la schiena a Jeannie.

Steve fece irruzione nella stanza.

Per un lungo momento Steve e Harvey rimasero a fissarsi, allibiti, immobili.

Erano identici. Che cosa sarebbe accaduto se avessero cominciato a picchiarsi? Erano pari in altezza, peso, forza. La lotta avrebbe potuto andare avanti all'infinito.

Istintivamente Jeannie impugnò la padella con entrambe le mani. Immaginando di rispondere a un passante con il suo famoso rovescio a due mani, spostò tutto il peso sul piede anteriore, strinse il manico con forza e roteò la padella con quanta forza aveva in corpo.

Colpì Harvey esattamente al centro della nuca.

Si sentì un tonfo agghiacciante. Le gambe di Harvey cedettero e il ragazzo cadde in ginocchio, ondeggiando.

Come se fosse corsa a rete per la volée, Jeannie levò in alto la padella tenuta nella mano destra e l'abbassò più forte che poté sulla testa di Harvey.

Lui rovesciò gli occhi e si accasciò a terra.

«Accidenti, sono contento che tu non abbia colpito il gemello sbagliato» disse Steve.

Jeannie cominciò a tremare. Lasciò cadere la padella e si sedette sullo sgabello. Steve la circondò con le braccia. «È finita» le disse.

«No. È appena cominciata» rispose lei.

Il telefono continuava a suonare.

57

«L'hai steso, questo bastardo» disse Steve, «Chi è?»

«È Harvey Jones, il figlio di Berrington Jones.»

Steve era sbalordito. «Berrington ha allevato uno dei cloni? Che mi venga un accidente...»

Jeannie osservò Harvey che giaceva a terra privo di sensi, «E ora che cosa facciamo?»

«Tanto per cominciare, perché non rispondiamo al telefono?»

Automaticamente, Jeannie sollevò il ricevitore. Era Lisa. «È quasi successo anche a me» disse Jeannie senza alcun preambolo.

«Oh, no!»

«Lo stesso uomo.»

«Non ci posso credere! Vuoi che venga da te?»

«Grazie, mi faresti piacere.»

Jeannie riattaccò. Si sentiva tutta indolenzita per il colpo preso quando lui l'aveva gettata a terra e le faceva male la bocca nel punto in cui lui l'aveva ferita infilando lo straccio. Sentiva ancora il sapore del sangue di Harvey. Prese un bicchiere d'acqua, si sciacquò e sputò nel lavandino della cucina. «Siamo in una posizione pericolosa, Steve» disse. «Le persone contro le quali ci siamo messi hanno amici potenti.»

«Lo so.»

«Potrebbero tentare di ucciderci.»

«Spiegami.»

Questa consapevolezza le rendeva difficile persino pensare. "Non devo lasciarmi paralizzare dalla paura" pensò. «Credi che se promettessi di non rivelare quello che so potrebbero lasciarmi in pace?»

Steve ci rifletté un attimo. «No, credo proprio di no.»

«Neanch'io lo credo. Quindi non mi resta che combattere.»

Si sentirono alcuni passi su per le scale e il signor Oliver mise dentro la testa. «Cosa diavolo è successo?» chiese. Guardò Harvey privo di sensi sul pavimento, e poi Steve, poi nuovamente Harvey. «Che mi venga un colpo...»

Steve raccolse i jeans di Jeannie e glieli porse. Lei li infilò, affrettandosi a coprire la propria nudità. Se anche il signor Oliver se n'era accorto, aveva troppo tatto per dire qualcosa. «Quello deve essere il tizio di Filadelfia» osservò, indicando Harvey. «Ci credo anch'io che l'ha preso per il suo ragazzo. Devono essere gemelli!»

«Voglio legarlo prima che torni in sé» intervenne Steve. «Hai della corda, Jeannie?»

«Io ho del cavo elettrico. Vado subito a prendere la cassetta dei ferri» disse il signor Oliver e sparì.

Jeannie abbracciò Steve. Le pareva di essersi svegliata da un incubo. «Credevo fosse te» disse. «Proprio come ieri, solo che questa volta non era paranoia, era vero.»

«Avevamo detto che avremmo studiato un codice, ma non ne abbiamo avuto il tempo.»

«Facciamolo ora. Quando mi hai avvicinata sul campo da tennis domenica, hai detto: "Anch'io gioco un pochino a tennis".»

«E tu, con molta modestia, mi hai risposto: "Se lei gioca a tennis solo un pochino, allora probabilmente non è al mio livello".»

«Questo sarà il nostro codice. Se uno di noi pronuncia la prima frase, l'altro deve dire la seconda.»

«D'accordo.»

Il signor Oliver tornò con la cassetta dei ferri. Girò Harvey a pancia in su e cominciò a legargli le mani davanti, unendo i palmi uno contro l'altro e lasciando liberi i mignoli.

«Perché non gliele lega dietro la schiena?» chiese Steve.

Il signor Oliver assunse un'aria imbarazzata. «Con rispetto parlando, in questo modo se avrà bisogno di andare al gabinetto potrà tenersi l'affare. L'ho imparato in Europa durante la seconda guerra mondiale.» Poi prese a legargli i piedi. «Questo tipo non vi darà altri fastidi. E ora, che cosa avete intenzione di fare per il portone?»

Jeannie guardò Steve, che disse: «L'ho sfondato».

«Sarà meglio che chiami un falegname» concluse Jeannie.

«Ho del legno in cortile. Potrei sistemarlo alla meglio in modo da poter chiudere la porta stanotte. Domani cercheremo qualcuno che faccia un lavoro come si deve» propose il signor Oliver.

«Grazie, è davvero molto gentile.» Jeannie gli era profondamente grata.

«Non lo dica neppure. Questa è la cosa più interessante che mi sia capitata dai tempi della seconda guerra mondiale.»

«Vengo ad aiutarla» si offrì Steve.

Il signor Oliver scosse la testa. «Voi due avete un sacco di cose di cui discutere, lo so. Ad esempio, se chiamare o meno la polizia per quel tipo che avete lì, legato come un salame.» Senza aspettare la risposta, prese la cassetta dei ferri e scese.

Jeannie cercò di radunare le idee. «Domani la Genetico verrà venduta per centottanta milioni di dollari e Proust sarà libero di iniziare la sua corsa alla Casa Bianca. Nel frattempo io ho perso il mio lavoro e la mia reputazione. Non potrò mai più lavorare come scienziata. Ma, con quello che so, potrei ribaltare entrambe le situazioni.»

«In che modo?»

«Be'... potrei rilasciare un comunicato stampa sugli esperimenti.»

«Non c'è bisogno di prove?»

«Tu e Harvey insieme costituite una prova piuttosto drammatica. Specialmente se mi riuscisse di portarvi in televisione.»

«Già... su *Sixty Minutes* o qualche trasmissione del genere. L'idea mi piace» disse Steve con un certo entusiasmo, ma subito ridiventò serio. «Harvey non collaborerà di certo.»

«Potremmo filmarlo legato. Poi chiamiamo la polizia, e lo possono filmare anche loro.»

Steve annuì. «Il problema è che probabilmente dovrai agire prima che la Landsmann e la Genetico rendano definitiva l'acquisizione. Una volta che hanno i soldi in mano, potrebbero mettere a tacere la cattiva pubblicità. E non vedo come potremmo riuscire ad arrivare in televisione in così poche ore. La loro conferenza stampa si terrà domani mattina, secondo quanto ha scritto il "Wall Street Journal".»

«Forse dovremmo tenere una conferenza stampa anche noi.»

Steve fece schioccare le dita. «Ci sono! Ci intrufoliamo nella loro conferenza stampa!»

«Ma certo! In questo modo i dirigenti della Landsmann potrebbero decidere di non firmare i documenti e l'acquisizione verrebbe annullata.»

«E Berrington non si beccherà tutti quei milioni di dollari.»

«E Jim Proust non si candiderà alla presidenza.»

«Dobbiamo essere pazzi» disse Steve. «Questi sono tra gli uomini più potenti d'America e noi stiamo pensando di rovinar loro la festa.»

Da sotto si sentirono delle martellate: il signor Oliver stava riparando la porta. Jeannie disse: «Odiano i neri, sai. Tutte queste stupidaggini sui geni buoni e sugli americani di seconda qualità sono solo una finzione. Questi sono convinti sostenitori della supremazia bianca mascherati da alfieri della scienza moderna. Vogliono che le persone come il signor Oliver diventino cittadini di serie B. Che vadano all'inferno! Io non ho nessuna intenzione di restare a guardare».

«Abbiamo bisogno di un piano» disse Steve da persona pratica.

«Okay, eccolo qua» ribatté Jeannie. «Innanzitutto dobbiamo scoprire dove si terrà la conferenza stampa della Genetico.»

«Probabilmente in un albergo di Baltimora.»

«Se necessario, li chiameremo tutti.»

«Forse dovremmo prendere una stanza lì.»

«Ottima idea. Poi io potrei intrufolarmi in qualche modo alla conferenza stampa, interromperla e tenere un discorso ai giornalisti presenti per l'occasione.»

«Ti metteranno a tacere.»

«Dovrei aver pronto un comunicato stampa da distribuire. Poi arrivi tu con Harvey. I gemelli sono molto fotogenici, le telecamere saranno tutte puntate su di voi.»

«Che cosa puoi dimostrare con me e Harvey sul palco?» chiese Steve perplesso.

«Poiché siete assolutamente identici non potete passare inosservati e la stampa inizierà a fare domande. Non ci vorrà molto prima che scoprano che avete madri diverse. Una volta appurato questo, capiranno che c'è un mistero da svelare, proprio come l'ho capito io. E tu sai bene quanto scavino sui candidati alla presidenza.»

«Però tre sarebbero meglio di due» fece notare Steve. «Secondo te, sarebbe possibile portare là uno degli altri?»

«Forse. Potremmo invitarli tutti e sperare che se ne presenti almeno uno.»

Harvey aprì gli occhi ed emise un gemito.

Jeannie si era quasi dimenticata di lui. Guardandolo, sperò tanto che gli facesse male la testa, ma si sentì un po' in colpa per quel pensiero vendicativo. «Visto come l'ho colpito, forse sarebbe meglio farlo vedere da un dottore.»

Harvey però si riprese in fretta. «Slegami subito, brutta troia.»

«Lasciamo perdere il dottore» disse Jeannie.

«Slegami subito o giuro che quando mi libero ti affetto le tette con un rasoio.»

Jeannie gli infilò lo straccio dei piatti in bocca. «Sta' zitto, Harvey.»

«Non sarà molto facile farlo entrare in quell'albergo legato» disse Steve con aria pensierosa.

Da sotto giunse la voce di Lisa che salutava il signor Oliver. Un attimo dopo la ragazza entrò. Indossava jeans e pesanti Doc Marten. Guardò Steve, poi Harvey, quindi esclamò: «Mio Dio, allora è vero!».

Steve si alzò. «Io sono quello che hai riconosciuto nel confronto, ma lui è quello che ti ha aggredita.»

«Harvey ha cercato di farmi quello che ha fatto a te» spiegò. «Steve è arrivato appena in tempo e ha buttato giù la porta.»

Lisa si avvicinò a Harvey. Lo fissò a lungo, poi tirò indietro un piede e con la punta delle Doc Marten gli sferrò un violento calcio nelle costole. Lui gemette e si contorse per il dolore.

Lisa gli diede un altro calcio. «Ragazzi!» esclamò, scuotendo la testa. «Che soddisfazione!»

Jeannie la informò velocemente degli ultimi sviluppi. «Quante cose sono successe mentre dormivo» osservò Lisa stupita.

«È un anno che sei alla JFU, Lisa» disse Steve. «Mi sorprende che tu non abbia mai incontrato il figlio di Berrington.»

«Berrington non socializza mai con il corpo accademico» rispose Lisa. «È troppo importante, lui. È probabile che nessuno alla JFU abbia mai visto Harvey.»

Jeannie le espose a grandi linee il loro piano per mandare a monte la conferenza stampa. «Stavamo appunto dicendo che saremmo più tranquilli se fosse presente anche un altro dei cloni.»

«Be', Per Ericson è morto, Dennis Pinker e Murray Claud sono in galera. Ci restano tre possibilità: Henry King a Boston, Wayne Stattner a New York e George Dassault... a Buffalo, Sacramento o Houston, ancora non sappiamo dove, comunque potremmo provare. Ho conservato tutti i numeri di telefono.»

«Anch'io» disse Jeannie.

«Riusciranno ad arrivare in tempo?» chiese Steve.

«Potremmo controllare su CompuServe che voli ci sono» disse Lisa. «Dov'è il tuo computer, Jeannie?»

«Rubato.»

«Ho il mio portatile nel bagagliaio. Vado subito a prenderlo.»

Mentre Lisa era fuori, Jeannie disse: «Dovremo trovare una valida scusa per convincere questa gente a precipitarsi a Baltimora. E dovremo offrirci di pagare loro il biglietto. Non sono sicura che la mia carta di credito basti».

«Ho una American Express che mia madre mi ha dato per le emergenze. So che la considererà un'emergenza.»

«Che madre fantastica» osservò Jeannie con invidia.

«Puoi ben dirlo.»

Lisa tornò in casa e collegò il computer al modem di Jeannie. «Aspetta un minuto» disse Jeannie. «Organizziamoci.»

58

Mentre Jeannie scriveva il comunicato stampa e Lisa controllava i voli con il WorldSpan Travelshopper, Steve prese le Pagine Gialle e cominciò a chiamare tutti i maggiori alberghi
della città chiedendo se avevano in programma per l'indomani una conferenza della Genetico o della Landsmann.

Al sesto tentativo gli venne in mente che la conferenza
stampa poteva anche non avere necessariamente luogo in un
hotel. Potevano farla in un ristorante, o in un ambiente più
esotico, come a bordo di una nave; oppure nella sede centrale
della Genetico, a nord della città. Ma alla settima telefonata
una gentile telefonista gli rispose: «Sì, nella Regency Room alle dodici».

«Fantastico!» esclamò Steve. Jeannie gli rivolse uno sguardo
interrogativo e lui le rispose con un gran sorriso, alzando il
pollice in segno di vittoria. «Potrei prenotare una stanza per
questa notte?»

«Le passo subito l'ufficio prenotazioni, signore. Resti in linea.»

Prenotò una stanza, pagandola con l'American Express di
sua madre. Quando riattaccò, Lisa disse: «Ci sono tre voli con
cui Henry King potrebbe arrivare in tempo, tutti della USAir:
alle sei e venti, alle sette e quaranta e alle nove e quarantacinque. C'è ancora posto su tutti e tre».

«Prenota un posto su quello delle nove e quarantacinque»,
disse Jeannie.

Steve passò a Lisa la carta di credito e lei digitò gli estremi.

«Non ho ancora pensato a come convincerlo a venire» disse Jeannie.

«Hai detto che è uno studente e che lavora in un bar?» chiese Steve.

«Sì.»

«Allora ha bisogno di soldi. Lascia che provi io. Qual è il suo numero?»

Jeannie glielo diede. «Si chiama Hank» gli disse. Steve compose il numero, ma non rispose nessuno. Scosse la testa deluso. «Non è a casa.»

Per un attimo Jeannie si lasciò sopraffare dalla delusione, poi schioccò le dita. «Forse sta lavorando.» Gli diede il numero del bar e Steve provò.

Rispose un uomo con un accento ispanico. «Blue Note.»

«Posso parlare con Hank?»

«In teoria è qui per lavorare, lo sa?» disse l'uomo in tono irritato.

Steve sorrise a Jeannie e le disse sottovoce: «C'è!». Poi rispose all'uomo: «È molto importante. Giuro che non lo tratterrò a lungo».

Un attimo dopo una voce identica a quella di Steve disse: «Sì, chi parla?».

«Ciao, Hank, mi chiamo Steve Logan. Noi abbiamo qualcosa in comune.»

«Che cosa mi vuoi vendere?»

«Le nostre madri sono state in cura in un posto che si chiama Aventine Clinic, prima che noi nascessimo. Puoi chiedere conferma a lei, se vuoi.»

«Sì, e allora?»

«Per farla breve, ho intenzione di far causa alla clinica per dieci milioni di dollari e mi farebbe piacere se tu ti associassi all'azione legale.»

All'altro capo del filo ci fu una lunga pausa. «Amico, non so se stai parlando sul serio, ma in un modo o nell'altro io non ho i soldi per una causa.»

«Coprirò io tutti i costi. Non voglio il tuo denaro.»

«Allora perché mi stai chiamando?»

«Perché il mio caso ha maggiori probabilità di riuscita se partecipi anche tu.»

«Sarà meglio che tu mi faccia avere i particolari per iscritto...»

«Questo è il problema. Ho bisogno che tu sia a Baltimora domani a mezzogiorno, allo Stouffer Hotel. Intendo tenere una conferenza stampa prima di iniziare l'azione legale e voglio che tu partecipi.»

«E chi ha voglia di andare a Baltimora? Non è mica Honolulu.»

"Sii serio, stronzo." «C'è un posto prenotato per te sul volo USAir che parte dal Logan alle nove e quarantacinque. Il biglietto è già pagato, puoi controllare se vuoi. Devi solo ritirarlo all'aeroporto.»

«Mi stai offrendo di dividere con me i tuoi dieci milioni?»

«Oh, no. Tu avrai i tuoi dieci.»

«Per che cosa intendi fargli causa?»

«Rottura fraudolenta di contratto implicito.»

«Io studio economia e commercio. Non è un reato che cade in prescrizione? Se è accaduto ventitré anni fa...»

«Sì, c'è la prescrizione, ma decorre dal momento in cui la frode viene scoperta. In questo caso, la scorsa settimana.»

In sottofondo, una voce dal pesante accento spagnolo gridò: «Ehi, Hank, ci sono cento clienti che aspettano!».

«Quasi quasi mi hai convinto» disse Hank.

«Significa che verrai?»

«No. Significa che questa sera, dopo il lavoro, ci penserò su. Ora devo andare a servire.»

«Puoi chiamarmi in albergo» disse Steve, ma era troppo tardi: Hank aveva già riattaccato.

Jeannie e Lisa lo stavano guardando.

«Mah» disse, stringendosi nelle spalle con aria frustrata. «Non so se sono riuscito a convincerlo.»

«Dovremo aspettare e vedere se si farà vivo» concluse Lisa.

«Che lavoro fa Wayne Stattner?»

«È proprietario di night-club. Probabilmente è già milionario.»

«Allora dovremo stuzzicare la sua curiosità. Hai il numero?»

«No.»

Steve chiamò il Servizio informazioni.

«Se è una persona famosa, potrebbe non essere sull'elenco.»

«Potrebbe esserci il numero dell'ufficio.» Diede il nome all'operatore. Pochi attimi dopo ottenne il numero e lo compose. Rispose una segreteria telefonica. «Ciao, Wayne. Mi chiamo Steve Logan e forse avrai notato che la mia voce è perfettamente uguale alla tua. Infatti – che tu ci creda o no – noi siamo identici. Io sono alto un metro e ottantotto, peso ottantasei chili e sono esattamente uguale a te, tranne che per il colore dei capelli. Altre cose che probabilmente abbiamo in comune: sono allergico alle noci macadamia, non ho unghie ai mignoli dei piedi, e quando penso mi gratto il dorso della mano sinistra con le dita di quella destra. E ora viene il bello: non siamo solo in due. Ci sono altri come noi. Uno ha commesso un reato alla Jones Falls University domenica scorsa... è per questo che ieri hai ricevuto una visita della polizia di Baltimora. Ci incontreremo allo Stouffer Hotel di Baltimora domani a mezzogiorno. So che ti sembrerà strano, Wayne, ma ti giuro che è vero. Chiama me o la dottoressa Jean Ferrami allo Stouffer, oppure vieni direttamente senza avvisare. Sarà molto interessante, vedrai.» Riattaccò e guardò Jeannie. «Che cosa ne pensi?»

Lei si strinse nelle spalle. «È un uomo che può togliersi tutti i capricci che vuole. Potrebbe essersi incuriosito. Probabilmente il proprietario di un night non ha niente di pressante da fare di lunedì mattina. D'altro canto, io non salirei su un aereo solo per aver ricevuto un messaggio come quello.»

Il telefono squillò e Steve rispose automaticamente. «Pronto?»

«Posso parlare con Steve?» Era una voce che non conosceva. «Sono io.»

«Sono lo zio Preston. Ti passo papà.»

Steve non aveva uno zio con quel nome. Aggrottò la fronte, perplesso. Un attimo dopo un'altra voce disse: «C'è qualcuno con te? Lei sta ascoltando?».

E all'improvviso Steve capì. Lo shock subentrò alla perplessità. Non riusciva a pensare a qualcosa da dire. «Un momento» disse, poi coprì il ricevitore con la mano. «Credo che sia Berrington» disse piano a Jeannie. «Mi ha preso per Harvey. Cosa diavolo devo fare?»

Jeannie allargò le braccia, confusa. «Improvvisa» gli disse.

«Grazie tante!» Steve riportò la cornetta all'orecchio. «Hmm, sì, sono Steve» disse.

«Che diavolo succede? Sono ore che sei lì!»

«Eh, sì...»

«Hai scoperto che cosa ha intenzione di fare Jeannie?»

«Hmm, sì...»

«E allora vieni qui subito a dircelo!»

«Okay.»

«Non sarai per caso bloccato, vero?»

«No.»

«Immagino che te la sarai scopata.»

«Puoi ben dirlo.»

«Tirati su i pantaloni e vieni subito a casa! Guarda che siamo tutti nei guai!»

«Okay.»

«Ora, quando riattacchi, devi dire che era qualcuno che lavora per l'avvocato dei tuoi genitori, che ti ha chiamato per avvertirti che devi tornare immediatamente a Washington. Questa è la tua copertura, e ti dà una scusa per venire via in fretta. Hai capito bene?»

«Okay, sarò lì appena possibile.»

Berrington riattaccò.

Steve emise un sospiro di sollievo. «Credo di avergliela fatta.»

«Che cos'ha detto?» chiese Jeannie.

«È molto interessante. A quanto pare, Harvey era stato mandato qui con il compito di scoprire le tue intenzioni. Temono che tu voglia usare contro di loro quello che sei venuta ad appurare.»

«Loro? Loro chi?»

«Berrington e qualcuno che si chiama zio Preston.»

«Preston Barck! Il presidente della Genetico! E perché hanno telefonato?»

«Erano impazienti. Berrington non ne poteva più di aspettare. Immagino che lui e i suoi soci stiano aspettando notizie per studiare una strategia di difesa. Mi ha detto di fingere di dover tornare a Washington dall'avvocato di mio padre, e di andare a casa da loro il prima possibile.»

Jeannie aveva l'aria preoccupata. «Questo è un problema.

Se Harvey non si farà vivo, Berrington capirà che qualcosa è andato storto. Quelli della Genetico si allarmeranno e prenderanno delle precauzioni. Potrebbero spostare la conferenza stampa in un altro luogo, aumentare le misure di sicurezza per impedirci di entrare, o addirittura annullare l'incontro e firmare i documenti in uno studio legale.»

Steve fissava il pavimento con aria perplessa. Aveva un'idea, ma esitava a proporla. Alla fine disse: «Allora Harvey deve tornare a casa».

Jeannie scosse la testa. «Ha sentito tutto. Svelerebbe i nostri piani.»

«No, se vado io al suo posto.»

Jeannie e Lisa lo guardarono stupefatte.

Non aveva ancora le idee chiare, stava pensando a voce alta. «Andrò a casa di Berrington e fingerò di essere Harvey. E li rassicurerò.»

«Steve, è troppo pericoloso! Non sai niente su come vivono. Non sai neppure dov'è il bagno.»

«Se Harvey è riuscito a ingannare te, penso proprio di poter ingannare Berrington.» Steve cercava di sembrare più sicuro di quanto in realtà fosse.

«Harvey non mi ha ingannata. L'ho scoperto.»

«Almeno per un po' ci è riuscito.»

«Per meno di un'ora. Tu dovrai starci di più.»

«Non molto. Di solito Harvey ritorna a Baltimora la domenica sera, lo sai anche tu. Sarò qui per mezzanotte.»

«Ma Berrington è suo padre. Non puoi farcela.»

Steve sapeva che aveva ragione. «Hai un'idea migliore?»

Jeannie ci rifletté per un momento. «No» rispose alla fine.

59

Steve indossò i calzoni di velluto a coste blu e la maglia azzurra di Harvey, prese la sua Datsun e partì alla volta di Roland Park. Quando giunse a casa di Berrington era buio. Parcheggiò dietro una Lincoln color argento e rimase per un momento seduto in macchina, cercando di farsi coraggio.

Non poteva sbagliare. Se lo avessero scoperto, per Jeannie sarebbe stata la fine. Ma non aveva niente in mano, nessuna informazione su cui basarsi. Doveva essere pronto a sfruttare ogni allusione, capire ciò che ci si aspettava da lui, e soprattutto restare tranquillo se avesse commesso qualche errore. Desiderò tanto essere un attore.

"Di che umore era Harvey?" si chiese. Era stato richiamato in modo perentorio dal padre mentre presumibilmente se la stava spassando con Jeannie. Decisamente doveva essere di cattivo umore.

Sospirò. Non poteva più rimandare. Scese dall'auto e andò verso la porta.

Nel portachiavi di Harvey c'erano parecchie chiavi. Guardò la serratura, e gli parve di leggere la parola YALE. Cercò una chiave che andasse bene, ma prima di riuscire a trovarla Berrington venne ad aprire. «Cosa fai lì fuori?» gli disse, irascibile. «Vieni dentro.»

Steve entrò.

«Va' nello studiolo» ordinò Berrington.

"Dove diavolo sarà lo studiolo?" pensò Steve in preda al panico. La casa era una tipica villetta col tetto piatto su più livelli, costruita negli anni Settanta. A sinistra, oltre un arco, c'era un soggiorno deserto e arredato con mobili formali. Davanti c'era un corridoio con parecchie porte che dovevano dare nelle camere da letto. A destra c'erano due porte chiuse, una delle quali, probabilmente, era lo studiolo. Ma quale?

«Va' nello studiolo» ripeté Berrington, come se lui non avesse sentito.

Steve scelse una porta a caso.

Aveva scelto quella sbagliata. Era un bagno.

Berrington gli rivolse un'occhiata irritata.

Steve esitò un attimo, poi si ricordò che doveva essere di cattivo umore. «Potrò almeno andare a pisciare!» disse brusco. Senza aspettare la risposta entrò e chiuse la porta.

Era il bagno degli ospiti con solo un water e un lavandino. Si appoggiò al bordo del lavandino e si guardò allo specchio. «Tu devi essere pazzo» disse, rivolto alla propria immagine.

Fece scorrere l'acqua nel water, si lavò le mani e uscì.

Sentiva delle voci maschili provenire dal fondo della casa. Aprì la porta di fianco al bagno. Era lo studiolo. Entrò. Chiuse la porta e si guardò rapidamente intorno. Vide una scrivania, uno schedario di legno, molti scaffali, un televisore e alcuni divani. Sulla scrivania c'era la foto di una bella donna bionda sui quarant'anni, vestita con abiti che sembravano passati di moda ormai da venti, con in braccio un bambino. Probabilmente era la ex moglie di Berrington. "Che sia quella mia madre?" pensò Steve. Aprì i cassetti della scrivania uno dopo l'altro, passando rapidamente in rassegna il contenuto, poi guardò nello schedario. Nell'ultimo cassetto c'era una bottiglia di whisky di malto Springbank con alcuni bicchieri di cristallo, che parevano nascosti. Forse era una mania di Berrington. Mentre richiudeva il cassetto, la porta si aprì ed entrò Berrington, seguito da due uomini. Steve riconobbe il senatore Proust, la cui testa grossa e pelata con il naso esagerato era una manna per i caricaturisti. Immaginò che l'altro, un uomo con i capelli neri dall'aspetto tranquillo, fosse lo zio Preston Barck, il presidente della Genetico.

Ricordò che doveva essere di pessimo umore. «Non c'era nessun bisogno di trascinarmi qui con tanta fretta.»

Berrington assunse un tono conciliante. «Abbiamo appena

finito di cenare» disse, «Vuoi mangiare? Marianne può prepararti qualcosa.»

Steve aveva lo stomaco annodato per la tensione, ma di sicuro Harvey avrebbe voluto la cena, e Steve doveva apparire il più naturale possibile, quindi fece finta di ammorbidirsi e rispose: «Va bene».

«Marianne!» urlò Berrington. Dopo un attimo entrò una graziosa ragazza di colore che sembrava molto nervosa. «Porta qualcosa da mangiare a Harvey.»

«Subito, monsieur» rispose lei timidamente.

Steve la osservò allontanarsi e notò che per andare in cucina aveva attraversato il soggiorno. Anche la sala da pranzo doveva trovarsi in quella direzione, a meno che non mangiassero in cucina.

«Allora, ragazzo, che cosa hai scoperto?» chiese Proust sporgendosi in avanti verso di lui.

Steve si era inventato un finto piano d'azione da attribuire a Jeannie. «Penso proprio che potete rilassarvi, almeno per il momento» disse. «Jeannie Ferrami ha intenzione di far causa alla Jones Falls University per illecito licenziamento. Pensa di rivelare in quella sede l'esistenza dei cloni. Fino ad allora non ha intenzione di dar pubblicità alla cosa. Ha un appuntamento con un avvocato per mercoledì.»

I tre parvero sollevati. «Una causa per illecito licenziamento» ripeté Proust. «Ci vorrà almeno un anno. Abbiamo tutto il tempo per fare quello che dobbiamo.»

"Vi ho fregati, vecchi bastardi!"

«E il caso di Lisa Hoxton?» chiese Berrington.

«Sa chi sono, ed è convinta che sia stato io, ma non ha alcuna prova. Probabilmente mi accuserà, ma penso che sembrerà l'accusa pretestuosa fatta da una dipendente che si vuole vendicare per essere stata licenziata.»

Berrington annuì. «Ottimo, ma avrai comunque bisogno di un avvocato. Ho deciso il da farsi. Stanotte dormirai qui... e comunque è troppo tardi per tornare a Filadelfia.»

"Io non voglio passare la notte qui!"

«Non lo so...»

«Domani mattina verrai con me alla conferenza stampa, e subito dopo andremo a parlare con Henry Quinn.»

471

"È troppo rischioso!

"Non farti prendere dal panico. Rifletti.

"Se resto qui, saprò con esattezza che cosa hanno in mente questi tre bastardi. Vale la pena di correre qualche rischio. Non può succedermi nulla mentre dormo. Potrei anche riuscire a telefonare a Jeannie per farle sapere ciò che sta succedendo."

«Okay» disse, decidendo d'impulso.

«Be', a quanto pare ci siamo fatti venire i capelli bianchi per niente» esclamò Proust.

Barck non era così propenso ad accettare le buone notizie. «Come mai alla ragazza non è venuto in mente di sabotare l'acquisizione della Genetico?» chiese con fare sospettoso.

«È intelligente, ma non credo che abbia occhio per gli affari» disse Steve.

Proust gli fece l'occhiolino e gli chiese: «E a letto com'è?».

«Svelta» rispose Steve con un ghigno e Proust scoppiò in una gran risata.

Arrivò Marianne con un vassoio: pollo a fette, insalata con cipolle, pane e una Budweiser. «Grazie» disse lui con un sorriso. «Ha un aspetto magnifico.»

La ragazza gli lanciò un'occhiata inquieta e Steve si rese conto che Harvey non era tipo da perdersi in ringraziamenti. Colse lo sguardo perplesso di Preston Barck.

"Attento, attento! Non rovinare tutto, ora che li hai portati dove volevi. Devi solo resistere un'altra ora, prima di andare a dormire."

Iniziò a mangiare. «Ricordi quando ti ho portato a pranzo al Plaza a New York, a dieci anni?» gli chiese Barck.

Steve stava per rispondere "Sì", ma colse lo sguardo perplesso di Berrington e si bloccò. Che fosse una prova? Forse Barck sospettava qualcosa. «Al Plaza?» ripeté, corrugando la fronte. In un modo o nell'altro, poteva dare una sola risposta. «Ah, zio Preston, proprio non me lo ricordo.»

«Allora sarà stato il figlio di mia sorella» concluse lui.

Ce l'aveva fatta.

Berrington si alzò. «Tutta quella birra mi fa pisciare come un cavallo» disse, e uscì.

«Ho bisogno di uno scotch» annunciò Proust.

«Prova nell'ultimo cassetto dello schedario. È lì che papà lo tiene di solito.»

Preston andò allo schedario e lo aprì. «Bravo!» esclamò. Tirò fuori la bottiglia e alcuni bicchieri.

«Conosco quel nascondiglio fin da quando avevo dodici anni» disse Steve. «È stato allora che ho cominciato a fregarglielo.»

Proust scoppiò a ridere. Steve lanciò un'occhiata a Barck. L'espressione diffidente era sparita e stava sorridendo.

60

Il signor Oliver tirò fuori un'enorme pistola, residuato della seconda guerra mondiale. «L'ho presa a un prigioniero tedesco. A quei tempi ai soldati di colore non era consentito girare armati» spiegò. Si sedette sul divano di Jeannie puntando l'arma contro Harvey.

Lisa era al telefono e cercava di rintracciare George Dassault.

«Vado in albergo, prendo possesso della camera e faccio una perlustrazione» annunciò Jeannie. Gettò poche cose in una valigia e si diresse allo Stouffer. Come avrebbero fatto a portare Harvey nella stanza senza attirare l'attenzione del servizio di vigilanza dell'albergo?

Lo Stouffer aveva un garage sotterraneo, il che era già qualcosa. Lasciò l'auto e prese l'ascensore. Notò che arrivava solo all'atrio. Gli ascensori che portavano ai piani erano raggruppati in un corridoio laterale che non si vedeva dal banco della reception. Ci sarebbero voluti solo pochi secondi per percorrere la distanza dall'ascensore del garage a quello che portava alle stanze. Harvey avrebbe collaborato e avrebbe camminato con le proprie gambe, oppure sarebbero stati costretti a portarlo di peso? Non riusciva proprio a immaginarlo.

Si fece registrare, salì in camera e poggiò la valigia. Quindi uscì immediatamente e tornò a casa.

«Ho trovato George Dassault!» annunciò Lisa tutta eccitata non appena vide Jeannie.

«Fantastico! Dove?»

«A New York. Ho trovato sua madre a Buffalo e lei mi ha

dato il numero. Fa l'attore. In questo momento lavora in uno spettacolo off-off-off Broadway.»

«Verrà domani?»

«Sì. "Farei qualsiasi cosa per un po' di pubblicità" mi ha detto. Gli ho prenotato un volo e gli ho detto che lo andrò a prendere all'aeroporto.»

«Magnifico!»

«Avremo tre cloni. Farà un effetto fantastico in televisione.»

«Sempre ammesso che riusciamo a portare Harvey in albergo» le fece notare Jeannie. Si rivolse al signor Oliver. «Possiamo evitare il portiere entrando dal garage sotterraneo, ma l'ascensore del garage arriva solo fino al pianterreno dell'albergo. Poi bisogna uscire e prenderne un altro che sale ai piani. Per fortuna è un po' nascosto rispetto all'atrio.»

«In ogni caso dovremo tenerlo buono per almeno cinque, dieci minuti, mentre lo portiamo dalla macchina alla camera» osservò il signor Oliver con espressione dubbiosa. «E se qualche ospite dell'albergo lo vede tutto legato? Potrebbe farci delle domande, chiamare il servizio di sorveglianza.»

Jeannie guardò Harvey, legato e imbavagliato sul pavimento. Li guardava e ascoltava tutto quello che dicevano. «Ci ho pensato, e mi è venuta un'idea» disse Jeannie. «Potrebbe legargli i piedi in modo che possa camminare, ma non troppo velocemente?»

«Certo.»

Mentre il signor Oliver procedeva, Jeannie andò in camera da letto. Tirò fuori dall'armadio un coloratissimo sarong che aveva comperato per andare alla spiaggia, un grosso scialle, un fazzoletto e una maschera di Nancy Reagan che le avevano regalato a una festa e che aveva dimenticato di gettare via.

Il signor Oliver stava mettendo in piedi Harvey. Non appena si ritrovò in posizione eretta, Harvey cercò di colpirlo con le mani legate. Jeannie emise un'esclamazione di sorpresa, Lisa lanciò un urlo. Ma evidentemente il signor Oliver se l'aspettava: scansò il colpo con facilità e colpì Harvey allo stomaco con il calcio della pistola. Harvey emise un grugnito e si piegò in due; il signor Oliver lo colpì nuovamente, questa volta sulla testa. Harvey cadde in ginocchio. Il signor Oliver lo risollevò. Ora sembrava più mansueto.

«Voglio travestirlo» annunciò Jeannie.

«Faccia pure» disse il signor Oliver. «Io resterò qui vicino e gli farò male di quando in quando per convincerlo a cooperare.»

Con gesti nervosi, Jeannie avvolse il sarong intorno alla vita di Harvey e lo annodò come fosse una gonna. Aveva le mani malferme: odiava stargli così vicino. La gonna era lunga e gli arrivava alle caviglie, nascondendo il groviglio di filo elettrico che gli impediva di camminare normalmente. Jeannie gli drappeggiò lo scialle sulle spalle e lo assicurò con una spilla di sicurezza ai legacci che gli stringevano i polsi, per dare l'impressione che si tenesse gli angoli dello scialle come un'anziana signora. Quindi arrotolò il fazzoletto e glielo legò intorno alla bocca, con un bel nodo dietro il collo, in modo che lo straccio che aveva in bocca non potesse uscire. Per ultimo gli mise la maschera da Nancy Reagan a nascondere il tutto. «È stato a una festa in maschera, vestito da Nancy Reagan, e si è ubriacato» disse.

«Mi sembra un bel lavoro» concluse il signor Oliver.

Squillò il telefono. Jeannie andò a rispondere. «Pronto?»

«Parla Mish Delaware.»

Jeannie si era dimenticata di lei. Erano passate almeno quindici ore da quando aveva tentato disperatamente di contattarla. «Salve.»

«Aveva ragione lei. È stato Harvey Jones.»

«Come fate a saperlo?»

«La polizia di Filadelfia ha controllato subito. Sono andati nel suo appartamento. Lui non c'era, ma un vicino li ha fatti entrare. Hanno trovato il berretto e hanno accertato che corrispondeva alla descrizione.»

«Fantastico!»

«Sono pronta ad arrestarlo, ma non so dove si trovi. Lei lo sa?»

Jeannie guardò quella Nancy Reagan alta un metro e ottantotto. «Non ne ho proprio idea» rispose. «Ma le posso dire dove sarà domani a mezzogiorno.»

«Sentiamo.»

«Allo Stouffer Hotel, nella Regency Room, per una conferenza stampa.»

«Grazie,»

«Ah, Mish... mi farebbe un piacere?»

«Cosa?»

«Non lo arresti finché la conferenza stampa non si è conclusa. Per me è davvero importante che lui ci sia.»

La donna esitò un attimo e poi acconsentì. «D'accordo.»

«Grazie, grazie davvero.» Jeannie riattaccò. «Okay. Portiamolo in macchina.»

«Lei vada avanti ad aprire le portiere» disse il signor Oliver. «Lo porto giù io.»

Jeannie prese le chiavi della macchina e corse in strada. Era scesa la notte ma il cielo era illuminato dalle stelle e c'era pure la debole luce dei lampioni. Si guardò intorno. Due ragazzi in jeans strappati passeggiavano mano nella mano. Sull'altro lato della strada, c'era un uomo con un cappello di paglia in testa e un labrador giallo al fianco. Avrebbero potuto vedere quello che stava succedendo, ma forse non vi avrebbero prestato attenzione.

Jeannie aprì la portiera posteriore.

Harvey e il signor Oliver uscirono dalla casa. Il signor Oliver spingeva da dietro il prigioniero, che avanzava incespicando. Lisa chiuse il portone e li seguì.

Per un attimo a Jeannie la scena parve assurda. Le gorgogliò in gola una risata isterica e si portò una mano alla bocca per soffocarla.

Harvey arrivò alla macchina e il signor Oliver gli diede un'ultima spinta. Il ragazzo cadde sul sedile posteriore e il signor Oliver chiuse la portiera con forza.

L'ilarità di Jeannie era svanita. Guardò le persone presenti in strada. L'uomo col cappello di paglia stava osservando il cane che orinava sul pneumatico di una Subaru. I due ragazzi non si erano neppure voltati.

Fino a quel momento tutto procedeva bene.

«Vado dietro con lui» disse il signor Oliver.

«Okay.»

Lisa prese posto sul sedile anteriore e Jeannie si mise al volante.

Quella domenica sera il centro era molto tranquillo. Jeannie entrò nel garage sotto l'albergo e parcheggiò il più vicino possibile all'ascensore per ridurre al minimo la distanza da percorrere trascinando Harvey. Il garage, però, non era deserto. Dovettero attendere a bordo dell'auto che una coppia in abito da sera scendesse da una Lexus e prendesse l'ascensore. Quando non ci fu più nessuno in vista scesero dalla macchina.

Jeannie prese una chiave inglese dal bagagliaio, la mostrò a Harvey e se la infilò nella tasca dei jeans. Il signor Oliver aveva la pistola infilata nella cintura dei pantaloni, nascosta dalle falde della camicia. Tirarono fuori Harvey. Jeannie si aspettava che diventasse violento da un momento all'altro, ma il ragazzo camminò senza fare storie fino all'ascensore.

La cabina non arrivava mai.

Quando finalmente le porte si aprirono, lo spinsero dentro e Jeannie premette il pulsante dell'atrio.

Mentre salivano, il signor Oliver diede un pugno nello stomaco a Harvey.

Jeannie rimase scioccata: non vi era stata la minima provocazione.

Harvey emise un gemito soffocato e si piegò in due proprio mentre le porte si aprivano. Due uomini che aspettavano di scendere lo fissarono. Il signor Oliver lo condusse fuori, barcollante, dicendo: «Scusate, signori, questo giovanotto ne ha bevuto uno di troppo». I due si fecero immediatamente da parte.

C'era un ascensore pronto al piano. Vi trascinarono Harvey e Jeannie premette il pulsante dell'ottavo piano. Quando le porte si chiusero si concesse un sospiro di sollievo.

Arrivarono al piano senza intoppi. Harvey si stava riprendendo dal pugno, ma ormai erano quasi giunti a destinazione. Jeannie fece strada verso la sua stanza. Quando furono vicini, si accorse con sgomento che la porta era aperta e, attaccato alla maniglia, c'era un cartello che diceva STIAMO RIORDINANDO LA SUA STANZA. Doveva essere la cameriera che preparava il letto per la notte. Jeannie emise un gemito.

All'improvviso Harvey prese a dibattersi, emettendo grugniti di protesta, cercando di menare colpi all'impazzata con le mani legate. Il signor Oliver fece per colpirlo, ma lui scansò il pugno e si allontanò di tre passi lungo il corridoio.

Jeannie si chinò davanti a lui, afferrò con entrambe le mani il cavo elettrico che gli teneva legate le caviglie e tirò. Harvey inciampò. Jeannie tirò ancora, questa volta senza risultato. "Dio, quanto è pesante" pensò. Lui alzò le mani per colpirla. Jeannie si fece coraggio e tirò con tutte le sue forze. Harvey perse l'equilibrio e cadde rumorosamente.

«Mio Dio! Che cosa sta succedendo, in nome del cielo?» esclamò una voce molto affettata. La cameriera, una donna di colore sulla sessantina con un'uniforme immacolata, era uscita dalla stanza.

Il signor Oliver si inginocchiò vicino alla testa di Harvey e lo sollevò per le spalle. «Questo giovanotto ha fatto bagordi» disse. «E mi ha vomitato sul cofano della limousine.»

"Ah, sta fingendo di essere il nostro autista!"

«Bagordi?» disse la donna. «A me sembra piuttosto reduce da una rissa.»

Rivolto a Jeannie, il signor Oliver disse: «Le dispiacerebbe prenderlo per i piedi, signora?».

Jeannie obbedì.

Lo sollevarono di peso. Lui si divincolò. Il signor Oliver lo mollò, fingendo di non farcela a sostenerlo e sollevò il ginocchio in modo che Harvey ci picchiasse sopra e restasse senza fiato.

«Stia attento! Gli farà male!» intervenne la cameriera.

«Ancora uno sforzo, signora» disse il signor Oliver.

Lo presero e lo portarono nella stanza. Lo gettarono sul letto più vicino alla porta.

La cameriera li seguì. «Spero tanto che non vomiti anche qui.»

Il signor Oliver le sorrise. «Com'è che non l'ho mai vista da queste parti? Io ho occhio per le belle ragazze, ma non ricordo di averla mai vista prima.»

«Non sia sfacciato» disse lei, ma sorrideva. «Io non sono una ragazza.»

«Io ho settantun anni e lei non può averne più di quarantacinque.»

«Ne ho cinquantanove e sono troppo vecchia per stare ad ascoltare le sue sciocchezze.»

Lui la prese per un braccio e l'accompagnò gentilmente fuorì della stanza dicendo: «Ho quasi finito con questa gente. Le va di venire a fare un giro sulla mia límousine?».

«Tutta sporca di vomito? Non ci penso nemmeno!» rispose lei scoppiando a ridere.

«Potrei pulirla.»

«Ho un marito che mi aspetta a casa e, se la sentisse parlare in questo modo, altro che vomito ci sarebbe sul suo cofano, signor Limousine!»

«Oh-oh.» Il signor Oliver alzò le mani come per difendersi. «Non avevo cattive intenzioni» disse. Fingendosi spaventato, indietreggiò nella stanza e chiuse la porta.

«Dio onnipotente, ce l'abbiamo fatta!» esclamò Jeannie, lasciandosi cadere su una poltrona.

61

Non appena ebbe finito di mangiare, Steve si alzò e annunciò: «Ho proprio bisogno di andare a dormire». Voleva ritirarsi al più presto nella stanza di Harvey, così non avrebbe corso il rischio di essere scoperto.

Il gruppo si sciolse. Proust mandò giù l'ultimo sorso di whisky e Berrington accompagnò i due ospiti alla macchina.

Steve colse l'occasione per chiamare Jeannie e informarla di quanto stava accadendo. Afferrò il telefono e chiamò il Servizio informazioni. Ci misero parecchio a rispondere. Finalmente riuscì a parlare con un operatore e chiese il numero dell'albergo. La prima volta sbagliò a digitarlo e rispose un ristorante. Rifece il numero freneticamente, e questa volta rispose l'albergo. «Vorrei parlare con la dottoressa Jean Ferrami.»

Berrington tornò nello studiolo proprio mentre la voce di lei dall'altra parte diceva: «Pronto?».

«Ciao, Linda, sono Harvey.»

«Steve, sei tu?»

«Sì. Ho deciso di passare la notte a casa di mio padre. È un po' tardi per tornare a Filadelfia.»

«Oh, Dio! Steve, stai bene?»

«Ho qualche cosetta da fare, ma niente di preoccupante. Com'è andata oggi, tesoro?»

«Lo abbiamo portato in camera. Non è stato facile, ma ce l'abbiamo fatta. Lisa è riuscita a contattare George Dassault. Ha promesso di venire, quindi dovremmo averne almeno tre.»

«Bene. Ora me ne vado a letto. Spero di vederti domani, tesoro, okay?»

«Ehi, buona fortuna.»

«Anche a te, Buona notte.»

Berrington gli fece l'occhiolino. «È una focosa?»

«Tiepida.»

Berrington tirò fuori alcune pillole e le mandò giù con il whisky. Cogliendo lo sguardo di Steve, spiegò: «Dalmane. Ho bisogno di qualcosa per dormire, dopo quello che è successo».

«Buona notte, papà.»

Berrington gli mise un braccio intorno alle spalle. «Buona notte, figliolo. Non preoccuparti. Ne usciremo, vedrai.»

Amava davvero quel suo figlio pervertito, pensò Steve, e per un attimo si sentì irrazionalmente in colpa per aver ingannato un padre affettuoso.

Poi si rese conto che non sapeva dove fosse la sua camera.

Uscì dallo studiolo e fece qualche passo lungo il corridoio. Chissà qual era la porta della stanza di Harvey. Si voltò e vide che Berrington dallo studiolo non poteva vederlo. Aprì la porta più vicina, cercando di fare più piano possibile.

Era un bagno, con doccia e vasca.

Richiuse piano la porta.

Poi fu la volta di un ripostiglio pieno di biancheria.

Provò la porta di fronte. Dava su una grande camera da letto matrimoniale, piena di armadi a muro. A una maniglia era appeso un abito grigio avvolto in un sacco trasparente da lavanderia. Di certo Harvey non possedeva abiti grigi. Stava per richiudere piano la porta quando udì la voce di Berrington alle sue spalle. «Hai bisogno di qualcosa nella mia stanza?»

Steve trasalì. Per un attimo rimase senza parole. "E ora cosa diavolo gli dico?" Poi gli venne in mente: «Non ho niente con cui dormire».

«Da quando ti sei messo a usare il pigiama?» Il tono di Berrington sembrava sospettoso, o forse semplicemente perplesso. Steve non avrebbe saputo dirlo.

Improvvisando, rispose: «Pensavo avessi una T-shirt oversize».

«Niente che possa andar bene su questo fisico ben piantato, ragazzo mio» rispose Berrington e scoppiò a ridere, con grande sollievo di Steve.

«Non importa» disse, stringendosi nelle spalle, e fece per allontanarsi.

In fondo al corridoio c'erano due porte, una di fronte all'altra: presumibilmente la stanza di Harvey e quella della governante.

Qual era quella giusta?

Steve se la prese comoda, sperando che Berrington scomparisse nella sua camera prima che lui fosse costretto a fare una scelta.

Arrivato in fondo si voltò a guardare. Berrington lo stava osservando.

«'notte, papà.»

«Buonanotte.»

Destra o sinistra? Non c'era modo di saperlo. Scegline una a caso.

Steve aprì la porta sulla destra.

Una maglia da rugby gettata sulla spalliera di una sedia, CD di Snoop Doggy Dog sul letto, "Playboy" sulla scrivania.

La stanza di un ragazzo. Grazie al cielo!

Entrò e richiuse la porta col tacco della scarpa.

Si appoggiò alla porta con un gran sospiro di sollievo.

Dopo qualche istante si spogliò e si infilò tra le lenzuola. Gli faceva una strana impressione trovarsi nel letto di Harvey, nella camera da letto di Harvey, in casa del padre di Harvey. Spense la luce e rimase sdraiato, sveglio, ad ascoltare i rumori di quella casa estranea. Per un po' si udirono passi, porte che si chiudevano, acqua che scorreva dai rubinetti, poi regnò il silenzio.

Si appisolò, ma poco dopo si svegliò bruscamente.

C'era qualcuno nella stanza.

Percepì distintamente il profumo di un'essenza fiorita mista ad aglio e spezie, poi intravide la sagoma minuta di Marianne passare davanti alla luce della finestra.

Prima che potesse dire una parola, la ragazza si infilò nel suo letto.

«Ehi!» protestò lui con un sussurro.

«Ora te lo prendo in bocca proprio come piace a te» disse, ma Steve colse una nota di paura nella sua voce.

«No» disse, respingendola, mentre lei infilava la testa sotto le coperte. Era completamente nuda.

«Ti prego, non farmi male questa notte, Arvey» disse. Aveva l'accento francese.

Steve capì. Marianne era un'immigrata e Harvey l'aveva terrorizzata a tal punto che lei non solo era disposta a fare qualsiasi cosa, ma addirittura preveniva le sue richieste. Come poteva picchiare la ragazza, con suo padre nell'altra stanza? Lei non si lamentava? Poi a Steve venne in mente la pillola di sonnifero. Berrington doveva avere un sonno così pesante che neppure le urla di Marianne riuscivano a svegliarlo.

«Non ti farò male, Marianne» disse. «Rilassati.»

Lei prese a baciargli il volto. «Sii gentile, ti prego, sii gentile. Farò tutto quello che vuoi, ma non farmi male.»

«Marianne» le ordinò lui in tono imperioso. «Sta' ferma.»

Lei si immobilizzò.

Lui le circondò le spalle delicate con un braccio. La sua pelle era morbida e calda. «Resta ferma un momento e calmati» le disse, accarezzandole la schiena. «Nessuno ti farà più del male, te lo prometto.»

La ragazza era tesa, si aspettava di essere picchiata, ma pian piano si rilassò. Gli andò più vicina.

Steve aveva un'erezione, non poteva farci niente. Avrebbe potuto fare l'amore con lei. Lì, a letto, con quel minuscolo corpo tremante fra le braccia, ne fu molto tentato. Nessuno sarebbe mai venuto a saperlo. Sarebbe stato bellissimo accarezzarla ed eccitarla. L'avrebbe sorpresa e forse resa felice amandola con dolcezza e rispetto. Avrebbero potuto andare avanti a baciarsi e a toccarsi tutta la notte.

Steve sospirò. Non era giusto. Lei non era consenziente. Erano state l'insicurezza e la paura a spingerla nel suo letto, non il desiderio.

"Sì, Steve, potresti scopartela... e sfrutteresti una povera straniera spaventata che crede di non avere altra scelta. Sarebbe una cosa spregevole. Tu disprezzeresti un uomo che si comportasse in questo modo."

«Ti senti meglio, ora?» le chiese.

«Sì...»

«Allora torna nel tuo letto.»

Lei gli sfiorò il viso, poi gli diede un lieve bacio sulla bocca. Steve tenne le labbra chiuse, ma le diede qualche carezza affettuosa sui capelli.

Lei rimase a fissarlo nella semioscurità. «Tu non sei lui, vero?» disse lentamente.

«No» rispose Steve. «Non sono lui.»

Un attimo dopo se n'era andata.

Steve aveva ancora l'erezione.

"Perché non sono lui? Per come sono stato educato?

"No.

"Avrei potuto scoparla. Potrei essere come Harvey, ma non lo sono perché ho scelto di non esserlo. Non sono stati i miei genitori a prendere la decisione di poco fa: sono stato io. Grazie per il vostro aiuto, mamma e papà, ma sono stato io, non voi, a dire a quella ragazza di tornare in camera sua.

"Non è stato Berrington a farmi come sono, non siete stati voi.

"Sono stato io."

LUNEDÌ

62

Steve si svegliò di soprassalto.

"Dove sono?"

Qualcuno lo stava scuotendo per una spalla, un uomo in pigiama a righe. Era Berrington Jones. Per un attimo rimase disorientato, poi tutto gli tornò in mente.

«Vestiti bene per la conferenza stampa, per favore» disse Berrington. «Nell'armadio c'è una camicia che hai lasciato qui un paio di settimane fa. Marianne l'ha lavata e stirata. Vieni in camera mia a prenderti una cravatta.» Poi uscì.

Berrington parlava con suo figlio come se fosse un bambino difficile e disubbidiente, rifletté Steve alzandosi dal letto. Le parole "non discutere e fa' come ti dico", benché non pronunciate, erano implicite in ogni frase. Tuttavia quei modi bruschi rendevano la conversazione più facile per Steve. Avrebbe potuto cavarsela rispondendo a monosillabi, senza correre il rischio di tradirsi.

Erano le otto del mattino. Si avviò in mutande verso il bagno. Fece una doccia e si rase con un bilama usa e getta che trovò nel mobiletto. Se la prese comoda, cercando di rimandare il momento in cui avrebbe dovuto affrontare un'altra rischiosa conversazione con Berrington.

Con un asciugamano avvolto intorno ai fianchi, andò in camera di Berrington, come questi gli aveva ordinato. Berrington non c'era. Steve aprì l'armadio. Le cravatte di Berrington erano tutte dozzinali: righe, pois e disegni cashmere, tutte in seta lucida, niente di moderno. Ne scelse una con larghe righe orizzontali. Aveva bisogno anche di biancheria. Guardò tra i boxer: benché fosse molto più alto di Berrington, avevano la stessa misura. Ne prese un paio azzurri.

Una volta vestito, si preparò ad affrontare l'ultima prova. Ancora poche ore e sarebbe finita. Doveva dissipare i sospetti di Berrington almeno fino a mezzogiorno, quando Jeannie avrebbe interrotto la conferenza stampa.

Emise un profondo sospiro e uscì.

Seguì l'odore di pancetta fritta fino in cucina. Marianne era ai fornelli. Si voltò e guardò Steve con gli occhi spalancati, e lui ebbe un momento di panico. Se Berrington avesse notato l'espressione di Marianne avrebbe potuto chiederle che cosa non andava, e la povera ragazza era così terrorizzata che probabilmente gli avrebbe detto la verità. Ma Berrington stava guardando la CNN su un piccolo televisore e non era certo il tipo da interessarsi alla servitù.

Steve si sedette e Marianne gli servì caffè e succo d'arancia. Lui le rivolse un sorriso rassicurante sperando che si calmasse.

Berrington alzò una mano come per chiedere silenzio, del tutto inutilmente, visto che Steve non aveva la minima intenzione di chiacchierare. Lo speaker stava parlando dell'acquisizione della Genetico. «Michael Madigan, presidente della Landsmann North America, ha annunciato ieri sera che la fase di analisi del bilancio è stata portata a termine con soddisfazione di entrambe le parti e che l'accordo verrà siglato oggi a Baltimora nel corso di una conferenza stampa. All'apertura della Borsa di Francoforte le azioni della Landsmann sono salite di cinquanta scellini. I dati del terzo quadrimestre della General Motors...»

Si sentì suonare alla porta e Berrington premette il pulsante che azzerava l'audio. Guardò dalla finestra della cucina e disse: «C'è una macchina della polizia qui fuori».

Steve fu colpito da un pensiero orribile. Se Jeannie era riuscita a contattare Mish Delaware e a raccontarle ciò che aveva scoperto sul conto di Harvey, la polizia poteva essere lì per arrestare lui. Avrebbe avuto non poche difficoltà a negare di essere Harvey Jones, dal momento che indossava i suoi abiti ed era seduto a mangiare panini dolci ai mirtilli nella casa di suo padre.

Non voleva tornare in prigione.

Ma non era questa la cosa peggiore. Se fosse stato arrestato, non sarebbe potuto andare alla conferenza stampa. Se nessuno degli altri cloni si fosse presentato, Jeannie avrebbe avuto solo Harvey. E con un unico gemello non avrebbe potuto dimostrare proprio nulla.

Berrington si alzò per andare alla porta.

«E se fossero venuti a cercare me?» disse Steve.

Marianne aveva la faccia di una che sta per morire.

«Dirò loro che non ci sei» rispose Berrington.

Steve non riusciva a sentire la conversazione che si svolgeva sulla soglia. Rimase inchiodato al suo posto, senza mangiare né bere. Marianne era in piedi davanti ai fornelli, immobile come una statua, con una paletta in mano.

Finalmente Berrington tornò. «La notte scorsa tre dei nostri vicini sono stati derubati» annunciò. «Siamo stati fortunati.»

Jeannie e il signor Oliver si erano dati il cambio per tutta la notte, uno faceva la guardia a Harvey mentre l'altro si stendeva un po' sul letto, ma nessuno dei due era riuscito a riposare. Solo Harvey aveva dormito, russando sotto il bavaglio.

La mattina andarono in bagno a turno. Jeannie si vestì con gli abiti che si era portata nella valigia, una gonna nera e una camicetta bianca, in modo da poter essere scambiata per una cameriera.

Ordinarono la colazione in camera. Siccome non potevano far entrare il cameriere – avrebbe visto Harvey legato sul letto – il signor Oliver andò sulla porta e firmò il conto dicendo: «Mia moglie non è ancora vestita. Porterò dentro io il carrello».

Poi fece bere a Harvey un bicchiere di spremuta d'arancia, accostandoglielo alle labbra, mentre Jeannie stava dietro di lui pronta a colpirlo con la chiave inglese al minimo accenno di reazione violenta.

Jeannie aspettava con ansia la telefonata di Steve. Cosa ne era di lui? Aveva passato la notte a casa di Berrington. Che continuasse con la sua finzione?

Lisa arrivò alle nove con una pila di copie del comunicato stampa, poi ripartì alla volta dell'aeroporto per andare a prendere George Dassault e gli altri cloni, caso mai avessero deciso di venire. Nessuno dei tre aveva telefonato per confermare.

Steve chiamò alle nove e mezzo. «Devo fare in fretta» esordì. «Berrington è in bagno. Va tutto bene. Verrò alla conferenza stampa con lui.»

«Non sospetta niente?»

«No, ma ci sono stati dei momenti di tensione. Che fa il mio sosia?»

«Se ne sta buono buono.»

«Devo andare.»

«Steve?»

«Fa' presto!»

«Ti amo» disse Jeannie e riattaccò. "Non avrei dovuto dirlo" pensò subito dopo, "una ragazza dovrebbe fare la preziosa. Oh, chi se ne frega!"

Alle dieci partì in perlustrazione per individuare la Regency Room. Era una sala d'angolo con un piccolo atrio e una porta che dava su un'anticamera. C'era già un'addetta alle pubbliche relazioni, intenta a sistemare un fondale con il logo della Genetico, a beneficio delle telecamere.

Jeannie diede una rapida occhiata in giro e risalì in camera.

Arrivò una telefonata di Lisa dall'aeroporto. «Cattive notizie» disse, «il volo da New York è in ritardo.»

«Oh, Cristo!» esclamò Jeannie. «Gli altri si sono visti? Wayne o Hank?»

«No.»

«Di quanto è in ritardo l'aereo di George?»

«L'arrivo è previsto per le undici e trenta.»

«Potresti ancora farcela.»

«Correrò come il vento.»

Alle undici Berrington uscì dalla camera da letto infilandosi la giacca. Indossava un completo blu a righine bianche con gilet, e una camicia bianca con tanto di gemelli, di gusto un po' antiquato ma d'effetto. «Su, andiamo» disse.

Steve si mise la giacca di tweed di Harvey. Ovviamente gli andava a pennello e assomigliava moltissimo a una delle sue.

Uscirono. Erano entrambi troppo vestiti per quel clima. Salirono sulla Lincoln e accesero l'aria condizionata. Berrington si diresse velocemente verso il centro. Con grande sollievo di

Steve, durante il tragitto non parlò molto. Parcheggiò nel garage dell'albergo.

«La Genetico ha affidato la gestione dell'evento a un'agenzia di pubbliche relazioni» disse, mentre salivano con l'ascensore. «Il nostro ufficio pubblicitario interno non ha mai dovuto occuparsi di qualcosa di così importante.»

Mentre si dirigevano verso la Regency Room, furono avvicinati da una donna vestita con un abito nero ed elegantemente pettinata. «Sono Caren Beamish della Total Communications» disse in tono vivace. «Volete seguirmi nella saletta VIP?» Li condusse in una piccola sala dove era stato preparato un rinfresco.

Steve era vagamente infastidito: avrebbe voluto dare un'occhiata alla disposizione della sala. Ma forse non avrebbe fatto alcuna differenza. Ciò che contava era che Berrington, fino all'entrata in scena di Jeannie, continuasse a credere che lui era Harvey.

Nella saletta VIP c'erano già sei o sette persone, tra cui Proust e Barck. Proust era accompagnato da un giovane tutto muscoli in abito scuro che sembrava una guardia del corpo. Berrington presentò Steve a Michael Madigan, direttore responsabile della Landsmann per il nord America.

Berrington mandò giù nervosamente un bicchiere di vino bianco. Steve avrebbe tanto desiderato un Martini – aveva molte più ragioni di Berrington di essere inquieto – ma doveva mantenersi lucido e non poteva permettersi di rilassarsi neanche per un istante. Guardò l'orologio che aveva tolto dal polso di Harvey. Mancavano cinque minuti a mezzogiorno. "Ancora pochi minuti. Quando sarà tutto finito, allora sì che mi farò un bel Martini."

Caren Beamish batté le mani per avere l'attenzione dei presenti e disse: «Signori, siamo pronti?». Tutti assentirono. «Allora vi pregherei di andare tutti ai vostri posti, tranne le persone che devono sedere sul palco.»

"Ce l'ho fatta. È finita."

Berrington si voltò verso Steve e disse: «Mi farò vivo prontamente, mio tenente». Pareva aspettasse una risposta.

«Certo» replicò Steve.

«Come, certo?» esclamò Berrington con un ghigno. «Dimmi il resto!»

Steve si sentì gelare. Non sapeva proprio di che cosa stesse parlando. Sembrava una variazione familiare di "A presto, uomo onesto". Ovviamente ci doveva essere una risposta, ma non era "Subito, ne dubito". Cosa diavolo poteva essere? Dentro di sé Steve imprecò. La conferenza stampa stava per iniziare, avrebbe dovuto tener duro ancora pochi secondi!

Berrington continuò a fissarlo fra il perplesso e il minaccioso.

Steve sentì il sudore imperlargli la fronte.

«Non puoi averlo dimenticato» disse Berrington e Steve colse un'ombra di sospetto nei suoi occhi.

«Certo che no» rispose pronto, troppo pronto. Capì subito di essersi compromesso.

Il senatore Proust li stava ascoltando. «Allora dimmi il resto» ripeté Berrington. Steve vide che lanciava uno sguardo furtivo alla guardia del corpo di Proust, che si irrigidì.

Disperato, Steve rispose: «Tra un'ora, con signora».

Ci fu un attimo di silenzio.

«Bella, questa!» esclamò Berrington e scoppiò a ridere.

Steve si rilassò. Doveva consistere in quello il gioco: ogni volta bisognava inventarsi una risposta nuova. Ringraziò la propria stella e si voltò dall'altra parte per nascondere il sollievo.

«Signori, si va in scena!» disse la pubblicitaria.

«Da questa parte» disse Proust a Steve, «non vorrai mica salire sul palco.» Aprì una porta e Steve entrò.

Si ritrovò in un bagno. Si voltò e disse: «No, questo è il...».

La guardia del corpo di Proust era proprio dietro di lui. Prima che Steve capisse che cosa stava succedendo, l'uomo gli imprigionò dolorosamente le braccia. «Tu fiata e te le spacco» gli disse.

Berrington entrò nel bagno dietro la guardia del corpo, seguito da Jim Proust, che chiuse la porta.

La guardia del corpo teneva il ragazzo saldamente immobilizzato.

Berrington si sentiva ribollire il sangue. «Brutto bastardo» sibilò, «chi sei? Steve Logan, immagino.»

Il ragazzo insistette nella sua finzione. «Papà, che cosa stai dicendo?»

«Piantala, la commedia è finita... dov'è mio figlio?»

Il ragazzo non rispose.

«Berry, che diavolo sta succedendo?» chiese Jim.

Berrington cercò di calmarsi. «Questo non è Harvey» spiegò a Jim. «È uno degli altri, probabilmente Logan. Deve essersi spacciato per Harvey già da ieri sera. Harvey deve essere rinchiuso da qualche parte.»

Jim impallidì. «Questo significa che quello che ci ha detto a proposito delle intenzioni di Jeannie Ferrami era falso!»

Berrington annuì con espressione torva. «Probabilmente ha in programma qualche forma di protesta durante la conferenza stampa.»

«Oh, merda! Non davanti a tutte le telecamere!» esclamò Proust.

«Se fossi in lei, lo farei... tu no?»

Proust rifletté per un attimo. «Credi che Madigan manterrà il suo sangue freddo?»

Berrington scosse la testa. «Non saprei. Ci farebbe una figura da stupido ad annullare l'acquisizione proprio all'ultimo momento, ma d'altro canto ce ne farebbe una ancora più grossa a pagare centottanta milioni di dollari per una società che sta per essere trascinata in tribunale e rischia di dover sborsare in risarcimenti fino all'ultimo centesimo di ciò che possiede. Non so, è difficile immaginare che cosa potrebbe fare.»

«Allora dobbiamo assolutamente trovare Jeannie Ferrami e fermarla!»

«Potrebbe aver preso una camera qui in albergo.» Berrington afferrò il telefono attaccato alla parete di fianco al water. «Sono il professor Jones della conferenza stampa della Genetico nella Regency Room» attaccò con il suo tono più autoritario. «Stiamo aspettando la dottoressa Ferrami... qual è il suo numero di stanza?»

«Mi dispiace, signore, ma non siamo autorizzati a rendere noti i numeri delle stanze.» Berrington stava per esplodere quando la donna aggiunse: «Desidera che le passi la stanza?».

«Sì, certo.» Si sentì il segnale di chiamata. Dopo un po' rispose un uomo che dalla voce sembrava anziano. Improvvisando, Berrington disse: «La sua biancheria è pronta, signor Blenkinsop».

«Io non ho fatto lavare nessuna biancheria.»

«Oh, mi dispiace, signore... qual è il suo numero di camera?» chiese, trattenendo il respiro.

«Ottocentoventuno.»

«Cercavo la ottocentododici. Le chiedo scusa.»

«Nessun problema.»

Berrington riattaccò. «Sono nella stanza ottocentoventuno» disse, tutto eccitato. «Ci scommetto che Harvey è là.»

«La conferenza stampa sta per iniziare» disse Proust.

«Potrebbe essere troppo tardi.» Berrington esitò, combattuto. Non voleva ritardare l'annuncio neppure di un secondo, ma doveva assolutamente prevenire qualsiasi mossa di Jeannie. Dopo un attimo disse a Jim: «Perché non vai sul palco insieme a Madigan e Preston? Io farò del mio meglio per trovare Harvey e fermare Jeannie Ferrami».

«Okay.»

Berrington guardò Steve. «Sarei più tranquillo se potessi portare con me il tuo uomo. Ma non possiamo lasciare libero Steve.»

«Non c'è problema, signore. Posso ammanettarlo a un tubo» disse la guardia del corpo.

«Ottimo. Lo faccia.»

Berrington e Proust tornarono nella saletta VIP. Madigan rivolse loro uno sguardo incuriosito. «Qualcosa non va, signori?»

«Un piccolo problema di sicurezza, Mike. Se ne occuperà Berrington mentre noi procediamo con l'annuncio.»

«Sicurezza?» Madigan non era del tutto soddisfatto della risposta.

«Una donna che ho licenziato la settimana scorsa, una certa Jean Ferrami, è qui in albergo» spiegò Berrington. «Potrebbe tentare qualche gesto teatrale. Ma non glielo permetterò.»

Questo parve tranquillizzarlo. «Bene. Allora procediamo.»

Madigan, Barck e Proust entrarono nella sala. La guardia del corpo uscì dal bagno e si precipitò nel corridoio insieme a Berrington. Premette il pulsante di chiamata dell'ascensore. Berrington era molto nervoso e preoccupato. Non era un uomo d'azione, non lo era mai stato. Il genere di combattimento cui era abituato avveniva in seno ai comitati universitari. Sperava che non fosse necessario fare a pugni.

Salirono all'ottavo piano e corsero verso la stanza ottocentoventuno. Berrington bussò alla porta. «Chi è?» Una voce maschile.

«Servizio» rispose Berrington.

«Siamo a posto, grazie.»

«Devo controllare la stanza, per favore.»

«Torni più tardi.»

«C'è qualche problema, signore?»

«Ho da fare. Torni tra un'ora.»

Berrington interpellò la guardia del corpo: «Riesce a buttare giù questa porta?».

Sembrava che l'uomo non aspettasse altro, poi però guardò oltre le spalle di Berrington ed esitò. Seguendo il suo sguardo Berrington vide un'anziana coppia uscire dall'ascensore carica di sacchetti. Avanzarono lentamente lungo il corridoio in direzione della camera ottocentoventuno. Berrington attese che passassero. I due si fermarono davanti alla ottocentotrenta. Il marito posò le sue borse, cercò la chiave, armeggiò con la serratura e aprì la porta. Finalmente la coppia scomparve all'interno della stanza.

La guardia del corpo diede un calcio alla porta.

L'intelaiatura scricchiolò e si scheggiò, ma la porta resistette. All'interno si sentì un rapido rumore di passi.

L'uomo sferrò un altro calcio e la porta si spalancò.

Si precipitò dentro, seguito da Berrington.

Ma si bloccarono: davanti a loro c'era un anziano uomo di colore con in mano una vecchia pistola.

«Alzate le mani, chiudete la porta, entrate e mettetevi a faccia in giù o vi faccio secchi tutti e due» disse l'uomo. «Visto il modo in cui siete entrati qui dentro, non ci sarà una sola giuria in tutta Baltimora che mi condannerà per avervi uccisi.»

Berrington alzò le mani.

All'improvviso una persona si catapultò fuori del letto. Berrington ebbe appena il tempo di vedere che si trattava di Harvey, con i polsi legati assieme e una specie di bavaglio sulla bocca. Il vecchio puntò la pistola su di lui. Berrington era terrorizzato all'idea che suo figlio potesse restare ucciso. «No!» urlò.

Il vecchio si mosse con un frazione di secondo di ritardo. Le braccia unite di Harvey gli fecero cadere la pistola dalle mani. La guardia del corpo balzò in avanti e la raccolse dal pavimento. Poi si rialzò e la puntò contro il vecchio.

Berrington riprese a respirare.

Il vecchio alzò lentamente le mani.

La guardia andò al telefono. «Mandate qualcuno della sorveglianza alla camera ottocentoventuno» disse. «C'è un ospite armato di pistola.»

Berrington si guardò intorno. Jeannie non era nella stanza.

Jeannie uscì dall'ascensore con la gonna nera e la camicetta bianca, e il vassoio del tè che si era fatta portare dal servizio in camera. Il cuore le batteva come una grancassa. Entrò nella Regency Room con l'andatura veloce e disinvolta di una cameriera.

C'erano due donne sedute di fianco all'ingresso con la lista degli ospiti. Chiacchieravano con un agente della sicurezza. Ovviamente non si poteva entrare senza invito, ma Jeannie sperava che non avrebbero fatto domande a una cameriera con un vassoio. Si diresse verso l'ingresso sforzandosi di sorridere alla guardia.

«Ehi!» fece lui.

Jeannie si voltò.

«Hanno già un sacco di caffè e di altra roba da bere là dentro.»

«Questo è tè al gelsomino, un'ordinazione speciale.»

«Per chi?»

Jeannie rifletté in fretta. «Per il senatore Proust» rispose, pregando che fosse presente.

«Okay, vada pure.»

Jeannie gli sorrise, aprì la porta ed entrò.

In fondo alla sala c'era un palco, con un lungo tavolo, dietro il quale sedevano tre uomini. Sul tavolo c'era una pila di documenti legali. Uno degli uomini stava tenendo un discorso molto formale. Il pubblico era costituito da una quarantina di persone armate di taccuini, piccoli registratori e telecamere portatili.

Jeannie avanzò verso il fondo della sala. In piedi di fianco al palco c'era una donna che indossava un abito nero e occhiali firmati. Appuntato sul petto aveva un tesserino di riconoscimento che diceva:

CAREN BEAMISH
TOTAL COMMUNICATIONS!

Era l'addetta alle pubbliche relazioni che Jeannie aveva già visto in precedenza. La donna la guardò con un'espressione incuriosita ma non tentò di fermarla supponendo, proprio come Jeannie aveva sperato, che qualcuno avesse ordinato qualcosa di speciale.

Gli uomini sul palco avevano davanti un segnaposto con su scritto il loro nome. Jeannie riconobbe il senatore Proust, seduto a destra. A sinistra c'era Preston Barck. Quello nel mezzo, che stava parlando, era Michael Madigan. «La Genetico non è solo una straordinaria società di biotecnologie» stava dicendo con un tono di voce noiosissimo.

Jeannie sorrise e gli posò il vassoio davanti. Lui rimase leggermente sorpreso e smise di parlare per un attimo.

Allora Jeannie si voltò verso il pubblico. «Ho un annuncio molto importante da fare» disse.

Steve era seduto sul pavimento del bagno, con la mano sinistra ammanettata al tubo di scarico del lavandino. Era arrabbiato e disperato. Berrington lo aveva scoperto proprio all'ultimo momento. Ora stava sicuramente cercando Jeannie e se fosse riuscito a trovarla avrebbe rovinato il loro piano. Doveva assolutamente liberarsi per avvisarla.

Nella parte superiore il tubo era collegato con lo scarico del lavandino. Faceva una S e poi scompariva all'interno del muro. Contorcendosi come un'anguilla, Steve riuscì a puntare il piede contro il tubo, si tirò indietro e lo colpì con un calcio. Il lavandino vibrò. Steve gli diede un altro calcio. Nel punto in cui il tubo entrava nel muro, il cemento cominciò a sgretolarsi.

Steve continuò a sferrare colpi. Il cemento si staccò, ma il tubo era solido.

Deluso, esaminò il punto in cui il tubo entrava nel lavandino. Forse lì avrebbe ceduto. Vi si attaccò con entrambe le mani e lo scosse con tutte le forze. Ancora una volta il lavandino tremò, ma il tubo non cedette.

Guardò il sifone. Subito sopra, intorno al tubo c'era una fascetta zigrinata. Gli idraulici la svitavano quando dovevano pulire il sifone, ma usavano un apposito attrezzo. Circondò la fascetta con la mano sinistra, strinse più forte che poté e cercò di girarla, ma gli scivolarono le dita e si sbucciò le nocche.

Picchiò sul fondo del lavandino. Era fatto di un materiale sintetico molto resistente che imitava il marmo. Guardò nuovamente il punto in cui il tubo era collegato con lo scarico. Se fosse riuscito a rompere la guarnizione, avrebbe potuto staccare il tubo. Allora sarebbe stato facile far scorrere fuori le manette e liberarsi.

Cambiò posizione, tirò indietro le gambe e ricominciò a mollare calci.

«Ventitré anni fa la Genetico condusse esperimenti illegali e irresponsabili su otto ignare donne americane» disse Jeannie. Respirava affannosamente ma si sforzava di parlare con un tono di voce normale e scandendo le parole. «Le otto donne erano tutte mogli di ufficiali dell'esercito.» Cercò il volto di Steve tra il pubblico, ma non riuscì a individuarlo. Dove diavolo era? Avrebbe dovuto trovarsi lì... era lui la sua prova!

«Questa è una riunione privata, la prego di andarsene immediatamente» disse Caren Beamish con voce tremante.

Jeannie la ignorò. «Quelle donne si erano rivolte a una clinica di Filadelfia di proprietà della Genetico per sottoporsi a una cura ormonale contro l'infertilità.» Lasciò che tutta la sua rabbia uscisse fuori. «A quelle donne furono impiantati senza il loro consenso embrioni provenienti da sconosciuti.»

Dal gruppo della stampa si levò un mormorio. Jeannie capì che erano interessati.

Alzò la voce. «Preston Barck, che viene considerato uno scienziato responsabile, era così ossessionato dall'idea di diventare il pioniere della produzione di cloni che divise un embrione sette volte, producendo otto embrioni identici, e li impiantò su otto donne ignare.»

Jeannie víde Mish Delaware seduta in fondo alla sala, che là osservava con un'espressione leggermente divertita. Berrington, però, non c'era. Ne fu sorpresa... e anche preoccupata.

Sul palco, Preston Barck si alzò in piedi. «Signore e signori» disse. «Vi chiedo scusa per questa interruzione. Eravamo stati avvertiti che avrebbe potuto verificarsi qualche contrattempo.»

Jeannie proseguì. «Questa vergogna è stata tenuta segreta per ventitré anni. I tre colpevoli – Preston Barck, il senatore Proust e il professor Berrington Jones – erano pronti a ricorrere a qualsiasi mezzo pur di tenerla nascosta, come io ho imparato a mie spese.»

Caren Beamish stava parlando a un telefono interno. Jeannie la sentì dire: «Mandate immediatamente qualcuno della sorveglianza, per favore!».

Sotto il vassoio Jeannie aveva nascosto una pila di copie del comunicato stampa che lei aveva scritto e Lisa fotocopiato. «Tutti i particolari sono contenuti in questo comunicato» disse, e cominciò a distribuirlo. «Da questi otto embrioni estranei» continuò «sono venute alle luce otto persone, sette delle quali sono ancora vive. Le riconoscerete perché sono tutte uguali.»

Dall'espressione dei giornalisti, capì di averli in pugno. Lanciò un'occhiata al palco e vide che Proust aveva una faccia minacciosa, mentre Preston Barck sembrava voler sparire nel nulla.

A quel punto, il signor Oliver sarebbe dovuto entrare con Harvey, in modo che tutti potessero vedere che era la copia esatta di Steve, e possibilmente anche di George Dassault. Ma di loro non c'era alcuna traccia.

Jeannie proseguì. «Verrebbe da pensare che siano gemelli omozigoti – e infatti hanno il Dna identico – ma sono nati da madri diverse. Io studio i gemelli, per professione, e il mistero di questi gemelli nati da madri diverse mi ha spinto ad approfondire questa storia vergognosa.»

La porta in fondo alla sala si spalancò. Jeannie alzò lo sguardo, sperando di vedere uno dei cloni, invece si trattava di Berrington, che si precipitò dentro senza fiato, come se avesse corso, e annunciò: «Signori, questa donna soffre di esaurimento nervoso e ultimamente è stata licenziata. Lavorava a un progetto di ricerca finanziato dalla Genetico e ora cova del rancore nei confronti della società. Il servizio di sicurezza dell'albergo ha appena arrestato un suo complice che si trovava in una delle stanze. Vi prego di pazientare mentre questa persona viene allontanata dall'edificio, poi la conferenza stampa potrà riprendere».

Jeannie era sopraffatta dallo stupore. Dov'erano Harvey e il signor Oliver? E cos'era successo a Steve? il suo discorso e il comunicato non significavano niente senza le prove. Le restavano solo pochi secondi. Qualcosa era andato storto. In qualche modo Berrington era riuscito a neutralizzare il suo piano.

Un agente della sorveglianza entrò a passo deciso nella sala e scambiò qualche parola con Berrington.

Disperata, Jeannie si rivolse a Michael Madigan. Vide che aveva un'espressione glaciale sul volto e capì che era il tipo d'uomo che odiava le interruzioni e gli imprevisti. Ma tentò lo stesso. «Vedo che ha dei documenti legali davanti a sé, signor Madigan» disse. «Non pensa che dovrebbe verificare questa storia prima di firmarli? Supponga anche solo per un attimo che io abbia ragione... immagini quanti soldi potrebbero chiederle queste otto donne come risarcimento!»

«Di solito non baso le mie decisioni sulle rivelazioni di una pazza.»

I giornalisti scoppiarono a ridere e Berrington parve riguadagnare fiducia. L'agente della sorveglianza si avvicinò a Jeannie.

«Speravo di potervi mostrare due o tre di questi cloni» disse Jeannie, rivolta al pubblico «a sostegno di quanto dico, ma... non si sono presentati.»

I giornalisti risero di nuovo e Jeannie si rese conto di essere diventata oggetto dell'ilarità generale. Era finita. Aveva perso.

La guardia l'afferrò per il braccio e la spinse verso la porta. Avrebbe potuto reagire, ma non aveva scopo.

Passando davanti a Berrington vide che sorrideva. Sentì che gli occhi le si riempivano di lacrime, ma le ricacciò indietro e tenne la testa alta. "Andate tutti al diavolo" pensò, "un giorno scoprirete che avevo ragione."

Sentì Caren Beamish, alle sue spalle, che diceva: «Signor Madigan, se vuole riprendere la sua esposizione...».

Jeannie e la guardia erano già davanti alla porta quando questa si aprì di colpo ed entrò Lisa.

Con la più grande meraviglia Jeannie vide uno dei cloni dietro di lei.

Doveva essere George Dassault. Era venuto! Ma uno non era sufficiente... ne occorrevano almeno due per dimostrare la sua tesi. Se solo Steve si fosse fatto vivo, oppure il signor Oliver con Harvey!

Poi, con gioia incontenibile, vide arrivare un secondo clone. Doveva essere Henry King. Si divincolò dalla stretta dell'agente. «Ecco! Guardate!»

Mentre pronunciava queste parole, ne arrivò un terzo. Dai capelli neri capì che si trattava di Wayne Stattner.

«Guardate!» urlò Jeannie. «Eccoli! Sono identici!»

Tutte le telecamere si voltarono verso i nuovi arrivati. Ci fu un'esplosione di flash mentre i fotografi immortalavano la scena.

«Ve l'avevo detto!» disse Jeannie trionfante, rivolta ai giornalisti. «Chiedete a questi tre uomini chi sono i loro genitori! Non sono gemelli... le loro madri non si conoscono neppure! Chiedeteglielo, avanti, chiedeteglielo!»

Si rese conto che dava l'impressione di essere troppo esagitata e si sforzò di calmarsi, ma era difficile, tanta era la sua felicità. Parecchi reporter si alzarono in piedi e si avvicinarono ai tre cloni, impazienti di intervistarli. La guardia afferrò nuovamente il braccio di Jeannie, ma ormai si trovavano al centro della folla e non avrebbero potuto muoversi comunque.

In sottofondo si sentì la voce di Berrington che cercava di sovrastare il vocio dei reporter. «Signore e signori, chiedo un attimo di attenzione!» Esordì con un tono di voce irritato, ma finì col sembrare solo petulante. «Gradiremmo continuare la nostra conferenza stampa!» Era inutile. Il branco aveva fiutato un autentico scoop e aveva perso ogni interesse per quei discorsi preconfezionati.

Con la coda dell'occhio, Jeannie vide il senatore Proust che abbandonava il palco alla chetichella.

Un giovane le piazzò un microfono davanti alla bocca e le

chiese: «Come ha fatto a venire a conoscenza di questi esperimenti?».

«Sono la dottoressa Jean Ferrami, e lavoro come ricercatrice all'Istituto di psicologia della Jones Falls University» disse Jeannie al microfono. «Nel corso delle mie ricerche mi sono imbattuta in questo gruppo di persone che sembrano gemelli omozigoti ma non hanno alcun legame di parentela. Ho approfondito le ricerche e Berrington Jones è riuscito a farmi licenziare per impedirmi di raggiungere la verità. Ciononostante ho scoperto che questi cloni sono il risultato di un esperimento militare condotto dalla Genetico.» Si guardò attorno.

Dov'era Steve?

Steve mollò un ultimo calcio e il tubo di scarico si staccò dal fondo del lavandino con un'esplosione di frammenti di cemento e marmo. Si attaccò al tubo e lo sfilò dal lavandino, quindi fece scivolare fuori le manette. Una volta libero, si sollevò in piedi.

Infilò la mano sinistra in tasca per nascondere le manette che gli pendevano dal polso e uscì dal bagno.

La saletta VIP era deserta.

Non sapendo che cosa avrebbe trovato nella sala della conferenza, uscì in corridoio.

Vicino alla saletta c'era una porta contrassegnata dalla targa REGENCY ROOM. Un po' più avanti, nel corridoio, vide uno dei suoi sosia che aspettava l'ascensore.

Qual era? L'uomo si stava massaggiando i polsi, come se gli facessero male, e aveva un segno rosso sulle guance, uguale a quello lasciato da un bavaglio molto stretto. Doveva essere Harvey, che aveva passato la notte legato come un salame.

L'uomo alzò la testa e incrociò lo sguardo di Steve.

I due si fissarono a lungo. Era come guardarsi allo specchio. Steve cercò di vedere oltre l'aspetto fisico di Harvey, leggere nel suo volto e guardare nel suo cuore, alla ricerca del cancro che lo aveva reso così malvagio. Ma non ci riuscì. Vide solo un uomo identico a lui, che aveva percorso la stessa strada ma preso una direzione diversa.

Staccò gli occhi da Harvey ed entrò nella Regency Room.

Era il pandemonio. Jeannie e Lisa si trovavano al centro di una folla di cameramen. Insieme a loro vide uno, anzi due, tre cloni. Si fece largo verso di lei. «Jeannie!» urlò.

Lei lo guardò, impassibile.

«Sono Steve!» disse.

Di fianco a lei c'era Mish Delaware.

Steve le disse: «Se cerca Harvey, è là fuori che aspetta l'ascensore».

«Riesce a capire qual è questo?» chiese Mish a Jeannie.

«Certo» rispose lei, e poi disse, rivolta a Steve: «Anch'io gioco un pochino a tennis».

Steve sorrise. «Se gioca solo un pochino, allora non è alla mia altezza.»

«Grazie al cielo!» esclamò Jeannie e gli gettò le braccia al collo. Lui le sorrise, si chinò su di lei e la baciò.

Le telecamere furono tutte per loro, i flash impazzirono: la mattina seguente quella foto sarebbe comparsa sulla prima pagina di tutti i giornali del mondo.

IL GIUGNO SEGUENTE

63

Green Lawns ricordava un albergo signorile di un'altra epoca. Le pareti erano ricoperte di carta da parati a fiorellini, e qua e là le stanze erano abbellite da vetrinette con soprammobili di porcellana e tavoli slanciati. L'ambiente profumava di erbe aromatiche, non di disinfettante, e il personale si rivolgeva alla madre di Jeannie chiamandola signora Ferrami, non Maria o cara; ora lei aveva a disposizione una piccola suite, con un salottino dove prendere il tè con gli ospiti.

«Questo è mio marito, mamma» disse Jeannie, mentre Steve le rivolgeva il suo sorriso più affascinante e si chinava per stringerle la mano.

«Che bel ragazzo» disse l'anziana donna. «Che lavoro fai, Steve?»

«Studio legge.»

«Legge. È una bella carriera.»

I brevi momenti di lucidità si alternavano ormai a periodi sempre più lunghi di confusione mentale.

«Papà è venuto al nostro matrimonio» disse Jeannie.

«Come sta tuo padre?»

«Sta bene. Ormai è troppo vecchio per derubare il prossimo, così si è messo a proteggerlo. Ha fondato una agenzia di sorveglianza. Gli affari gli stanno andando bene.»

«Non lo vedo da vent'anni.»

«No, mamma, non è così. Lui viene a trovarti, ma adesso non te lo ricordi.» Poi Jeannie cambiò argomento. «Stai molto bene.» Sua madre indossava una graziosa camicetta di cotone a righe bianche e rosse. Aveva fatto la permanente e le sue mani erano ben curate. «Ti piace qui? È meglio che al Bella Vista, non pensi?»

La madre sembrava preoccupata. «Come farai a pagare tutto questo, Jeannie? Io non ho soldi.»

«Ho un nuovo lavoro, mamma. Possiamo permettercelo.»

«Di che lavoro si tratta?»

Jeannie sapeva che non avrebbe capito, ma glielo descrisse ugualmente. «Sono direttore dei programmi di ricerca genetica di una grossa società che si chiama Landsmann.» Dopo che qualcuno gli aveva spiegato il funzionamento del suo programma di ricerca, Michael Madigan si era affrettato a offrirle il posto. Ora Jeannie prendeva uno stipendio tre volte superiore a quello che le davano alla Jones Falls, ma ancora più esaltante dello stipendio era il nuovo lavoro, che si spingeva oltre i confini conosciuti della ricerca genetica.

«È molto bello» disse la madre. «Oh! Prima che mi dimentichi... c'era una tua foto sul giornale. L'ho tenuta.» Frugò dentro la borsetta, tirò fuori un ritaglio di giornale e glielo porse.

Jeannie aveva già visto quella foto, ma la guardò con attenzione, come se la vedesse per la prima volta. La ritraeva durante l'udienza del Congresso sugli esperimenti della Aventine Clinic. L'indagine non si era ancora conclusa, ma non c'erano dubbi su quello che sarebbe stato il suo esito. La deposizione di Jim Proust, trasmessa in diretta da tutte le reti televisive, si era trasformata in una umiliazione pubblica senza precedenti. Proust aveva reagito con urla, minacce, menzogne, ma a ogni parola la sua colpa era apparsa sempre più evidente. Alla fine si era dimesso dalla carica di senatore.

A Berrington Jones non era stato concesso di dimettersi: era stato il Comitato disciplinare della Jones Falls ad allontanarlo. Jeannie aveva saputo che si era trasferito in California, dove viveva con una piccola rendita passatagli dalla sua ex moglie.

Preston Barck aveva presentato le dimissioni da presidente della Genetico, che era stata messa in liquidazione per pagare i risarcimenti dovuti alle madri degli otto cloni. Una piccola somma di denaro era stata destinata per fornire ai cloni il sostegno psicologico necessario per accettare la loro tragica storia.

Harvey Jones era stato riconosciuto colpevole di incendio

doloso e violenza carnale e condannato a cinque anni di reclusione.

«Il giornale dice che sei stata costretta a testimoniare. Non sarai mica nei guai?»

Jeannie e Steve si sorrisero. «Be', lo scorso settembre, per una settimana, in un certo senso lo sono stata. Ma poi tutto è andato per il meglio.»

«Bene.»

Jeannie si alzò. «Ora bisogna proprio che andiamo. Siamo in luna di miele. Dobbiamo prendere un aereo.»

«Dove andate?»

«In una piccola località dei Caraibi. Dicono che sia il posto più bello del mondo» le rispose Jeannie, poi si chinò su di lei e le diede un bacio.

Jeannie e Steve si avviarono verso la porta.

«Ora riposati, tesoro» le disse la madre. «Te lo meriti proprio.»

Ringraziamenti

Sono profondamente grato a tutti coloro che mi hanno aiutato nelle ricerche per la preparazione de *Il terzo gemello*.

Nel Dipartimento di polizia di Baltimora: i tenenti Frederic Tabor e Larry Leeson, il sergente Sue Young, i detective Alexis Russell, Aaron Stewart, Andrea Nolan e Leonard Douglas.

Nel Corpo di polizia della Contea di Baltimora: il sergente David Moxely e il detective Karen Gentry.

Il magistrato Cheryl Alston, il giudice Barbara Baer Waxman, il sostituto procuratore distrettuale Mark Cohen.

L'infermiera diplomata Carole Kimmell del Mercy Hospital; la professoressa Trish VanZandt e i suoi colleghi della Johns Hopkins University; Bonnie Ariano, direttrice del Sexual Assault & Domestic Violence Center di Baltimora.

Presso la University of Minnesota: i professori Thomas Bouchard, Matthew McGue e David Lykken.

Al Pentagono: il tenente colonnello Letwich e il capitano Regenor.

A Fort Detrick a Frederick, Maryland: Eileen Mitchell, Chuck Dasey, il colonnello David Franz.

Peter D. Martin, del laboratorio della Scientifica della polizia.

Gli esperti di computer Wade Chambers, Rob Cook e Alan Gold.

E in particolar modo sono grato al ricercatore Dan Starer, che mi ha messo in contatto con la maggior parte delle persone summenzionate.

Devo ringraziare anche coloro che mi hanno assistito nella stesura del libro, e cioè Suzanne Baboneau, Marjorie Chapman e Ann Patty; tutti i miei amici e familiari che hanno letto le bozze e mi hanno aiutato con i loro commenti, compresi Barbara Follett, Emanuele Follett, Katya Follett, Jann Turner, Kim Turner, John Evans, George Brennan e Ken Burrows; gli agenti Amy Berkower, Bob Bookman e – in particolar modo – il mio più vecchio collaboratore e feroce critico, Al Zuckerman.

I MITI

George Orwell, *La fattoria degli animali*
Marco Lombardo Radice, Lidia Ravera, *Porci con le ali*
Erich Fromm, *Avere o essere?*
Ernest Hemingway, *Il vecchio e il mare*
John Grisham, *L'uomo della pioggia*
Hermann Hesse, *Il lupo della steppa*
P.D. James, *Sangue innocente*
Sidney Sheldon, *Padrona del gioco*
Stephen King, *Il gioco di Gerald*
Ezio Greggio, *Presto che è tardi*
Enrico Brizzi, *Jack Frusciante è uscito dal gruppo*
Kuki Gallmann, *Notti africane*
Patricia Cornwell, *Insolito e crudele*
Barbara Taylor Bradford, *La voce del cuore*
Francis Scott Fitzgerald, *Il grande Gatsby*
Ken Follett, *Un luogo chiamato libertà*
Stefano Zecchi, *Estasi*
Sebastiano Vassalli, *La chimera*
Dean Koontz, *Il fiume nero dell'anima*
Alberto Bevilacqua, *L'Eros*
Luciano De Crescenzo, *Il dubbio*
John le Carré, *La passione del suo tempo*
Robert James Waller, *I ponti di Madison County*
Rosamunde Pilcher, *I cercatori di conchiglie*
Aldo Busi, *Seminario sulla gioventù*
Susanna Tamaro, *Va' dove ti porta il cuore*
Stephen King, *Misery*
G. García Márquez, *Cronaca di una morte annunciata*
Patricia Cornwell, *La fabbrica dei corpi*
Luciano De Crescenzo, *Panta rei*
David B. Ford, *Il potere assoluto*
Robert Harris, *Enigma*
Frederick Forsyth, *Il giorno dello sciacallo*
Topolino & Paperino, 40 anni di grandi storie Disney

John Grisham, *La Giuria*
Willy Pasini, *Intimità*
Sveva Casati Modignani, *Disperatamente Giulia*
John le Carré, *La spia che venne dal freddo*
Anthony De Mello, *Chiamati all'amore*
Il diario di Anna Frank
Patricia Cornwell, *Oggetti di reato*
Margaret Mitchell, *Via col vento*
Andrea De Carlo, *Treno di panna*
Tiziano Sclavi, *Dylan Dog*
Luciano De Crescenzo, *Ordine e Disordine*
Frederick Forsyth, *Icona*
Paolo Maurensig, *Canone inverso*
Fabio Fazio, *Anima mini tour*
Ken Follett, *Il terzo gemello*
Thomas Keneally, *La lista di Schindler*

I MITI
POESIA

Montale, *41 poesie*
Hikmet, *34 poesie d'amore*
Bukowski, *23 poesie*
Saffo
Emily Dickinson, *51 poesie*
Ungaretti, *37 poesie*
Hesse, *52 poesie*
Machado, *26 poesie*
Kavafis, *53 poesie*
Leopardi, *17 poesie*
Whitman, *O Capitano! Mio Capitano! – 19 poesie*
Majakovskij, *18 canti di libertà*
E.L. Masters, *Spoon River – 56 poesie*
Quasimodo, *53 poesie*
Saba, *39 poesie*
Borges, *46 poesie*
Kerouac, *San Francisco Blues – 71 poesie*
Neruda, *Città, città di fuoco, resisti – 24 poesie*
Lirici greci
Bellezza, *40 poesie*
Rimbaud, *La stella piange – poesie e prose liriche*
D'Annunzio, *27 poesie*
Pessoa, *L'enigma e le maschere – 44 poesie*
Achmatova, *47 poesie*
Bevilacqua, *Poesie d'amore*
Hemingway, *43 poesie*
Pavese, *Poesie del disamore*

Oscar Mondadori
Periodico bisettimanale:
N. 3004 del 02/10/1997
Direttore responsabile: Massimo Turchetta
Registr. Trib. di Milano n. 49 del 28/2/1965
Spedizione abbonamento postale TR edit.
Aut. n. 55715/2 del 4/3/1965 - Direz. PT Verona

ISSN 1123-8356